JN187204

株主総会ハンドブック

第5版

中村直人 編著

商事法務

第5版はしがき

2016年3月に本書第4版が刊行されて7年となる。この間会社法では令和元年改正が行われ、株主提案権の適正化や株主総会資料の電子提供制度が導入された。またコロナ禍を機に、産業競争力強化法の改正が行われ、バーチャルオンリー総会への道も開かれた。バーチャル総会は、質問のチェリーピッキングなどを避け、株主に満足感を持ってもらうためにどのような運営方法が適切であるか、今なお実務のスタンダードが模索されている。

ガバナンスを巡っては、2021年にコーポレートガバナンス・コードの改訂が行われ、2022年には伊藤レポート3.0や人権DDガイドラインの公表、サステナビリティ開示制度の創設、CGSガイドラインの改訂などが相次いだ。時代はESGの方向へ流れているとともに、あくまでも企業価値増大に向けた活動であるという認識とマルチステークホルダー論が交錯している。

さらにウクライナ戦争の勃発や米中経済対立で、世界経済はボーダーレス化からブロック経済化に向かう可能性が高まってきた。ボーダーレス化時代の株主主権主義、規制緩和・任意法規化の流れから、今後は政府の関与が重要になる時代になるかも知れない。重要産業では、半導体新会社の設立やエネルギー政策など、今や政府主導である。経済社会における株主の位置づけが、株主総会の位置づけにも大きく影響する。ガバナンスという言葉も、これまでの監督（モニタリング）よりも、経営方針策定自体の適正化の方が重要になるかも知れない。

このような中で、株主総会に関わる法律解釈論も大きく変化し始めている。代理人による議決権行使に民法の意思表示理論を導入する判例学説は、総会関係は画一的大量処理の組織法であるとの従来の理解を根底から修正するものである。また議決権行使書と「出席」による無効化の時点の解釈変更や、個別議題ごとの委任状の許容など、従来の通説的な理解が次々と変更を迫られている。これらは大きく分けて二つ、任意法規化の流れと「会議」であることの必要性の否定から来ている。いくつもの大きな流れに株主総会実務も対応していかなければならない時代に突入している。

本書第５版では、株主総会資料の電子提供制度とバーチャル総会につき、それぞれ新しい章を設けて解説をした。また、その他の部分でも、判例や法律、ソフトローの改正等にあわせてアップデートした。この激変の時代に本書が実務の幾ばくかの参考になれば、幸甚である。

令和５年２月

執筆者を代表して

弁護士　**中村直人**

はしがき

新しい会社法が施行されて、すでに2年を経過した。本書は、従前、社団法人商事法務研究会から刊行されていた『株主総会ハンドブック』を会社法施行に伴い、全面的に書き改めたものである。

規制緩和をテーマとした会社法のもとでは、株主総会の決議事項にも大きな変動があった。「法と経済学」の考え方が取り入れられ、定款自治の大幅な拡大、会社の計算や資本制度、剰余金分配制度の考え方の変更、強行法規と任意法規の明確化などがなされている。また有限会社法を取り込んだため、商法と比較するとその構造はまったく異なるものになっているように見える。

また、規制緩和は、当事者の自治を意味するものであり、その前提として十分な情報開示による情報の非対称性の解消が必要になる。そのため会社法でも、株主総会参考書類や事業報告などの報告事項の記載事項が大幅に充実されている。

実務においては、株主総会の出席者や発言者はいぜんとして増加傾向にあり、総会の活発化が進んでいる。安定株主の減少や機関投資家の議決権行使活動の拡大、アクティビストの活動なども加わり、取締役会提案の否決・撤回事例も急増し、株主総会は重要な意思決定機能を果たすようになってきた。

本書は、このような状況のもと、実務の参考とならんことを目指したものである。

本書の第Ⅰ編は株主総会の法律に関わる部分を弁護士が執筆した。第Ⅱ編は株主総会の準備から始まり、その開催後までの実務について、経験豊富な実務家が執筆している。第Ⅲ編は株主総会をめぐる法的紛争について弁護士が執筆した。法律に関わる部分については、なるべく多くの学説・判例を引用し、客観的に記述することを心がけた。実務に関する部分においては、実務の実例やその考え方を中心として、実務に携わる者が解決の糸口を見つけられるように配慮した。平成21年１月には株券電子化の実務が動き出すところ、これが株主総会に与える影響についても触れられており、あわせて平成20年11月に公表された最新の株主総会白書の内容をふまえているなど、最新の内容を盛り込むこともできた。

本書が何らかのお役に立つことができれば、幸甚である。

平成20年12月

執筆者を代表して

中　村　直　人

目　次

第2章 定時株主総会のスケジュール 19

第3章 株主総会の準備 25

第5章 株主総会の招集の決定

第6章 狭義の招集通知 119

第7章 事業報告 139

第9章 監査報告　215

第10章 株主総会参考書類　223

第11章 招集通知の発送 265

第12章 株主総会資料の電子提供 281

第16章 議決権の事前行使等

第17章 有価証券報告書の定時株主総会前提出 383

第18章 直前の準備事項・緊急対応 389

第20章 議事の進行 427

第21章 株主総会の議長 439

第27章 バーチャル株主総会 597

第Ⅱ編　例外的手続　647

第1章 書類の閲覧謄写請求　649

第2章
株主提案権　669

第3章 少数株主による招集 705

第4章 株主総会検査役 717

第5章 株主による委任状勧誘 727

第6章 種類株主総会

第Ⅲ編　株主総会をめぐる紛争　773

第1章　株主総会と仮処分　775

第2章 本　訴

第3章 株主総会と刑事事件

凡　例

1　略称を用いる場合の法令の引用について

括弧内略称	本文中略称	正式名称
1　法　律		
法	会社法	会社法（平成17年7月26日法律第86号）
平成26年改正法	平成26年改正会社法	会社法の一部を改正する法律（平成26年法律第90号）による改正後の会社法を特に示す場合
令和元年改正法	令和元年改正会社法	会社法の一部を改正する法律（令和元年法律第70号）による改正後の会社法を特に示す場合
商登	商業登記法	商業登記法（昭和38年7月9日法律第125号）
整備法	整備法	会社法の施行に伴う関係法律の整備等に関する法律（平成17年7月26日法律第87号）
旧商	旧商法	平成17年法律第87号による改正前の商法（明治32年3月9日法律第48号）
	商法特例法	株式会社の監査等に関する商法の特例に関する法律（昭和49年4月2日法律第22号）
	証券取引法	証券取引法（昭和23年4月13日法律第25号）
金商法	金融商品取引法	金融商品取引法（昭和23年4月13日法律第25号）
振替法	振替法	社債、株式等の振替に関する法律（平成13年6月27日法律第75号）
保振法	保振法	株券等の保管及び振替に関する法律（昭和59年5月15日法律第30号）
2　政省令・ガイドライン等		
施	施行規則	会社法施行規則（平成18年2月7日法務省令第12号）
計	計算規則	会社計算規則（平成18年2月7日法務省令第13号）
改正施	改正施行規則	会社法施行規則等の一部を改正する省令（平成27年法務省令第6号）による改正後の会社法施行規則を特に示す場合

改正計	改正計算規則	会社法施行規則等の一部を改正する省令（平成27年法務省令第６号）による改正後の会社計算規則を特に示す場合
商登規	商業登記規則	商業登記規則（昭和39年３月11日法務省令第23号）
金商法施行令	金融商品取引法施行令	金融商品取引法施行令（昭和40年９月30日政令第321号）
振替法施行令	振替法施行令	社債、株式等の振替に関する法律施行令（平成14年12月６日政令第362号）
委任状勧誘府令	委任状勧誘府令	上場株式の議決権の代理行使に関する内閣府令（平成15年３月28日内閣府令第21号）

2　判例集・雑誌などの引用について

民（刑）集	大審院・最高裁判所民事（刑事）判例集
民（刑）録	大審院民事（刑事）判決録
高民（刑）集	高等裁判所民事（刑事）判例集
下民（刑）集	下級裁判所民事（刑事）裁判例集
東高民時報	東京高等裁判所民事判決時報
新聞	法律新聞
法学	法学
判時	判例時報
判タ	判例タイムズ
判評	判例評論
金法	金融法務事情
金判	金融・商事判例
ジュリ	ジュリスト
法教	法学教室
法時	法律時報
商事	商事法務
別冊商事	別冊商事法務
資料版商事	資料版商事法務

第Ⅰ編

定時株主総会の流れ

第Ⅰ編

第1章

株主総会とは

1-1 総　　説

1　最近の株主総会をめぐる規律の変化

本書第4版（2016年刊行）以降の株主総会をめぐる規律の変化をまとめると、以下のとおりである。

まず令和元年改正会社法により、株主総会資料の電子提供制度が導入された（令和4（2022）年9月1日施行、令和5（2023）年3月以降開催の株主総会に適用）。また株主提案権の濫用の防止策がとられた。これらは、IT化に伴う従来からの路線の延長であり、また株主提案権行使の実情に応じた修正である。それ以外には、取締役の報酬に係る規律の改正や補償契約、D&O保険契約に係る規律の改正、上場会社等の社外取締役の設置義務など、コーポレート・ガバナンスを進展させる改正が含まれている。

一方、2020年から始まった新型コロナウイルス感染症の拡大に伴い、株主総会においても、感染防止対策等が必要になった。経済産業省・法務省は、2020年4月2日、「株主総会運営に係るQ&A」を公表し、株主の株主総会への出席抑制の可否などについて指針を示した。また、同月15日の金融庁「新型コロナウイルス感染症の影響を踏まえた企業決算・監査等への対応に係る連絡協議会」が発出した「新株コロナウイルス感染症の影響を踏まえた企業決算・監査及び株主総会対応について」に基づき、金融庁・法務省・経済産業省は、「継続会（会社法317条）について」（2020年4月28日）を発出して、継続会についての指針を示した。これらについては、コロナ禍の下での緊急の解釈にとどまるものか、それとも平時においても適用されうるものかを見定める必要がある。

またコロナ禍を契機に株主総会のバーチャル化に関して、経済産業省は、2020年２月26日、「ハイブリッド型バーチャル株主総会の実施ガイド」を公表した。そこでは、リアルの総会を開催しつつ、バーチャルでの出席を認めるタイプと、バーチャルでの参加（傍聴）を認めるタイプの２つの方法について、法的・実務的論点を整理している。

さらにいわゆるバーチャルオンリー型総会に関しては、2021年に産業競争力強化法を改正して、定款に定めること等の一定の要件の下に「場所の定めのない株主総会」を開催できることとした。

これらの動きを受けて、実務でも、ハイブリッド型総会およびバーチャルオンリー型総会を実施する事例が生じてきている。

バーチャル総会の運営のためには、従来の解釈を変更する必要が生じる論点が多数存在する。議決権行使書の効力と「出席しない株主」の解釈や総会の「場所」の意義、質問と説明義務、動議の取扱いなどである。

最近の学説では、物理的会合は株主総会の本質的な要素ではないとされ(1)、さらにはそもそも会議体で株主総会を開催する意義について強い疑念が表明されている(2)。

従来の学説は、会議体で総会を開催することにガバナンス上の意義を見いだしていたと思われるが、それが覆りつつある。急速な社会生活環境の変化（ウェブ化）と株主総会の活性化以外の方法によるガバナンスの深化が背景にあろう。ただし、この議論は現行法とただちに整合するわけではないから、どこまでが解釈論として成立し、どこからが立法論なのかということを見定めないといけない。

以上のとおり、従来のIT化、ガバナンス強化路線の改正と、コロナ禍を契機とした緊急的もしくは抜本的な株主総会のあり方の見直しが併行しているのが現在の状況である。株主総会の実務としては、新旧いずれの解釈となったとしても適法な総会となるよう留意しなければならない。そのため、

---

(1)　舩津浩司「コロナ禍が示す株主総会の未来像」法時92巻８号（2020）２頁。

(2)　田中亘「会議体としての株主総会のゆくえ――『株主総会運営に係るQ&A』の法解釈と将来の展望」企業会計72巻６号（2020）41頁、松井秀征「バーチャルオンリー型株主総会――その理論的基礎と可能性について」ジュリ1548号（2020）27頁。

当面リアル総会を開催する会社にあっても、バーチャル総会に係る議論を注視する必要がある。

2　株主総会の決議事項と会社法の構造

株主総会の権限について、旧商法230条ノ10は、「総会ハ本法又ハ定款ニ定ムル事項ニ限リ決議ヲ為スコトヲ得」として、限定列挙主義を採用していた。また有限会社法では、社員総会の権限を定める規定は存在しなかったが、法定の事項に限らず、すべての事項について決議することができるものと解されていた(3)。社員総会万能主義である。

会社法は、これらの考え方を基本的に承継しているが、有限会社を株式会社に統合したことから、両者をそのまま合体させ、会社法295条1項で、まず原則として、「株主総会は、この法律に規定する事項及び株式会社の組織、運営、管理その他株式会社に関する一切の事項について決議をすることができる。」と定め、同条2項で、取締役会設置会社においては、「株主総会は、この法律に規定する事項及び定款で定めた事項に限り、決議をすることができる。」と定めた。

株式会社は、そもそも流動性の高い株式を発行することによって、広く一般の投資家から資金を集めるための仕組みであり、そのため必然的に所有と経営の分離が生じることを前提にしている。投資家は、経営の専門家である取締役に経営を委ねることにより、自ら経営またはその監督をする能力がなくても投資をすることができる。そのため、重要な業務執行の決定については、取締役に委任することが前提となる。

しかしながら、会社法の構造としては、旧有限会社を取り込んだことから、上記のとおり、株主総会はいかなる事項についても決議できるとする株主総会万能主義が原則となっている。

---

(3)　上柳克郎ほか編代『新版注釈会社法⒁』（有斐閣、1990）282頁〔前田重行〕。

3　取締役会設置の有無による区分

会社法は、取締役会設置会社の場合には、限定列挙主義をとり、取締役会非設置会社の場合には、株主総会万能主義をとっている。会社法では、すべての株式に譲渡制限が付されている会社（以下「全株式譲渡制限会社」という）では、取締役会を置かないことができる（法327条1項1号）。株式に譲渡制限が付されているということは、株式の流動性が低いということであり、所有と経営が明確に分離していない類型と見ることができる。会社法は、そのなかでも取締役会を設置していない会社について、株主が自ら業務執行の決定をすることができる株主総会万能主義をとっている。

それは取締役会がある場合には、必然的に業務執行の決定権は取締役会に帰属するのであり、その分株主総会の権限は縮小されるのが原則になるからといわれる。しかしながら、取締役会の設置の有無と株主総会の権限の広狭が論理必然的に結びつくものでもないとされている(4)。所有と経営の分離の度合いと権限の帰属（分配）の関係は、絶対的なものではなく、政策的なものであるし、その程度も段階的である。立案担当者としては、会社区分と規律区分の関係のわかりやすさに配慮したとのことである(5)。

4　株主総会の決議事項と定款自治

取締役会設置会社においても、定款に定めれば、株主総会の権限を拡大することができる（法295条2項）。総会の権限を縮小するのは、経営の意思も能力もない株主は業務執行に介入しないのが通常の株主の意思と考えられるからにすぎず、株主がそれを欲するのであれば、拡大を認めて差し支えないからである(6)。基本的には、業務執行に係る内部的な意思決定権限をどの機関に帰属させるかは、経営の効率性の問題である。したがって、各会社（株

(4)　相澤哲＝細川充「株主総会等〈新会社法の解説(7)〉」商事1743号（2005）19頁注2、なお、神作裕之「会社の機関――選択の自由と強制」商事1775号（2006）38頁。
(5)　相澤＝細川・前掲(4)論文19頁。

主）の自由を認めてよい。取引相手からすれば、意思決定権限の所在が会社によってまちまちであるとすると、その帰属を確認する必要が生じて取引コストを高めることになるから、いくつかの会社類型をモデル化する意味がないわけではない。ただし、定款で株主総会の決議事項と定めたとしても、善意の第三者にはそれを対抗できないとされる(7)。

このように取締役会設置会社においても定款によって株主総会の決議事項を拡大することが可能であるから、総会の決議事項の設計は絶対的なものではない(8)。逆に取締役会非設置会社で総会の決議事項を定款により限定することも可能である。

定款により、取締役会の決議事項を株主総会の決議事項とした場合、その分取締役会の権限が縮小するのかどうかという問題がある。立案担当者の説明では、取締役会の法定権限を、定款で失わせることはできないとするようである(9)。会社法348条1項・2項の条文では、「定款に別段の定めがある場合を除き」という限定が付されているのに対し、会社法362条2項にはそのような限定が付されていないことがその根拠とされているようである(10)。したがって、この考え方を採用した場合、定款で当該事項を株主総会の決議事項と定めたとしても、重複して取締役会の決議事項にも該当するということになる(11)。

定款で株主総会の決議事項とすることができる範囲には特段の制限はないから、いかなる事項でも総会の決議事項とすることができると解される(12)。旧商法の解釈では、代表取締役の選任・解任については、株主総会の決議事項とすることができるか議論があり、これを否定する説もあったが(13)、反対

(6)　上柳克郎ほか編代『新版注釈会社法(5)』（有斐閣、1986）25頁〔江頭憲治郎〕。なお、令和元年会社法改正過程において、株主提案権の制限として、業務執行に関する提案を定款変更議案として提出することを制約すべきという意見があったが、改正は見送られた（会社法制（企業統治等関係）の見直しに関する中間試案の補足説明第2・2(3))。

(7)　江頭憲治郎『株式会社法〔第8版〕』（有斐閣、2021）320頁。

(8)　相澤＝細川・前掲(4)論文19頁。

(9)　相澤哲ほか編著『論点解説　新・会社法』（商事法務、2006）262頁・265頁。

(10)　神作・前掲(4)論文38頁参照。

(11)　相澤ほか編著・前掲(9)書264頁・265頁。

(12)　相澤＝細川・前掲(4)論文19頁。

説も強かったところである[14]。会社法では、「株式会社に関する一切の事項」（法295条1項）が株主総会の決議事項たりうるとされている。登記実務においても、総会の決議事項とすることが認められることとなった。最判平成29・2・21民集71巻2号195頁も、取締役会設置会社である非公開会社における、取締役会決議によるほか株主総会の決議によっても代表取締役を定めることができる旨の定款の定めは有効であるとしている。

5　所有と経営の分離と日本の状況

以上においては、所有と経営の分離という観点からの一般的な説明を行ったが、日本のこれまでの状況は、これとも異なる状況であった。所有と経営の分離というのは、その結果、小口の分散化した株主の出現につながり、彼らは経営に口出しをする動機を持たないため（合理的無関心）、経営者が会社の支配権を有するのと同様の状況が生じてしまう（経営者支配）という問題である。しかし、高度成長期の日本の状況は所有と経営の分離に基づく経営者支配とも異なり、株主の持合いによる安定株主の出現とそれによる会社支配（いわゆる法人資本主義）の状況であった。

バブル崩壊後、株式の持合いは大幅に減少し、安定株主比率も大幅に低下してきている。一時期、新自由主義、株主主権主義の風潮が強まったが、リーマン・ショック後は、それも後退している。

令和元年改正会社法では、上場会社等について、社外取締役の設置義務が設けられ（法327条の2）、ガバナンスが進展している。現在ではESGが世界共通の価値観になりつつあり、社外取締役には多様性が求められるようになった。所有と経営の分離という発想からさらに一歩進んだものともいえよう。

---

(13)　大隅健一郎＝今井宏『会社法論中巻〔第3版〕』（有斐閣、1992）209頁。

(14)　江頭・前掲(7)書321頁。

6　株主総会の権限と株主の意思決定権

株式会社では、会社の最終的な意思決定権を株主に帰属させている。それはなぜであるか。実質的な説明としては、余剰利益の帰属者が株主であるため、株主にその会社の意思決定を任せることがインセンティブのうえで最も効率的であるからとされる[15]。形式的には、会社の財産は株主の出資によるのであり、その財産の所有権が変容したものが株主権であるから、それを利用・処分する権限も株主に帰属するとされる（所有と契約による説明）。株主以外の者、たとえば債権者や従業員や取引先などといった者に会社の最終的な意思決定権を持たせるようなモデルは、現実的には想定しがたい（ただし、ドイツには共同決定法がある）。しかし、いずれにしても政策的な問題であり、株主総会もあってもなくてもよいものともいえる[16]。

株主に会社の最終的な意思決定権を持たせるべきであると考える以上、株主総会の権限のうち、最も重要なものについては、立法論としても株主総会の権限から奪うことはできないと解することになろう。おそらく取締役の選任・解任権限や定款の重要な変更権限などはこれに該当するであろう。なお会社法の仕組みとしては、会社法が株主総会の権限と定めた事項を、他の機関の権限とすることはできないとされている（法295条3項）。

7　株主の意思決定権と無議決権株式等

会社法では、完全無議決権株式を発行することが可能である（法105条2項）。永遠に議決権が復活しない株式も有効であるが[17]、その株式の株主はいかなる意味でも議決権を有さないことになる。このことと株主に会社の最終的な意思決定権を持たせることとの関係であるが、これは株主のなかでの議決権の分配の問題であり、債権者や従業員その他との関係での議決権の分

(15)　藤田友敬「株主の議決権〈特集・会社法の論点再考〉」法教194号（1996）20頁。
(16)　松井秀征『株主総会制度の基礎理論：なぜ株主総会は必要なのか』（有斐閣、2010）。
(17)　前田庸『会社法入門〔第13版〕』（有斐閣、2018）103頁。

配の問題ではないから、完全無議決権株式も原則から逸脱するものではないと解することになろう。

完全永久無議決権株式と永久劣後ローンはほとんど同じ金融商品として構成することも可能であろうから、金融技術の発達によって株式と債券の区別があいまいになってきていることは否めない。

従来株式の本質は、余剰利益が帰属すること（自益権）と議決権を有すること（共益権）であったと思われるが、会社法では、議決権については必須ではない。

その他、種類株式の自由化も進み、ある事項について種類株主総会の承認を要するとする種類株式等の発行も可能である（法108条1項8号・9号）。株主間での意思決定権の配分はかなり柔軟にできる。

8　株主総会決議事項の分類

株主総会の決議事項の分類方法はいくつかある。神田秀樹教授は、①取締役・監査役などの機関の選任・解任に関する事項、②会社の基礎的変更に関する事項（定款変更、合併・会社分割等、解散等）、③株主の重要な利益に関する事項（株式併合、剰余金分配等）、④取締役に委ねたのでは株主の利益が害されるおそれが高いと考えられる事項（取締役の報酬の決定等）に分類される。そしてこのうち、③と④については、立法論的には別の考え方もありうるとされる[(18)]。

これらに会社の計算に関する事項を別立てとする考え方もある[(19)]。また①会社の基礎ないし存立条件に関わる事項、②会社の内部の他の機関構成に関わる事項、③株主の経済的利益に関わる事項と分類する説もある[(20)]。

このような決議事項の分類をする意味は、いかなる理由がある場合に、所有と経営が分離するタイプの株式会社であっても株主の意思決定によるべき

---

(18)　神田秀樹『会社法〔第24版〕』（弘文堂、2022）199頁。

(19)　江頭・前掲(7)書319頁。

(20)　宮島司「株式会社における『機関権限分配法理』」奥島孝康＝宮島司編・倉澤康一郎先生古稀記念『商法の歴史と論理』（新青出版、2005）826頁。

とされているのかを分析するためである。さらに、どの事項は株主総会の権限として動かせないものであるかということを考えるところにある。また、これらの分類は、決議要件とも連動する部分がある。

9　権限の具体的な分配の考え方

最近の商法の改正および会社法の制定・改正で、株主総会と取締役会の間の権限の分配は大きく変わりつつある。その考え方にはいくつかの要素がある。まず経営の専門性である。複雑で専門的な事項について株主総会の決議事項としても、株主は適切な意思決定ができず、ひいては企業価値の向上に適さないという問題がある。このような場合には、専門家である経営者に決定を委ねたほうが適切である。また意思決定の迅速性の問題もある。株主総会の決議事項とすれば、臨時株主総会を容易に開催できない公開会社では、意思決定は格段に遅くなる。取締役会の決議事項とすれば、随時開催が可能である。そもそも株主に対して重要な意思決定をすることを求めても、そのためのコストとメリットの関係から、そのようなインセンティブは生ぜず、十分な考慮による判断を期待しえない(21)。

また、株主総会の決議事項とした場合、それによって何らかの問題が発生しても、取締役としては、株主総会の決議に従う義務があるのであるから、少なくとも株主との関係で義務違反を問われることは考えにくくなる。しかし、株主が十分な知識と能力をもって判断したことでないのであれば、それはかえって取締役の責任逃れの隠れ蓑にされるおそれがある(22)。

さらに第三者との関係においても、株主総会の決議事項とした場合、株主は第三者に対して原則として責任を負担することはなく（有限責任）、取締役も少なくとも会社に対する義務違反はないということになれば対第三者責任（法429条1項）を負うとは解しにくく(23)、その結果、債権者との関係で不当な結果を招くおそれがある。

---

(21)　川濵昇「株主総会と取締役会の権限分配〈特集・会社法の論点再考〉」法教194号（1996）29頁。

(22)　稲葉威雄＝大谷禎男『商法・有限会社法改正試案の解説（別冊商事89号）』（商事法務研究会、1986）50頁。超大株式会社の特例について、参照。

10　具体的な権限の縮小・拡大

最近の改正商法および会社法により、株主総会の権限が縮小または拡大した事例を挙げると以下のとおりである。

まず、定款変更であるが、会社法により大幅に規制緩和が進んだが、その多くは定款自治という考え方であり、定款に定めればその選択肢を選択できるというものである。たとえば、定款に定めれば剰余金分配権限を取締役会の権限とすることができる（法459条）とか、定款に定めれば取締役会の書面決議が可能になる（法370条）などである。つまり規制緩和によって新しく選択可能になったものは、多くの場合、定款に定めることが要件とされており、したがって、定款変更議案というかたちで株主総会の権限となっている。機関設計の柔軟化も、定款に定める方法によるのであり（法326条２項）、株主総会の権限ということになる。令和３年の産業競争力強化法の改正によるバーチャルオンリー型株主総会の許容も、定款に定めることが要件となっている（同法66条１項）。

なお、一部の定款変更については、取締役会で変更ができるという例外も生じている（法184条２項・191条・195条１項）。

次に再編関係であるが、簡易組織再編の拡大により、株主総会の権限は縮小している。すなわち、旧商法では、簡易手続が採用できるのは５％の基準であったが（たとえば同法413条ノ３）、会社法ではそれが20％まで拡大している（たとえば法796条２項）。また略式手続が創設され、90％以上の議決権を有する特別支配会社との間の合併等については、株主総会の承認が不要になった（法784条１項等）。また事業の一部の譲渡についても総会の決議を要する範囲が縮小された（法467条１項２号）。事後設立も同様である（同項５号）。これらはいずれも、迅速な意思決定の必要性を配慮したものと考えられる。令和元年改正会社法では、同等の手続による株式交付制度が新設され

---

(23)　弥永真生『リーガルマインド会社法〔第15版〕』（有斐閣、2021）122頁注９。反対、前田重行『株主総会制度の研究』（有斐閣、1997）295頁。なお、江頭・前掲(7)書322頁。

た。

剰余金の分配に関しては、定款に定めれば、取締役会決議事項とすることができる。これは資金の迅速な返戻とその判断の専門性を配慮したものである。その他、剰余金分配時期の制限はなく、現物配当が可能であることも明確化された。

また、臨時計算書類制度も創設された。準備金の資本組入れについては、取締役会決議事項から株主総会決議事項とされた（法448条1項）。一定の場合には、取締役会の決議で資本の減少をすることもできる（法447条3項）。経済的な実態に応じて弾力化したものといえよう。

役員の報酬等に関しては、令和元年改正会社法で、一定の会社は、株主総会決議に基づく取締役の個人別の報酬等の内容についての決定に関する方針を定める義務が設けられ（法361条7項、施98条の5）、それを事業報告で開示することとされている（施121条6号）。そして報酬等の決議事項についての明確化（法361条1項3号）や株式・新株予約権を報酬等として付与する場合の円滑化のための特則（法202条の2第1項1号等）、そして説明義務（法361条4項）などの規律が整えられ、より実効的なガバナンスが可能となった。

役員の解任に関しては、特別決議から普通決議に決議要件が変更されたので（法309条1項）、株主総会の影響力が増している。

社外監査役または会計監査人との責任限定契約を創設する場合も定款変更議案というかたちで株主総会の権限とされた（法427条1項）。会計監査人の責任免除も株主総会の決議事項である（法425条1項）。

その他として、全部取得条項付株式の取得が株主総会の決議事項とされた（法108条1項7号・171条1項）。これは実質的な100％減資等の場合に利用可能な方法であり、その新しい権限が株主総会に与えられたということができる。実務的にはMBO（マネジメント・バイアウト）などの場合に利用されている。

さらに平成26年改正会社法では、総資産の5分の1以上を占める子会社株式の譲渡は、一定の要件の下、株主総会の決議事項とされた（法467条1項2号の2）。また、過半数の支配株主が生じることとなる株式・新株予約権の募集行為は、一定の株主からの反対がある場合には、株主総会の決議事項となった（法206条の2・244条の2）。

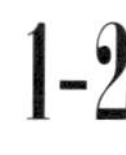

1-2 会社法の定める決議事項

会社法の定める取締役会設置会社における株主総会の決議事項としては、以下のようなものがある。

まず、会社の基本的な事項に関する事項としては、定款の変更（法466条)、合併・会社分割・株式交換・株式移転・株式交付（法783条１項・795条１項・804条１項・816条の３第１項)、事業譲渡・譲受、子会社株式の譲渡（法467条１項)、資本・準備金の減少（法447条１項・448条１項)、解散（法471条３号)、会社継続（法473条)、組織変更（法776条１項）等である。

次に、役員等に関する事項としては、取締役、監査役、会計参与、会計監査人の選任・解任（法329条１項・339条１項)、報酬等の決定（法361条・379条・387条)、責任の免除（法425条１項）などである。

株主の重要な利益に関する事項としては、株式の併合（法180条２項)、剰余金の配当（法453条)、自己株式の取得（法156条)、全部取得条項付種類株式の取得（法171条１項)、募集株式・新株予約権の有利募集（法199条３項・201条１項・238条３項・240条１項）等である。

また、計算関係事項としては、計算書類の承認（法438条２項)、剰余金についてのその他の処分（法452条）などがある。

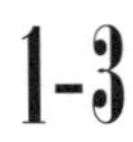

会社法以外の法律が定める決議事項

会社法以外の法令が定める株主総会の決議事項としては、解散後の株式会社による会社更生手続開始の申立て（会社更生法19条）、保険会社の合併等（保険業法165条の3・165条の10）などがある。なお、金融商品取引法に定める公開買付けの規制において、種類株主総会の決議による同意があれば公開買付手続が不要である旨の規定があるが（発行者以外の者による株券等の公開買付けの開示に関する内閣府令2条の5第2項1号イ）、その決議の根拠規定については必ずしも明確でない[24]。

---

(24)　金融庁「提出されたコメントの概要とコメントに対する金融庁の考え方」No.13（平成18年12月13日〔http://www.fsa.go.jp/news/18/syouken/20061213-1/01.pdf〕）。

1-4 決議事項として法律に定めのない事項の決議

取締役会非設置会社においては、決議事項として法律が明文で定めていない事項について決議することができる（法295条１項）。

しかし、取締役会設置会社では、法律または定款に定めていない事項について決議をしても、それは法律上無効である[25]。

最近、敵対的買収防衛策を議案として、特に定款に根拠規定がないにもかかわらず決議をする例があるが、法的には効力はない。そのような株主の意思をふまえているという趣旨である（**第４章４－１**）。

---

(25) 江頭・前掲(7)書314頁。なお、セゾン情報システムズ・東京地判平成26・11・20資料版商事370号148頁。

第Ⅰ編

第2章

定時株主総会のスケジュール

定時株主総会は、一般に事業年度末から3ヵ月以内に開催されている。事業年度末から定時株主総会開催までのスケジュールにおける主なイベントとして、以下のようなものがある。

1　基準日

株主が絶えず変動することが想定される公開会社では、株主総会で議決権を行使できる株主をあらかじめ定めるため、基準日（法124条）を定めることが必要となる。現在の実務では、議決権を行使できる株主を定めるための基準日は、事業年度の終了日と一致させている。これは、剰余金の配当を受ける株主を定めるための基準日を事業年度の終了日と一致させていることから、定時株主総会の決議により剰余金の配当を行う場合を想定すると、配当を受ける株主が定時株主総会の議決権も有するべきであると考えられているからである。

基準日を定めたときは、当該基準日の2週間前までに所定の事項を公告しなければならないが、定款で公告すべき事項を規定している場合は、当該公告は不要となる（法124条3項）。このため一般に、定款には、定時株主総会の議決権の基準日、さらには剰余金の配当受領の基準日を、毎年3月31日等、事業年度の終了日とする旨を定めている[(1)]。

(1)　事業年度末を基準日とすることについては、定時株主総会が事業年度末から3ヵ月以内に開催されることになり、3月決算会社の定時株主総会が6月末に集中する結果となって、株主、とりわけ、多数の上場会社の株式に分散投資している機関投資家が議案を十分に精査したうえで議決権を行使する時間的余裕がなくなるといった問題や、基準日と総会日の間に3ヵ月近くの乖離があるため、基準日には株主であったが株式を売却して総会日には株主でない者が多数出現する可能性があるといった問題が指摘されてきた（浜田道代「新会社法の下における基準日の運用問題――従来の慣行は合理的か〔上〕〔下〕」商事1772号（2006）4頁・1773号13頁、田中亘「定時株主総会はなぜ6月開催なのか」黒沼悦郎＝藤田友敬編・江頭憲治郎先生還暦記念『企業法の理論上巻』（商事法務、2007）415頁）。その後の経済産業省「持続的成長に向けた企業と投資家の対話促進研究会」における議論と報告書のとりまとめ、法人税申告期限に関する税制改正、事業報告の株式に関する事項で記載する大株主上位10名の記載時点に関する会社法施行規則改正、全国株懇連合会における実務対応の検討と定款モデルの整備等によって、実務上の問題点は解決されているが、事業年度末以外の日を基準日として株主総会を開催する会社は数社現れるにとどまっている。

2　計算書類、事業報告の作成、監査と取締役会の承認

定時株主総会の目的は、主として計算書類の承認（報告）、事業報告の内容の報告および剰余金の配当の決定[2]であり、定時株主総会の招集通知に際しては、所定の監査を受けて取締役会が承認した計算書類および事業報告を提供しなければならない（法437条）。決算と監査に相当の時間を要することをふまえれば、事業年度末（議決権の基準日）から３ヵ月以内の期限間際、すなわち３月決算会社であれば６月下旬に定時株主総会が集中せざるをえない要因の１つといえる[3]。

また、各証券取引所は決算発表の早期化を要請しており、期末後45日以内が望ましく、30日以内がより望ましいとしている。この要請に応えて、ほとんどの上場会社は45日以内に決算発表を行っているが、なかには決算発表の時点では取締役会の承認が得られていない会社もある。実務対応としては、会計監査人が監査を終えた段階で決算発表を済ませ、その後の監査手続が終了したところで取締役会の承認を得ることになる。このような取扱いとなる場合は、あらかじめ会計監査人や監査役会とも協議しておくことが望ましい。

なお、計算書類および事業報告ならびにそれぞれの附属明細書（監査報告または会計監査報告を含む）は、定時株主総会の２週間前から５年間本店に、その写しを３年間支店に備え置いて、株主・債権者の閲覧に供し、請求がある場合は謄本もしくは抄本を交付等しなければならない（法442条１項～３項）。

---

(2)　剰余金の配当は、臨時株主総会で決議することができ（法454条）、また、剰余金の配当等の決定を取締役会に授権する旨の定款の定めがある会社では取締役会の決議によることもできる（法459条）ため、定時株主総会の固有の権限というわけではない。

(3)　集中日開催の問題として批判を受けることも多いが、特定日への集中については、ピークであった平成８年の94.2％から令和４年は26.2％まで減少している（資料版商事460号（2022）162頁）。

3　定時株主総会招集の取締役会

取締役会設置会社の株主総会は、取締役会の決議により所定の招集事項を決定して招集される（法298条1項・4項、施63条）[(4)]。取締役会で決議すべき具体的な招集事項は、株主総会の日時および場所、株主総会の目的事項、書面投票制度または電子投票制度を採用する場合はその旨等、会社法298条1項および施行規則63条に詳細に定められている。

4　招集通知の発送

会社は、総会日の2週間前までに各株主に対して招集通知を発しなければならない[(5)]。「2週間前までに」とは、発信日と総会日の間に中2週間あることを意味する。総会日を6月29日（仮に水曜日とする）とした場合、28日㈫を起算日とした2週間前の日、すなわち6月15日㈬の前日である6月14日㈫までに招集通知を発することを要する。

招集通知は発すればたり（発信主義）、会社が株主名簿に記載または記録された住所または会社に届け出られた住所に宛てて通知を発すれば、その通知は通常到達すべかりし時に到達したものとみなされる（法126条1項・2項）。したがって、延着、不着であっても会社はその危険を負わない[(6)]。ただし、会社の過失により誤記し到達しない場合はこの限りでない[(7)]。

最近、招集通知の発送時期に関して、法定の2週間前よりも前倒しで発送する会社が増えている[(8)]。議案を十分に精査する時間を確保したい機関投資

---

(4)　株主が裁判所の許可を得て開催するような特殊な場合（法297条4項）は、当該株主が招集事項を決定して招集する。

(5)　電子提供制度を採用する場合、あるいは書面投票制度または電子投票制度を採用する場合を除き、公開会社でない株式会社は総会日の1週間前までに、また、取締役会設置会社以外の公開会社でない株式会社が1週間を下回る期間を定款で定めた場合にあっては、その期間前までに、招集通知を発すればよい（法299条1項・325条の4）。

(6)　大判大正8・11・18民録25輯2165頁。

(7)　大判昭和12・3・12法学6巻918頁。

家等が招集通知の早期発送を要請しているからである。東京証券取引所は、招集通知を法定期限の２週間前よりも早期に発送すること、株主総会の日の３週間前よりも早期に招集通知を電磁的方法により開示することを努力義務とし（有価証券上場規程施行規則437条⑵・⑶）、コーポレートガバナンス・コードでも、招集通知の早期発送と発送前のウェブサイトへの掲載を求めている（コーポレートガバナンス・コード補充原則１－２②）。なお、電子提供制度のもとでの招集通知の発送時期、電子提供措置の開始時期については、**第12章**を参照されたい。

5　定時株主総会の開催時期

株主総会には定時株主総会と臨時株主総会があり、臨時株主総会はいつでも招集することができる（法296条２項）が、定時株主総会は毎事業年度の終了後一定の時期に招集しなければならない（同条１項）。

一定の時期とは、一定の時点としての特定の日を意味するわけではなく、ある程度の幅を持った一定の期間を意味すると解されており、一般に会社は、その定款で事業年度終了後３ヵ月以内に定時株主総会を招集する旨あるいは毎年６月に定時株主総会を招集する等、一定の期間内に招集する旨を定めている。そして、定款で定める一定期間において、どの時点を総会日とするかは、取締役会の裁量によって決定しうると解されている[9]。

この場合に、取締役は、定款所定の時期に定時株主総会を招集しなければならないが、この義務を正当な理由なく怠ったことにより会社に損害を与えたときは、取締役は任務懈怠による損害賠償責任を負うことになる。また、定款所定の時期に定時株主総会の招集がなされないとき、すなわち、毎事業年度終了後一定の時期に定時株主総会の招集がなされないときは、取締役に

⑻　全国株懇連合会によると、2022年の調査では、法定期限である総会日の２週間前に発送した会社は137社8.6％で前年比2.6ポイントの減少、総会日の３週間以上前に発送した会社は668社41.7％で前年比2.0ポイント増加している（全国株懇連合会「2022年度全株懇調査報告書～株主総会等に関する実態調査集計表～」（2022年10月）99頁）。

⑼　上柳克郎ほか編代『新版注釈会社法⑸』（有斐閣、1986）94頁〔前田重行〕。

対しては過料の処分がなされることになる（法976条18号）。ただし、会社に、天災等のようなきわめて特殊な事情によりその時期に定時株主総会を開催することができない状況が生じた場合にまで、取締役が損害賠償責任を負い、または過料に処せられることはない[10]。

上述のとおり、定時株主総会の開催時期は、定款で事業年度終了後３ヵ月以内あるいは毎年６月等とあらかじめ定めるのが慣例である。定時株主総会の招集にあたり、「一定の時期」をいつにするかについての具体的な定めを定款に置くことは求められていないが、株主にとって定時株主総会の開催時期はきわめて重要な意味を持つ事項だからである[11]。

⑽　河合芳光「定時株主総会の開催時期に関する法務省のお知らせについて」商事1928号（2011）４頁、法務省「定時株主総会の開催について」〔https://www.moj.go.jp/MINJI/minji07_00021.html〕。

⑾　全国株懇連合会編『全株懇モデルⅠ』（商事法務、2016）26頁。

第Ⅰ編

第3章

株主総会の準備

総　説

株主総会、ことに定時株主総会は、１年に一度、企業のトップ以下全役員と株主が一同に会し、報告事項の報告、決議事項の決議ならびに報告事項・決議事項に関する質疑応答を行う場である。企業のトップ以下全役員が関与すること、法的な瑕疵があれば決議取消事由や過料の対象となることからも、会社にとって失敗の許されないイベントであり、入念な事前準備が必要である。

株主総会の事前準備、総会当日の対応、事後手続の主な流れを示すと下図のようになるが、株主総会の準備は、大きく「招集通知および株主総会資料の作成」までの作業と「総会当日の運営」に関する準備に分けられる。以下においては、株主総会の準備におけるいくつかの項目につき留意事項等を中心に記載することとする。

図表Ⅰ－３－１　株主総会の事前準備から事後手続まで

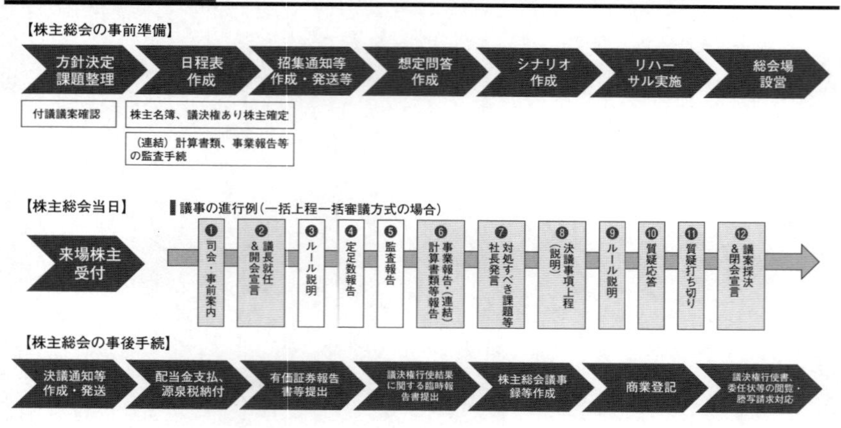

3-2 運営方針、開催方法の決定とスケジュールの作成

株主総会の準備にあたり、まず行うべきことは、「総会の運営方針ならびに開催方法の決定」と「総会関係スケジュールの作成」である。このうち、「総会関係スケジュールの作成」については**第2章**で記載されているため、以下においては、株主総会の運営方針ならびに開催方法の決定につき取り上げる。

株主総会の運営方針ならびに開催方法の決定にあたっては、株主総会の獲得目標をどのように考えるかが重要である。すなわち、「適法な総会」に軸足を置き、簡素な運営とするのか、もしくはSR／IR型総会を志向し、(来場) 株主の満足度を高めることに軸足を置くのかである。SR／IR型を志向する場合、株主総会のDX（デジタルトランスフォーメーション）により、株主総会の報告内容の事前配信や事前質問の受付、バーチャル株主総会や事後配信の実施など満足度を高める施策は選択肢が増えている。株主総会の獲得目標をふまえ、これらをどのように活用するかも検討が必要となる。

また、株主総会資料電子提供制度の導入に伴い、株主にどのような書類を送付するかについても選択肢が増えることになる。いわゆるアクセス通知だけにするのか、フルセットデリバリとするのか、折衷的なアクセス通知＋サマリ版を送付するのか、株主への情報発信のあり方をどう考えるかもふまえ決定することとなろう。

1　適法な総会に軸足を置く場合

たとえば、BtoBの会社で、株主数が少なく、議案の承認可決も問題なく、来場株主もほとんど身内（OB、OG社員もしくは取引先）といった会社では、あえてSR/IR型を志向する意義は希薄であり、適法な総会をクリアすべく、簡素な運営とすることが考えられる。

このような対応方針が望ましいかどうかは別として、このような方針で臨むのであれば、極論すると、総会関係書類は法定記載事項を中心とし、株主への発送も議決権行使書面とアクセス通知とする。また、会場も自社の会議室を使用し、ビジュアル化もシンプルなものとする、また報告内容等も簡素化するなど、基本的に事務局の負担を軽減し、コストも最小限に抑えるという方針が考えられる。

2　株主の満足度向上を重視する場合

一方、BtoCの会社では、「株主＝顧客（消費者）」という構図が成り立つため、来場もしくは来場しない（できない）個人株主の満足度を高めることにより、ファン株主化を図るという施策も考えられる。これにより、長期保有かつ経営陣のサポーターとして会社提案に賛成票を投じてもらうとともに、自社のファンとして売上げにも貢献することが期待できる。このように（個人）株主の満足度向上を重視する場合、個人株主が総会に出席しやすくする工夫として会場の選定やバーチャル総会の実施、お土産（記念品）の用意、ビジュアル化や質疑応答の工夫などが考えられる。さらに総会当日出席しない株主にも招集通知等に目を通してもらい会社を理解してもらう、あるいは事前に議決権行使をしてもらうための工夫が考えられる。上場会社では、株主総会関係資料は電子提供される中で、株主が見やすいようにカラー化や写真、図表、グラフの掲載、あるいは動画も活用することが考えられる。

3　総会の運営方針等決定に際しての検討ポイント

総会の運営方針や開催方法を決定するにあたり、考慮すべき主な点をまとめると以下のとおりとなる。なお、新型コロナ感染対策としての対応については、感染状況をふまえて適宜感染防止策を講ずることとなる[(1)]が、ここでは取り上げない。

①　基本方針	簡素な総会とするか、SR・IR 型総会とするか
②　開催方法	以下のいずれの開催方法とするか (i)　バーチャルオンリー総会 (ii)　ハイブリッド出席型バーチャル総会 (iii)　ハイブリッド参加型バーチャル総会 (iv)　リアルオンリー総会
③　総会関係書類	●株主に送付する書類をどうするか(i)～(iv)のパターンなどが考えられる) (i)　議決権行使書面＋アクセス通知 (ii)　(i)＋株主総会参考書類 (iii)　(ii)＋株主への訴求事項や事業報告等のサマリ (iv)　フルセットデリバリ ●法定記載事項以外の事項をどこまで、何を記載（掲載）するか。株主に送付する書類につき、環境に配慮した用紙・インクを使用するか、カラー化するか ●ウェブサイトに株主総会資料の参考情報として動画を掲載するか
④　シナリオ	●一括上程一括審議方式とするか、個別上程個別審議方式とするか ●監査報告や議決権数の報告、報告事項の報告等を極力簡素化（省略可能なものは省略）するか
⑤　ビジュアル化	●実施するか、対象はどうするか、動画やナレーションを利用するか ●事前もしくは事後にウェブサイトで配信するか
⑥　質疑応答	●事前質問を募集するか ●答弁担当者はどうするか（議長メインか、担当役員メインか、質問により適宜双方で対応か） ●説明義務のない質問への回答スタンスをどうするか（禁止事項に該当しない限り回答するか、説明義務がなければ回答を拒絶するか） ●質疑応答の時間の目安をどの程度とするか

(1)　経済産業省・法務省「株主総会運営に係る Q&A」(2020年４月２日公表、同年４月28日最終更新）など。ただし、新型コロナの５類への移行に伴い見直しの可能性もあり、今後の動向には留意を要する。

	●質問数、質問時間に制限を加えるか、制限を加える場合、どの程度とするか ●事前質問状への対応をどうするか（一括回答を行うか） ●不祥事等があった場合、冒頭にお詫びをするか、別途詳細に報告を行うか ●社外役員指名での質問があった場合の対応をどうするか ●ウェブサイトに質疑応答の概要を掲載するか（総会後）
⑦　会場設営等	●自社会場か借会場か ●バーチャル総会を実施する場合に会場のレイアウトや搬入する機材をどうするか ●商品展示等を行うか ●第2会場は用意するか、双方向性はどのように確保するか
⑧　その他	●総会終了後株主懇談会やイベントを実施するか ●茶菓のサービスを行うか ●手土産を用意するか、何を用意するか、いつ渡すか ●社員株主の出席を求めるか、人数と役割をどうするか ●会場の警備体制をどうするか ●議案の賛否に関する出口調査を実施するか

3-3 決算期日（事業年度末日）までの事前準備

次に、決算期日すなわち事業年度末日までに準備しておくべき事項につき取り上げる。

決算期日を経過すると（連結）計算書類や事業報告の作成作業が本格化するため、以下の事項は決算期日までには実施しておきたい。

1　前年の定時総会での課題整理

定時総会の検討課題を整理するには、まず前年の定時総会での課題を整理することが重要である。

総会関係書類の作成から、想定問答・シナリオの作成、リハーサルの実施、議決権行使集計（票読み）、総会場の設営、総会当日の運営、総会終了後の手続といった一連の作業について改善すべき点がなかったかどうかを確認し、本年の定時総会に活かすことが重要である。

2　本年の検討課題の整理

次に、前年の定時総会の反省をふまえた改善すべき点に加え、以下の観点から本年の定時総会での検討課題の整理を行うことが考えられる。

(1)　総会準備に影響を及ぼす法令・制度改正の有無の確認

総会関係書類作成等に直接的もしくは間接的に影響を及ぼす法令・制度改正の有無を確認し、影響があれば影響範囲の整理とその対応方針を決定する。

(2) 自社の状況と総会準備への影響の確認

業績の状況、マスコミを騒がすような事件の有無等に加え、初議長かどうか、あるいは会場変更の有無、株主構成（株主数）の大きな変更の有無といった自社の状況をふまえ、例年と異なる準備が必要かを判断する。

(3) 付議予定議案と票読み

本年の定時総会で付議が予定される議案につき、前年までの各株主の投票行動をふまえ、票読みを行う。ことに、機関投資家比率、外国人株主比率の高い会社では、機関投資家の議決権行使基準ならびに議決権行使助言会社（ISS、グラス・ルイス等）の方針を確認し、保守的に票読みを行う。仮に自然体では議案の承認可決が厳しいようであれば、賛成票獲得のためのアクションをいつ、誰をターゲットとして、どのような方策を講ずるかを早めに検討・実施することが必要となる。

(4) アクティビストの動向の把握と対応策の実施

アクティビストからの面談要請やホワイトペーパー（経営改革提案書）の提出等のアプローチがある場合、その後の会社側の対応によっては、株主提案等にエスカレーションする可能性がある。アクティビストからのアプローチがある場合、会社として適切に対応できるよう、また株主総会の準備に支障が生じないよう、専門家の知見も活用しながら、早めに対策を講ずる必要がある。

(5) 総会での新たな試みの有無

株主総会に関する新たな試みを実施する場合には、総会の準備にいつ、どのような影響が出てくるのかを確認のうえ、早めの対応方針の決定と準備が必要である。

具体的には、バーチャル総会や事後配信の実施、事前質問の募集、ビジュアル化における動画やナレーションの利用、議決権IT行使（または機関投資家向け議決権電子行使プラットフォーム）の採用、出口投票の採用などが新たな試みとして考えられよう。

3　総会場の予約と関係者のスケジュール調整

総会場が借会場である場合、会場の予約時期については、『株主総会白書2022年版』[(2)]によると「10ヵ月～1年前」が最も多い（1,207社中798社、66.1%）。したがって、総会場の予約はその年の総会が終わったところで、翌年の総会日のあたりをつけ、予約しておくことが必要である。

また、総会日程の作成に関係する面もあるが、総会リハーサルや役員レクチャーは、役員のみならず社外関係者のスケジュールを早めに調整・確保しておくことが重要であるし、計算関係書類の作成・監査日程についても、経理・財務等の関係部署に加え、監査法人や監査役等とも早めに日程調整をしておくことが必要である。

総会関係の作業は、逼迫した日程のなかで多くの事項をこなす必要がある。総合日程（総会関係の事務日程につき全体を俯瞰できるように作成する日程表）をふまえ、関係部署が個別日程（総合日程をふまえたより詳細な日程表）をすみやかに作成することができるよう、総合日程はなるべく早めに（少なくとも決算期末までは）関係者に連携しておくことが望ましい。

---

(2)　商事法務研究会編『株主総会白書2022年版（商事2312号）』（商事法務研究会、2022）46頁〔図表11〕。

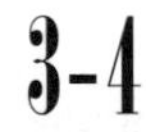

3-4 議決権を行使できる株主の確定

1　基準日制度

株主総会に出席し議決権を行使できる株主は、本来であれば権利行使時点、すなわち株主総会当日の株主とするのが原則である。

しかしながら、株主が多数であり、かつ日々変動する上場会社等においては、株主総会当日の株主を瞬時に確定し、来場株主が議決権を行使できるかどうかを確認することは実質的に不可能である。

そのため、上場会社では、株主総会に先立った一定の日に株主名簿に記載または記録された株主に対し、議決権を与える制度（基準日制度。法124条）により、議決権を行使できる株主を確定するのが通例である。

基準日を設定するには、定款の定めもしくは基準日の２週間前までの公告が必要である（法124条３項）が、定時株主総会の開催や配当については定期的に行われるものであるため、あらかじめ定款に定めておくのが一般的である。定款規定の例は以下のとおりである。

〈規定例１〉株懇モデル

（定時株主総会の基準日）
第○条　当会社の定時株主総会の議決権の基準日は、毎年○月○日とする。

〈規定例２〉

第○条　当会社は、毎年○月に定時株主総会を開催する。
　　２．前項の定時株主総会において議決権を行使できる株主は、毎事業年度末日の最終の株主名簿に記載または記録された株主とする。

なお、基準日は、権利を行使すべき日の前3ヵ月以内に設定することが必要（法124条2項）とされている。

したがって、3月決算会社が事業年度末日現在（毎年3月31日現在）を定時株主総会の議決権の基準日とする場合、基準日は権利を行使すべき日（総会日）の前3ヵ月以内とすることが必要であるが、これは逆にいうと、定時株主総会は基準日（3月31日）から3ヵ月以内（6月中）に開催することが必要ということを意味する(3)。

2　基準日時点での株主名簿作成のプロセス――総株主通知

上場会社については、2009年1月より株券電子化（振替制度）が実施されており、当該制度においては、株主名簿の更新は原則として「総株主通知」により行われることになる（振替法152条）。

総株主通知は、基準日時点での口座管理機関（証券会社等）ごとの株主の情報（所有銘柄、住所、氏名、所有株数、配当金受取方法等）を振替機関（証券保管振替機構）が集約し、集約した結果を株主名簿管理人に通知するもので

(3)　わが国では、事業年度末日を定時総会の議決権行使ならびに期末配当の基準日とするのが通例である。本文に記載のとおり基準日の有効期間は3ヵ月間であり、わが国の上場会社は約6割が3月決算であるため、毎年6月下旬に定時株主総会が集中して開催されることになる。そのため、多数の銘柄を保有する機関投資家からは、株主総会の議案を精査する時間的な余裕がないとして総会の開催時期の分散化を求める声もある。

しかしながら、これらの基準日を必ずしも事業年度末日とする必然性はなく、たとえば3月決算会社でも定時総会の議決権の基準日を4月末や5月末としても法的には差支えない。現に欧米では議決権行使の基準日は決算日と無関係に設定され、定時総会の開催日も決算日から4～5ヵ月程度が一般的とのことである。

こうした問題意識もふまえ、2016年10月の全国株懇連合会『企業と投資家の建設的な対話に向けて～対話促進の取組みと今後の課題～』において、定時株主総会の議決権の基準日の変更に関する実務対応の整理が公表され、併せて平成29年度税制改正において法人税の申告期限の見直しが行われた。これらによって、事業年度の末日と異なる日を議決権の基準日とすることについて、現状実務上の障害は解消されている。しかしながら、2022年6月総会終了時点においても、3月決算の上場会社において、基準日の見直しを行った事例は出ていない。

ある。

総株主通知は、基準日の翌営業日から起算して3営業日目に株主名簿管理人になされるが、総株主通知を受領した株主名簿管理人はその後、必要な情報の付加等の補正作業を経て基準日時点の株主名簿を作成することになる。

3 議決権のない株式の把握——1株1議決権の例外

基準日時点の株主名簿に記載または記録（以下「登録」という）された株主は、原則としてその所有する株式1株につき1個の議決権が付与されることとなる（法308条）。

しかしながら、**図表Ⅰ－3－2**に記載のとおり、実際には基準日時点の株主名簿に登録された株主でも議決権が付与されないケースが少なからず発生する。

図表Ⅰ－3－2 議決権の認められない株式

① 単元未満株式	会社が単元株制度を採用している場合、単元未満株式（1単元100株の場合、1株～99株）に議決権はない。議決権の数も1単元につき1個となる	法308条1項
② 自己株式	会社が保有する自社の株式（自己株式）には議決権が認められていない	法308条2項
③ 相互保有株式	会社（A社）、子会社（A’社）もしくはその合算で、他の会社（B社）の総株主の議決権の数の4分の1以上の議決権を有している場合、B社が有するA社株式は議決権を有しない（子会社が有する親会社株式もこれに含まれる）	法308条1項
④ 議決権制限株式	議決権に一定の制限（制約）がある株式であり、「完全無議決権株式」と「特定議案のみ議決権あり（なし）の株式」に分かれる	法108条1項3号
⑤ 他人名義の喪失登録	株主名簿上の株主以外の者が株券喪失登録をした場合、喪失登録が抹消されるまでの間に議	法230条3項

株式	決権の基準日が到来した場合、株主名簿上の株主（ならびに喪失登録者）は当該喪失登録にかかる株式について議決権を行使できない	
⑥　自己の株式取得議案における売主	売主を特定して株主総会で自己の株式取得に関する議案を付議する場合、当該売主は当該議案につき議決権を行使できない	法160条4項

なお、上記図表の③相互保有株式にあたるかどうかの判定時期は、基本的には会社（**図表Ⅰ－3－2**の例ではA社）の議決権の基準日時点であるが、企業再編等の場合において例外が定められている。具体的なケースは**図表Ⅰ－3－3**を参照されたい。

図表Ⅰ－3－3　相互保有関係の判定時期（基準日以外のケース）

事　由	判定時期
①　株式会社またはその子会社が行った株式交換、株式移転その他の行為により、相互保有対象株主の株式の全部を取得した場合（施67条3項1号）	当該企業再編行為の効力発生日の状況で判定 →　**図表Ⅰ－3－2**③の例で、A社（3月決算会社）が、5月1日付でB社を完全子会社化した場合、その年の6月に開催されるA社の定時株主総会ではB社が所有するA社株式について議決権はない
②　基準日後に、相互保有対象株主の総議決権数または株式会社およびその子会社の有する議決権の数の増加もしくは減少により、相互保有株主の保有株式の議決権の有無に影響を及ぼすこととなることを株主総会の招集事項のすべてを決定するまでの間に会社が知った場合（施67条3項2号）	会社が知った日の状況で判定 →　**図表Ⅰ－3－2**③の例で、A社もしくはA'社が基準日後総会招集取締役会までの間に、B社の募集株式を取得し、B社の総議決権の4分の1以上となる株式を所有することとなった場合、B社が所有するA社株式について議決権はない
③　株主総会の招集事項のすべてを決定した後、株主総会当日までの間に	勘案する事情が発生した日 →　**図表Ⅰ－3－2**③の例で、A社も

生じた事情のうち、会社が相互保有株式の判定に際して考慮することを望む事情がある場合には、当該事情を勘案することができる（施67条4項）	しくはA'社が総会招集取締役会決議後に、B社の株式を処分した結果、所有株式に係る議決権がB社の総議決権の4分の1未満となった場合、B社が所有するA社株式につき議決権を復活させることも可能

なお、**図表Ⅰ－3－2**に記載されているもの以外で、下記(1)～(3)のように議決権の有無が問題となるケースがある。

(1) 株券電子化後の機構名義失念株式

株券電子化実施前の証券保管振替機構名義の書換失念株式については、議決権のある株式ではないと解釈されていた（旧保振法28条3項。保管振替機関は、保管振替機関名義株式につき、株主名簿の記載または記録および株券に関してのみ、株主として権利を行使することができる）。

しかしながら、株券電子化実施に伴い保振法は廃止され、これに代わる「社債、株式等の振替に関する法律」では旧保振法28条3項のような定めはないため、株券電子化前に発生した機構名義の失念株式で株券電子化後も残存しているものは、議決権ありと整理せざるをえない。ただし、証券保管振替機構は、株主宛の通知物の受領を希望していないため、結果的に権利は有するものの、議決権行使ならびに配当金受領等は行わないことになる。

(2) 株式分割の実施と議決権の取扱い

株式の投資単位を適正な価格に調整するため、株式の分割を実施することがある。たとえば、3月決算（議決権基準日が毎年3月31日）の上場会社が、3月末日を基準日として株式の分割を実施した場合、株式分割の効力発生日は株式分割の基準日の翌日に効力発生となる。この場合、その直後に開催される定時総会において、株式の議決権の数は、株式分割の効力発生前・後いずれで判定するのかが問題となる。この点については、あくまで議決権は基準日時点での状況に従い付与されると考えれば、基準日時点での株式数（すなわち分割の効力発生前）の株式数を基に議決権が付与されるものと解される。

(3)　基準日後に取得した株式に関する議決権の取扱い

議決権付与基準日後、株主総会前に株式を取得した場合でも、当該基準日時点の株主名簿に登録がないため、原則として議決権は付与されない。

しかしながら、会社は、基準日後に株式を取得した者の全部または一部を、議決権の行使ができる者と定めることができる。ただし、当該株式の基準日株主の権利を害することができない（法124条４項）とされている。

したがって、たとえば３月決算会社が６月下旬に定時株主総会を開催予定の場合、その年の５月初旬に募集株式の発行もしくは自己株式の処分で当該会社の株式を取得した場合は、会社の決定により、６月下旬に開催される定時株主総会での議決権を付与することが可能である。

実務上は、募集株式発行等の取締役会決議において、その決定事項の１つとして定時株主総会での議決権の付与を決議するとともに、既存株主（投資家）への情報開示の観点から、募集株式発行等の公告（もしくは有価証券届出書等）での記載や適時開示を行うのが通例と思われる。

また、企業再編のケースにおいても、合併や株式交換のケースで、存続会社（完全親会社）ならびに消滅会社（完全子会社）とも３月末決算であり、４月１日を合併等の効力発生日とする場合、６月下旬に開催される存続会社（完全親会社）での定時株主総会において消滅会社等の株主にも議決権を付与することが可能となる。実務上は、合併契約書等において当該議決権の付与に関する規定が設けられるのが通例と思われる。

なお、「当該株式の基準日株主の権利を害することができない」との規定の意味するところは、たとえば、基準日時点でＡ氏名義であったが、その後定時株主総会までの間に譲渡等に伴いＡ氏からＢ氏に名義が変更された場合であっても、Ｂ氏に当該株式に関する議決権を付与することはできないということである。取得者Ｂ氏に議決権を与えるには、その反射効により基準日株主Ａ氏の議決権を剥奪することが必要となり、これはＡ氏の権利を害することとなるためである[(4)]。

4　実質株主の調査

株主総会の議決権は、基準日時点での株主名簿に登録された株主に付与されるが、各議案に対する賛否の決定権限について、当該株式を実質的に保有している者が有するケースがある。

たとえば、資産管理専業の信託銀行（日本マスタートラスト信託銀行、日本カストディ銀行）は、基本的に信託財産の受託者として株式を保有しており、当該資産管理専業信託銀行名義の株式に関する議決権は、委託者等の指図に基づき行使されるのが通例である。

また、外国人株主についても、カストディアン（証券保管銀行）名義になっているケースがあり、この場合、当該カストディアン名義になっている株式に関する議決権は、実質株主（海外機関投資家等）の指図に基づき行使される。

したがって、たとえば賛成票獲得のために株主に個別にアプローチする場合には、名義人ではなく、その背後にいる実質株主（指図権者）に対して行うことが有効である。そのためには背後にいる実質株主が誰かを調査することが必要となるが、実質株主の調査は専門機関に外部委託するのが一般的である。コーポレートガバナンス・コード（補充原則５－１③）では、「上場会社は、必要に応じ、自らの株主構造の把握に努めるべき」である旨が規定されている。実質株主の調査も「自らの株主構造の把握」の一方法と考えられるため、機関投資家比率が一定比率に及ぶ会社では実施の要否につき検討が必要と思われる。

また、機関投資家等実質株主の議決権行使フロー（行使指図を含めたフロー）は、「機関投資家向け議決権電子行使プラットフォーム」を採用する場合と採用しない場合で大きく異なる（**図表Ⅰ－３－４、図表Ⅰ－３－５**を参照）。

---

(4)　募集株式の発行等により既存株主の議決権比率が低下することについては基準日株主の権利を害する場合には該当しないと解されている（山下友信編『会社法コンメンタール(3)株式(1)』（商事法務、2013）287頁〔前田雅弘〕）。

図表Ⅰ－３－４　機関投資家の議決権行使フロー（議決権電子行使プラットフォームを導入する場合）

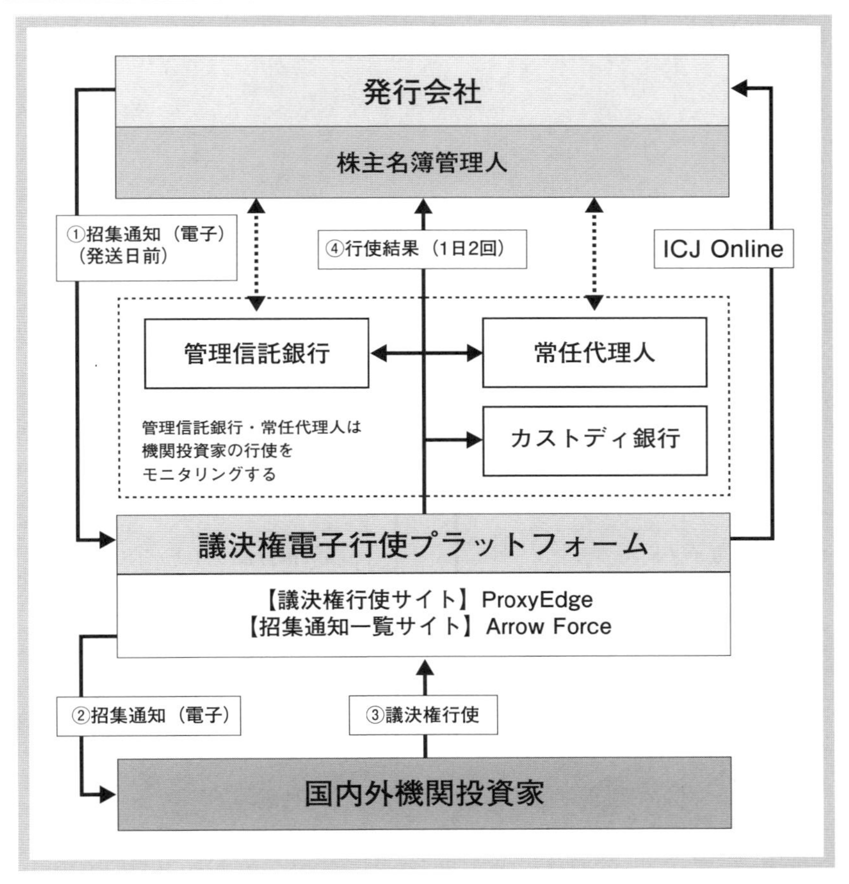

出典：株式会社 ICJ ウェブサイト（https://www.icj.co.jp/service/platform）

5　議決権行使基準のチェック

上場会社では、株主総会での議決権行使結果につき臨時報告書で開示が義務づけられているが（**第25章25－７**）、議決権を行使（指図）する機関投資家サイドも議決権行使結果ならびに議決権行使基準の開示が進んでいる。日本

図表Ⅰ－3－5　機関投資家の議決権行使フロー（議決権電子行使プラットフォームを導入しない場合）

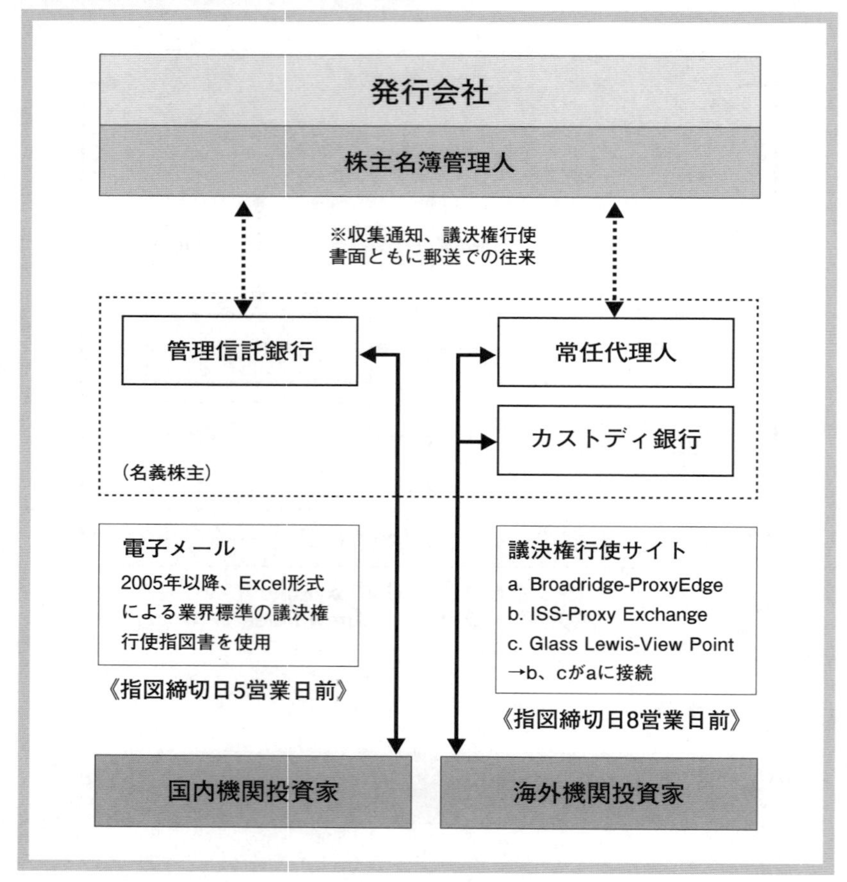

出典：株式会社ICJウェブサイト（https://www.icj.co.jp/service/platform）

版スチュワードシップ・コード原則5（指針5－2・5－3）において、議決権行使についての明確な方針の策定と公表、議決権行使結果につき個別の投資先企業および議案ごとの公表、賛否の理由の公表等が推奨されている[5]。

機関投資家等における議決権行使基準（議決権行使助言会社における賛否の推奨基準を含む）については、アセットオーナーの要請等もあり、年々厳格化の傾向がみられる。たとえば、経営トップの選任議案については、業績基準（ROE 基準等）、不祥事の発生、独立社外取締役の比率、女性役員の選任（ジェンダーの基準）、政策保有株式の保有比率などの基準に抵触し反対票を投じられるケースが多い。また、社外役員の選任議案においては、独立性の基準（大株主、借入先、政策株式の保有先、在任期間等）に抵触し反対票を投じられるケースが多い。さらに、退職慰労金支給議案（金額を開示しない場合や社外役員に支給する場合等は特に厳しい）や敵対的買収防衛策の導入・継続議案、株式報酬議案（希薄化率の基準に抵触する場合や対象に監査役や社外役員が含まれている場合など）においては、厳しいスタンスである(6)。

したがって、これらの議案を付議することが予定される場合、票読みを緻密に行い、必要に応じて賛成票獲得のための手を打つことが必要となる。

なお、新たな動きとしては、議決権行使助言会社や一部の機関投資家において、気候変動対応など ESG への対応に関する基準を新たに策定する動きがみられる。基準の内容は大きく２つに分けられる。まず、気候変動対応等の情報開示等を求める議案について、その提案内容が適切と判断される場合には原則として賛成票を投ずるという趣旨の基準である(7)。次に、気候変動対応等に積極的に取組む必要性が高いと考えられる企業において、取組み状況が不芳な場合等に責任ありと判断される取締役等の選任議案に反対票を投ずるという趣旨の基準である(8)。

---

(5) 日本版スチュワードシップ・コードの受入れを表明している内外機関投資家等は2022年11月30日時点で322にのぼる〔https://www.fsa.go.jp/singi/stewardship/list/20171225.html〕。

(6) 機関投資家の議決権行使基準や行使結果、議決権行使助言会社の賛否の推奨基準は、各機関投資家、議決権行使助言会社のウェブサイトに掲載されている。

(7) たとえば、三井住友 DS アセットマネジメント、りそなアセットマネジメント、アセットマネジメント One の議決権行使基準など。

(8) たとえば、三井住友トラスト・アセットマネジメント、りそなアセットマネジメント、野村アセットマネジメント、大和アセットマネジメント、ブラックロックジャパンの議決権行使基準など。なお、ISS およびグラスルイスは、2023年より、Climate Action 100+ の銘柄等を対象に、気候変動対応に関する情報開示が不十分な場合、（責任ある）取締役に対し反対推奨することとすることを公表している（ISS「2023年版 日本向け議決権行使助言基準」、GLASS LEWIS「2023 Policy Guidelines」（日本語版））。

3-5 議題の選別・確認

定時株主総会では、報告事項として「事業報告、(連結) 計算書類の内容報告と連結計算書類に関する監査結果の報告」が必要となるが、これ以外にも必要に応じ株主総会で決議すべき議案を付議することができる。

上場会社で経常的に付議される議案としては以下のものが考えられるが、各社においては次回の定時総会で付議が必要な議案、付議の可能性がある議案を確認し、付議漏れがないように、また付議が決定した際にも慌てないように事前の確認や準備をしておくことが必要である。

(1) 剰余金処分・配当議案

剰余金の処分・配当の実施については、定款で取締役会に授権していない限り株主総会で決議することになる。

剰余金の処分や配当が実施されない場合は、株主総会での付議は不要であるが、株主にとって配当の有無は重要な情報であるため、無配となる場合は、その旨を事業報告で記載するなどの工夫が必要であろう。

なお、剰余金の配当の額は、各社の配当方針等に基づき決定されることとなると思われるが、配当の額の決定等の理由は「提案の理由」として記載することが必要である。

近年、配当等株主還元については機関投資家のみならず、個人株主の関心も高いため、各社の配当方針等をふまえた配当額となっているかどうか、また配当方針も見直しの余地はないか確認が必要であろう。

(2) 定款変更議案

会社法においては、各制度の採用につき会社の裁量に任せるものが多く、当該制度採用にあたり定款の定め（株主総会の特別決議）を求めているものが多数である。

また、法令・制度改正等に伴い定款規定の改正が必要となるケースやその時々の情勢をふまえ、自社の判断により定款の定めを見直す必要が出てくることもある。

このように、各社の定款につき法令・制度改正等に伴い変更が必要になる箇所がないか、あるいは自社において定款変更が必要となる制度変更（採用）等を行うかどうかを確認する必要がある。

(3)　取締役選任議案

取締役人事はトップマターであり、事務局での早期の情報入手は難しい面もある。そのため、まずは取締役の任期満了時期の確認（特に任期２年の会社で補欠選任された取締役）や社外役員が任期満了となり新任候補者となる場合に備えて株主総会参考書類への記載事項等のヒアリング時期・方法（ヒアリングシートを使用する場合はその準備）の確認等をしておき、候補者の情報入手後、すみやかに対応できるようにしておく必要がある。

なお、監査役会設置会社から監査等委員会設置会社等へ機関設計を変更する場合は、当該機関設計変更に関する定款変更の効力が生じた時に、現任の取締役の任期は満了することになる（法332条７項）。そのため、機関設計に関する定款変更を上程する株主総会において、あらためて監査等委員でない取締役の選任議案を上程することが必要となる。また、監査役会設置会社において、定款を変更し、取締役の任期を「２年以内」から「１年以内」に短縮する場合、定款変更時にまだ１年任期を残す現任の取締役についても、当該定款変更の効力が適用され、定款変更を決議した定時総会終結の時をもって任期満了となるものと解されている。

したがって、任期を残す現任取締役につき、引き続き取締役として就任し続けるためには、当該定款変更を行う定時株主総会において、任期を残す現任の取締役をあらためて取締役として選任する議案を付議するか、もしくは定款の附則において、現任の取締役の任期は従前どおり２年以内とする旨の定めを置くことが必要となる。

仮に、定款の附則で現任の取締役の任期を従前どおりとする旨の定めを設けた場合でまだ任期2年以内の取締役が存在する間は、剰余金の処分権限を取締役会に委譲する定款の定めをしても、実際に取締役会決議により剰余金の処分は行えないことになる点に留意が必要である（法459条1項柱書かっこ書参照）。

(4) 監査役選任議案

監査役の場合も、取締役と同様、任期満了の監査役の有無の確認（ことに補欠選任された監査役の場合や任期満了時期が一致していない場合に注意が必要）、新任の社外監査役候補者への対応等が必要となる。ことに監査役会設置会社においては、社外監査役については監査役の半数以上が必要となることから（**第4章4－3■2(4)②(a)**）、万一欠員状態となる場合に備えての「補欠役員」の選任議案の要否も検討事項となる。

また、内外の機関投資家においては、社外監査役につき機関投資家の定める「独立性」を要求し、独立性の基準に該当しない場合、厳しいスタンスをとるケースも目立っている。また、在任年数が長期にわたる場合や取締役会への出席率が低い場合も厳しいスタンスのところが多いようだ。自社の社外監査役（候補者）につき、独立性を充足していないと判断される場合や在任期間が長期（たとえば12年以上など）となる場合、取締役会の出席率が75％未満の場合等には、票読みを綿密に行い、必要に応じて賛成票獲得の方策をとることも検討が必要となる。

(5) 取締役の報酬等の議案

取締役の報酬等の額を改訂する場合および株式報酬（ストック・オプション）制度を新たに導入（もしくは改訂）する議案などが考えられる。

令和元年改正会社法により、取締役の報酬等に関する議案を付議する場合には、確定額報酬等の改訂の場合についても、当該株主総会においてその改訂を「相当とする理由」の説明ならびに株主総会参考書類への記載が必要とされているので（法361条4項、施73条1項2号）留意が必要である。

また、上場会社において、取締役の報酬として株式報酬や新株予約権（ストック・オプション）の付与を行う場合、令和元年改正会社法により、株主総会で決議すべき事項ならびに株主総会参考書類への記載事項が明確化された（法361条1項3号～5号、施98条の2・98条の3・98条の4）。

さらに、取締役の報酬等として募集株式を金銭の払込みを受けずに付与すること、ならびに募集新株予約権（ストック・オプション）につき、付与および行使に際して金銭の払込みを不要とすることも可能である（法202条の2第1項1号・236条3項1号）。

コーポレートガバナンス・コード（補充原則4－2①）では、「経営陣の報酬が持続的な成長に向けた健全なインセンティブとして機能するよう、……中長期的な業績と連動する報酬の割合や、現金報酬と自社株報酬との割合を適切に設定すべきである。」と規定している。

株式報酬やストックオプションは、自社株報酬の典型例といえるが、最近では信託設定型の役員向け自社株報酬制度や譲渡制限付株式報酬制度を採用する会社が増加している[(9)]。

(6)　退職慰労金支給議案

退職慰労金制度については、『株主総会白書2022年版』の調査結果によると制度のある会社は154社（8.0％）であり年々減少している[(10)]。したがって、現在制度のある会社でも、今後廃止される可能性もある。

退職慰労金制度廃止についてもトップダウンで決定されることが多いと考えられるため、打切り支給や代替措置としての報酬制度改定の際の議案の付議やその他の手続につき、指示が降りてきた場合に慌てることのないよう他社の事例等を研究しておくことが必要であろう。

(7)　敵対的買収（同意なき買収）防衛策更新議案

敵対的買収防衛策については、新規導入の事例はごく少数であり、大多数が有効期間満了に伴う更新の議案である。

---

(9)　三菱UFJ信託調べでは、2022年6月30日時点で累計の導入社数は、譲渡制限付株式制度（業績連動分を除く）が1,284社、信託型株式報酬制度が923社となっている。

(10)　商事法務研究会編・前掲(2)白書174頁〔図表174〕。

まずは、次期定時株主総会終結の時をもって買収防衛策が更新時期を迎えるかどうかの確認が必要であり、更新時期を迎えるのであれば、更新するかどうかの方針決定、更新するのであれば方針の見直しの要否の検討、機関投資家の厳しいスタンスをふまえた票読みの実施と必要に応じて賛成票獲得の方策の検討・実施が必要となる。

⑻　補欠役員選任

会社法329条３項により、役員の欠員（法定員数もしくは定款所定の員数の欠員）に備えて、総会で補欠の役員を選任することが認められている。

補欠役員の任期については、①補欠役員選任の有効期間と②欠員等により就任した補欠役員の任期満了時期について留意が必要である。

①　補欠役員選任の有効期間

補欠役員選任の効力の有効期間については、定款で別段の定めがない限り、補欠役員の選任決議後最初に開催する定時株主総会の開始の時までである（施96条３項）。したがって、定款での特段の定めがない場合には、補欠役員を選任するかどうか毎年の定時株主総会で検討が必要となる。

なお、補欠役員（補欠監査役）選任の効力に関する定款での別段の定めであるが、「補欠監査役の選任に係る決議が効力を有する期間は当該決議によって短縮されない限り、当該決議後４年以内に終了する最終の事業年度に関する定時株主総会の開始の時までとする」等の定めが考えられる。この場合は、当該定款の定めにより、有効期間の満了時を確認することが必要となる。

②　補欠役員が役員に就任した場合の任期

役員の欠員により補欠役員が実際に役員に就任した場合の任期満了時期についても留意すべき点がある。すなわち、役員の任期は補欠役員として選任された時（総会時）から起算されるため、たとえば補欠監査役の場合、補欠役員としての選任後（就任後ではない）４年以内の最終の事業年度に関する定時株主総会終結時に任期満了となるものと解されるが、一方、定款で補欠監査役の任期につき前任者の残任期間とする旨の定めがある場合、いずれを優先させるべきか問題となる。この点、前任者の残任期間の満了時期が早く到来する場合には、残任期間満了時に任期満了となるものと思われる。

(9)　会計監査人選任

会計監査人については、その任期が選任後１年以内に終了する事業年度のうち最終のものに関する定時株主総会終結時までであるが、当該定時株主総会で別段の決議がされなかったときは、当該定時総会で再任されたものとみなされる（法338条）。

このように任期は１年であるものの、任期満了となる定時総会で会計監査人不再任もしくは会計監査人変更の議案が承認可決されない限りは再任となる。

なお、会社計算規則59条２項により、決算期変更後の最初の事業年度については、１年６ヵ月を超えない範囲とすることが可能となっている。この場合、決算期変更直後の会計監査人の任期について「選任後１年以内に終了する事業年度」がないこととなる場合には、当該決算期変更に係る定款変更が効力を生じるときに、当該会計監査人は退任することとなる（みなし再任の規定は適用とならない）。よって、当該定款変更後ただちに会計監査人を選任することが必要となるので留意が必要である。

また、当該定款変更後選任された会計監査人の任期は、変更後の事業年度が選任後１年以内に終了しないときでも、当該事業年度に関する定時株主総会の終結の時に退任すると解されている。したがって、事業年度末変更に関する定款変更議案を先に付議し効力発生させた後、会計監査人選任議案を付議すれば、当該会計監査人の任期満了時期については次期定時株主総会の終結時となることになる（任期は１年を超えて終了する事業年度に関する定時株主総会終結時までとなる）。

なお、平成26年改正会社法により、会計監査人の選任・解任・不再任の議案は監査役会（監査等委員会、監査委員会）が決定権者となっているので、会計監査人関係の議案の付議の要否につき監査役会等での検討、決定プロセスを明確にしておく必要がある。

3-6 計算書類等、連結計算書類の確定手続

株式会社では、定時株主総会の招集の通知に際して以下の書類を株主に提供することが義務づけられている（法437条・444条6項）。

① 計算書類（貸借対照表、損益計算書、株主資本等変動計算書、個別注記表）および監査報告
② 事業報告および監査報告
③ 連結計算書類（連結貸借対照表、連結損益計算書、連結株主資本等変動計算書、連結注記表）

したがって、上記各書類については、招集通知の作成に間に合うよう、必要な手続を経て内容を確定することが必要である（各書類の記載事項の詳細は、**第7章**、**第8章**、**第9章**参照）。

また、上場会社は、株主総会資料電子提供制度（法325条の2以下）が一律に適用されるが、同制度のもとでは、計算書類（監査報告含む）、事業報告（監査報告含む）、連結計算書類等については、株主総会の日の3週間前の日または招集通知の発信日のいずれか早い日（電子提供措置開始日）から株主総会の日後3カ月を経過するまでの間、電子提供措置を講ずる必要がある（法325条の3）。したがって、電子提供措置開始日に間に合うように、さらには書面交付請求のあった株主に招集通知（アクセス通知）とともに送付するのに間に合うように、必要な手続を経て内容を確定させることが必要である。

さらに、コーポレートガバナンス・コード（補充原則1－2①）や東京証券取引所など各証券取引所は法定期限より前倒しでの情報開示を求めており（東京証券取引所有価証券上場規程施行規則437条等）、法定期限前に開示等ができるように努める必要がある。

1　計算書類の作成・監査手続

会計監査人設置会社（かつ監査役（会）設置会社）における計算書類確定までの一連の手続の流れは以下のとおりである。

⑴　計算書類の作成 ⑵　監査手続 　①　会計監査人の監査結果の通知 　②　監査役（会）の監査結果の通知 ⑶　取締役会での承認 ⑷　定時株主総会での承認もしくは報告

計算書類（および附属明細書）は担当取締役（経理等担当の取締役）が作成し、監査手続に付すが、会社法制定前の商法のもとで必要とされていた監査手続前の計算書類承認の取締役会は不要である。取締役会は、監査手続が終了した計算書類を承認すれば足りる（法436条３項）。ただし、会計監査人や監査役会に提出するにあたり、常務会や経営会議での承認や取締役会での報告を行うことも差し支えない。

監査役会設置会社かつ会計監査人設置会社を前提に、その後の監査日程（会計監査人の会計監査報告、監査役（会）の監査報告）について述べると以下のとおりとなる。

まず、会計監査人の会計監査報告は、「計算書類の受領日から４週間を経過した日」、「附属明細書の受領日から１週間を経過した日」、「特定取締役・特定監査役・会計監査人の合意により別途定める日」の『いずれか遅い日』までに提出することとされている（監査期間を短縮する合意は認められない。計130条１項１号）。したがって、監査日程を早く終了させるためには、計算書類等をいかに早く作成して監査手続に回すことができるかが鍵となる。

次に、監査役会の監査報告は、「会計監査報告の受領日から１週間を経過した日」、「特定取締役・特定監査役の合意により別途定める日」の『いずれか遅い日』までとされている（計132条１項１号）。ここで監査役会の監査報告作成にあたっては、各監査役が作成した監査報告に基づき１回以上監査役会を開催して監査役会監査報告の内容を審議することが必要となる（計128条3項）。

なお、以上の会計監査人ならびに監査役会の監査報告の提出期限の定めにかかわらず、監査手続を早期に完了し監査報告の提出を行った場合には、結果的に日程を前倒しで進めることが可能となる。

以上の監査手続を経て、計算書類につき取締役会で承認を行うことになる。

そして、会計監査人の会計監査報告が無限定適正意見であり、監査役会監査報告も相当意見であれば、計算書類は取締役会の承認で確定することになり、定時株主総会ではその内容を報告すれば足りることとなる（法439条。**第4章4－2**）。

このように、会計監査人設置会社については、株主総会招集の取締役会までに計算書類の監査が終了していないと、株主総会の議案を確定することができなくなる（報告事項か計算書類承認議案とする必要があるかが確定しない）ため、どんなに遅くとも株主総会招集の取締役会までには会計監査人と監査役会の監査報告を受領しておく必要がある。

2　事業報告の作成・監査手続

事業報告（および附属明細書）については、監査役（会）のみが監査を行う（法436条1項・2項）点が計算書類と異なる。また、監査役（会）のみが監査を行うため、「事業報告作成 → 監査役会監査報告作成 → 取締役会で承認」という手続により内容が確定することとなる。

ただし、事業報告および附属明細書について監査法人の会計監査の過程でその記載内容を通読し、監査法人との重要な認識相違がないかなどにつき「その他の記載内容」として監査報告書に記載することが求められる（計126条1項5号）[11]。この作業のため、監査法人（会計監査人）に対しても事業報

(11)　日本公認会計士協会・監査基準委員会報告書720「その他の記載内容に関連する監査人の責任」（最終改正2021年1月14日）。

告ならびに附属明細書の提出が求められることが考えられる。提出日等につき調整しておく必要がある。事業報告の内容確定までの流れとしては、まず事業報告作成担当取締役（総務担当取締役等）が事業報告を作成し、特定監査役に提出するところからスタートとなる。特定監査役は各監査役に事業報告の内容を連携し、各監査役が作成した監査報告に基づき1回以上監査役会を開催して監査役会監査報告の内容を審議のうえ、監査役会監査報告を作成する（施130条）。監査役会監査報告の提出期限は、「事業報告の受領日から4週間を経過した日」、「事業報告の附属明細書の受領日から1週間を経過した日」、「特定取締役および特定監査役の間で合意した日」の『いずれか遅い日』までとされている（施132条）。

監査手続が終了したところで、事業報告（および附属明細書）について取締役会の承認を経て内容が確定し、当該事業報告の内容は定時株主総会に提供・報告されることとなる（法438条）。

事業報告の記載事項ならびに留意事項等については、**第7章**を参照されたい。

3　連結計算書類の作成・監査手続

大会社かつ有価証券報告書提出会社は、連結すべき子会社が存在する場合は連結計算書類（連結貸借対照表、連結損益計算書、連結株主資本等変動計算書、連結注記表）の作成が義務づけられている。

連結計算書類の作成・監査手続は、計算書類（および附属明細書）の手続と同様の点も多いが、以下の点が異なる。

まず、連結計算書類の会計監査報告の提出期限については、「連結計算書類の受領日から4週間を経過した日」、「特定取締役、特定監査役、会計監査人の合意により別途定める日」の『いずれかの日』までに提出することとされている（計130条1項3号）。したがって、単体の計算書類と異なり、当事者間で監査期間を短縮する合意がされれば、そちらが優先されることになる（監査役会の監査報告も同様に期間短縮の合意がされれば、そちらが優先される）。実務上も単体の計算書類承認の取締役会と連結計算書類承認の取締役会を同一の日に行う会社が少なからずあり、この場合には、連結計算書類の監査報告提出期限につき期間短縮の合意を行っているものと推察される。

以上のとおり、会計監査人ならびに監査役会との間で、事前に計算書類と連結計算書類の監査日程につき入念に打合せを行い、監査手続が円滑に進むように調整することが重要である。

さらに、連結計算書類については、監査報告の内容にかかわらず、監査手続を経て取締役会で承認されるとその内容は確定する点も異なっている。そのため、定時株主総会では連結計算書類の内容とともに、監査結果の内容についても報告することとされている（法444条7項）。

なお、連結計算書類については、計算書類や事業報告と異なり附属明細書を作成する必要はないし、本支店への備置も不要である。

4　特定取締役と特定監査役

監査報告の提出期限に関する法令の定めのなかで「特定取締役」と「特定監査役」という用語が出てくる。これは、監査報告の通知を行う、もしくは通知を受領する権限を有する取締役もしくは監査役である（計130条4項・5項等）。

特定取締役は、取締役の互選等により定められた場合はその者が、特段の定めをしない場合は「計算書類作成担当の取締役（及び執行役）」が該当する。

一方、特定監査役は、監査役会設置会社の場合、監査役会で定めた場合はその者が、特段の定めをしない場合は「すべての監査役」が該当する。ここで、すべての監査役が特定監査役であるという意味は、監査役のいずれか1名から監査結果が通知され、また監査役のいずれか1名に監査結果を通知すれば足りることを意味する。

実務上は、監査手続において特段の混乱がなければ、あえて特定取締役、特定監査役を定める必要性は希薄であると思われる。

3-7 招集通知の作成・発送

（連結）計算書類および事業報告等の監査手続が終了後、（連結）計算書類ならびに事業報告等の承認の取締役会を行い、併せて株主総会招集の取締役会を行い、株主総会の日時・場所等とともに株主総会の目的事項（報告事項と決議事項〔株主総会参考書類の記載事項〕）を決議する。

その後、同時並行的に行っていた株主総会の招集通知の内容を確定させ、電子提供措置をとるとともに、印刷会社から株主名簿管理人に納品のうえ、株主名簿管理人にて封入・発送の手続を行うのが通例である。

なお、株主総会参考書類や事業報告、（連結）計算書類等については、電子提供制度が開始されている。2022年９月１日時点で上場している会社については、2023年３月総会から順次適用が開始されるが、招集通知（一体型アクセス通知）の記載事項はどのように変わるのか確認が必要となる。さらに、電子提供制度下における株主への通知物をどのようにするのか、ウェブサイトに掲載する情報をどのようなものにするのか、書面交付請求のあった株主に送付する電子提供措置事項の書類の範囲をどのようにするのかなどは重要な検討事項である。この点については、**第12章**を参照されたい。

また、株主総会の招集通知（アクセス通知）ならびに電子提供措置が必要な各種書類の記載事項や記載上の留意事項については**第６章〜第10章**を参照されたい。

3-8 想定問答の準備

1　想定問答作成の目的

株主総会において、会社役員は、株主からの質問に対し説明義務があり、説明義務に違反した場合、過料の対象となるほか、議案に関する質問への説明義務違反があった場合には、決議取消事由も生じてしまう。そのため、株主総会で説明義務を尽くした回答ができるよう、あらかじめ想定問答を用意するのが通例である。

想定問答の作成は、総会当日の質問を予想しあらかじめ回答を作成しておき、総会当日に備える（事務局の手元資料として答弁担当者に提供する）という本来的な目的に加え、「社内の問題点の整理をし、各役員間で共有する」、「役員に説明義務の範囲を理解してもらう」、「アナリストミーティングや機関投資家とのミーティング、会社説明会等の際のQAへの利用」という副次的な効果も期待できる。

2　想定問答作成のプロセス

想定問答については、いったん作成した後も毎年見直しが必要である。見直しに際しては、以下のプロセスとすることが考えられる。

(1)　前年の想定問答を関係部署に還元し、見直しを依頼

見直しの際のポイントは以下のとおりである。

①　前年の想定問答から陳腐化した質問を削除する
②　本年の想定問答への追加、修正項目を以下の観点で検討
(i)　トラブル事例の追加
(ii)　数字の修正（本年の数字に修正）
(iii)　プレスリリース、マスコミ記事等の確認（自社の記事の確認）
(iv)　上記以外で担当部署における自社のトピックス的な事例の確認
(v)　自社以外のマスコミ記事だが自社にも関連する事項の確認
(vi)　事業報告や（連結）計算書類の記載から想定される質問の追加
(vii)　経済情勢や事業環境の変化等をふまえた自社への影響の質問の追加
③　回答禁止事項（企業秘密、守秘義務事項、インサイダー情報など）を記載した回答を作成しないよう注意
④　専門用語、業界用語、社内用語は基本的に避けて作成

(2)　取りまとめ部署で取りまとめ

取りまとめの際のポイントは以下のとおりである。

①　(1)②の観点での漏れがないかプレスリリース、マスコミ記事、事業報告等で確認
②　回答内容が適切か（回答になっているか、説明義務を尽くしているか、回答禁止事項を回答に含めていないか等）を確認
③　全体のトーンや表現を調整
④　会社全般に関する質問で漏れがないかを確認
⑤　他社で出された質問で自社にも該当するものがないか確認

なお、想定問答の作成に際しては、答弁担当役員が積極的に作成に関与することが必要である。総会当日、想定問答を活用するのはまさに答弁担当役員自身であることから、担当分野の想定問答につき主体的に作成に関与するのは当然といえるし、想定問答の内容を理解することにより説明義務の範囲を理解し、仮に想定問答に記載のない応用問題が出ても説明義務を果たした回答が可能になるものと考えるからである。

また、想定問答については、総会の直前まで見直しをしておくべきである。総会当日まで何が起こるかわからないからである。

3　想定問答作成上の留意点

想定問答作成にあたっての主な留意点は以下のとおりである。

① 業績関係、今後の見通し、経営方針、成長戦略、株価関係、株主還元関係の質問は、株主からの質問が多く関心の高い事項であるため、説得力のある回答を準備する。ただし、未公表の重要事実、重要情報は盛りこまないように注意
② 会議の目的事項と関係がないが、回答禁止事項に該当しない場合も回答を用意する（回答禁止事項に該当しなければ可能な限り回答するのが最近の主流）
③ 説明義務のない質問（回答禁止事項の場合）についても想定問答を作成する。回答できない理由や別の角度からの回答を用意する
④ 想定問答の様式を「読み上げ方式」とするか、「ポイント箇条書き方式」とするか確認する。内容を理解するうえでは読み上げ方式がよいと思われるが、当日回答として使いやすいのはポイント箇条書き方式と思われる。担当役員に確認のうえ、いずれの方式で想定問答を作成するか決定する

4　他社総会で出された質問のテーマ

定時株主総会で出される質問については各社固有のものも多いが、テーマとしては各社に共通するものも少なくない。この点につき、『株主総会白書2022年版』の調査結果では下表のとおりとなっている(12)。

図表Ⅰ－3－6　2022年版株主総会白書での回答の上位項目

（回答社数100社以上のものを掲載。複数回答）

質問事項	回答社数（比率）
① 配当政策・株主還元	346社（30.4%）
② 株価動向	260社（22.8%）

(12) 商事法務研究会編・前掲(2)白書148～149頁〔図表143〕。

③　財務状況	226社（19.9%）
④　女性の活躍等の人材の多様性向上	136社（12.0%）
⑤　子会社・関連会社関係	124社（10.9%）
⑥　ウクライナ戦争関係	117社（10.3%）
⑦　事業ポートフォリオの再編	113社（9.9%）
⑦　景気の不透明感、地政学リスク	113社（9.9%）
⑨　クレーム・事件・事故	109社（9.6%）
⑩　株主総会の運営方法等	101社（8.9%）
⑪　気候変動対応等	100社（8.8%）

第Ⅰ編

第4章

株主総会の議題

4-1 総　説

株主総会の議題[1]は、報告事項と決議事項に大別される[2]。

報告事項は、法令により株主総会への報告が求められる事項である。会社法において株主総会に報告すべき事項として掲げられるものとして、取締役会設置会社では、①事業報告の報告（法438条3項）、②会計監査人設置会社における法務省令で定める要件を満たす場合の計算書類の報告（法439条）、③連結計算書類の内容および監査結果の報告（法444条7項）がある。

決議事項は、法令または定款により株主総会の権限とされている事項である（法295条2項）[3]。

第1に、法令（会社法）により株主総会の決議を要するとされる事項は、大要、次表のとおりである[4]。

会社の基礎に根本的変動を生ずる事項	定款変更、事業譲渡、組織変更、組織再編（合併、株式交換、会社分割、株式交付計画、全部取得条項付株式取得を含む）、資本金の額の変動、親会社の異動を伴う新株発行、重要な子会社の異動を伴う株式譲渡
機関等の選任・解任に関	取締役、監査役、監査等委員以外となる取締役・監

(1)　「株主総会の目的である事項」（法298条1項2号）を指す。

(2)　取締役会設置会社においては株主総会の招集にあたって必ず議題を決定しなければならず、招集通知の法定記載事項となる（法298条1項2号・299条4項）。これに対して取締役会非設置会社では取締役が決定した目的事項以外の事項（業務執行に関わるあらゆる事項）を決議することができるため（法295条1項）、目的を定めずに招集することもありうる（岩原紳作編『会社法コンメンタール(7)機関(1)』（商事法務、2013）73頁〔青竹正一〕）。

(3)　前掲(2)のとおり、取締役会非設置会社の株主総会は業務執行にかかわるあらゆる事項を決議することができる。

(4)　江頭憲治郎『株式会社法〔第8版〕』（有斐閣、2021）319～320頁の分類を参照して作成。

する事項	査等委員となる取締役、会計監査人選任および解任
計算に関する事項	計算書類の承認（一定の要件に該当する場合）
株主の重要な利益に関する事項	剰余金処分・損失処理、自己株取得、株式の併合、第三者に対する特に有利な払込金額による募集株式の発行等
取締役等の利益相反のおそれがある事項	報酬等の決定、役員等の責任の一部免除

第２に、定款で定める決議事項は、取締役会の権限において決定できる事項を株主総会の決議事項とするものである[(5)]。敵対的買収防衛策の決定を株主総会決議事項とするなどである[(6)]。

第３に、法令または定款により株主総会の権限とされていない事項について、株主意思を確認する目的で、株主総会の決議を得る例も少なくない[(7)]。勧告的決議と言われる。買収防衛策導入または更新の議案、買収防衛策の発動について賛否を問う議案が典型である[(8)]。

---

(5)　最三判平成29・２・21民集71巻２号195頁は「取締役会設置会社である非公開会社における、取締役会の決議によるほか株主総会の決議によっても代表取締役を定めることができる旨の定款の定めは有効であると解するのが相当である」とする。同判決は非公開会社の事案であるが、①公開会社においても本件の定款規定は有効か、②取締役会の代表取締役選定・解職の権限を否定して株主総会のみが選定・解職できるとする定款規定であっても有効か、といった論点について本件判例の評者の意見は分かれており（髙橋陽一「平成29年度会社法関係重要判例の分析〔上〕」商事2176号（2018）12頁およびそこで引用する判例評釈）、今後の議論に委ねられている（松本展幸「判批」ジュリ1521号（2018）106頁）。

(6)　東京高決令和元・５・27資料版商事424号118頁は「株主総会においては、法令又は本定款に別段の定めがある事項を決議するほか、当会社の株式等（金融商品取引法27条の23第１項に定めるものをいう。）の大規模買付行為への対応方針を決議することができる。」との定款規定に基づき決議された対応方針の廃止を求める株主提案が定款規定に基づき許容されるかが争点となり、結論として否定された。

(7)　京都地決令和３・６・７資料版商事449号90頁は、勧告的意味しか持たない議題であっても特段の事情がない限り株主提案権の対象になるとする。子会社株式を配当財産とする剰余金配当を提案内容とするものであり、法令に定める株主総会決議事項であること（産業競争力強化法の認定、株式上場を要件とするなど、承認決議がなされてもただちに実現できるものではないことから勧告的意味しかないとされる）に留意する必要がある。

(8)　買収防衛策発動の是非が争われた名古屋高決令和３・４・22資料版商事446号130頁、東京高決令和３・４・23資料版商事446号154頁、東京高決令和３・８・10資料版商事450号143頁、最三決令和３・11・18資料版商事453号94頁など一連の裁判例は、その射程について議論はあるものの、株主意思の確認の有無を重視する。

4-2

報告事項

1　会社法が定める報告事項

第1は、事業報告である。これは、機関設計の形態を問わず、すべての会社において、報告事項とされる（法438条3項）。

第2は、計算書類（貸借対照表、損益計算書、株主資本等変動計算書および個別注記表）である。ただし、これは①会計監査人設置会社である②取締役会設置会社が③次の要件を満たす場合に報告事項とされるもので、①②③いずれかに該当しない場合は株主総会の承認を得る必要があり、いずれも決議事項となる。

(i)　会計監査報告の内容が無限定適正意見であること

(ii)　会計監査報告についての監査役、監査役会、監査等委員会、監査委員会の監査報告の内容が会計監査人の監査の方法または結果が相当でないと認める意見を含むものでないこと（監査役、監査等委員、監査委員が付記した意見にもその旨の意見が含まれていないこと）

(iii)　対象となる計算書類が監査報告の通知期限を徒過したことにより、監査を受けたものとみなされたものでないこと

第3は、会計監査人設置会社において連結計算書類（連結貸借対照表、連結損益計算書、連結株主資本等変動計算書および連結注記表）を作成した場合、その内容、ならびに監査役、監査役会、監査等委員会、監査委員会および会計監査人の監査の結果である。

報告事項は、招集通知に目的事項として記載することを要する（法299条4項・298条1項2号）。記載方法については**第6章6－2**（■2(6)③(a)）を参

照されたい。

2　会社法が定める株主総会での要説明事項

会社法は、次表のとおり、一定の事項について、取締役が株主総会において説明することを義務づける。なお、⑦に該当する場合、⑥と異なり、組織再編が簡易要件（法796条２項各号）を満たす場合でも株主総会の承認が必要となる（同項但書）。

	説明事項	根拠条文
①	全部取得条項付種類株式の全部を取得する理由	法171条３項
②	株式の併合を必要とする理由	法180条
③	単元株式数を変更することを必要とする理由	法190条
④	特に有利な金額で株式・新株予約権を募集することを必要とする理由	法199条３項・200条２項・238条３項・239条２項
⑤	付議する取締役の報酬議案についてその内容を相当とする理由	法361条４項
⑥	事業譲受・組織再編において自己株式を取得する場合の当該株式に関する事項	法467条２項・795条３項
⑦	合併等差損が生ずる場合、その旨（発生理由・処理方針等）	法795条２項・816条の３第２項

4-3 決議事項

1　総　　説

決議事項は法令または定款により株主総会の権限とされている事項であり（法295条2項)、招集通知に「議題」として記載する。書面投票制度または電子投票制度を採用しない会社においては、重要な議題（施63条7号イ～タ）について議案の概要（同号柱書）を記載する（法299条4項・298条1項各号、施63条)。「議案」は議題に対する具体的な提案である。

取締役選任を例にとれば、「取締役○名選任の件」が議題であり、○○氏を取締役として選任するという、議題の内容である具体性のある提案が議案である。

ある提案内容を一括りに1つの議題とするか別の議題とするかは取締役会がその裁量で決定する事項である[(9)]。取締役の定数（上限）を変更するとともに、剰余金分配権限を取締役会に授権することとする場合、両者をまとめて1つの議題（定款の一部変更の件）とすることもそれぞれ別の2つの議題（いずれも「定款の一部変更の件」となる）とすることも可能である[(10)]。

複数の決議すべき議題がある場合には、「第1号議案」、「第2号議案」と連番を付し、決議すべき議題が1つのみである場合は「議案」とのみ記載するのが通例である。

---

(9)　中村直人「モリテックス事件判決と実務の対応」商事1823号（2008）23頁。

(10)　機関投資家が反対する傾向にある変更事項（発行可能株式総数の増加、取締役会への剰余金処分権限の委任などがこれに該当するとされる）について否決リスクを考慮し、それ以外の変更事項と区別して議題を分けるなど。

議題の順番に決まりはなく、重要性、相互関連性を考慮して決定する。

１つの議案が承認可決されることが別の議案の前提条件となる場合、前提となる議案を先に採決することとし、後の議案を前提となる議案の承認可決を条件として付議する。監査役会設置会社が監査等委員会設置会社に移行する場合、そのための定款変更議案を先議し、その承認可決を条件に監査役選任議案を付議する、合併契約承認議案の承認可決を条件に合併効力発生日を施行期日とする定款変更議案を付議するなどである。

前述のとおり、書面投票制度または電子投票制度を採用しない会社は重要な議題については（施63条７号イ～タ）、「議題」に加えて、議案の概要（同号柱書）を記載することが求められるが（法299条４項・298条１項５号、施63条７号）、書面投票制度または電子投票制度を採用する会社は上記の議題については株主総会参考書類に議案の内容を記載することから（施63条３号・73条～94条）、狭義の招集通知の会議の目的事項（決議事項）に議案の概要を記載することを要しない。株主総会参考書類の記載事項については**第10章**参照。

2　主要な決議事項

以下、主要な決議事項について、議題の標記と取締役会における決議事項および留意事項を概観する。会社法は、取締役会が株主総会の招集にあたって、株主総会の目的事項があるときは当該事項（法298条１項２号）を決定することを求めるとともに、書面投票制度または電子投票制度を採用する会社においては併せて重要な議題について株主総会参考書類記載事項（施73条～94条）を、両制度をいずれも採用しない会社については重要な議題について議案の概要（施63条７号）を決定することを求める。したがって、書面投票制度または電子投票制度を採用する会社では、会議の目的事項と併せ株主総会参考書類記載事項を決定することになる。本書では、株主総会参考書類記載事項については**第10章**でまとめて解説しており、本節ではこれを除いた、議題およびその概要について解説する。

(1) 剰余金処分

① 議題の標記

剰余金の処分には、(i)剰余金の配当（法454条1項)、(ii)自己株式の取得（法第2編第2章第4節)、(iii)資本金・準備金への組入れ（法450条2項・451条2項)、(iv)剰余金の項目間の計数の変更（損失の処理、任意積立金の積立て・取崩し。法452条、施153条1項）がある。このうち、(i)、(iii)および(iv)は「剰余金の処分の件」、「剰余金の配当の件」といった議題で、(ii)は「自己株式取得の件」といった議題で株主総会に付議され、株主総会の普通決議によることを原則とする(11)。

(ii)の自己株式の取得については、株主総会決議による場合（法156条1項・160条)、「自己株式取得の件」として付議され、剰余金処分とは別の議題とされる。

「剰余金の処分」は、剰余金の配当と剰余金のその他の処分を含む上位概念であるから、剰余金配当のみである場合は「剰余金配当の件」あるいは「剰余金の処分の件」と、剰余金配当とともに任意積立金の積立てを行う場合は「剰余金の処分の件」と、剰余金配当を行わずそれ以外の処分を行う場合は、「剰余金の処分の件」と、標記するのが一般的である(12)。

② 剰余金配当を付議するにあたっての決定事項

株主総会において次の事項を決議することを要し（法454条1項各号)、株主総会に付議する議案を構成する。

---

(11) 定款に剰余金処分権限を取締役会に授権する規定がある会社（平成17年会社法施行時に委員会等設置会社であった会社は格別の定款規定を要せずに）は株主総会決議を要せず取締役会決議で剰余金処分（「株主に金銭分配請求権を与えないこととする現物配当」以外の剰余金配当（法459条1項4号)、特定の株主からの自己株式の取得を除く自己株式の取得（同項1号)、欠損金補塡のための準備金減少（同項2号）に限定される）を行う。ただし、定款規定が株主提案を排除するものでない場合、剰余金処分に関する株主提案がなされたときは、これを株主総会に付議することが必要となる。

(12) 欠損金補塡のために準備金減少を行って繰越利益剰余金に振り替えるとともに別途積立金を繰越利益剰余金に振り替える場合、同一議題として標記を「準備金の額の減少及び剰余金処分の件」とする例もある。

(i)　配当財産の種類および帳簿価額の総額

(ii)　株主に対する配当財産の割当てに関する事項

議案の具体的な記載については、**第10章10－3■1**参照。

③　剰余金のその他の処分を付議するにあたっての決定事項および留意点

剰余金配当以外の剰余金処分は、資本と利益を区分するという会計原則に基づくものでなければならず、具体的には、下表の縦欄から横欄への振替えについて下表のとおりの組合せが可能である。

	資本金	資本準備金	利益準備金	その他資本剰余金	その他利益剰余金
その他資本剰余金	○	○	×	—	△
その他利益剰余金	×	×	○	×	—

「その他資本剰余金」の「その他利益剰余金」への振替は、原則禁止されているが、例外として決算期末に「その他利益剰余金」がマイナスである場合、それを零にする限度で振替が可能とされる（企業会計基準委員会・企業会計基準第1号「自己株式及び準備金の額の減少等に関する会計基準」61項）。

その他利益剰余金内部では、繰越利益剰余金から任意積立金へ、任意積立金から繰越利益剰余金への振替が行われる。任意積立金については、使途を特定し技術研究積立金などの項目を立てる方法と別途積立金として使途を定めずに立てる方法がある。株主総会決議で積み立てた任意積立金は株主総会決議によってのみ取り崩せる（繰越利益剰余金がマイナスになった場合に任意積立金を自動的に取り崩して欠損金を塡補することを議案の内容として明記している場合は別である）。

以上のとおり、取締役会においては、第1に、(i)繰越利益剰余金をそのままにしておくか、任意積立金として積み立てるか、(ii)後者の場合、積立科目を「別途積立金」といった包括的な科目にするか、「研究開発費積立金」のように積立目的を示す科目として積み立てるかを決定し、具体的な積立金額を決定する。第2に、任意積立金を取り崩して繰越利益剰余金にするか否かを決定する。第3に、その他資本剰余金を資本金または資本準備金に、その他利益剰余金がマイナスである場合にその他利益剰余金に振り替えるか否か、振り替える場合の金額を決定する。第4に、その他利益剰余金を利益準備金に振り替えるか、振り替える場合の金額を決定する。具体的な議案の記載については、**第10章10－3**参照。

(2)　定款変更議案

①　議題の標記

「定款の一部変更の件」または「定款一部変更の件」と標記される。株主総会の招集通知を書面または電磁的方法で行う場合には、定款の変更に関する議案の要領を招集通知に記載・記録することを要するが（法299条4項・298条1項5号、施63条7号チ）、前述のとおり、株主総会参考書類を作成する場合には、招集通知に要領を記載することを要しない。

②　定款変更を付議する際の決定事項および留意事項

(a)　実質的意義の定款と形式的意義の定款

定款の変更は、会社の根本規範である定款を変更する会社の行為である。株式会社は自由に定款を変更することができる[13]。

定款は、実質的意義の定款と形式的意義の定款に分けて考えることができる。前者の変更は、たとえば、事業目的に再生エネルギー発電・売電事業を加えるといった実体の変更を意味し、後者の変更は、実質的意義の定款の変更に合わせて、「定款第2条第9号を第10号とし、第9号として、次の1号を加える。⑨　再生エネルギー発電・売電事業」（こうした変更は定款変更議案においては新旧対照表として記載されるのが通例である）といった定款の規定を変更することを指す。会社法466条に規定する定款の変更は、実質的意義の定款の変更を指すものとされ、この変更の承認さえ行われれば、定款文言

---

(13)　原始定款に定款変更ができない旨の規定がある場合でもその規定自体を通常の定款変更の手続（特別決議）によって変更できる（通説。これに対して大隅健一郎＝今井宏『会社法論中巻〔第3版〕』（有斐閣、1992）525頁はこうした定款規定を無効とする）。ただし、落合誠一編代『会社法コンメンタール⑿定款の変更・事業の譲渡等・解散・清算⑴』（商事法務、2009）11頁〔笠原武朗〕は、画一的に処理する必要はなく、公開会社でない会社については全員の同意によってのみ変更できる趣旨と解してよいとする。

の変更がなくても効力が生じ、書面等はその結果として執行機関によって変更されるものにすぎないとされる(14)。

以上の整理に従えば、定款を縦書から横書に変更することは、内容の変更を伴わない形式的意義の定款の変更であるから、代表取締役が業務執行として株主総会の決議を得ずに行うことができる(15)。法令に定款の文言が自動的に変更されるものとみなすという条項（みなし定款変更規定）が設けられる場合、当該規定が施行されると、実質的意義の定款は改正され、文言や条項数の整理などの形式的意義の定款変更は業務執行として株主総会の承認を得ずに変更できる。こうした形式的意義しかない定款変更案を総会に付議することについては、否決された場合、実質的意義の定款と形式的意義の定款が乖離することになることから、法的に問題があるとさえ言われる(16)(17)。

なお、取締役会設置会社では、次の場合、株主総会決議を要さず、取締役会決議のみで定款の変更が可能であるが(18)（(i)につき法184条２項、(ii)につき法195条１項）、取締役会決議により実質的意義の定款の変更が生じ、書面または電磁的記録である形式的意義の定款を変更する必要があるが、これについては執行機関が株主総会の承認を求めずに変更できる。

(i)　会社が株式の分割を行う際に定款に定める発行可能株式総数を株式の分割割合に応じて増加させる定款変更
(ii)　単元株制度を新たに採用し、または、１単元の株式の数を変更するための定款の変更をする場合で各株主の有する議決権数が減少しないとき

---

(14)　鈴木竹雄＝竹内昭夫『会社法〔第３版〕〈法律学全集28〉』（有斐閣、1994）58頁注１、江頭・前掲(4)書831頁注(1)。

(15)　味村治「定款の形式上の変更と株主総会の決議の要否」稲葉威雄ほか編『〔新訂版〕実務相談株式会社法１』（商事法務研究会、1992）204～209頁。

(16)　松本真「会社法の施行前後における法律関係をめぐる諸問題〔上〕」商事1755号（2006）21頁。

(17)　漢字を当用漢字に、新仮名遣い、送り仮名を新仮名遣いにあらためたり、新しく見出しまたは章を設けることは、株主総会の特別決議を要すると解する見解（味村・前掲(15)論文209頁）もあったことから、実務においては、こうした場合の定款文言の変更も、漢字・送りがな等を改めるといった字句整理のための定款変更も株主総会に付議して行う会社も少なくなかった（橋本英男「定款変更議案への実務対応」商事1762号（2006）33～40頁）。

(18)　ただし、２以上の種類株式が発行されている場合には会社法322条１項２号参照。

(b) 強行法規違反の定款変更

強行法規に反する内容の定款変更を行う決議は無効である。大会社公開会社において、取締役会、監査役または会計監査人を設置しない機関設計を定める定款変更や取締役会が決定権限を有するとされている事項（業務執行の決定等）を株主総会の権限として取締役会の権限を縮減する定款変更[19]などがこれに該当する[20]。

(c) そ の 他

定款変更は原則として株主総会の特別決議を要するが、一定の場合、特殊決議または株主全員の同意が求められる。詳細については種類株主総会における定款変更の決議要件を含め、**第10章10－3 3**参照。

包括目的規定（事業目的に「その他営利を追求する一切の事業」などの包括的条項を加えるなど）、剰余金処分権限の取締役会への授権規定など機関投資家の反対率が高い傾向が顕著な議案を付議するにあたっては株主分布や実質株主調査などにより可決の可能性を見極めることが望ましい。

定款変更議案の具体的な記載内容については**第10編10－3 3**参照。

(3) 取締役選任議案

① 議題の標記

取締役選任の議題は「取締役○名選任の件」と標記して、議題に含まれる選任取締役の数を明記する[21][22]。監査等委員会設置会社では、監査等委員となる取締役とそれ以外の取締役を区分して選任することから（法329条2項）、「監査等委員以外の取締役○名選任の件」と「監査等委員となる取締役○名

---

(19) 定款の規定により株主総会の決議事項を拡大した場合、株主総会と取締役会の権限が重複することになることは許容される（相澤哲ほか編著『論点解説　新・会社法』（商事法務、2006）263頁）。なお、取締役会設置会社において代表取締役の選解職を株主総会の権限として定める定款変更の有効性につき前掲(5)参照。

(20) 株式会社が行うことが許容されない事業を事業目的に記載した場合（営業開始に許認可を要する事業を当該許認可を得る前に追加する、弁護士など資格者が行うべき事業を追加するなど）、登記申請が認められるかにつき留意すべき登記先例が示されている（詳細は松井信憲『商業登記ハンドブック〔第4版〕』（商事法務、2021年）12～15頁参照）。

選任の件」を別の議題として付議する。

「取締役○名選任」の議題の下で、取締役1名の選任が1議案を構成する[23][24]。この場合の取締役選任議案の内容は、特定の者を取締役に選任するということである。議決権行使書にはこれを反映して1議案ごと（候補者1名ごと）に賛否欄を設けることとされる（施66条1項1号イ）。株主提案が提出され、会社提案と株主提案で重複する候補者が含まれる場合の採決については**第Ⅱ編第2章**参照。

なお、取締役会選任議案については詳細に株主総会参考書類記載事項が定められているが、これについては**第10章10－3■4**参照。

②　取締役選任を付議する際の決定事項および留意事項

(a)　議案の決定

取締役選任議案は、取締役会（取締役会非設置会社では取締役）が決定するが、指名委員会等設置会社では指名委員会が決定する（法404条1項）。監査等委員会設置会社では取締役が監査等委員となる取締役選任議案を株主総会

---

(21)　累積投票制度の適用がある会社では、少数株主が累積投票を請求するかを判断するうえで、選任する人数は重要な内容を構成するから、株主に通知する必要があるとされる。最一判平成10・11・26金判1066号18頁。上柳克郎ほか編代『新版注釈会社法(6)』（有斐閣、1987）48頁〔上柳克郎〕。中村建「商法232条2項の『会議ノ目的タル事項』と選任取締役の員数の明示」金判891号（1992）43頁参照。大阪高決昭和37・1・16下民集13巻1号13頁・判時291号24頁。岩原紳作編代『会社法コンメンタール(7)機関(1)』（商事法務、2013）413頁〔浜田道代〕は、定款で累積投票制度を排除する会社でも員数が会議の目的事項に含まれるとする東京高判平成3・3・6金法1299号24頁（反対、東京地判昭和33・1・13下民集9巻1号1頁・判時141号12頁）をふまえ、議題に員数を明示しておくのがよいとする。

(22)　なお、議題の標記（標題）に員数が明記されていない場合でも、第1に、従来からの慣行等によって自ずと一定範囲内であることが株主も当然予想しうる状況であれば議題に員数が含まれると解することができ（前掲(21)東京高判平成3・3・6）、第2に、株主総会参考書類の記載から選任する員数が明確であれば議題の標記に記載がされなくても適法性に問題はない（上柳克郎ほか編代『新版注釈会社法(5)』（有斐閣、1986）53頁〔前田重行〕）。前掲(21)最一判平成10・11・26は、累積投票制度を排除していない会社において、招集通知に「取締役全員任期満了につき改選の件」と記載された事例について、「特段の事情のない限り、当該株主総会において従前の取締役と同数の取締役を選任する旨の記載があると解することができる」との判断を示す。

(23)　江頭・前掲(4)書408頁注(3)。

(24)　東京地判平成19・12・6判タ1258号69頁は、会社提案と株主提案の取締役選任議案がいずれも定款の取締役の員数の上限数であった事例につき、両者が全体として1つの議題であり、それに双方の候補者の人数分の議案があるとの判断を示す。

に提出するためには、監査等委員会の同意を得る必要がある（法344条の2第1項）[25]。少数株主が招集する株主総会では、当該招集者が決定する（法298条1項）。

(b)　選任すべき員数

取締役会設置会社においては、3人以上（法331条5項）[26][27]の取締役が就任している必要がある。このうち監査等委員会設置会社では監査等委員3人、監査等委員以外の取締役1人が少なくとも就任している必要がある[28]。

また、社外取締役が監査役会設置会社（公開会社かつ大会社で発行する株式について有価証券報告書を提出する義務のある会社）においては1人以上（法327条の2）、指名委員会等設置会社および監査等委員会設置会社においては委員会の委員の過半数が社外取締役でなければならないので（法400条3項・331条6項）、最低2人の社外取締役が就任していることが必要である。

そこで、取締役および社外取締役の数がこれらを下回らないように取締役の選任を付議する必要がある[29]。

(c)　その他の議案決定にあたっての留意事項

議案決定にあたっては、取締役候補者が法律上および会社が定めた要件を満たすものであることを確認する必要がある。会社法は、取締役たる積極的な資格要件について、特段の定めを設けていないが、欠格事由を定めており（法331条1項）、第1に、これに該当しないことを確認する必要がある。

第2に、親会社の監査役は子会社の取締役を、親会社の監査等委員となる取締役は子会社の業務執行取締役を兼任することを禁止されており（法335条2項・331条3項）、子会社における取締役候補者の選定にあたってはこれ

---

(25)　監査等委員会設置会社への移行を決議する株主総会に付議する監査等委員選任議案については決定時に監査等委員会は存在せず同意は不要である（とりようがない）。

(26)　取締役会非設置会社では1人以上（法326条1項）。

(27)　役員の員数に関して、法に抵触しない範囲において、その上限、下限などを定款で定めることができ（法346条1項参照）、こうした定めがある場合はこれを遵守した選任が必要となる。

(28)　指名委員会等設置会社では各委員会につき最低3人が必要であるが、兼務が禁止されていないことから、会社法上は3人が就任していればたりる。

(29)　定時株主総会開催時期から乖離した時期に取締役の辞任や死去などにより欠員が生じた場合、臨時株主総会の招集が必要となる。定時株主総会開催時期に近接して欠員が生じた場合、裁判所に仮取締役選任を申し立てる。

に該当しないことを確認する必要がある。

第３に、取締役会の全体としての知識・経験・能力等のバランス、多様性・規模に関する取締役会の方針に合致するように候補者を選定する必要がある（コーポレートガバナンス・コード原則４－11）。

第４に、社外取締役として選任する場合、会社法２条15号に定める各要件を満たしていることを確認するとともに、他社での経営経験を有する者が含まれているかを確認する必要がある（コーポレートガバナンス・コード原則４－11）。

第５に、証券取引所に独立役員として届け出ることを予定する取締役候補者については、数においてコーポレートガバナンス・コードの要求水準を満たしていること(30)、属性において東京証券取引所の定める独立役員の要件および会社が独立性要件を定めている場合はそれを満たしていることを確認する必要がある(31)。

第６に、取締役候補者の決定に至るプロセスに社外役員の適切な関与を期待するコーポレートガバナンス・コード（補充原則４－10①）をふまえ、これを担保する適切な体制を構築し、決定プロセスへの適切な関与を実現することが望まれる(32)。

(4)　監査役選任議案

①　議題の標記

監査役選任の議題は「監査役○名選任の件」と標記して、議題に含まれる選任取締役の数を明記する。議案の内容は特定の者を監査役に選任するとい

---

(30)　独立社外取締役２名以上任、プライム市場上場企業では３分の１以上を選任すべきとされる（コーポレートガバナンス・コード原則４－８）。2022年７月14日現在、プライム市場上場企業において92.1％が３分の１以上、12.1％が過半数の独立社外取締役を選任している。東京証券取引所「コーポレートガバナンス・コードへの対応状況（2022年７月14日時点）」（2022年８月３日）〔https://www.jpx.co.jp/news/1020/nlsgeu000006jrob-atf/nlsgeu000006jrgr.pdf〕８頁。

(31)　各機関投資家の議決権行使基準において一定割合以上の出席を賛成の条件としていることから（75％を基準とする機関投資家が多い）、候補者を決定する際に取締役会の年間スケジュールを示し出席の可否をあらかじめ確認する会社が多い。

(32)　任意の指名委員会を設置するプライム市場企業は79.7％（うち社外取締役が過半数の企業が88.7％、社外取締役が委員長である企業が61.6％）である。東京証券取引所・前掲(30)11頁・13頁。

うことである。

なお、監査役選任議案については詳細に株主総会参考書類記載事項が定められているが、これについては**第10章10－3■5**参照。

②　監査役選任を付議する場合の決定事項と留意事項

取締役が監査役選任議案を株主総会に提出するためには、監査役会の同意（監査役設置会社にあっては、監査役の同意。複数名の場合は過半数の同意）を得なければならない（法343条3項・1項）。また監査役（監査役会設置会社では監査役会）は、取締役に対し、監査役の選任を株主総会の目的とすることまたは監査役の選任に関する議案を株主総会に提出することを請求することができる（同条2項・3項）。これらの規定の趣旨はいずれも監査役の取締役に対する独立性を高めることにある。

なお、定款に補欠選任された監査役の任期を前任者の任期に合わせる規定がある場合、任期途中で退任した監査役の後任として選任する監査役候補者については、補欠として選任するのか否かを明確にする必要がある。

(a)　選任すべき員数

監査役会設置会社では3人以上就任している必要があり（法335条3項）、その半数以上が社外監査役（法2条16号）の要件を満たしている必要がある（法335条3項）。各監査役の任期開始時期がばらばらである場合や定款に補欠選任された監査役の任期を前任者の任期に合わせる規定がある場合など、監査役の任期が長期間にわたることから、任期管理に十分留意する必要がある。

(b)　決定にあたっての留意事項

議案決定にあたっては、監査役候補者が法律上および会社が定めた要件を満たすものであることを確認する必要がある。会社法は、監査役たる積極的な資格要件について、特段の定めを設けていないが、欠格事由を定めており（法335条1項・331条1項・333条3項1号・337条3項1号）、第1に、これに該当しないことを確認する必要がある。

第2に、監査役は、当該株式会社もしくはその子会社の取締役もしくは支配人その他の使用人または当該子会社の会計参与もしくは執行役を兼務することはできない（法335条２項）。監査役候補者の選定にあたってはこれに該当しないことを確認する必要がある。

第３に、社外監査役として選任する場合、会社法２条16号に定める各要件を満たしていることを確認する必要がある。社外取締役の要件より厳しくなっている点に留意する必要がある。

第４に、証券取引所に独立役員として届け出ることを予定する監査役候補者については、東京証券取引所の定める独立役員の要件を満たしていることを確認するとともに、会社が定める独立性要件を満たしていることを確認する必要がある。

第５に、財務会計の知見を有する者が含まれているかなど各監査役の経験・スキルのバランスを確認する必要がある[33]。

なお、事業年度の途中まで取締役であった者が途中で監査役となることも可能である[34]。また、顧問弁護士を監査役に選任する決議も有効ではあるが[35]、コーポレート・ガバナンスの観点からその妥当性を慎重に判断する必要がある。

(5)　補欠役員選任議案

①　議題の標記

「補欠監査役○名選任の件」、「補欠取締役○名選任の件」、「補欠の監査等委員となる取締役○名選任の件」などといった標題を用いるのが通例である。

なお、補欠役員選任議案については詳細に株主総会参考書類記載事項が定められているが、これについては**第10章10－3■4(1)**参照。

②　補欠役員選任を付議する際の決定事項と留意事項

補欠取締役・監査役は、取締役または監査役が欠けた場合または会社法もしくは定款で定めたそれらの員数を欠くこととなるときに備えて、選任され

---

(33)　コーポレートガバナンス・コード原則４－11。
(34)　東京高判昭和61・６・26判時1200号154頁。
(35)　最三判平成元・９・19判時1354号149頁。

る（法329条3項）。監査役および監査等委員である取締役については社外役員の員数要件（監査等委員会・監査役会の半数以上）に抵触することを考慮して（監査役4名中2名が社外監査役である場合、社外監査役1名が欠けた場合員数要件を満たさないことになる）、利用されることが多い。なお、定款に特別の定めがない限り、常勤監査役がいなくなった場合に備えて補欠監査役を選任することはできず、社外監査役に常勤の役割を依頼せざるをえなくなる。

補欠の取締役・監査役の選任に係る決議が効力を有する期間は、定款に別段の定めがある場合を除き、当該決議後最初に開催する定時株主総会の開始の時までである（施96条3項）。ただし、株主総会の決議によってその期間を短縮することができる（同項ただし書）。

補欠の取締役・監査役を選任する場合、候補者に加え、次に掲げる事項を決定する（施96条2項）。

(i)　当該候補者が補欠の会社役員である旨
(ii)　当該候補者を補欠の社外取締役・社外監査役として選任するときは、その旨
(iii)　当該候補者を1人または2人以上の特定の取締役・監査役の補欠として選任するときは、その旨および当該特定の取締役・監査役の氏名
(iv)　同一の取締役・監査役（2以上の取締役・監査役の補欠として選任した場合にあっては、当該2以上の取締役・監査役）につき2人以上の補欠の取締役・監査役を選任するときは、当該補欠の取締役・監査役相互間の優先順位
(v)　補欠の取締役・監査役について、就任前にその選任の取消しを行う場合があるときは、その旨および取消しを行うための手続

(iii)に関して、被補欠者となる取締役・監査役の特定方法については特に制限はない[36]。

(v)の補欠の取消方法は、役員の解任ではないので（未就任である）、特に株主総会決議によらなければならないわけではなく、「その就任前に限り、監査役会の同意を得て、取締役会の決議により、その選任を取り消すことができる」などと定めることができる。

---

(36)　相澤哲＝石井裕介「株主総会以外の機関〈新会社法関係法務省令の解説(3)〉」商事1761号（2006）12頁。

補欠者が取締役・監査役に就任したとき、その任期は、株主総会における選任決議の時から起算する[37]。令和5年6月の定時株主総会で補欠監査役に選任され、令和6年4月に監査役に就任した場合、その者の任期は、定款で前任者の任期満了時までとされている場合には、前任者の任期満了時または令和9年6月の定時株主総会終結の時のいずれか早く到来するときまでとなる。

(6) 役員の報酬等議案

① 議題の標記

「取締役の報酬等の額の改定の件」が一般的かつ包括的な標記として用いられることが多いが、多様化した役員報酬の種類（新株予約権報酬、株式報酬やこれを仮想したSARなど）に応じて会社ごとにさまざまな議題が用いられている。

譲渡制限付株式報酬は「取締役に対する譲渡制限付株式の付与のための報酬決定の件」、事後交付の株式報酬は「取締役に対する事後交付による株式報酬に係る報酬決定の件」、ストック・オプション報酬は「ストック・オプションに関する報酬等の額及び内容決定の件」、交付信託を活用した株式報酬は「取締役に対する信託型株式報酬制度に関する報酬等の額及び内容決定の件」などが用いられている。

退職慰労金は「退任取締役に対する退職慰労金贈呈の件」などが標題として標記される[38]。

賞与については「取締役の報酬の額等の改定の件」で承認された上限額の範囲内で支給するのではなく、「取締役に対する賞与支給の件」の標題で別枠として株主の決議を経て支給する会社もある。

機関投資家が業績連動報酬、株式・新株予約権報酬を社外取締役・監査役に支給することに否定的であることをふまえ[39]、「取締役（社外取締役を除く。）に対する賞与支給の件」など、その支給範囲を特定する標題も見られる。

---

(37) 相澤＝石井・前掲(36)論文13頁。

(38) 上場企業においては退職慰労金制度の廃止が進み、廃止時には「取締役に対する退職慰労金打切り支給の件」が付議された。

報酬議案については、詳細に株主総会参考書類記載事項が定められているが、これについては**第10章10－3 8**参照。

②　報酬議案の決定

(a)　総　　説

取締役の報酬等は、指名委員会等設置会社を除き[(40)]、定款に具体的な報酬額に関する定めがない限り[(41)]、株主総会の決議をもって定めなければならない（法361条）[(42)]。

取締役と監査役、監査等委員となる取締役とそれ以外の取締役の報酬等は区別して、それぞれにつき株主総会の決議をとる必要がある（法387条・361条2項)、監査等委員である取締役は監査等委員である取締役の報酬等について（法361条5項)、監査等委員会が選定する監査等委員は監査等委員以外の取締役の報酬等について（同条6項)、監査役は監査役の報酬について（法387条3項)、それぞれ株主総会で意見を述べることができ、株主総会参考書類にはあらかじめその意見を記載することを要する（施82条の2第1項5号・84条1項5号)。

株主総会の決議は金銭報酬の場合は報酬等の額の総額（上限額)、株式報酬の場合は数の上限を決議するのが通例である[(43)(44)]。上限の範囲で取締役会に具体的な金額の決定を委任することが可能であり、取締役報酬については

---

(39)　新しい株式報酬制度を設ける場合、報酬諮問委員会でその導入・内容（株式報酬制度導入に伴う基本方針の変更も含まれる）について審議のうえ、取締役会に諮問し、取締役会において報酬議案を決定する。このように報酬議案が可決されることにより基本方針の変更が予定される場合、株主総会で取締役に説明義務がある。当該（改訂）報酬議案が「相当である」理由（法361条4項）の説明として基本方針変更の予定および変更後の基本方針の相当性ならびに議案との整合性について説明することになる。

(40)　指名委員会等設置会社では株主総会の決議によらず報酬委員会がこれを定めることとされる（法404条3項)。

(41)　全株懇定款ひな型26条「取締役の報酬、賞与その他の職務執行の対価として当会社から受ける財産上の利益……は、株主総会の決議によって定める」。

(42)　最三判昭和60・3・26判時1159号150頁は、取締役同士の馴れ合いにより、過剰な報酬を支払うことを防止する趣旨の規制であるとする。

(43)　非公開会社においては個別の報酬等の額を株主総会で決定する例もみられる。また、上場企業でも退職慰労金の具体的金額を決議する例が稀に見られる。

(44)　この決議された額等の枠内での個人別の配分は、取締役の協議によって決定される。

取締役会がさらに代表取締役に一任することも可能である[45][46]。株主総会決議により一定期間の報酬総額の上限金額を定めれば、それ以降、取締役の数に変動があったとしても、その決議に従って、報酬等を支給することができる[47]。

「取締役の個人別の報酬等の内容についての決定に関する方針」（法361条7項）を策定する会社[48]は、これに従って決定を行う。取締役会が代表取締役社長に再一任する会社が多かったが、コーポレートガバナンス・コードを受けて、任意設置の報酬諮問委員会に諮問し、その答申をふまえることを再一任にあたっての条件とする、あるいは、個別の額等の決定そのものを報酬委員会に再一任する会社が増えている[49]。

各監査役・各監査等委員に対する具体的配分は、監査役、監査等委員会での協議に委ねる（法387条2項・361条3項）。

(b)　会社法の定める報酬等の区分と決議事項

株主総会において決定すべき事項は、次表のとおりである（法361条1項、施98条の2～98条の4）。

---

(45)　最二判昭和31・10・5商事51号13頁。

(46)　前掲(45)最二判昭和31・10・5は、総額としての上限金額を定めれば、お手盛りの危険はなくなるからであるとするが、落合編代・前掲(13)書163頁〔田中亘〕は、本来、報酬額が妥当かどうかは取締役ごとの職責や業績等に照らして判断されるべきものであることに鑑みれば報酬総額の上限を定めてもお手盛りの危険は残るのであって、総額方式でよいとされるのは一定の政策判断に基づくものと指摘する。前述のとおり、会社法は、上場企業その他の会社に「取締役の個人別の報酬等の内容についての決定に関する方針」を決定することを義務づけ、その方針に決定の全部または一部を取締役その他の第三者に委任することとするときは受任者に関する情報、委任する権限、適切に権限が行使されるための措置をとるときはその内容を決定することを求めるとともに（施98条の5第6号）、個人別の報酬の内容が方針に沿うものであると取締役会が判断した理由の記載を求める（施121条6号ハ）。

(47)　上柳ほか編代・前掲(21)書390頁〔浜田道代〕、大阪地判昭和2・9・26新聞2762号6頁。ただし、落合編代・前掲(13)書166頁〔田中〕は、大幅な人員減があったにもかかわらず漫然と1人あたりの報酬を増やした場合などを任務懈怠責任を認めうる場合として例示する。

(48)　監査役会設置会社（大会社かつ上場会社に限る）および監査等委員会設置会社はこの方針を決定することが義務づけられる。

(49)　前掲(48)参照。

図表Ⅰ－4－1

号数	報酬の種類	決定事項
①	確定金額報酬	その額
②	不確定金額報酬	具体的な算定方法
③	募集株式	(ア)　数の上限 (イ)　一定の事由が生ずるまで当該募集株式を他人に譲り渡さないことを合意する場合はその旨および当該一定の事由の概要 (ウ)　一定の事由が生じたことを条件として当該募集株式を当該株式会社に無償で譲り渡すことを合意する場合はその旨および当該一定の事由の概要 (エ)　その他の募集株式の割当条件の概要
④	募集新株予約権	(ア)　数の上限 (イ)　募集新株予約権の内容（法236条1項1号～3号） (ウ)　一定の資格を有する者が募集新株予約権を行使できるとする場合はその旨およびその資格の概要 (エ)　その他の募集新株予約権の行使条件の概要 (オ)　募集新株予約権の譲渡に取締役会の承認を要するときはその旨 (カ)　当該株式会社が一定の事由が生じたことを条件として当該募集新株予約権を取得することができることとするときはその旨および当該一定の事由の概要（法236条1項7号の概要） (キ)　割当条件の概要
⑤	募集株式の払込みにあてるための金銭報酬	(ア)～(ウ)　③(ア)～(ウ)に同じ。 (エ)　その他の金銭交付条件または株式割当条件の概要
⑥	募集新株予約権の払込みにあてるための金銭報酬	(ア)～(カ)　④(ア)～(カ)に同じ (キ)　その他の金銭交付条件または株式割当条件の概要
⑦	非金銭報酬（株式・新株予約権を除く）	その具体的な内容

③ 確定金額報酬

前述のとおり、株主総会決議では、取締役に支給する合計額の上限金額を定めればよく、個別の取締役に対する具体的な支給金額を定める必要はない。

④ 不確定金額報酬

不確定金額報酬については「具体的な算定の方法」を決議する。その内容としては、その算定方法によれば、総額が算出できる程度の特定が必要であり[50]、「当期純利益金額の５％以内」など上限金額が算出できればたりる。取締役各人ごとに異なる算定の方法を採用することもできる。社内取締役と社外取締役に分けるなどしてグループごとに定めることも可能である。実務の例としては、連結当期利益金額の２％とする事例、経常利益を基準とする事例、連結営業利益を基準とする事例などがある[51]。確定金額の上限金額を決議し、その範囲内で報酬の額を業績に連動させて運用することも可能である。

⑤ 株式報酬

広義の株式報酬には、交付対象を募集株式、募集新株予約権、金銭報酬[52]とするものがある。このうち金銭報酬によるものは④の不確定金額報酬に整理される。

(a) 募集株式を交付対象とするもの

ア 総 説

募集株式を交付対象とする株式報酬として、主に(α)(β)(γ)が採用される。

(α) 会社が取締役との間で一定の事由が生ずるまで交付した募集株式の譲渡を制限することを合意したうえで募集株式を交付する事前交付型譲渡制限

(50) 始関正光編著『Q&A 平成14年改正商法』（商事法務、2003）35頁。

(51) 「役員報酬改定議案の分析と記載事例――2020年６月総会1,824社」資料版商事443号（2023）93頁以下参照。

(52) 株式を交付したものとして、交付時の株価と一定時点の株価に基づき算定したキャピタルゲインを現金支給するストック・アプリシエーション・ライツや一定時点の株価相当額を現金支給するファントムストックなどが見られる。

付株式報酬

(β)　会社が将来の一定時期（中期経営計画終了時など）に一定の事由（KPI達成など）が生じた場合に取締役に募集株式を交付する事後交付型株式報酬

(γ)　信託を設定して当該信託が株式を取得して信託期間に毎年取締役に付与されるポイントの累積数に応じて期間満了時に株式を交付する株式交付信託による株式報酬

である。

(α)(β)の募集株式は、新株、自己株式またはその混合により交付される。また、(γ)の設定された信託による株式取得は市場買付け、会社による募集株式（新株・自己株）の割当による。

(α)(β)の株式交付に際しては、(a)払込みを要しないとするもの[53]、(β)引受人となった取締役に金銭報酬支払請求権を付与し、これを現物出資財産として給付させるもの（現物出資構成）があり、それぞれ**図表Ⅰ－4－1**③⑤に対応する。

イ　決定事項（上記各類型共通）

前述のとおり、株主が希薄の影響や報酬等の追加付与の必要性を判断できるように決議事項が定められている。なお、従来の現物出資構成の下で募集株式の割当・交付の部分を金銭報酬支払請求権の使途と技巧的に整理した場合に募集株式の内容についてどこまで決定を要するかが必ずしも明瞭でなかったところ、令和元年会社法改正は決定すべき内容を明確にしたものである。

㋐　数の上限

㋑　「一定の事由が生ずるまで当該募集株式を他人に譲り渡さないことを合意する場合はその旨および当該一定の事由の概要」

---

(53)　上場会社は取締役の報酬等として株式の発行または自己株式処分をするときは、募集株式と引き換えにする金銭の払込みまたは現物出資財産の給付を要しない（法202条の2第1項1号）。従来、募集株式の発行にあたり払込みが必須とされていたことから（法199条1項2号）、本文(β)の技巧的な現物出資構成によらざるをえなかったところ、令和元年会社法改正において上場会社の取締役への株式報酬に限定して、この規律が緩和されたものである。上場会社の取締役（従業員や子会社取締役等は含まれない）に対する株式報酬に限定される点に留意する必要がある。以上、竹林俊憲編著『一問一答・令和元年改正会社法』（商事法務、2020年）88頁参照。

会社と取締役の間で締結する契約において取締役退任時まで譲渡を禁止する条項、譲渡制限解除の条件として一定時点での業績要件（業績達成度により退任時に譲渡禁止を解除する割合を定める）を定める条項を合意する場合にその概要を決定するということである[54]。

㋒「一定の事由が生じたことを条件として当該募集株式を当該株式会社に無償で譲り渡すことを合意する場合はその旨および当該一定の事由の概要」

会社と取締役の間で締結する契約において、たとえば譲渡禁止を解除されないまま取締役を退任した場合に会社が無償で取得する、任期途中に退任した場合に会社が無償で取得する、さらに不正行為への関与が発覚した場合に無償で取得する（クローバック条項）といったことを合意する場合に、その概要を決定することをいうものである。

㋓「その他の募集株式の割当条件の概要」、「その他の金銭交付条件および募集株式割当条件」

いずれもキャッチ・オール条項であるが、取締役に募集株式を付与する前提として何らかの事項を約させる場合の当該事項の概要や事後交付型の株式報酬において一定の条件（一定のKPI達成など）を達成したときに株式を割り当てることとするときの当該条件の概要などをいう。

なお、現物出資構成の場合、金銭報酬支払請求権交付の条件と株式割当条件を定めることが考えられることから、**図表Ⅰ－４－１**④の決定事項に金銭報酬交付条件が決定内容に加えられている。

(b)　募集新株予約権を交付対象とするもの

ア　総　説

募集新株予約権交付についても、(α)払込みを要しないもの[55]、(β)引受人となった取締役に金銭報酬請求権をもって相殺させるもの（相殺構成）があり、

---

(54)　取締役に適切なインセンティブを付与するものであるかどうかを株主が判断するために必要な事項を決定すればたりるものであり、その趣旨から不要な内容（インサイダー取引防止の観点から四半期決算発表１ヵ月以内に譲渡期間を限定するなど）や一定の事由の細目（詳細な業績達成要件の内容など）まで株主総会で定める必要はない。別冊商事法務編集部編『令和元年改正会社法③——立案担当者による省令解説、省令新旧対照表、パブリック・コメント、実務対応Q&A（別冊商事461号）』（商事法務、2021）21頁・22頁注21・22参照。

それぞれ**図表Ⅰ－4－1**④⑥に対応する。

イ　決定事項（(α)(β)共通）

㋐　数の上限

㋑　「募集新株予約権の内容」（法236条1項1号～4号・3項1号・2号に定める事由）

新株予約権の目的である数またはその数の算定方式（法236条1項1号）、新株予約権の行使に際して出資される財産の価額またはその算定方法（同項2号）、金銭以外の財産を新株予約権行使に際して出資の目的とするときはその財産の内容および価額（同項3号）、新株予約権を行使することができる期間（同項4号）を決定する。

令和元年会社法改正により上場会社の取締役に対する報酬等として新株予約権を発行する場合にはその行使に際して金銭等の払込みを要しないこととすることが許容されたが（法236条3項）、これによる場合、法236条1項2号・3号ではなく、同条3項1号（上場会社の取締役の報酬等であり金銭等の払込み・財産給付を要しない旨）、同項2号（取締役または取締役であった者以外行使できない旨）を決定する。

㋒　「一定の資格を有する者が募集新株予約権を行使できるとする場合はその旨及びその資格の概要」

行使の条件として「会社の取締役に在任していること」、「会社またはその企業集団に属する会社の取締役または従業員の地位にあること」などと定めることを指す。

㋓　「その他の募集新株予約権の行使条件の概要」

一定のKPI（中期経営計画上の当期純利益目標等）を達成していることを行使条件として定める場合などにその概要を決定する。目標値の達成度に応じて行使可能な新株予約権の数を変動させるスキームも含まれる。概要でたり、詳細まで決定することは要しない。

㋔　「当該株式会社が一定の事由が生じたことを条件として当該募集新株予

(55)　新株予約権は、株式と異なり、もとより募集新株予約権と引換えに払込みを要しないこととすることができる（法238条1項2号）。

約権を取得することができることとするときはその旨および当該一定の事由」（法236条１項７号）の概要

㋕　「募集新株予約権割当条件」、「金銭交付条件および募集新株予約権割当条件」

㋓までが募集新株予約権割当後の条件についての事項であるのに対し、㋕はその前段階である募集新株予約権割当の条件について決定事項とするものである。たとえば、割当の有無・割当個数を決議がなされた株主の総会の日の属する事業年度の業績に応じ決定する（行使条件としての業績目標とは別に）といった場合における割当の有無・割当個数を決定する条件を指す。

なお、金銭報酬請求権をもって新株予約権の払込金と相殺させる場合、両者に条件が付されることも考えられることから、金銭交付条件が付加されている。

⑥　非金銭報酬（募集株式・募集新株予約権以外）

上記の募集株式・新株予約権以外の非金銭報酬の場合、その「具体的な内容」を決議する。「具体的な内容」としては、付与する財産の種類や、報酬の総体が判明する程度の特定が必要と考えられる。たとえば社宅を無償で貸与する場合には、その賃料相当額の総額の上限金額を決議することが考えられる[(56)]。

⑦　報酬議案決定にあたっての留意事項

第１に、取締役の個別の報酬等の決定に関する基本方針を策定している会社は、前述のとおり、当該基本方針（株主総会での報酬議案の決議後の改訂を予定する場合は改定後の）に整合した議案内容を決定する必要がある。

第２に、決定のプロセスにおいて、報酬諮問委員会を設置している会社は、社内規則で定めた手順で、同委員会での審議を経る必要がある。未設置の会社でコーポレートガバナンス・コードの対象となる会社は、独立役員の決定への適切な関与を確保することが期待される。また、議案に対して株主

(56)　始関編著・前掲(50)書36頁。

総会で意見を述べる権限を有する監査役または監査等委員との協議を行う必要がある。

第3に、その決定プロセスにおいて、会社の業績あるいは業績目標達成水準、剰余金分配水準、これらの業界水準、その他会社を取り巻く環境（不祥事の有無、影響等）を考慮するとともに、機関投資家等の議決権行使基準に照らして株主の理解が得られる内容になっているかを検討する。具体的には、株式報酬を含む業績連動報酬の社外取締役・監査役に対する支給の是非、株式報酬議案における希薄化率の大小・行使禁止期間、また退職慰労金贈呈議案の場合には対象者・総額表示の有無などである。

第4に、株式報酬については、譲渡制限期間その他行使禁止期間の長短、希薄化率が相当なものであるか、各機関投資家の議決権行使基準を勘案しながら、検討する。

(7)　減資・減準備金議案

①　資本金減少

(a)　議題の標記

「資本金減少の件」、「資本金の額の減少の件」などとすることが多い。

(b)　決定事項

資本金の額を減少するためには、株主総会の特別決議によって、次の事項を決議することを要する[57]（法447条1項）。

(i)　減少する資本金の額 (ii)　減少する資本金の額の全部または一部を準備金とするときはその旨および準備金とする額 (iii)　資本金の額の減少がその効力を生ずる日

減少する資本金の額は効力発生日の資本金の額を超えてはならない（法

(57)　ただし、定時株主総会における欠損の額を補填する目的で当該定時株主総会で資本金の額を減少する場合は普通決議でたり（法309条2項9号イ・ロ）。また、資本金の額の減少と同時に増資を実行し、増資金額が資本金の額の減少額を上回る、すなわち、一連の手続後に資本金額が増加する場合は株主総会の決議は不要である（法447条3項）。

447条２項)。資本金額を零円とするまで減少できる（マイナスとすることはできない)、その際、効力発生日の資本金の額を基準とするということである。したがって、効力発生日までに増資を予定している場合、その増資後の資本金の額を基準に資本金の額の減少ができる[58]。

資本金の額の減少を行う場合には、必ず債権者保護手続を行うことを要する。これを終了しない間は、資本金の額の減少の効力は発生せず、減少した金額を配当する（法465条１項10号）ことはできない。

決議の効力発生日は議案に定めた日である。ただし、それまでに債権者保護手続が完了していない場合、その完了まで効力は発生しない。効力発生後、資本金の額の減少に伴う変更登記を要する（**第26章26－２▪５**参照)。

②　準備金の額の減少

(a)　議題の標記

目的事項として議題を「資本準備金減少の件」、「資本準備金及び利益準備金減少の件」などとすることが多い。

(b)　決定事項

準備金の額を減少するには株主総会の普通決議を要する（法448条１項)。

準備金の減少は、(ア)欠損塡補目的で行われる場合、(イ)資本金の額を増加させる場合、(ウ)その他資本剰余金またはその他利益剰余金を増加させる場合がある。

(ア)の場合は、株主総会で、

(i)　減少する準備金の額 (ii)　準備金の額の減少がその効力を生ずる日

を決議する（法448条１項)。ただし、剰余金分配を取締役会で決定できる会社は決算取締役会（法436条３項）で決議する（法459条１項柱書第２かっこ書)。

定時株主総会以外の株主総会でも決議が可能であるが、定時株主総会においてこれを行う場合（定時株主総会の日の欠損額の範囲内で準備金を減少させる

---

(58)　相澤哲編著『立案担当者による新・会社法の解説（別冊商事295号)』(商事法務、2006）128頁。

場合）は、債権者保護手続を要しない。

(イ)の場合は、株主総会で、

(i)　減少する準備金の額 (ii)　減少する準備金の額の全部または一部を資本金とするときはその旨および資本金とする額 (iii)　準備金の額の減少がその効力を生ずる日

を決議する。なお、全額を資本金額に組み入れるのであれば、債権者保護手続は不要である（法449条1項柱書かっこ書）。資本金の増加により分配可能額に変更は生じず、むしろ準備金として積み立てるべき金額が増加することがありうること、欠損が生じた場合の塡補の手続が厳格になることから、債権者を害さないとの考えによる。

(ウ)の場合は、減少額金額をその他資本剰余金またはその他利益剰余金とするのであれば決議の内容は(ア)と同様であり、減少額の一部を資本金の増額に充てるのであれば(イ)と同様となる。いずれの場合も債権者保護手続を要する。

資本準備金を減少した額はその他資本剰余金に、利益準備金を減少した額はその他利益剰余金に計上されるが（施50条1項2号・51条1項1号）、これは決議の内容ではない。

(ア)(イ)(ウ)いずれも決議の効力発生日は議案に定めた日である。ただし、それまでに必要な債権者保護手続が完了していない場合、その完了まで効力は発生しない。

(8)　組織再編議案

①　議題の標記

目的事項（議題）として「合併契約承認の件」、「株式交換契約承認の件」、「会社分割契約承認の件」、「会社分割計画承認の件」、「株式移転計画承認の件」、「株式交付計画承認の件」などと記載するのが通例である。会社法はこれらの契約・計画につき書面による締結・作成を求めないが、書面によるのが一般的である。

議案は合併契約、株式交換契約などの契約・計画そのものである。

②　決定事項と留意点

組織再編にあたって、取締役会は、組織再編契約（吸収合併契約、吸収分割契約、株式交換契約、新設合併契約）を締結し、または、組織再編計画（新設分割計画、株式移転計画、株式交付計画）を作成する。

この契約・計画に基づき組織再編を実行するに際して効力発生日前日までに株主総会の承認を得ることが原則として必要である。例外は、(i)吸収分割分割会社、新設分割分割会社、吸収合併存続会社、株式交換完全親会社、吸収分割承継会社、株式交付親会社において簡易組織再編として法律に定める要件を満たす場合（法784条２項・796条２項・805条・816条の４）、(ii)略式組織再編として法律に定める要件を満たす場合である（法784条１項・796条１項）。

簡易組織再編として法律に定める要件を満たす場合であっても、①組織再編差損が生ずる場合など（法795条２項各号・816条の３第２項）、②公開会社でない会社が交付する組織再編の対価の全部または一部が譲渡制限付株式の場合（法796条１項ただし書・816条の４第１項本文ただし書）には株主総会の承認を要する。①は、たとえば、親会社がその完全子会社を吸収合併する場合を考えると、(i)完全子会社が債務超過の場合、(ii)親会社がその完全子会社株式に付する帳簿価額が合併により承継する効力発生日前日の完全子会社の純資産額を超える場合などである。

略式組織再編として法律に定める要件を満たす場合であっても、(i)組織再編の対価が譲渡制限付株式等であり対価を受ける側の会社が公開会社で種類株式を発行していない場合（法784条１項ただし書）、(ii)公開会社でない会社が交付する組織再編の対価の全部または一部が譲渡制限付株式の場合（法796条１項ただし書）に、株主総会の承認を要する。

取締役会は、株主総会を招集するにあたって、目的事項、および、書面投票もしくは電子投票制度を採用しない会社にあっては議案の概要、または、採用する会社にあっては株主総会参考書類に記載する事項を決定する。

なお、取締役会非設置会社においては目的事項を定めることを要しないが、組織再編の場合、株主総会に先立って法律で定められた日から事前開示書面の備置が必要であり、そのなかに組織再編契約または計画が含まれるため、遅くとも備置開始時までに決定することを要する。

株主総会の承認は特別決議によるが、組織再編対価が譲渡制限付株式である場合、特殊決議を要する（法309条３項２号・３号）。「譲渡制限付株式等」とは、譲渡制限株式に加え、これに類するものとして法務省令で定められるものを総称する。対価が持分等である場合には株主全員の同意を要する（法783条２項）。「持分等」とは、持分に加え、これに類するものとして法務省令で定められるものを総称する。

以上の決議要件を定款で加重することが可能である（法309条２項・３項）。これには特別決議の要件を３分の２を超えた割合に引き上げるほか、頭数基準も設けることも含まれる。

第Ⅰ編

第5章

株主総会の招集の決定

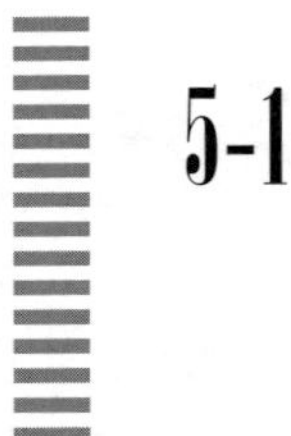

5-1 総　説

株主総会には定時株主総会と臨時株主総会がある。定時株主総会は毎事業年度の終了後一定の時期に招集しなければならない（法296条1項）。臨時株主総会はいつでも招集することができる（同条2項）。いずれの場合も招集の権限を有する者が会社法所定の手続に則って招集することを要する（同条1項・2項）。

この招集に関して、立案担当者は、会社の内部的な意思決定機関である株主総会の招集手続に関する行為であるから取締役の業務執行には該当せず、法律上、代表取締役や執行役の権限になるものではなく、取締役の資格で招集できるのみであるとするが(1)、通説は、取締役会によって招集が決定され、これを代表取締役（委員会設置会社であれば代表執行役）が執行するものと解する(2)。

招集の手続とは、会社法298条1項に定められた招集権者による招集の決定、同法299条に定められた招集の通知の発出、その場合の方式、その期間などに関する規律を指す。

招集の手続を欠く場合、株主が株主総会と称して集会を開催しても、株式会社の機関としての株主総会ではなく、その決議は株主総会の決議として効力を有しない。

ただし、会社法所定の招集手続の全部または一部が省略されても株主総会ないしは株主総会決議が有効に存在する場合がある。これについては、**5－7**参照。

---

(1)　相澤哲編著『立案担当者による新・会社法の解説（別冊商事295号）』（商事法務、2006）468頁。

(2)　江頭憲治郎『株式会社法〔第8版〕』（有斐閣、2021）324頁、田中亘『会社法〔第3版〕』（有斐閣、2021）163頁、大隅健一郎＝今井宏＝小林量『新会社法概説〔第2版〕』（有斐閣、2010）141頁注77、龍田節＝前田雅弘『会社法大要〔第3版〕』（有斐閣、2022）200頁。

5-2 招集権者

株主総会の招集権者は、取締役会設置会社においては取締役会（法298条4項）、取締役会非設置会社においては取締役（同条1項）である[3]。

1　取締役会

(1)　総　説

取締役会（法298条4項。委員会設置会社でもその決定を執行役に委任できず（法416条4項4号）、取締役会非設置会社の場合は取締役）は、株主総会の招集を決議し、その執行として代表取締役が招集手続を実行する（通説）。前述のとおり、招集が業務執行ではないとの立場からは、代表取締役や代表執行役に招集権限があるわけでなく、定款の定めるところにより取締役が招集することになる（法296条3項）。

招集の決定にあたり、取締役会は、会社法298条1項および施行規則63条に定める事項を決定する（法298条1項）。招集通知にはこれらの事項を記載する必要がある（法299条4項）。

(2)　取締役会の決議を経ずに招集した総会決議の効力

取締役会設置会社においては、少数株主が裁判所の許可を得て株主総会を招集するときを除き、招集に際して決定すべき事項は取締役会決議によらな

(3)　会社更生手続中の会社であっても同様である。清算中の会社においては清算人会、清算人となる。少数株主も裁判所の許可を受けて株主総会を招集することができる。詳細は**第Ⅱ編第3章**参照。

ければならない（法298条4項）。取締役会決議を経ずに代表取締役が株主総会を招集した場合は、招集手続の瑕疵として決議取消事由になる[4]。

一方、取締役会の決議によらず、かつ、代表取締役ではない取締役が招集した株主総会はまったくの第三者が招集した総会と同様に法律上の意味において総会の成立が認められないことから、そこでなされた決議は不存在とされる[5]。

(3)　定款で招集権者を指定した場合

上述のとおり、取締役会設置会社においては、少数株主が裁判所の許可を得て株主総会を招集するときを除き、招集に際して決定すべき事項は取締役会決議によらなければならないと法定され（法298条4項）、また、招集権者が決定すべき事項を法定し、取締役に委任できる事項を特定していることからも（施63条3号柱書かっこ書）、代表取締役や取締役あるいは特定の第三者が招集を決定できると定める定款の定めは無効と解される。取締役会により決定された招集について具体的にその招集手続を行うことが業務執行であるかについては、前述のとおり考えが分かれている。

2　少数株主

総株主の議決権の3％以上の議決権を6ヵ月前から有する株主は、取締役に対して株主総会の目的事項と招集の理由を示して招集を請求することができる（法297条）。詳しくは、**第Ⅱ編第3章**で解説する。

3　裁判所の命令による株主総会の招集

株主総会検査役が選任された場合または会社の業務の執行に関する検査役が選任された場合において、検査役から報告書の提出を受けた裁判所は、必

(4)　最一判昭和46・3・18民集25巻2号183頁・判時630号90頁。
(5)　最一判昭和45・8・20判時607号79頁。

要があると認めるときは、代表取締役に対して、一定の期間内に株主総会を招集することを命ずる（法307条１項・359条１項）。

この命令を受けた取締役は、株主総会を招集する。この場合、取締役会の決定は要しないとされる（通説）。詳しくは、**第Ⅱ編第４章４－５**を参照されたい。

5-3 招集の決定事項

取締役会は、株主総会の招集にあたって、次の事項を決定する（法298条1項・4項）。少数株主が裁判所の許可を得て招集する場合には、少数株主がこれを決定する（同条1項かっこ書）。

図表Ⅰ－5－1　総会招集の取締役会での決議事項として会社法が定める事項

記載事項	根拠規定
①　株主総会の日時および場所	法298条1項1号
②　株主総会の目的事項	法298条1項2号
③　書面投票を採用する場合はその旨	法298条1項3号
④　電子投票を採用する場合はその旨	法298条1項4号
⑤　その他法務省令で定める事項	法298条1項5号

図表Ⅰ－5－2　総会招集の取締役会での決議事項として法務省令が定める事項

記載事項	根拠規定
①　定時総会開催日が前年応答日と著しく離れた場合の開催日時の決定理由	施63条1号イ
②　公開会社で開催日を集中日に決定したことにつき特に理由がある場合の開催日時の決定理由	施63条1号ロ
③　開催場所が過去に開催したいずれの場所とも著しく離れた場合の開催場所の決定理由	施63条2号
④　書面投票制度または電子投票制を採用する会社の場合、株主総会参考書類記載事項	施63条3号イ
⑤　書面投票行使期限	施63条3号ロ

⑥　電子投票行使期限	施63条3号ハ
⑦　議決権行使書面に賛否の記載がない場合の取扱い	施63条3号ニ
⑧　WEB開示により株主総会参考書類に記載しない事項	施63条3号ホ
⑨　議決権の重複行使の場合の取扱い（書面－書面、IT－IT、書面－IT）	施63条3号ヘ、施63条4号ロ
⑩　電磁的方法での招集通知受領承諾株主に対し請求があった場合に議決権行使書面を送付するときはその旨	施63条4号イ
※⑪　代理人の議決権行使について代理権を証明する方法、代理人の数、その他議決権行使に関する事項を定めたときはその事項	施63条5号
⑫　不統一行使の事前通知の方法を定めたときはその方法	施63条6号
⑬　書面投票制度も電子投票制度も採用しない会社の場合、重要な議題の概要	施63条7号

※　⑪は定款に規定されている場合、総会招集の取締役会での決議ならびに招集通知への記載は不要。

その他、株主総会参考書類、事業報告、計算書類、連結計算書類に記載すべき事項について、招集通知を発した日から総会の前日までに修正すべき事項が生じた場合における修正後の事項を株主に周知する方法（具体的は修正事項を掲載するURL）を招集通知とあわせて通知することができる（施65条3項・133条6項、計133条7項・134条8項）。

1　株主総会の日時および場所（法298条1項1号）

(1)　株主総会を開催する日時

定時株主総会については、①開催日が前事業年度に係る定時株主総会の日に応答する日と著しく離れた日であるとき、または、②〔公開会社の場合〕その日と同一の日に定時株主総会を開催する他の株式会社（公開会社に限る）が著しく多いとき（いわゆる集中日に開催するとき）には、その日時を決定した理由を取締役会で決定する（施63条１号）。

①の「著しく離れた」について、立案担当者は、個別事情によるとしながら「たとえば１か月以上遅れて定時株主総会を開催することとなれば、『著しく離れた日』と評価されることとなる」とする(6)。②については、集中日に開催することについて特に理由がある場合にその理由を決定する。

(2)　株主総会の開催場所

開催場所（５－５）については、定款に特段の定めを設けない限り、どこに決定しても差し支えない（外国でも構わない(7)）。複数の場所で開催しても差し支えない(8)。また、上場会社は、経済産業省令・法務省令で定める要件に該当することについて、経済産業省令・法務省令で定めるところにより、経済産業大臣および法務大臣の確認を受けた場合、株主総会を場所の定めのない株主総会とすることができる旨を定款で定めることができる（産業競争力強化法66条）(9)。

開催の具体的な場所が定款で定められたものである場合や当該場所で開催することにつき株主全員の同意がある場合には、この決定は不要である。

過去に開催した株主総会のいずれの場所とも著しく離れた場所であるときは、「その場所を決定した理由」を決定する（施63条２号）。たとえば、「会場確保の都合で○○を開催場所とする」、「交通の便を考え、○○を開催場所とする」といった理由である。大阪を開催場所としていた会社が東京を開催場所とする場合などはこれに該当することは明らかであるが、乖離の程度の判断は明確でないので、実務上、過去の開催場所の市区町村またはその隣接市区町村以外の場所を開催場所とする場合は、これに該当するものとされる。

---

(6)　相澤哲ほか編著『論点解説　新・会社法』（商事法務、2006）470頁。

(7)　相澤哲＝細川充「株主総会等〈新会社法の解説(7)〉」商事1743号（2005）22頁。ただし、株主の参加が著しく困難な場所をあえて開催場所とした場合、招集手続が著しく不公正であるとして決議取消事由となる（大判昭和５・12・16刑集９巻907頁参照）。

(8)　ただし、双方向・即時通信設備などによって会議体としての同一性が確保される必要がある（相澤＝細川・前掲(7)論文22頁注11）。

(9)　産業競争力強化法によらない場合、会社法298条１項１号が株主総会の「場所」の決定を求めていることから、完全オンライン総会は開催できないとされる。

2　株主総会の目的である事項および株主総会参考書類記載事項または議案の概要

(1)　株主総会の目的である事項（法298条1項2号）

取締役会設置会社では、招集者が決定した会議の目的事項以外の事項を決議することができないので（法309条5項）、目的事項すべてを決定することを要する[10]。

目的事項の記載については、株主において具体的に何が議題とされているのかがわかる程度の記載を要するものとされ、「その記載として表現されている文字のみによって当該事項を明知し得べきものである必要はなく、現に表現されている文字を他の事項もしくは同一書面中の記載、例えば他の目的事項の記載と照合して、いかなる事項を意味するかを推知し得られる場合も右の記載があるとすることを妨げない」とされる[11]。目的事項の記載それ自体は抽象的な記載であっても、積極的に株主に誤解を与えるものでない限り、議案の概要または株主総会参考書類記載の議案をあわせ読むことによって株主が具体的内容を了知できるのであればそれでたりる。

目的事項である議題とは、「取締役6名の選任の件」といった議案の一部を構成する題名である。これに対して議案とは候補者ごとに誰かが特定できる内容までを示す。これを超えて株主総会参考書類に記載が求められる生年月日、経歴などは議案を構成せず、その他の参考事項と位置づけられる（**第4章4－1**参照）。

複数の条項を変更する定款変更議案を付議する場合、取締役会は、その裁量で、包括して1本の議案として決定することも（通常はこの方法による）、

---

(10)　「株主総会の目的である事項があるときは、当該事項」との規定ぶりは、株主総会の目的事項がない場合があることを前提としたものであるが、これは公開会社ではない非取締役会設置会社について（法309条5項の反対解釈）、「決議事項や報告事項を定めずに株主総会を招集した上で、株主総会の場で必要に応じて、これらの事項を定めることを想定したもの」である。相澤編著・前掲(1)書77頁注5。

(11)　大判昭和7・2・7法学1巻下127頁。

変更事項ごとに複数の議案として決定することも可能である。包括して1本の議案とした場合、その一部に反対の株主は全体につき賛成するか反対するかの判断を求められる。

取締役選任（解任）議案、監査役選任（解任）議案、複数の会計監査人選任（解任）議案については、書面または電磁的方法による決議を行うこととする場合、候補者ごとに賛否を示すことができるようにすることが求められる（施66条1項1号イ・ロ・ハ）。同一議題のもとに候補者ごとの議案が成立しているとの考えによる(12)。

(2) 株主総会参考書類に記載すべき事項（施63条3号イ）

書面投票制度または電子投票制度を採用する会社は、取締役会において、株主総会参考書類に記載すべき事項（施74条～92条）を決定する。

なお、株主総会参考書類への記載をしなければならない事項のうち、全部取得条項付種類株式の取得に関する議案に関して記載を要するものとされる取得対価に関する事項（施85条の2第3号）、株式併合に関する議案に関する事前開示事項（施85条の3第3号）、組織再編に係る議案に関して記載を要するものとされる事前開示書面に係る事項（施86条3号・4号・87条3号・4号・88条3号・4号・89条3号・90条3号・91条3号・91条の2第3号・92条3号）は、取締役会において決定することを要しない（施63条3号イ）。

(3) 議案の概要（施63条7号）

書面投票制度および電子投票制度のいずれも採用していない会社においては、次に掲げる事項を株主総会の目的事項とする場合、議案の概要（議案が確定していないときはその旨）を決定して招集通知に記載することを要する。議案が確定していない場合にはその旨を記載する。取締役会を設置しておらず書面投票制度も電子投票も採用していない会社は、内容を通知することは必要ないものの（法299条2項・4項）、決定自体はしておく必要がある。

---

(12) モリテックス事件・東京地判平成19・12・6判タ1258号69頁は、会社提案の取締役選任議案と株主提案の取締役選任議案につき、同一議題のもとに候補者数だけの議案が存在しているとの考えを示す。

イ　役員等の選任
ロ　役員等の報酬等
ハ　全部取得条項付種類株式の取得
ニ　株式の併合
ホ　特に有利な払込金額による募集株式の募集
ヘ　特に有利な払込金額による募集新株予約権の募集
ト　事業譲渡等
チ　定款の変更
リ　合併
ヌ　吸収分割
ル　吸収分割による他の会社がその事業に関して有する権利義務の全部または一部の承継
ヲ　新設分割
ワ　株式交換
カ　株式交換による他の株式会社の発行済株式全部の取得
ヨ　株式移転
タ　株式交付

3　議決権行使に関する事項

(1)　書面投票制度を採用する場合はその旨（法298条1項3号）および電子投票制度を採用する場合はその旨（同項4号）

議決権を有する株主の数が1,000名以上である場合（大会社であるか否かにかかわらない)、書面による議決権行使（書面投票制度）を採用する決定をすることが義務づけられている（法298条2項)。この株主数の要件を満たさない場合が任意採用ということになる。金融商品取引法および委任状勧誘府令に基づき委任状勧誘を行う会社は、この決定をすることは不要である（法298条2項ただし書、施64条)。

一方、電磁的方法によって議決権を行使すること（電子投票制度）を認めるか否かは、会社の判断による[13]。

(2)　書面投票制度・電子投票制度のいずれかまたは双方を採用した場合には次の事項（施63条３号・４号）

書面投票または電子投票の少なくとも１つを採用する会社は、次の①～④、ならびに⑤および⑥に掲げる事項を決定する。ただし、①～⑤に掲げる事項について定款で定めている場合またはこれらの事項の決定を取締役に委任した場合は決定を要しないことに留意する必要がある。

①　特定の時をもって書面による議決権の行使の期限とする旨を定めるときは、その旨、または、特定の時をもって電磁的方法による議決権の行使の期限とする旨を定めるときは、その旨（施63条３号ロ・ハ）

行使期限を定める場合、株主総会の開催時刻以前で招集通知を発したときから２週間を経過した後の時を経過期限としなければならない（施69条）。２週間の考慮期間を確保する趣旨である。特段の決議をしない場合の議決権行使期限は、株主総会の日時の直前の営業時間の終了時となるが（同条）、業態によって終了時間がさまざまなので、議決権の集計作業時間を勘案し、前営業日の午後５時などと合理的な時間を定めて取締役会で決議し、招集通知に明記するのが通例である。営業時間の終了時が午後５時20分である会社が前営業日の午後５時を行使期限とした場合、「特定の時」を定めたものとして、議決権行使書面の発送日と総会日との間に15日間を設けなければ、会社法301条違反となる[14]。なお、委任状勧誘を行う場合については、明文の規定で手当てされていないことから、期限を定めることができないことに留意する必要がある。

②　賛否の表示のない場合の取扱いの内容（施63条３号ニ）

議決権行使書面の賛否の欄に記載がない場合にそれぞれの議案に賛成、反

---

(13)　株式会社ICJが運営する機関投資家向け議決権電子行使プラットフォーム（第16章16－３■５）への参加は電子投票制度の採用が前提となる。なお、株主総会資料の電子提供措置をとる会社であっても電子投票制度の採用は任意である。

(14)　東京高判令和３・12・16資料版商事455号112頁。

対、棄権のいずれかの意思表示があったものとして取り扱うかについて施行規則63条3号に基づきその内容を決定しておけば、そのとおりの議決権行使があったものとすることができる[15]。この取扱いについては議決権行使書面に記載することを要する（施66条1項2号）。

③　施行規則94条1項の措置（WEB開示）をとることにより株主に対して提供する株主総会参考書類に記載しないものとする事項（施63条3号ホ）

電子提供措置をとる会社（全上場会社およびそれ以外の会社で定款に電子提供措置をとることを定めた会社）においては株主総会参考書類の書面交付を要しないことから施行規則63条3号はそもそも適用されない。

それ以外の会社が株主総会参考書類に記載すべき事項の一部についてWEB開示をする場合、株主総会参考書類への記載を省略してWEB開示する事項を決定する。招集通知を発出するときから総会後3ヵ月が経過する日までの間、継続して電磁的方法により株主が提供を受けることができる措置をとれば、株主に提供したものとみなすことができる（施94条1項）。この決定をした場合、どの事項をWEB開示するかを招集通知に記載する（法299条4項）。

④　1の株主が同一の議案につき、書面投票を定めた場合（法298条1項3号）に議決権行使書面（法311条1項）により重複して、または電子投票を定めた場合（法298条1項4号）に電子投票（法312条1項）により重複して、議決権を行使した場合において、当該同一の議案に対する議決権の行使の内容が異なるものであるときにおける当該株主の議決権の行使の取扱いに関する事項を定めるときはその事項（施63条3号へ）

書面投票を重複して行った場合または電子投票を重複して行った場合で議決権行使の内容（賛成、反対、棄権）が異なるときに、どの段階の書面（電子）投票をもって当該株主の議決権行使とするかを決定する。最後の議決権

(15)　全国株懇連合会理事会決定「議決権行使書の取扱指針」参照。

行使をもって当該株主の意思表示をみなすなどと決定する。

⑤　株主総会参考書類に記載すべき事項のうち定款の定めに基づき書面交付請求を受けて交付する書面に記載しないものとする事項（施63条3号ト）

電子提供措置をとる会社（電子提供措置をとることを定款に定める会社。上場会社はすべて含まれる）は、株主から書面交付請求を受けた場合、株主総会参考書類を含む株主総会資料を書面交付しなければならないが、電子提供措置事項のうち施行規則95条の4第1項各号に定めるものの全部または一部については、交付書面に記載しないことができる旨を定款に定めることができ[(16)]、この定款の定めがある会社が株主総会参考書類に記載すべき事項を一部でも交付書面に記載しないものとする場合には、当該事項を取締役会で決定しなければならない。

⑥　電磁的方法による招集の通知（法298条3項）の承諾をした株主から請求があったときに、当該株主に対して議決権行使書面を交付（当該交付に代えて行う電磁的方法による提供を含む）することとするときはその旨（施63条4号イ）

株主の承諾を得て電磁的方法による招集の通知を行う場合、当該株主から請求がなければ議決権行使書面を交付（電磁的方法による提供を含む）せず、請求があっても交付しないこととすることが可能であるが、請求があった場合に交付する場合にはその旨を決定する。

---

(16)　全国株懇連合会の定款ひな形では「当会社は、電子提供措置をとる事項のうち、法務省令で定めるものの全部について、基準日までに会社法第325条の5に定める書面交付請求をした株主に対して交付する書面に記載することを要しないこととする。」と規定される（同会理事会決定「株主総会資料の電子提供制度に係る定款モデルの改正について」2021年10月22日）。

⑦　1の株主が同一の議案につき書面投票または電子投票によって重複して議決権を行使した場合において、当該同一の議案に対する議決権の行使の内容が異なるものであるときにおける当該株主の議決権の行使の取扱いに関する事項を定めるときは、その事項（施63条4号ロ）

上記④とは異なり、株主が異なる方法での議決権行使を重複して行った場合の取扱いを決定するものである。異なる内容である場合には、書面投票による意思表示を常に有効とする取扱い、電子投票による意思表示を常に有効する取扱い（そのなかで複数回投票が行われた場合の取扱いは上記④で決定したところによる）、最後に会社に到達したものを有効とする取扱い、いずれも無効とする取扱い、賛否の記載がないものとする取扱い（この場合の取扱いは上記②で決定したところによる）などを選択して決定する[17][18]。

(3)　代理人に関する事項（施63条5号）

代理人による議決権の行使について、代理人の資格、代理権を証明する方法、代理人の数その他代理人による議決権の行使に関する事項を定めるときはその事項を決定する。定款にこれらに関する規定が設けられている場合、規定がある事項についての決定は不要であるが、代理人の資格や代理権を証する方法については、実務上さまざまな方法が想定されることから、定款に定めず、取締役会でルールを決定するのが相当である[19]。以下、各項目について具体的に述べる。

第1に、議決権の代理行使につき代理人の数を制限することができ（法310条5項）、複数人の代理を拒否する場合には、その旨を定める必要がある。

第2に、代理人資格については、株主に限るといった定款規定が置かれることが多い。法人株主については従業員による議決権行使が認められている[20]。他方、弁護士による代理行使については、制限を認めた最二判昭和43・11・1[21]にかかわらず、株主に限るとの定款規定が株主総会のかく乱防

(17)　全国株懇連合会理事会決定「議決権行使書の取扱指針」6(3)。
(18)　議決権行使書と委任状の取扱いについて**第24章**参照。
(19)　全国株懇連合会編『全株懇モデル〔新訂3版〕』（商事法務、2011）47頁。
(20)　最二判昭和51・12・24民集30巻11号1076頁・判時841号96頁。

止のために設けられた趣旨に鑑みて、そのおそれのない弁護士には代理行使を認めるべきとする判決[22]もある。しかし、受付事務にそうした実質的判断基準を持ち込むと、恣意的運用がなされかねずかえって株主総会運営の混乱を招くおそれがあることから、原則として代理権制限を認めるのが相当である[23]。そのほか、常任代理人がいる場合の本人出席の可否、カストディアンを通じて保有する場合の真の保有者の代理人資格による出席の可否[24]なども施行規則63条5号に基づいて明確にしておくことが考えられる。

第3に、代理権の証明方法として何を要求するかを決定する[25]。前述の法人の従業員の場合の職務代行通知書と受任者本人であることを証明する身分証明書、法定代理人である場合の法定代理人であることを証明する書面と法定代理人本人であることを証明する身分証明書などである（特段の申出がなく議決権行使書を持参した場合、そのまま入場を認める会社も多い）。

法定代理人が代理人としてではなく本人の付添いとして出席を求めてきた場合や通訳の出席を求めてきた場合[26]などの現場での取扱いについては、実務レベルであらかじめ取り決めておくことが望ましい。

なお、ハイブリッド出席型バーチャル株主総会における代理人出席については、バーチャル出席における代理人出席の必要性が低いことに鑑み、代理人出席をリアル出席に限定することも妥当であるとされる[27]。

---

(21)　最二判昭和43・11・1民集22巻12号2402頁・判時542号76頁。

(22)　神戸地尼崎支判平成12・3・28判タ1028号288頁、札幌高判令和元・7・12金判1598号30頁。

(23)　大盛工業事件・東京高判平成22・11・24資料版商事322号180頁。

(24)　全国株懇連合会理事会決定「グローバルな機関投資家等の株主総会への出席に関するガイドライン」(2015年11月13日)。

(25)　全株懇「株式取扱規程モデル」10条3項および4項はこれに対応する（全国株懇連合会編・前掲(19)書108頁）。

(26)　前者につき前田雅弘＝北村雅史・大阪株式懇談会編『会社法実務問答集Ⅲ』（商事法務、2019）64〜66頁〔北村雅史〕（消極）、後者につき同67〜68頁参照（会社が用意する通訳者で対応できない場合の通訳者の同伴につき積極）。同書では、親が株主である場合の子供の同伴の可否（消極）、株主が障害のある方である場合の付添いや介助犬の同行の可否（積極）、株主が高齢者である場合の介護者の同伴の可否（円滑な運営に配慮しつつ積極）を解説する。

(27)　経済産業省「ハイブリッド型バーチャル株主総会の実施ガイド」(2020年2月26日) 16頁参照。

(4)　不統一行使の方法（施63条6号）

不統一行使（法313条2項）の通知の方法を定めるときはその方法を定める。ただし、定款にその定めがあるときは決定する必要はない。全国株懇連合会のひな形（「株主総会の議決権の不統一行使に関する取扱指針」[28]）に準拠して、決定するのが通例である（**第16章16－2■3**）。

■4　その他

以上の法定事項に加え、招集通知等に修正があった場合（**第11章11－2■2**）の周知の方法を定めることも多い。株主総会参考書類、事業報告、計算書類および連結計算書類に、招集通知発送後、修正すべき事項が生じた場合、その修正を周知する方法を定めて、招集通知とあわせて株主に通知することができる（それぞれにつき施63条6号・133条6項、計133条7項・134条8項）。そこで、この周知方法（通常は会社のホームページに記載する）を決定する。

また、ハイブリッド出席型バーチャル総会において当日ログインした株主の事前行使の効力をどの時点で破棄するか（ログイン時点または議決権行使時点）について、事前に定めて招集通知で周知しておく必要がある[29]。なお、事前に議決権行使をした株主が当日出席した場合、本人出席により事前行使の行使は破棄されたものとして扱うことになるが、来場した者が職務代行者である場合、それを出席または傍聴として扱うか、その者が事前行使と異なる議決権行使を行う場合にどのように扱うかについては当日の運用に任せられている[30]。しかし、賛否が拮抗することが予想される場合には上記の取扱いを明確にして参加株主にあらかじめ周知しておくことが望まれる[31]（詳細は**第24章**を参照）。

また、株主提案の提案理由および役員等選任議案における候補者に関する

---

(28)　平成7年4月14日全国株懇連合会理事会決定。全国株懇連合会編『全株懇株式実務総覧〔第2版〕』（商事法務、2022）295～305頁。

(29)　前掲(27)実施ガイド18～19頁参照。

記載に関して全文を掲載するのに適切な分量の定め（施93条1項）については、株式取扱規則にあらかじめ規定しておくのが一般的である[32]（規程例は**第Ⅱ編第2章2－7**を参照）。

---

(30)　東京地判平成31・3・8金判1574号46頁およびその控訴審である東京高判令和元・10・17金判1582号30頁は、それぞれ取引先持株会理事長、銀行・保険会社従業員および取引先従業員の事前行使と異なる議決権行使が争点となり採否の結論を分けた事案である。取引先持株会理事長については受任者の権限逸脱と会社のそれについての悪意の認定により、金融機関の従業員については事前行使と投票時の従業員の言動などの詳細な事実認定により傍聴人であったとして、いずれも事前行使を有効とする。北村雅史「事前の議決権行使と株主総会への『出席』の意味――東京高判令和元年10月17日を手がかりとして」商事2231号（2020）8頁以下参照。

(31)　大阪高決令和3・12・17資料版商事454号115頁。

(32)　全株懇「株式取扱規程モデル」の補足説明で示す規定12条はこれに対応する（全国株懇連合会編・前掲(19)書108頁）。

5-4 招集時期

株主総会は、招集の時期を基準として、定時株主総会、臨時株主総会に分類される。

1　定時株主総会

定時株主総会は、毎事業年度の終了後一定の時期に招集されなければならない（法296条1項）。法文上、期限は具体的に定められていないが、定款で決算期日を定時株主総会の議決権行使基準日と定めるのが通例であり、基準日と権利行使日の間が3ヵ月を超えることはできないことから（法124条2項）、決算日から3ヵ月以内に定時株主総会を開催するのが通例であり、その旨を定款に定める会社も多い(33)。法人税法も、確定決算主義の前提から、こうした実務を前提に規定の整備がなされている。決算期日を議決権行使基準日とするのは剰余金処分案の承認を行う株主と剰余金を受け取る株主が一致すべきであるとの考えが一般化していたことによる。しかし、こうした慣例的考えには合理的な批判が示されており(34)、特に剰余金処分の決定権限が取締役会にある会社では一致させる必要性に乏しくなっている。

定時株主総会は、計算書類の承認・報告、事業報告の内容の報告および剰余金の配当の決定を会議の目的事項とするが、その他の事項を決議してもよい。

(33)　全株懇「定款モデル」（2021年10月22日）第12条。この定款規定は天災その他の事由によりその時期に定時株主総会を開催できない状況が生じたときまで、その時期に定時株主総会を開催することを要求する趣旨ではないと解される（法務省「定時株主総会の開催について」https://www.moj.go.jp/MINJI/minji07_00021.html）。

(34)　**第2章**の注(1)参照。

2　臨時株主総会

株主総会は必要があるときにいつでも招集することができる（法296条2項）。定時株主総会以外の株主総会は臨時株主総会と呼ばれる。

3　種類株主総会

種類株主総会も必要があるときに招集することができる。株主総会と同時に開催されることが多い。種類株主総会については**第Ⅱ編第6章**参照。

5-5

開催場所

定款に特段の開催場所についての定めがない限り、開催場所に制約はないが（前述のとおり、それまでの総会の場所と著しく離れた場所であるときはその理由を決定し通知する必要がある。**5－3 1(2)**）、しかし、株主の参加に著しく支障がある場所を開催場所とすることは許されない(35)。こうした場所を開催場所とした場合は招集手続が著しく不公正な場合として決議取消事由となりうる。

また、十分な出席株主数の余裕を持って収容可能な場所を選定する必要がある(36)。会場は一つである必要はなく、場所の離れた複数の会場を開催場所にすることも可能である(37)。ただし、情報伝達の双方向性・即時性が確保される音声・画像通信で結び出席株主が議事の状況を即時に知ることができ、議長も「出席株主の状況の把握、質問・発言しようとする者の確認、現に発言しようとする者が当該株主等であることの確認等が確保される」ことが必要である(38)。これらの要件は、IT 技術、インターネット環境の発展に伴い

---

(35)　前掲(7)大判昭和５・12・16。

(36)　チッソ事件・大阪高判昭和54・９・27判時945号23頁。ただし、新型コロナウィルスの感染拡大防止という公益目的のため株主の入場を制限すること、制限に際して事前登録制を採用し登録者を優先的に入場させることは許容される（経済産業省・法務省「株主総会 Q&A」Q2・Q3〔https://www.meti.go.jp/covid-19/kabunushi_sokai_qa.html〕、事前登録抽選制について静岡地沼津支決令和４・６・27資料版商事461号137頁）。さらに同決定は「会場の規模や時間的制約等から出席株主数を無制限とすることはできず、総会参与権を有するとしても希望すれば必ず総会に出席する権利であると認めることはできない」との見解を示すが、これに対しては批判が示されている（舩津浩司「スルガ銀行定時株主総会開催禁止等仮処分命令申立事件の検討」資料版商事法務462号（2022）104頁、伊藤靖史＝高原知明「会議体としての株主総会の現状と将来――理論と実務の対話」商事2311号（2022）31頁）。

(37)　合理的な想定を超えて出席者が集まり第２会場方式でも収容できない場合、決議取消となるかは別の問題である。詳細は**第Ⅲ編第２章２－３**参照。

より一層合理的な方法で実現できるようになり[39]、ハイブリッド出席型バーチャル株主総会も実施されるようになってきている[40]。また、産業競争力強化法66条に基づき、バーチャルオンリー株主総会を実施する上場会社も見られるようになっている[41]。バーチャル株主総会の詳細については**第27章**参照。

---

(38)　相澤編著・前掲(1)書80頁注11。

(39)　前掲(27)実施ガイド参照。

(40)　2021年７月から2022年６月総会までの間、22社で実施。資料版商事法務449号～460号掲載の各月「株主総会概況」および「臨時総会動向」から集計。

(41)　2021年７月から2022年６月総会までの間、12社で実施。前掲(40)文献から集計。

5-6

招集方法

1　公開会社の場合

公開会社において株主総会を招集するには、株主総会の日の２週間前までに各株主に対して株主総会招集の通知を発しなければならない（法299条１項)。「２週間前までに」とは、発信日と会日の間に丸２週間があることを意味する。６月28日（仮に木曜日とする）とした場合、27日㈬を起算日とした２週間前の日、すなわち６月14日㈭の前日（６月13日㈬）までに招集通知を発出することを要するということである。

２週間の期間は、株主に出席と準備の機会を与える趣旨であるが、画一的処理の必要性から発信主義を採用している。会社が株主名簿に記載または記録された住所または会社に届け出られた住所に宛てて通知を発すれば、その通知は通常到達すべかりし時に到達したものとみなされる（法126条１項・２項)。したがって、延着、不着であっても会社はその危険を負わない(42)。ただし、会社の過失による宛先の誤記により到達しない場合はこの限りではない(43)。

書面による招集通知の発出に代えて、政令で定めるところにより、株主の承諾があるときは、当該株主に対する招集通知は電磁的方法ですることができ（法299条３項)、書面の発出は不要となる。会社は、株主から「今後、私からの申入れがない限り、総会の招集の通知は、継続的に電磁的方法により

(42)　大判大正８・11・18民録25輯2165頁。
(43)　大判昭和12・３・12法学６巻918頁。

行われることを承諾します。」といった承諾を取得することにより、逐時の確認を行うことを回避できる。

招集通知には、①総会の日時・場所、②目的事項、③書面投票制度を採用する場合はその旨、④電子投票制度を採用する場合はその旨、⑤施行規則63条各号に掲げる事項を記載することを要する（法298条１項１号～５号）。また、招集通知と株主総会参考書類の送付は同時に行われることが求められる（法301条）。

電子提供措置をとる旨の定款の定めのある会社は、①株主総会の日の２週間前の日までに株主総会のⓘ日時および場所、ⓘⓘ目的事項、ⓘⓘⓘ株主総会資料をアップロードしたサイトのURLを記載した書面を株主に通知し（「招集通知」であるが、「アクセス通知」と呼ばれる。法325条の４）、②招集通知発出の日または株主総会の日の３週間前の日のいずれか早い日までに株主総会資料の電子提供措置をとる、すなわち、株主総会資料を自社ホームページ等のサイトにアップロードする（株主総会の日後３か月が経過する日まで。法325条の３第１項。詳細は**第12章12－５**で解説する）。

2　公開会社でない会社の場合

(1)　取締役会設置会社

招集通知の発出は総会の会日の１週間前でよい（法299条１項）。ただし、株主総会資料の電子提供措置をとることを定款に定めている場合、２週間前となる（法325条の４第１項）。この点を除き、公開会社ではない会社であっても取締役会を設置する限り、株主総会の招集手続は、公開会社と同様である。

(2)　公開会社でない取締役会非設置会社の場合

取締役会非設置会社の場合、上記(1)に加え、招集通知の発出をさらに定款で短縮することができる（法299条１項）。ただし、電子提供措置をとる旨の定款の定めがある場合は２週間前であることを要する（法325条の４第１項）。

5-7 招集手続の省略

下記1および2に示す場合、招集手続の省略が認められる。これらに加え、取締役または株主が株主総会の目的である事項について提案をした場合において株主全員が当該提案に書面または電磁的記録により同意した場合には、招集手続を経ないのみならず会議そのものを開催せずに、当該提案について株主総会の決議があったものとみなされる（法319条）。

1　招集手続の株主の同意による省略

株主全員の同意がある場合、会社法299条の規定にかかわらず、招集手続を経ることなく株主総会を開催することができる（法300条）。ここで「招集手続を経ることなく」というのは、「法299条の規定の適用を排除する」という趣旨であるから、法定の通知期間を短縮することおよび招集の通知および招集に際して提供することが要求される計算書類の提供を省略できるということである。会社法299条は株主の利益保護のための規定であるから、総会ごとに個々の株主が同意した場合には、保障された利益を放棄できる(44)。ただし、取締役会で株主総会の招集について書面投票または電子投票ができる旨を決定した場合には、この省略は認められない（法300条ただし書）。なお、会社法298条まで排除するものでないことから、招集権者による招集の決定の省略を意味するものではない（同条4項）。

(44)　江頭・前掲(2)書325頁。

2　全員出席総会

招集手続を経ていない場合でも株主全員が出席して総会を開催することに同意した場合は、全員出席総会としてその決議は株主総会の決議となる[45]。

全員出席総会における株主の出席について一般的に代理人による出席でもよいとする見解もあるが、株主があらかじめ承知している以外の事項について決議がなされた場合でも、代理人が異議なく出席している以上、株主はその通知を受ける利益を放棄したものとして、総会決議の効力が認められることとなり、株主の利益保護に著しく欠けるおそれがある[46]。そこで、委任状により代理人が出席した場合に全員出席総会と認めるかについては、前掲注(45)最二判昭和60・12・20の示すとおり、株主本人が会議の目的事項を了知したうえで委任状を作成し、これに基づいて選任された代理人を出席させ、その目的事項の範囲内で決議が成立した場合に限り有効とすべきとされる[47]。ただし、取締役会非設置会社については、招集決定においてそもそも会議の目的事項を定める必要がなく、通知を受ける利益を有していないのであるから、委任状を作成し代理人を出席させた株主はかかるリスクについても甘受のうえで同意したものと評価できるから、一般的に代理人による出席でもよいと解する。

---

(45)　最一判昭和46・6・24民集25巻4号596頁・判時636号78頁、最二判昭和60・12・20民集39巻8号1869頁・判時1180号78頁。江頭・前掲(2)書333頁。

(46)　篠原勝美「判解」法曹会編『最高裁判所判例解説民事篇〈昭和60年度〉』（法曹会、1989）491頁参照。

(47)　大隅健一郎＝今井宏『会社法論中巻〔第3版〕』（有斐閣、1992）13頁注2。

第Ⅰ編

第6章

狭義の招集通知

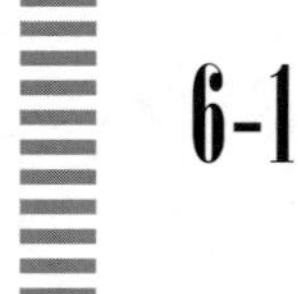

6-1 総　　説

株主総会を開催するにあたっては、各株主に対し事前に招集通知を送付しなければならない。招集通知については、会社法299条において、発送の期限、通知方法、送付対象や記載すべき事項が定められており、当該規定に反して招集手続がとられた場合には、総会決議取消事由に該当することとなる。

株主総会の「招集通知」という場合、実務では、「広義の招集通知」と「狭義の招集通知」を分けて考える。「狭義の招集通知」は、会社法299条の規定による株主総会招集のための通知をいい、「広義の招集通知」は、(i)狭義の招集通知と(ii)総会の議決権行使に必要な「添付書類（提供書面）」としての事業報告・貸借対照表・損益計算書・株主資本等変動計算書・個別注記表・監査報告の謄本・連結計算書類（ただし、大会社かつ有価証券報告書提出会社の場合）および(iii)「株主総会参考書類」を総称したものである。

電子提供措置をとる旨を定款に定めていない取締役会設置会社は、株主総会の招集の通知（広義の招集通知）を書面で行わなければならない（法299条2項・301条1項）。

電子提供措置をとる旨を定款に定める会社（上場会社はすべてこれに該当する）においては、上記(ii)(iii)は電子提供措置の対象であり（法325条の2）、書面送付を要するのは(i)の狭義の招集通知（「アクセス通知」と呼ぶ）に限定される（法325条の4第2項・3項）。

他方、取締役会非設置会社の場合、書面投票制度または電子投票制度を採用するものでない限り、株主総会の招集は口頭や電子メールなどの適宜の方法で行うことが可能である。

6-2 狭義の招集通知の記載事項と記載例

1　狭義の招集通知の記載事項

狭義の招集通知には、株主総会招集の取締役会において決議する会社法298条１項各号および施行規則63条各号に定める内容を記載しなければならない（**第５章５－３**参照）。

なお、同一の株主総会に関して株主に対して提供する招集通知の内容とすべき事項のうち、議決権行使書面または株主総会参考書類に記載している事項がある場合には、狭義の招集通知に記載しないこととすることができる（施66条４項・73条４項）。

電子提供措置をとる会社では、アクセス通知に①会社法298条１項１号から４号までに掲げる事項（同項５号すなわち施行規則63条各号に定める内容は電子提供措置の対象となることから記載不要）および②(i)電子提供措置をとっている旨（法325条の４第２項１号）またはEDINETの特例を利用している旨（同項２号）、(ii)電子提供措置をとっているウェブサイトのアドレス（施95条の３第１号・２号）、(iii)当該ページに到達するために必要な情報（パスワード等を入力して株主としてログインする必要があるときはその方法とパスワード等。同条１号・２号）を記載する。

招集通知記載事項については、電子提供措置をとる会社か否か（上場会社はすべて電子提供措置をとる会社である）、公開会社かまたは非公開会社か、書面投票制度または電子投票制度を採用しているかあるいは委任状制度を採用しているかなどによって、その内容が異なる。電子提供措置をとる旨を定款に定める会社の招集通知（「アクセス通知」という）の記載事項については、

第12章で詳細に解説する。

株主総会招集の取締役会決議と狭義の招集通知記載事項における留意点は次のとおりである。

図表Ⅰ－6－1

項　目	留意点	根拠規定
株主総会の目的事項	●報告事項と決議事項からなる。	法298条1項2号
書面投票制度の採用	●議決権を有する株主数が1,000名以上であれば必須。	法298条1項3号
電子投票制度の採用	●総会に出席できない株主が電磁的方法により議決権を行使できる旨の記載を確認する。	法298条1項4号
その日を総会日として決定した理由	●集中日開催の会社は「その日時を決定したことにつき特に理由がある場合」にのみ理由を記載する。 ●前年と著しく離れた日時とは、事業年度（決算期）変更の場合等が該当。	法298条1項5号 施63条1号
開催場所決定の理由	●過去の開催場所から著しく離れた場所で開催することとした場合に記載が必要。	法298条1項5号 施63条2号
株主総会参考書類記載事項	●書面投票制度もしくは電子投票制度採用会社で記載が必要。ただし、株主総会参考書類を添付する場合には、記載が重複するため、招集通知に記載しないのが一般的。 ●組織再編行為に際しての備置資料は総会招集時の決定事項の対象外。	法298条1項5号 施63条3号イ
書面投票・電子投票の議決権の行使期限	●特に定めなければ、株主総会の日時の直前の営業時間の終了時。 ●招集通知発信時から2週間経過時以後であれば会社が上記と異なる期限を設定することも可能。 ●定款に定める方法やその決定を取締役	法298条1項5号 施63条3号ロ・ハ

	に一任することも可能。	
賛否の記載がない場合の取扱い	●会社提案には賛成、株主提案には反対とする取扱いを定めるのが通例。 ●定款に定める方法やその決定を取締役に一任することも可能。 ●議決権行使書に記載するため、招集通知には記載しないのが通例。	法298条1項5号 施63条3号ニ
WEB 開示事項の決定	●対象は株主総会参考書類の一部（監査役、監査等委員会、または監査委員会が異議を述べた事項を除く）。 ●定款の規定が必要。 ●掲載する URL を記載。	法298条1項5号 施63条3号ホ
WEB 修正	●株主総会参考書類、事業報告、計算書類、連結計算書類に軽微な修正が生じた場合、修正後の事項を周知するための URL を記載。 ●総会招集の取締役会決議事項ではない。	施65条3項
書面投票・電子投票の双方を採用した場合の取決め	●招集通知の電磁的方法による送信を承諾している株主に対し、請求があるまでは書面投票に係る議決権行使書を送付しない取扱いを決議することが可能。 ●同一の議案について重複して議決権行使がされ、かつその内容が異なる場合の取扱いを決議することが可能（電子投票を優先させるのが一般的）。 ●議決権行使書に記載するのが通例。	法298条1項5号 施63条4号
代理人に関する事項	●代理人の代理権（代理人の資格を含む）を証明する方法、代理人の数等、議決権の代理行使に関して必要な事項を決議することが可能。 ●定款で定めている場合には決議は不要。	法298条1項5号 施63条5号

議決権の不統一行使の事前通知の方法	●事前通知の書面要件等を会社が定めることが可能。 ●定款で定めている場合には決議は不要。	法298条1項5号 施63条6号
議案の概要	●書面投票制度もしくは電子投票制度を採用していない会社は重要な議題についてその概要	法298条1項5号 施63条7号

2　電子提供措置をとらない書面投票制度採用会社の狭義の招集通知の記載事項と留意点

本節では、電子提供措置をとらない会社のうち、書面投票制度を採用している会社の招集通知記載事項について説明する。電子提供措置をとる会社のアクセス通知の記載例は、**第12章12－3**に掲載のとおりである。

〈記載例〉書面投票制度採用会社の招集通知

令和○年○月○日　❶

株　主　各　位　❷

○○市○○町○丁目○番○号　❸
○　○　○　○　株式会社
取締役社長　○○　○○　❹

第○回　定時株主総会招集ご通知

拝啓　ますますご清祥のこととお慶び申しあげます。

さて、当社第○回定時株主総会を下記により開催いたしますので、ご出席くださいますようご通知申しあげます。

なお、当日ご出席願えない場合は、書面によって議決権を行使することができますので、お手数ながら後記の株主総会参考書類をご検討のうえ、同封の議決権行使書用紙に賛否をご表示いただき、令和○年○月○日（○曜日）午後○時までに到着するようご送付いただきたくお願い申しあげます。❺❻

敬　具

記

1．日　時　令和○年○月○日（○曜日）午前10時
2．場　所　○○市○○町○丁目○番○号　当社本店　○階○○会議室 ❼
（末尾の会場ご案内図をご参照ください）❽
3．株主総会の目的事項
報告事項1．第○期（令和○年4月1日から令和○年3月31日まで）事業報告、連結計算書類の内容ならびに会計監査人および監査役会の連結計算書類監査結果報告の件 ❾ ❿ ⓫
2．第○期（令和○年4月1日から令和○年3月31日まで）計算書類の内容報告の件
決議事項
第1号議案　剰余金の処分の件
第2号議案　定款一部変更の件 ❾
第3号議案　取締役○名選任の件
第4号議案　監査役○名選任の件

4．招集にあたっての決定事項 ⓬
当社は、招集通知とその添付書類ならびに株主総会参考書類をインターネット上の当社ウエブサイト（http://www.○○○.co.jp/）に掲載しておりますので、法令ならびに当社定款第○条の規定に基づき、本招集ご通知には以下の事項を記載しておりません。
①　株主総会参考書類の以下の事項
……
②　事業報告の以下の事項
……
③　計算書類のうち以下の書類
個別注記表

以　上 ⓭

◎当日ご出席の際は、お手数ながら同封の議決権行使書用紙を会場受付にご提出くださいますようお願い申しあげます。
◎招集通知添付書類ならびに株主総会参考書類の記載事項を修正する必要が生じた場合は、修正後の事項をインターネット上の当社ウエブサイト（http://www.○○○.co.jp/）に掲載いたしますのでご了承ください。⓮

（狭義の）招集通知作成のチェックポイント

〈書面投票制度採用会社、ならびに同制度および電子投票制度採用会社共通〉

項　　目	チェックポイント等	チェック欄
❶　招集通知の発信日付	総会日との間に中２週間の余裕があるか、その日までに発送できる日程が組まれているか。また、特定の議決権行使期限を定めた場合の招集通知発送期限に注意（「特定の日時」の属する日と「発信日」の間に中２週間）。	
❷　宛　名	「株主各位」とする例が多いが、最近は「株主のみなさまへ」といったソフトな表現とする会社も増加している。	
❸　住　所	会社の登記上の本店所在地と一致しているかを確認する。登記と実質上の本社事務所所在地が異なる場合、登記を優先（一般には併記）する。	
❹　代表者の肩書	変更がないか。招集権者に関する定款と齟齬がないかを確認。	
❺　定足数	今総会に定足数を必要とする議題がある場合、議決権行使書（委任状）提出の必要性を強調するかどうか。	
❻　書面投票制度	総会に出席できない株主が書面で議決権行使できる旨を記載しているか確認する。議決権行使書用紙（もしくは議決権行使書面）となっているか、議決権行使期限は記載しているか、取締役会で別途行使期限を定めた場合、取締役会決議と齟齬がないかなどを確認する。	
❼　開催場所	変更がないか。総会の招集地に関する制限は撤廃されたが、定款で招集地を定めている場合、齟齬がないか確認する。 ※過去の総会と著しく離れた場所で開催する場合（当該場所が定款所定の招集地である場合を除く）、当該場所で招集する理由を総会招集の取締役会で決議し招集通知に記載することが必要。	

	※開催場所を変更した場合には開催場所記載欄等にその旨付記する例が多いので他社事例を参考に検討する。	
❽　開催場所案内図	記載は任意であるが、記載するとした場合には、付近のビル等に変更がないか、実地調査で確認する。	
❾　議題、議案の記載順序	●報告事項については、会社法に基づく計算書類が記載されているか、連結計算書類の監査結果報告の件の記載もれがないか確認する。 ●決議事項については、総会招集の取締役会での決議事項と齟齬がないか確認する（「剰余金の処分の件」等）。 ●株主総会参考書類を作成している場合、定款変更議案等でも、議案の概要（要領）の記載は不要（引用文言は不要）。ただし、株主提案議案の場合は、会社法305条１項の規定ぶりから、議案の要領の記載をする（引用方式）のが無難。 ●議案の記載順序が、総会のシナリオ上、無理はないか。議案が１つであれば単に「議案」とする。	
❿　定時総会の期数（回数）	期数（回数）に間違いがないかを、前回の招集通知の記載等との関連で確認する。	
⓫　計算書類等の期間表示	去年のままになっていないか確認する（特に事業年度（決算期）変更等を行った場合には要注意）。	
⓬　招集にあたっての決定事項	●総会招集の取締役会で決定し招集通知に記載すべき事項をもれなく記載する。	
⓭　「以上」の記載	狭義の招集通知の範囲を明確にするため、会議の目的事項の次に「以上」と記載しているか確認する。	
⓮　WEB 修正文言	記載は義務づけられていないが、欄外に記載するのが一般的。	

(1) 招集通知の発信日付（❶）

招集通知を発送する日（発信日付）を記載する。法令の通知期限内（法299条1項）に招集通知を発したことを明らかにする意味もある。公開会社では株主総会の日の2週間前までに招集通知を発する必要がある。到達主義の例外として発信主義がとられており、法定の通知期限内に招集通知が発せられていればたりる。2週間前までということは発信日と株主総会の日の間に2週間あることを要し、具体的には、株主総会の日が木曜日であれば、前々週の水曜日には発信していることを要する（**第5章5－6**）。

書面または電磁的方法による議決権行使期限として「特定の時」を定めた場合には、その時が属する日の2週間前までに招集通知を発することを要する。月曜日を株主総会の日とする会社が前週の金曜日の午後5時を期限とした場合、その前々週の木曜日までに招集通知を発することが必要である。

(2) 宛　　先（❷）

株主各位、株主の皆様へと記載するのが通例である。通知先は当該株主総会において議決権を有する株主である。

(3) 招 集 者（❸❹）

会社の所在地、商号および役位を付した取締役の氏名を記載する。

会社の所在地については本社所在地と商業登記上の本店所在地を列記する例もある。

役位については、株主総会の招集が取締役の業務執行に該当するか否か見解が分かれているが（**第5章5－1**）、実務では「取締役社長」、「取締役会長」、「代表取締役社長」、「取締役代表執行役」などの役位を示して招集されている。

(4) 題　　名

「定時株主総会」であるか「臨時株主総会」であるかの区別を明記する。定時株主総会の場合は、「第○期」または「第○回」としていつの定時株主総会であるかを特定して記載する。

(5) 冒頭文

株主総会を開催することを通知し、株主総会への出席を依頼する旨を「拝啓」ではじまり「敬具」で結ぶ手紙形式で記載するのが一般的である。

書面投票制度または電子投票制度を採用する会社の場合、出席依頼文言に続けて、株主総会に出席しない株主は書面または電磁的方法で議決権を行使できること（法298条1項3号・4号）、議決権行使書面の返送やインターネットによる議決権行使の方法を記載する。

取締役会で議決権行使期限として「特定の時」（施63条3号ロ・ハ）を定めた場合には、これを招集通知に記載する必要がある（同号ロ・ハ）。議決権行使書面に記載する場合には招集通知に記載する必要はないが（施66条4項）、招集通知に記載するのが一般的である。

取締役会で「特定の時」を定めない場合の議決権行使の期限は株主総会の日時の直前の営業時間の終了時となるが（施69条・70条）、この場合は行使期限を招集通知に記載することは求められない。しかし、招集通知に記載した場合、議決権行使書面への記載を省略できることから（施66条5項・1項4号）、招集通知にその営業時間の終了時を定める会社も少なくない。この場合、その会社は、「特定の時」を決定したわけではないから、株主総会の日（前日ではなく）の2週間前までに招集通知を発信すればよい。

(6) 招集の決定事項

① 開催日時

株主総会の開催日時は招集通知の必要的記載事項である。

これに加え、前年の定時総会開催日と著しく離れた日に開催する場合、その理由を記載する必要がある（施63条1号イ）。

典型的な例としては、事業年度（決算期）変更による場合が挙げられるが、開催日を大幅に前倒しする場合も考えられる。

〈記載例〉事業年度（決算期）変更による場合

1．日　時　令和○年6月○日
（本年の定時株主総会開催日が昨年の開催日と著しく離れた日である理由は、第○期より事業年度を毎年○月○日から○月○日までに変更したことによるものであります。）

〈記載例〉開催日前倒しの場合

1．日　時　令和○年6月○日
（株主の皆様に早期に配当金をお受け取りいただくため、昨年より○日早く開催することといたしました。）

集中日に開催する場合、その日を決定したことに特に理由がある場合は、その理由を記載する必要がある（施63条1号ロ）。

特に理由がなければ記載は不要ではあるが、たとえば総会場の予約の関係で集中日に開催せざるをえないといった理由を記載する例もある。

〈記載例〉総会場の予約の関係による場合

1．日　時　令和○年6月○日
（多数の株主様の出席が予想されますので、収容人数の大きな会場の確保を優先いたしました結果、集中日の開催を余儀なくされたものであります。）

②　開催場所（❽）

開催場所も必要的記載事項である（法298条1項1号）。総会場の住所、建物の名称および具体的場所（階数、会場の名称等）を記載する。

著しく離れた場所で開催する場合にはその理由の記載を要するが、本店移転により新しい本店周辺での開催とする場合や、従来の会場よりも交通の便のよい会場で開催することにした場合が考えられる。

〈記載例〉本店移転による場合

2．場　所　東京都○○区△△○丁目○番○号

当社本店　会議室
（本店所在地を大阪市から東京都に変更いたしましたので、株主の皆様への新社屋お披露目を兼ねて本年は上記場所での開催といたします。末尾の会場ご案内図をご参照いただき、お間違えのないようご注意願います。）

〈記載例〉株主の利便性に配慮した場合

2．場　所　東京都○○区△△○丁目○番○号
ホテル○○○○　○階「○○の間」
（当社は、従来、本店所在地である○○県○○市の当社本店会議室において株主総会を開催してまいりましたが、本株主総会におきましては、株主の皆様の利便を考慮し、より多くの株主の皆様がご出席いただけるよう上記会場で開催することに決定いたしました。ご来場の際は、末尾の会場ご案内図をご参照いただき、お間違えのないようご注意願います。）

③　目的事項（⑩⑪⑫）

株主総会の目的事項は、招集通知の必要的記載事項である（法298条１項２号）。具体的な記載方法としては、「報告事項」と「決議事項」に分けて、それぞれ該当する事項を列記する方法が一般的である。

(a)　報告事項

ア　株主総会に報告すべき事項

事業報告、計算書類、連結計算書類の内容および連結計算書類に関する監査役（委員会設置会社にあっては監査委員会）および会計監査人の監査の結果が報告事項となることが多い。詳細は**第４章４－２**参照。

このうち事業報告は、会社の機関設計にかかわらず、すべての株式会社において、定時株主総会における報告事項となる（法438条３項）。

計算書類（貸借対照表、損益計算書、株主資本等変動計算書および個別注記表。法435条２項、計59条１項）は、会計監査人設置会社において、取締役会の承認を受けた計算書類が法令および定款に従い会社の財産および損益の状況を正しく表示しているものとして、法務省令に定める要件を満たすときは、当

該計算書類は、定時株主総会における報告事項となる（承認特則規定。法439条、計135条）。

連結計算書類（連結貸借対照表、連結損益計算書、連結株主資本等変動計算書および連結注記表）ならびにこれに関する監査役（委員会設置会社にあっては監査委員会）および会計監査人の監査の結果は、会計監査人設置会社において連結計算書を作成した場合に（法444条1項、計61条）、定時株主総会における報告事項となる（法444条7項）。

イ　記載方法

特に定まった様式は存しないが、連結計算書類を作成している場合、事業報告、計算書類および連結計算書類等に関する事項をすべて一括して記載する会社が多い。

計算書類に関する事項と連結計算書類に関する事項をそれぞれ区分して記載する会社もある。この場合、事業報告は、その内容が企業集団に関する事項を中心にしているか（施120条2項参照）、事業報告作成会社に関する事項を中心にしているか等に応じて、計算書類に関する事項と並べて報告事項としたり、連結計算書類に関する事項と並べて報告事項とする。

さらに、実務上、定時株主総会では、まずは事業報告の内容についての報告がなされた後に、連結計算書類、計算書類等の報告がなされることが多いことに鑑み、事業報告とそれ以外の事項を区分して記載する会社もある。

なお、計算書類および連結計算書類については、各計算書類、各連結計算書類の名称を列記することも考えられるが、「計算書類」および「連結計算書類」は、いずれも法令上定義された用語であり、各書類の名称を列記する必要はない。特に、注記表に関しては、貸借対照表、損益計算書および株主資本等変動計算書にそれぞれ脚注などのかたちで表示され（計57条3項参照）、「個別注記表」、「連結注記表」という独自の書面が作成されないこともあるため、「計算書類」、「連結計算書類」の用語を用いるほうが適切であると考えられる。

〈記載例〉「連結計算書類」、「計算書類」に関する事項を区分した例

報告事項1．第○期（令和○年○月○日から令和○年○月○日まで）事業報

告、連結計算書類ならびに会計監査人および監査役会の連結計算
書類監査結果報告の件
2．第○期（令和○年○月○日から令和○年○月○日まで）計算書類
報告の件

〈記載例〉「事業報告」とそれ以外を区分した例

報告事項1．第○期（令和○年○月○日から令和○年○月○日まで）事業報告
の内容報告の件
2．第○期（令和○年○月○日から令和○年○月○日まで）計算書
類、連結計算書類ならびに会計監査人および監査役会の連結計算
書類監査結果報告の件

〈記載例〉連結計算書類を作成しない会社の例1（計算書類も報告事項）

報告事項　第○期（令和○年○月○日から令和○年○月○日まで）事業報告
および計算書類報告の件

〈記載例〉連結計算書類を作成しない会社の例2（計算書類は承認議案）

報告事項　第○期（令和○年○月○日から令和○年○月○日まで）事業報告
の内容報告の件

(b)　決議事項

ア　決議事項の記載方法

決議事項に関しては、決議事項の「議題」を記載する。詳細および個別の決議事項に関しては、**第4章4－3**および**第10章10－3**参照。

個別の議題の表記については、会社法に則した表現をする必要がある。複数の決議事項がある場合には、「第1号議案」、「第2号議案」といった連番を付して記載するのが一般的である。決議事項が1つの場合には、「第1号議案」とせずに、単に「議案」とする。

イ　決議事項の記載の順序

株主総会の審議は、通常、招集通知に会議の目的事項として記載された順序に従って行われることから、株主総会の審議順序にあわせて決議事項を記載するのが通例である。

ある議案が承認されることが別の議案の前提条件となる場合（定款変更により取締役の員数を拡大したうえで、取締役の増員選任を行う場合等）、前提条件となる議案を先順位に配列する必要がある。

ウ　「議案の概要」の記載

一定の決議事項については、招集通知に当該事項に関する「議案の概要」を記載することが求められる（施63条7号）。具体的には、(i)役員等の選任、(ii)役員等の報酬等、(iii)全部取得条項付種類株式の取得、(iv)株式の併合、(v)会社法199条3項または200条2項に規定する場合における募集株式を引き受ける者の募集、(vi)会社法238条3項各号または239条2項各号に掲げる場合における募集新株予約権を引き受ける者の募集、(vii)事業譲渡等、(viii)定款の変更、(ix)合併、(x)吸収分割、(xi)吸収分割による他の会社がその事業に関して有する権利義務の全部または一部の承継、(xii)新設分割、(xiii)株式交換、(xiv)株式交換による他の株式会社の発行済株式全部の取得、(xv)株式移転、(xvi)株式交付が、これに該当する。

株主総会参考書類を作成する会社（施63条3号）は、株主総会参考書類に「議案」の内容を記載する必要があり（施73条1項1号参照）、内容が重複することから、別途、狭義の招集通知に「議案の概要」を記載する必要はない（施63条7号柱書）。

エ　株主提案がなされている場合

株主提案がなされている場合、会社からの提案に引き続いて、株主提案を記載し、両者を区別する趣旨で「会社提案」(1)、「株主提案」という表示をする会社が多い（株主提案がない場合には、あえて「会社提案」との表示はしない）。

株主提案の議案が会社提案の議案と両立するものであるか（追加提案）、択一的な関係に立つのか（代替提案）について、提案の趣旨を明確にしておくことが必要である。

特に代替提案の場合、両方の議案に賛成することは論理矛盾であるため、両議案についての議決権行使を無効と取り扱わざるをえず、そうした取扱い

(1)　札幌高判平成9・6・26資料版商事163号262頁参照。

をすることが株主によく理解できるよう、招集通知、株主総会参考書類または議決権行使書面に明確に記載しておくことが望ましい[2]。

〈記載例〉代替提案である旨を招集通知へ記載する場合

決議事項　〈会社提案（第１号議案から第２号議案まで）〉
第１号議案　剰余金の処分の件
第２号議案　取締役○名選任の件
〈株主提案（第３号議案）〉
第３号議案　剰余金の配当の件
本議案は、会社提案の第１号議案と両立しない関係にありますので、第１号議案および本議案の双方に賛成されることのないようご留意ください。第１号議案および本議案の双方に賛成されますと、第１号議案および本議案への議決権の行使はいずれも無効となります。

(7)　その他

①　議決権行使書に賛否の記載がない場合の取扱い

株主から提出された議決権行使書面に議案に対する賛否が記載されていない場合に、各議案に対して賛成・反対または棄権のいずれかの意思表示があったものとみなす旨を、株主総会の招集の決定の際に定めている場合には、招集通知の必要的記載事項となる（施63条３号ニ）が、議決権行使書面に記載されるのが一般的であり、あえて招集通知に記載することとする場合以外、記載は不要である（施63条３号柱書）。

②　書面投票を重複して行使した場合の取扱い

株主が議決権行使書面を紛失した場合などの例外的なケースを除いて、株主が複数の議決権行使書面を交付されることはないため、書面投票が重複して行われる可能性はきわめて低く、そうした場合の取扱いを定めることはあまり想定されない。よって、書面投票を重複して行使した場合の取扱いを招集通知に記載することは一般的ではない。

(2)　三浦亮太ほか『株主提案と委任状勧誘〔第２版〕』（商事法務、2015）96頁。

③　代理人による議決権行使の制限

代理人による議決権行使の制限は、定款に、議決権を行使することができる他の株主に限定すること、代理権を証明する書面の提出を要すること、代理人は1名に限定されることを定めている会社が多くを占めている。したがって、代理人による議決権行使の制限が招集通知に記載されることはそれほど多くない。

④　不統一行使の事前通知方法

電子提供措置をとる会社におけるアクセス通知に関する記載（**第12章12－3**）を参照されたい。非上場会社において招集通知に記載することは一般的ではない。

⑤　電子投票制度採用会社における留意事項

電子投票制度の採用は実際は上場会社に限定されることから、電子提供措置をとる会社におけるアクセス通知に関する記載（**第12章12－5**）を参照されたい。

3　委任状採用会社（非上場会社）の狭義の招集通知の記載事項と留意点

非上場会社で議決権行使書面を強制されない会社が議決権行使書面制度を採用せず委任状を採用する場合、上場株式の議決権の代理行使の勧誘に関する内閣府令（平成15年内閣府令第21号）は適用されず、委任状勧誘に関する文言の招集通知への記載は任意のものでたりる。記載例では、任意に株主総会参考書類と同内容の参考書類を交付する例を示している。

〈記載例〉委任状採用会社の招集通知

令和○年6月○日

株　主　各　位

○○市○○町○丁目○番○号
○　○　○　○　株式会社

取締役社長　○○　○○

第○期　定時株主総会招集ご通知

拝啓　ますますご清祥のこととお慶び申しあげます。

さて、当社第○期定時株主総会を下記により開催いたしますので、ご出席くださいますようご通知申しあげます。

なお、当日ご出席願えない場合は、お手数ながら後記の参考書類をご検討くださいまして、同封の委任状用紙に議案に対する賛否のご表示をいただき、ご押印のうえ、ご返送くださいますようお願い申しあげます。❶❷❸❹

敬　具

記

〈略〉

（狭義の）招集通知作成のチェックポイント

〈委任状採用会社固有〉

項　目	チェックポイント等	チェック欄
❶　参考書類	委任状勧誘府令に準じて参考書類と記載	
❷　委任状用紙	議決権行使書面と異なり、会社からの委任状勧誘であることから「委任状用紙」と記載。	
❸　委任状用紙の押印	議決権行使書面と異なり、委任の意思表示として委任状用紙に「押印」することが必要。	
❹　行使期限（返送期限）	書面投票制度と異なり、委任の意思表示は総会当日まで可能である。したがって、行使期限を記載することはできない。	

第 I 編

第7章

事業報告

7-1 総　説

事業報告の記載事項は、施行規則118条から126条までに詳細に列挙されている。

すべての会社で記載を要するのは、株式会社の状況に関する重要な事項（計算書類およびその附属明細書ならびに連結計算書類の内容となる事項を除く）、内部統制システムについての取締役会の決定または決議の内容の概要および当該体制の運用状況の概要（決定または決議があるときに限る）、会社支配に関する基本方針の内容の概要等（当該基本方針を定めているときに限る）、特定完全子会社に関する事項（特定完全子会社があるときに限る）、親会社等との取引に関する事項（個別注記表において関連当事者取引注記を要する取引があるときに限る。したがって会計監査人設置会社または公開会社に限られる）である（施118条）。

公開会社については、さらに、株式会社の現況に関する事項、株式会社の会社役員に関する事項（社外役員がいる場合は社外役員等に関する事項〔施124条〕を含む）、株式会社の役員等賠償責任保険契約に関する事項、株式会社の株式に関する事項、株式会社の新株予約権等に関する事項を記載しなければならない（施119条。それぞれの記載事項は施行規則120条から123条までに詳細が列挙されている）。

以上のほか、会計参与設置会社に関する記載事項（施125条）、会計監査人設置会社に関する記載事項（施126条）がそれぞれ定められている。

ただし、施行規則で記載が求められている事項であっても、記載すべき事項がなければ、必ずしも記載を要しない。もっとも、記載すべき事項がないという事実そのものが重要な情報であることも考えられるので、記載すべき事項がない旨を明確に記載すべき場合がありうる。

7-2 事業報告の記載事項と留意点

1　事業報告の構成

事業報告の構成は、施行規則に規定する順序どおりにする必要はない。株主にとって理解しやすいよう配慮したものであることが望ましく、各社の創意・工夫によることでよい。最近は、写真やグラフ等を用いてわかりやすく記載する事例が少なくない。

事業報告を作成するうえで、実務上参考になるものとして、全国株懇連合会の事業報告モデル（以下「株懇モデル」という）[(1)]、日本経済団体連合会の事業報告モデル（以下「経団連モデル」という）[(2)]が作成されている[(3)]。参考までにこれらモデルの構成を示すと、以下のとおりである。これらのモデルのように、施行規則の条文ごとに大項目を立てて記載する構成がわかりやすいように思われる。

---

(1)　全国株懇連合会編『全株懇株式実務総覧〔第２版〕』（商事法務、2021）190頁以下。

(2)　日本経済団体連合会経済法規委員会企画部会「会社法施行規則及び会社計算規則による株式会社の各種書類のひな型（改訂版）」(2022年11月１日〔http://www.keidanren.or.jp/policy/2022/094.html〕)。

(3)　統合的な情報開示の枠組みを実現するため、政府により事業報告等と有価証券報告書の一体的開示のための取組が行われている（https://www.kantei.go.jp/jp/singi/keizaisaisei/index.html)。有価証券報告書兼事業報告書の記載例も示されているので、事業報告等と有価証券報告書の一体的開示を志向する場合には、当該記載例も参考になる（「事業報告等と有価証券報告書の一体的開示のための取組の支援について」の【別紙１－２】)。

図表Ⅰ－7－1　**事業報告モデル**

株懇モデル	経団連モデル
1．企業集団の現況に関する事項 2．会社の株式に関する事項 3．会社の新株予約権等に関する事項 4．会社役員に関する事項 5．会計監査人の状況 6．会社の体制および方針	1．株式会社の現況に関する事項 2．株式に関する事項 3．新株予約権等に関する事項 4．会社役員に関する事項 5．会計監査人に関する事項 6．業務の適正を確保するための体制等の整備に関する事項 7．株式会社の支配に関する基本方針に関する事項 8．特定完全子会社に関する事項 9．親会社等との間の取引に関する事項 10．株式会社の状況に関する重要な事項

実務上は、株懇モデルの6区分（「会社の新株予約権等に関する事項」に該当がない場合はこれを除いた5区分）または旧商法のもとでの営業報告書の構成に沿った2区分（大見出しは「企業集団の現況」と「会社の現況」とするものが多い）のいずれかをベースとする会社が多いようである。

以下では、事業報告の個別の記載事項について概説するとともに留意点をまとめてみる。ただし、一般的な上場会社を想定し、取締役会・監査役会・会計監査人設置の公開会社を前提とするため、会計参与設置会社に関する事項（施125条）は省略する。また、株式会社の現況に関する事項は、実務の実態にあわせて、連結ベースで記載する前提とする。

2　株式会社の現況に関する事項

株式会社の現況に関する事項として、施行規則120条1項に列挙されているのは以下の事項である。条文の配列どおりに記載する必要はないことから、各種モデルや実際の事業報告記載例を参考にして、順に説明することとする。

1　当該事業年度の末日における主要な事業内容
2　当該事業年度の末日における主要な営業所および工場ならびに使用人の状況
3　当該事業年度の末日において主要な借入先があるときは、その借入先および借入額
4　当該事業年度における事業の経過およびその成果
5　当該事業年度における次に掲げる事項についての状況（重要なものに限る。）
イ　資金調達
ロ　設備投資
ハ　事業の譲渡、吸収分割または新設分割
ニ　他の会社（外国会社を含む。）の事業の譲受け
ホ　吸収合併（会社以外の者との合併（当該合併後当該株式会社が存続するものに限る。）を含む。）または吸収分割による他の法人等の事業に関する権利義務の承継
ヘ　他の会社（外国会社を含む。）の株式その他の持分または新株予約権等の取得または処分
6　直前３事業年度（当該事業年度の末日において３事業年度が終了していない株式会社にあっては、成立後の各事業年度）の財産および損益の状況
7　重要な親会社および子会社の状況（当該親会社と当該株式会社との間に当該株式会社の重要な財務および事業の方針に関する契約等が存在する場合には、その内容の概要を含む。）
8　対処すべき課題
9　前各号に掲げるもののほか、当該株式会社の現況に関する重要な事項

(1)　事業の経過およびその成果（施120条１項４号）

「事業の経過およびその成果」は、当該事業年度におけるグループ（企業集団）としての全般的な事業の遂行状況とその結果を記載する。一般的な経済環境、業界の状況、グループの状況の順で記載するのが一般的と考えられる。グループとしての事業の成果は、売上高（業種によっては受注高も追加）とともに経常利益、当期純利益といった損益の状況を記載し、それぞれ前連結会計年度の実績との比較を付加する。

事業が２以上の部門に分かれている場合にあっては、部門別に区別することが困難な場合を除き、その部門別に区分された事項を記載する（施120条

１項。以下、株式会社の現況に関する事項につき同様である）。

また、合併等の重要な企業結合の状況（施120条１項５号ハ・ニ・ホ・ヘ）や重要な業務提携や技術提携、その他の経営上のトピックス（同項９号）についても、ここに記載することが考えられる。

なお、連結ベースで記載していることを明確にするため、見出しを「企業集団の現況に関する事項」とすることが考えられる。

〈記載例〉株懇モデル

事業報告
（○年○月○日から
○年○月○日まで）

１．企業集団の現況に関する事項

(1)　事業の経過およびその成果

当連結会計年度における我が国経済は……………………………………………
……………………………………………………………………………………………

当業界におきましては………………………………………………………………
……………………………………………………………………………………………

このような環境のなかで、当社グループは……………………………………結果、売上高（受注高）は○○億円（前期比○○％増）となり、税引後当期純利益は○○億円（前期比○○％増）となりました。

事　業　別	売　上　高	生産高（受注高）
○　○　事　業	億円	億円
○　○　事　業		
○　○　事　業		
○　○　事　業		

(2)　設備投資の状況（施120条１項５号ロ）

「設備投資の状況」は、当該事業年度中に完成した主要設備、当該事業年度において継続中の主要設備の新設、拡充・改修、生産能力に重要な影響を及ぼすような固定資産の売却、撤去または災害等による滅失を記載する。

事業が２以上の部門に分かれている場合、部門別に区別することが困難な場合を除き、その部門別に区分された事項を記載する（施120条１項）。

見出しについては、売却・撤去等も含むため「設備投資等の状況」、あるいは重要なものを記載するため「重要な設備投資の状況」とすることも考えられる。

また、資金調達との関連が強いため「設備投資および資金調達の状況」として資金調達の状況とまとめて記載することが考えられ、また、重要な設備投資等がなければ、該当事項がない旨を記載することが考えられる。

〈記載例１〉株懇モデル

(2)　**設備投資等の状況**

当連結会計年度中において実施いたしました設備投資等の主なものは、次のとおりであります。

①　当連結会計年度中に完成した主要設備

・当社

○○工場　○○設備の増設（○○部門）

・子会社○○会社

○○工場　○○設備の増設（○○部門）

②　当連結会計年度継続中の主要設備の新設、拡充

・当社

○○工場　○○設備の新設（○○部門）

・子会社○○会社

○○工場　○○設備の増設（○○部門）

③　重要な固定資産の売却、撤去、滅失

生産能力に重要な影響を及ぼす固定資産の売却、撤去または滅失

…………………………………………………………………………

〈記載例２〉東京応化工業（事業部門ごとに記載する例）

(2)　**設備投資等の状況**

当連結会計年度の設備投資の総額は、当社グループを取り巻く事業環境を考慮し、16億99百万円と引き続き低い水準に抑制いたしました。事業別の設備投資等につきましては、次のとおりであります。

①　材料事業

当社相模事業所における研究開発投資を中心に13億89百万円の設備投資を実施致しました。

また、平成23年３月１日付のイーストマン・コダック・カンパニー

（米国）に対する印刷材料事業の譲渡に伴い、当社山梨工場の実質的に全ての固定資産を譲渡いたしました。

② 装置事業

当社湘南事業所における研究開発投資を中心に94百万円の設備投資を実施いたしました。

③ 全社（共通）

情報システム関連機器等を中心に2億15百万円の設備投資を実施いたしました。

(3) 資金調達の状況（施120条1項5号イ）

「資金調達の状況」は、当該事業年度における増資、社債発行、多額の借入れ等設備投資に伴う非経常的な資金調達を記載する。銀行等とコミットメントライン契約を締結している場合は、その概要を記載することが考えられる。

見出しについては、重要なものを記載するため「重要な資金調達の状況」とすることも考えられる。

なお、重要な資金調達がない場合は、該当事項がない旨を記載することが考えられる。

〈記載例1〉株懇モデル

(3) 資金調達の状況

① ○年○月○日、公募により、○○万株の新株式を発行いたしました。（発行価額1株につき○○円、発行総額○○億円）

……………………………………………………………………………………

② ○年○月○日、第○回物上担保付社債（第○回無担保転換社債型新株予約権付社債）○○億円を発行いたしました。

〈記載例2〉アルフレッサホールディングス

③ 資金調達の状況

当連結会計年度における資金調達につきましては、特に記載すべき事項はありません。

⑷ 財産および損益の状況の推移（施120条1項6号）

「財産および損益の状況の推移」は、直前3連結会計年度を記載しなくてはならないため、当連結会計年度も含めて4年度分について、財産および損益の状況を示す適宜の項目・指標を選択して記載する。

記載する項目・指標としては、「売上高」、「当期純利益」、「1株当たり当期純利益」、「総資産」をベースに、「受注高」（長期契約または受注に依存する会社の場合）、「経常利益」、「純資産」などを追加して記載することが多い。

連結ベースを記載すれば単体ベースの記載を省略することができるが、実務上は、あわせて単体ベースを記載している会社も少なくない。

各連結会計年度における損益の状況の変動が著しい場合、その要因が明らかであれば、その要因を注記する。各連結会計年度における損益の状況に関する説明までは求められていない。

また、過年度事項（当該事業年度より前の事業年度に係る貸借対照表、損益計算書または株主資本等変動計算書に表示すべき事項）が、会計方針の変更その他の正当な理由により、過年度の定時株主総会で承認または報告したものと異なることとなったときは、修正後の過年度事項を反映して記載することができる（施120条3項）。修正後の過年度事項を記載する場合は、その旨および理由等を注記することが考えられるが、具体的な修正は、企業会計基準委員会「会計方針の開示、会計上の変更及び誤謬の訂正に関する会計基準」（企業会計基準第24号）および同「会計方針の開示、会計上の変更及び誤謬の訂正に関する会計基準の適用指針」（企業会計基準適用指針第24号）に従って行うこととなる。

〈記載例1〉株懇モデル

⑸ 財産および損益の状況の推移

区　分	○年度 第○期	○年度 第○期	○年度 第○期	○年度 （当期）第○期
受　注　高	億円	億円	億円	億円
売　上　高	億円	億円	億円	億円

当期純利益	億円	億円	億円	億円
１株当たり 当期純利益	円	円	円	円
総　資　産 （純資産）	億円	億円	億円	億円

〈記載例２〉経団連モデル

（企業集団の財産及び損益の状況）

区分	第○期	第○期	第○期	第○期 （当連結会計年度）
売上高　　　（十億円） 親会社株主に帰属する当期純利益　　　（十億円） 一株当たり当期純利益（円） 総資産又は純資産（十億円）				

（事業報告作成会社の財産及び損益の状況）

区分	第○期	第○期	第○期	第○期 （当事業年度）
売上高　　　　（十億円） 当期純利益　　　（十億円） 一株当たり当期純利益（円） 総資産又は純資産（十億円）				

(5)　対処すべき課題（施120条１項８号）

「対処すべき課題」は、事業報告作成時点におけるグループ全体の当面の課題を記載する。当面の課題に対する対処方針、計画等も記載するが、以前は具体的な数値を挙げて記載することは避け、基本的な方針にとどめるのが一般的であった。近年は、中期経営計画の概要やその進捗状況を具体的な数値をあわせて示すことが多くなっている。

「対処すべき課題」として独立した項目とせず、「事業の経過およびその成果」の末尾に記載することも考えられる。

〈記載例〉株懇モデル

> (4)　**対処すべき課題**
> 　内外の諸情勢からみて、今後とも厳しい企業環境が予想されますが、当社グループは……………………………………………………………………………

(6)　重要な親会社および子会社の状況ならびに企業結合等の状況（施120条1項5号ハ・ニ・ホ・ヘ・7号）

「重要な親会社および子会社の状況」は、親会社については親会社の概要（持株数、出資比率等を含む）ならびに親会社との事業上の関係、親会社との間に当社の重要な財務および事業の方針に関する契約等が存在する場合はその内容の概要を記載する。また、親会社等との間の一定の利益相反取引が会社の利益を害さないかどうかについての取締役会の判断およびその理由等（施118条5号）を記載する。

子会社については重要な子会社の概要（会社の持株数、出資比率等を含む）を記載する。

「重要な企業結合等の状況」は、事業の譲渡・譲受け、合併、会社分割、他の会社の株式・新株予約権の取得および処分（施120条1項5号ハ・ニ・ホ・ヘ）のうち重要なものを記載する。ただし、具体的な内容によっては「事業の経過およびその成果」または「対処すべき課題」に記載することも考えられる。連結ベースで記載するため、グループ内での異動は本来の記載事項にはあたらないが、「その他企業集団の現況に関する重要な事項」（同項9号・2項）として、ここに記載することが考えられる。

また、重要な業務提携や技術提携等について記載することも考えられる（施120条1項9号）。

なお、株懇モデルでは、特定完全子会社に関する事項（施118条4号）および親会社等との取引に関する事項（同条5号）を「重要な親会社および子会社の状況」で記載することとしている。一方、経団連モデルでは、それぞれ独立した見出しを設けて記載することとされている（**図表Ⅰ－7－1**参照）。

〈記載例1〉株懇モデル

⑹　重要な親会社および子会社の状況

①　親会社との関係

当社の親会社は○○○○株式会社で、同社は当社の株式を○○千株（出資比率○○％）保有いたしております。

当社は親会社より○○の生産を委託され、これを納入いたしております。

親会社等との間の取引に関する事項は以下のとおりであります。

……………………………………。

親会社と締結している重要な財務および事業の方針に関する契約等の内容の概要は以下のとおりであります。

……………………………………。

②　重要な子会社の状況

会　社　名	資　本　金	当社の出資比率	主要な事業内容
○　○　○　○	億円	％	
○　○　○　○			
○　○　○　○			
○　○　○　○			

連結ベースでの売上高は前期○○億円に比し横ばい（○割増加・減少し）、当期純利益は前期○○億円に比し○割増加（減少・横ばい）しました。

○○○○は、○年○月○日をもって○○部門を分離し、子会社として設立したものであります。

また、○年○月○日をもって○○○○を吸収合併いたしました。

③　事業年度末日における特定完全子会社の状況

……………………………………。

④　その他

技術提携の主要な相手先は、米国の○○社および○○社であります。

※　株懇モデルは、事業の譲渡・譲受け、合併、会社分割、他の会社の株式・新株予約権の取得および処分を独立の項目等で記載することを前提としており、子会社の移動を伴う場合は「重要な親会社および子会社の状況」に記載することも考えられるとする。

〈記載例 2〉 企業結合等の状況を含めて記載する例

(6) 重要な親会社および子会社ならびに企業結合等の状況

① 親会社の状況

会社名	所在地	資本金	親会社が有する当社株式（出資比率）	主要な事業内容
		百万円	%	

当社は、親会社に対し、主として○○の販売を行っております。

② 重要な子会社の状況

会社名	所在地	資本金	出資比率	主要な事業内容
○○株式会社		百万円	%	
		百万円	%	

③ 重要な企業結合等の状況

当社は、○年○月○日付で、○○株式会社に追加出資を行い、子会社といたしました。

〈記載例 3〉 企業結合等の状況を独立の項目とし、該当事項がない旨を記載する例

④ 事業の譲渡、吸収分割または新設分割の状況

該当事項ありません。

⑤ 他の会社の事業の譲受けの状況

該当事項ありません。

⑥ 吸収合併または吸収分割による他の法人等の事業に関する権利義務の承継の状況

該当事項ありません。

⑦ 他の会社の株式その他の持分または新株予約権等の取得または処分の状況

該当事項ありません。

〈記載例4〉パソナグループ（経団連モデルの構成に則って特定完全子会社に関する事項を記載する例）

8　特定完全子会社に関する事項
1．特定完全子会社の名称及び住所
株式会社パソナ
東京都千代田区丸の内一丁目5番1号
2．当社及び完全子会社等における特定完全子会社の株式の当事業年度の末日における帳簿価額の合計額
12,094百万円
3．当社の当事業年度に係る貸借対照表の資産の部に計上した額の合計額
48,952百万円

(7)　主要な事業内容（施120条1項1号）

グループの主要な製品、商品またはサービス等を記載する。事業が2以上の部門に分かれている場合は、その部門別に区分して記載する（施120条1項）。また、「事業の経過および成果」の事業部門別の記載で代替し、独立した項目で記載しないことも考えられる。

グループの事業内容が理解できるような記載であればよく、定款上の事業目的と一致させる必要はない。

〈記載例1〉株懇モデル

(7)　主要な事業内容

事　業	主要製品
○　○　事　業	
○　○　事　業	
○　○　事　業	
○　○　事　業	

〈記載例２〉宮地エンジニアリンググループ

(5) 主要な事業内容（平成23年３月31日現在）

当社グループは、橋梁、鉄骨等の鋼構造物の調査診断・点検、設計、製作、架設、補修・補強の請負ならびに土木工事、プレストレストコンクリート工事の設計、施工・工事管理の請負を主として行っております。

（当社の事業内容）

当社は、宮地エンジニアリング株式会社等の子会社の事業活動の支配、管理を目的とする持株会社であります。

(8) 主要な営業所および工場（施120条１項２号）

「主要な営業所および工場」は、グループとして事業を行うための物的施設の状況（名称および所在地）を記載する。所在地は、都道府県または国名を記載することが考えられる。

会社ごとに記載することが考えられるが、事業が２以上の部門に分かれている場合、可能であれば、その部門別に区分された事項を記載する（施120条１項）。

見出しは、グループの事業内容に応じて、「主要な事業所」、「主要な店舗」等に変更することが考えられる。

〈記載例１〉株懇モデル

(8) 主要な営業所および工場

名　称	所在地	名　称	所在地
関西支店	大阪府		
仙台工場	宮城県		

〈記載例2〉極　洋

(8) 企業集団の主要な営業所及び工場等

<table>
<tr><td rowspan="3">㈱極洋</td><td>本社</td><td>東京都港区</td></tr>
<tr><td>支社</td><td>札幌市・仙台市・東京都港区・名古屋市・大阪市・広島市・福岡市</td></tr>
<tr><td>研究所</td><td>宮城県塩釜市</td></tr>
<tr><td rowspan="2">キョクヨー秋津冷蔵㈱</td><td>本社・事業所</td><td>大阪市</td></tr>
<tr><td>事業所</td><td>東京都大田区・福岡市</td></tr>
<tr><td>極洋海運㈱</td><td>本社</td><td>東京都中央区</td></tr>
<tr><td>極洋商事㈱</td><td>本社</td><td>東京都港区</td></tr>
<tr><td rowspan="2">極洋食品㈱</td><td>本社・工場</td><td>宮城県塩釜市</td></tr>
<tr><td>工場</td><td>青森県八戸市・茨城県ひたちなか市</td></tr>
<tr><td>極洋水産㈱</td><td>本社・工場</td><td>静岡県焼津市</td></tr>
<tr><td>キョクヨー総合サービス㈱</td><td>本社</td><td>東京都港区</td></tr>
<tr><td>キョクヨーフーズ㈱</td><td>本社・工場</td><td>愛媛県北宇和郡松野町</td></tr>
<tr><td>極洋フレッシュ㈱</td><td>本社・工場</td><td>東京都江戸川区</td></tr>
<tr><td>キョクヨーマリン愛媛㈱</td><td>本社</td><td>愛媛県南宇和郡愛南町</td></tr>
<tr><td>キョクヨーマリンファーム㈱</td><td>本社</td><td>高知県幡多郡大月町</td></tr>
<tr><td>エス・ティー・アイ㈱</td><td>本社</td><td>東京都港区</td></tr>
<tr><td>海洋フーズ㈱</td><td>本社・工場</td><td>茨城県神栖市</td></tr>
<tr><td>サポートフーズ㈱</td><td>本社・工場</td><td>北海道小樽市</td></tr>
<tr><td rowspan="2">㈱ジョッキ</td><td>本社・工場</td><td>東京都練馬区</td></tr>
<tr><td>工場</td><td>埼玉県本庄市・北海道北斗市</td></tr>
<tr><td>Kyokuyo America Corporation</td><td>本社</td><td>Seattle, Washington, U.S.A.</td></tr>
<tr><td>K&U Enterprise Co., Ltd.</td><td>本社・工場</td><td>Ampur Muang, Samutsakorn, Thailand</td></tr>
<tr><td>青島極洋貿易有限公司</td><td>本社</td><td>中国山東省青島市</td></tr>
</table>

Kyokuyo Europe B.V.	本社	Luchthaven Schiphol The Netherlands

(9)　使用人の状況（施120条１項２号）

「使用人の状況」は、連結会計年度末の使用人数、前年度末比増減を記載する。連結ベースを記載すれば足りるが、あわせて単体ベースを記載することも考えられる。連結ベースの平均年齢や平均勤続年数は、把握可能であれば記載することが考えられる。

使用人の構成等に重要な変動がある場合には、その内容を注記することが考えられる。

事業が２以上の部門に分かれている場合、可能であれば、部門別に区分された事項を記載する（施120条１項）。

なお、施行規則120条１項２号は「使用人の状況」と規定するが、「従業員の状況」としても問題ない[4]。「使用人」と「従業員」のどちらの用語を用いるかについては、実務の対応も分かれている。

〈記載例１〉株懇モデル

(9)　従業員の状況

従業員数	前期末比増減数
○,○○○名	○○名

（注）……………………………………………………………………………

(4)　事業報告等と有価証券報告書の一体的開示の取組（https://www.kantei.go.jp/jp/singi/keizaisaisei/index.html）においては、有価証券報告書の記載事項である「従業員」の用語を用いた共通の記載が可能であることが明確化されている（「事業報告と有価証券報告書の一体的開示のための取組について」の【参考資料】）。

〈記載例2〉住友電設

(9)　使用人の状況

①　企業集団の状況

事業の種類	使用人数（前期末比増減）
設備工事業	2,413名（29名増）
電力工事	203名（　―　）
一般電気工事	1,767名（34名増）
情報通信工事	310名（6名減）
プラント・空調工事	133名（1名増）
その他の事業	145名（15名減）
全社（共通）	135名（12名増）
合計	2,693名（26名増）

（注）全社（共通）として記載されている使用人数は、特定の事業に区分できない管理部門等に所属しているものであります。

②　当社の状況

使用人数（前期末比増減）	平均年齢	平均勤続年数
1,233名（2名増）	41.2歳	17.1年

（注）使用人数には、執行役員18名、社外からの出向者39名、嘱託48名を含み、社外への出向者173名、パート10名を含んでおりません。

⑽　主要な借入先および借入額（施120条1項3号）

「主要な借入先および借入額」は、連結会計年度末日における主要な借入先からの借入金残高を記載する。連結会計年度終了後に大きな変動がある場合は、注記することが考えられる。

〈記載例1〉株懇モデル

⑽　主要な借入先

借入先	借入額
	億円

〈記載例２〉日本海洋掘削

8．主要な借入先の状況（平成23年３月31日現在）

借入先	借入額
㈱三菱東京ＵＦＪ銀行	6,238百万円
㈱三井住友銀行	3,120百万円
㈱日本政策投資銀行	400百万円

⑾　その他企業集団の現況に関する重要な事項等（施118条１項１号・120条１項９号・２項）

⑴～⑽で記載した事項以外に、重要な訴訟の提起、判決、和解、事故、不祥事、社会貢献等、会社または企業集団に関する重要な事項（財産・損益に影響を与えない重要な後発事象を含む）がある場合には、項目を設けて記載することが考えられる。

〈記載例〉塩見ホールディングス

⑿　その他企業集団の現況に関する重要な事項

当社は、平成21年11月２日付で東京地方裁判所（訴状送達日：平成21年11月６日）において、株式会社ＳＴコーポレーション（旧株式会社成幸利根）より貸付金のうち３億円の返還を求める訴訟の提起を受けました。

この提訴の内容は、当社グループが、グループに属する会社の余剰資金を一旦社内貸付という形で親会社である当社が一元管理（ＣＭＳ契約）し、各会社の資金需要に応じて貸付金の返済、又は当社からの貸付という形で当社グループ全体の資金繰りを行っておりました。今回の訴訟は、旧子会社であった株式会社ＳＴコーポレーション（以下、「ＳＴ社」という）より、ＣＭＳ契約による連結子会社当時からの当社に対する貸付金の返還を求め提起されたものであります。
当社は、平成21年２月25日に開示しましたように、当社グループがＳＴ社に及ぼす影響を避けるため株式を売却し、その後ＳＴ社は新株主のもと会社分割等（平成21年１月23日開示）により事業再生を行っていく予定としておりましたが、ＳＴ社の取引金融機関から売掛代金に対する仮差押え請求のため、ＳＴ社は民事再生の申立を行う結果となりました。再生手続の開始決定後、ＳＴ社は再生計画による事業譲渡を行い、現在清算中であります。
当社は、今回の訴訟について、ＳＴ社の資産について清算し配当を確定するためのものと考えております
当社は、ＳＴ社の当社に対する貸付金について債務認識を行っております。今後については、訴訟内容を弁護士、関係者と協議し対応を行ってまいります。

3　株式会社の株式に関する事項

株式会社の株式に関する事項として、施行規則122条１項に列挙されているのは以下の事項である。

1　当該事業年度の末日において発行済株式（自己株式を除く。）の総数に対するその有する株式の数の割合が高いことにおいて上位となる10名の株主の氏名または名称、当該株主の有する株式の数（種類株式発行会社にあっては、株式の種類および種類ごとの数を含む。）および当該株主の有する株式に係る当該割合
2　当該事業年度中に当該株式会社の会社役員（会社役員であった者を含む。）に対して当該株式会社が交付した当該株式会社の株式（職務執行の対価として交付したものに限り、当該株式会社が会社役員に対して職務執行の対価として募集株式と引換えにする払込みに充てるための金銭を交付した場合において、当該金銭の払込みと引換えに当該株式会社の株式を交付したときにおける当該株式を含む。以下この号において同じ。）があるときは、次に掲げる者（次に掲げる者であった者を含む。）の区分ごとの株式の数（種類株式発行会社にあっては、株式の種類および種類ごとの数）および株式の交付を受けた者の人数
イ　当該株式会社の取締役（監査等委員である取締役および社外役員を除き、執行役を含む。

ロ　当該株式会社の社外取締役（監査等委員である取締役を除き、社外役員に限る。）
ハ　当該株式会社の監査等委員である取締役
ニ　当該株式会社の取締役（執行役を含む。）以外の会社役員
3　前2号に掲げるもののほか、株式会社の株式に関する重要な事項

(1)　大株主等

株式会社の株式に関する事項として、大株主上位10名の氏名または名称およびその有する株式数（種類株式発行会社にあっては、株式の種類および種類ごとの数を含む）を記載しなければならない。記載時点は原則として事業年度の末日であるが、議決権の基準日が当該事業年度の末日後の日であるときは、当該基準日を明らかにして基準日時点で記載することができる（施122条2項）。当該基準日時点で記載することができるのは、事業年度末以外の日を基準日として株主総会を開催する会社ということになる。

また、その他の「株式会社の株式に関する重要な事項」として、株式の状況を示す発行可能株式総数、発行済株式総数、株主数等を記載することが考えられ、それぞれの見出しを付して記載することが多い。

新株発行や大量の新株予約権の行使、自己の株式の取得・消却、株式分割等、株式の状況に大きな影響を与える事項は、その内容を記載することが考えられ、包括的な「その他株式に関する重要な事項」の見出しで記載したり、大株主の一覧表等に注記したりしている。

(2)　当事業年度中に職務執行の対価として会社役員に交付した株式の状況

当事業年度中に、株式会社が会社役員（会社役員であった者を含む）に対して職務執行の対価として交付した当該株式会社の株式があるときは、会社役員の地位の区分ごとの株式の数（種類株式発行会社は、株式の種類および種類ごとの数）および株式の交付を受けた者の人数を記載しなければならない（施122条1項2号）。

なお、記載対象の株式には、当該株式会社が会社役員に対して職務執行の

対価として募集株式と引換えにする払込みに充てるための金銭を交付した場合において、当該金銭の払込みと引換えに交付された株式を含む。

〈記載例1〉株懇モデル

2．会社の株式に関する事項

⑴　**発行済株式の総数**　○,○○○,○○○株（自己株式○,○○○株を除く。）

⑵　**株主数**　○,○○○名

⑶　**大株主**

株主名	持株数	持株比率
	千株	%

⑷　**当事業年度中に職務執行の対価として会社役員に交付した株式の状況**

当事業年度中に交付した株式報酬の内容は次のとおりです。

………………………………………………………………

・取締役、その他の役員に交付した株式の区分別合計

	株式数	交付対象者数
取締役（社外取締役を除く。）	○○株	○名
社外取締役	○○株	○名
監査役	○○株	○名

⑸　**その他株式に関する重要な事項**

………………………………………………………………

〈記載例2〉長谷工コーポレーション

Ⅱ．株式に関する事項

2-1.　発行可能株式総数

420,000,000株

2-2.　発行済株式の総数

277,612,522株（自己株式23,181,875株を除く）

2-3.　株主数

50,399名

2-4.　大株主の状況

株　　　主　　　名	持株数	持株比率
	千株	%

いちごトラスト・ピーティーイー・リミテッド	53,185	19.15
日本マスタートラスト信託銀行株式会社（信託口）	37,954	13.67
株式会社日本カストディ銀行（信託口）	21,057	7.58
株式会社りそな銀行	12,609	4.54
住友不動産株式会社	9,916	3.57
長谷工グループ従業員持株会	8,655	3.11
SSBTC CLIENT OMNIBUS ACCOUNT	4,396	1.58
STATE STREET BANK AND TRUST COMPANY 505103	4,160	1.49
BNYM TREATY DTT 15	3,925	1.41
STATE STREET BANK WEST CLIENT - TREATY 505234	3,775	1.35

（注）1．持株数は単位未満を、持株比率は小数点以下第３位を、それぞれ切り捨てて表示しております。
2．当社は、自己株式23,181,875株を保有しておりますが、上記大株主の状況から除いており、持株比率についても、自己株式23,181,875株を控除して計算しております。なお、自己株式23,181,875株には「株式給付信託（BBT）」及び「株式給付型 ESOP」の信託財産として所有する当社株式2,966,300株は含まれておりません。
3．日本マスタートラスト信託銀行株式会社及び株式会社日本カストディ銀行の持株数は、全て信託持分となっております。

2-5. 当事業年度中に職務執行の対価として会社役員に交付した株式の状況

当社が、当事業年度中に職務執行の対価として当社の役員に対し交付した株式はありません。

2-6. その他株式に関する重要な事項

当社は、2021年2月26日の当社取締役会決議に基づき、2021年4月1日から2021年5月14日までの間、東京証券取引所における市場買付により、1,990,400株の自己株式を総額3,081,942,900円で取得いたしました。

4　株式会社の新株予約権等に関する事項

株式会社の新株予約権等に関する事項として、施行規則123条に列挙されているのは以下の事項である。

1　当該事業年度の末日において当該株式会社の会社役員（当該事業年度の末

日において在任している者に限る。以下この条において同じ。）が当該株式会社の新株予約権等（職務執行の対価として当該株式会社が交付したものに限り、当該株式会社が会社役員に対して職務執行の対価として募集新株予約権と引換えにする払込みに充てるための金銭を交付した場合において、当該金銭の払込みと引換えに当該株式会社の新株予約権を交付したときにおける当該新株予約権を含む。以下この号および次号において同じ。）を有しているときは、次に掲げる者の区分ごとの当該新株予約権等の内容の概要および新株予約権等を有する者の人数

イ　当該株式会社の取締役（監査等委員であるものおよび社外役員を除き、執行役を含む。）

ロ　当該株式会社の社外取締役（監査等委員であるものを除き、社外役員に限る。）

ハ　当該株式会社の監査等委員である取締役

ニ　当該株式会社の取締役（執行役を含む。）以外の会社役員

2　当該事業年度中に次に掲げる者に対して当該株式会社が交付した新株予約権等があるときは、次に掲げる者の区分ごとの当該新株予約権等の内容の概要および交付した者の人数

イ　当該株式会社の使用人（当該株式会社の会社役員を兼ねている者を除く。）

ロ　当該株式会社の子会社の役員および使用人（当該株式会社の会社役員またはイに掲げる者を兼ねている者を除く。）

3　前2号に掲げるもののほか、当該株式会社の新株予約権等に関する重要な事項

(1)　事業年度末日における新株予約権等の状況（施123条1号）

事業年度末日における新株予約権等の状況は、事業年度末日における役員の保有する新株予約権等（職務執行の対価として交付されたものに限る）について、当該新株予約権等の内容の概要および取締役、社外取締役、取締役以外の役員に区分した新株予約権等の保有者数を記載する。新株予約権等のうち職務執行の対価として交付されたものを記載すればたりるが、これまでに発行したストック・オプション（職務執行の対価として交付されたものでないものを含む。施123条3号）を含めて網羅的に記載することでもよい。

なお、記載対象の新株予約権には、当該株式会社が会社役員に対して職務執行の対価として募集新株予約権と引換えにする払込みに充てるための金銭

を交付した場合において、当該金銭の払込みと引換えに交付された新株予約権を含む。

〈記載例１〉株懇モデル

3．会社の新株予約権等に関する事項

(1)　職務執行の対価として交付した新株予約権の当事業年度末日における状況

・新株予約権の数

○,○○○個

・目的となる株式の種類および数

普通株式○○○,○○○株（新株予約権１個につき100株）

・取締役、その他の役員の保有する新株予約権の区分別合計

	回次（行使価額）	行使期間	個数	保有者数
取締役（社外取締役を除く。）	第１回（○○○円）	○年○月○日～○年○月○日	○○個	○名
	第２回（○○○円）	○年○月○日～○年○月○日	○○個	○名
社外取締役	第１回（○○○円）	○年○月○日～○年○月○日	○○個	○名
	第２回（○○○円）	○年○月○日～○年○月○日	○○個	○名
監査役	第１回（○○○円）	○年○月○日～○年○月○日	○○個	○名
	第２回（○○○円）	○年○月○日～○年○月○日	○○個	○名

〈記載例２〉経団連モデル

当社の新株予約権等に関する事項

①　当事業年度の末日に当社役員が有する職務執行の対価として交付された新株予約権等の内容の概要

名　称	第○回新株予約権
新株予約権の数	○個

保有人数 　当社取締役（社外役員を除く） 　当社社外取締役（社外役員に限る） 　当社監査役	 ○名 ○名 ○名
新株予約権の目的である株式の種類及び数	当社普通株式　○○株
新株予約権の発行価額	
新株予約権の行使に際して出資される財産の価額	
新株予約権の行使期間	
新株予約権の主な行使条件	

(2)　事業年度中に交付した新株予約権等の状況（施123条2号）

事業年度中に交付した新株予約権等の状況は、使用人、子会社の役員および使用人に対して事業年度中に交付した新株予約権等（職務執行の対価として交付されたものに限る）を、その区分ごとに当該新株予約権等の内容の概要および新株予約権等の交付者数を記載する。

〈記載例1〉株懇モデル

(2)　当事業年度中に職務執行の対価として交付した新株予約権の状況

・発行した新株予約権の数
　○,○○○個
・新株予約権の目的となる株式の種類および数
　普通株式○○○,○○○株（新株予約権1個につき100株）
・新株予約権の発行価額
　1個あたり○,○○○円
・新株予約権の行使価額
　1個あたり○,○○○円
・新株予約権の行使期間
　○年○月○日から○年○月○日まで
・その他取得の条件
　当社は、新株予約権の割当てを受けた者が権利を行使する条件に該当しなくなった場合および新株予約権を喪失した場合にその新株予約権を取得することができる。この場合、当該新株予約権は無償で取得する。

・

・

・

・当社従業員、当社子会社役員および従業員に交付した新株予約権の区分別合計

	新株予約権の数	交付対象者数
当社従業員（当社役員を除く。）	○個	○名
当社子会社の役員および従業員（当社の役員および従業員を除く。）	○個	○名

〈記載例２〉経団連モデル

②　当事業年度中に当社使用人、子会社役員及び使用人に対して職務執行の対価として交付された新株予約権の内容の概要

名　称	第○回新株予約権
発行決議の日	○年○月○日
新株予約権の数	○個
交付された者の人数 当社使用人（当社の役員を兼ねている者を除く。） 当社の子会社の役員及び使用人（当社の役員又は使用人を兼ねている者を除く。）	 ○名 ○名
新株予約権の目的である株式の種類及び数	当社普通株式　○○株
新株予約権の発行価額	
新株予約権の行使に際して出資される財産の価額	
新株予約権の行使期間	

新株予約権の主な行使条件	

(3)　その他新株予約権等に関する重要な事項（施123条3号）

その他新株予約権等（職務執行の対価として交付されたものでないものを含む）に関する重要な事項があれば記載する。

転換社債型新株予約権付社債の発行（資金調達の状況に記載することもある）、第三者割当てによる新株予約権の発行等について、特記事項を記載することが考えられる。

〈記載例〉株懇モデル

(3)　その他新株予約権等に関する重要な事項

…………………………………………………………………………………

5　株式会社の会社役員に関する事項

株式会社の会社役員に関する事項として、施行規則121条に列挙されているのは以下の事項である（ただし、事業年度末日において監査役会設置会社（公開会社かつ大会社であるものに限る）であって金商法24条1項により有価証券報告書を提出しなければならない場合、監査等委員会設置会社または指名委員会等設置会社でない場合は6号の2に掲げる事項を省略することができる）。

1　会社役員（直前の定時株主総会の終結の日の翌日以降に在任していた者に限る。次号から3号の2まで、8号および9号ならびに128条2項において同じ。）の氏名（会計参与にあっては、氏名または名称）
2　会社役員の地位および担当
3　会社役員（取締役または監査役に限る。以下この号において同じ。）と当該株式会社との間で法427条1項の契約を締結しているときは、当該契約の内容の概要（当該契約によって当該会社役員の職務の執行の適正性が損なわれないようにするための措置を講じている場合にあっては、その内容を含む。）

3の2　会社役員（取締役、監査役または執行役に限る。以下、この号において同じ。）と当該株式会社との間で補償契約を締結しているときは、次に掲げる事項

イ　当該会社役員の氏名

ロ　当該補償契約の内容の概要（当該補償契約によって当該会社役員の職務の執行の適正性が損なわれないようにするための措置を講じている場合にあっては、その内容を含む。）

3の3　当該株式会社が会社役員（取締役、監査役または執行役に限り、当該事業年度の前事業年度の末日までに退任した者を含む。以下この号および次号において同じ。）に対して補償契約に基づき法430条の2第1項1号に掲げる費用を補償した場合において、当該株式会社が、当該事業年度において、当該会社役員が同号の職務の執行に関し法令の規定に違反したことまたは責任を負うことを知ったときは、その旨

3の4　当該株式会社が会社役員に対して補償契約に基づき法430条の2第1項2号に掲げる損失を補償したときは、その旨および補償した金額

4　当該事業年度に係る会社役員の報酬等について、次のイからハまでに掲げる場合の区分に応じ、当該イからハまでに定める事項

イ　会社役員の全部につき取締役（監査等委員会設置会社にあっては、監査等委員である取締役またはそれ以外の取締役。イおよびハにおいて同じ。）、会計参与、監査役または執行役ごとの報酬等の総額（当該報酬等が業績連動報酬または非金銭報酬等を含む場合には、業績連動報酬等の総額、非金銭報酬等の総額およびそれら以外の報酬等の総額。イおよびハならびに124条5号イおよびハにおいて同じ。）を掲げることとする場合　取締役、会計参与、監査役または執行役ごとの報酬等の総額および員数

ロ　会社役員の全部につき当該会社役員ごとの報酬等の額（当該報酬等が業績連動報酬等または非金銭報酬等を含む場合には、業績連動報酬等の額、非金銭報酬等の額およびそれら以外の報酬等の額。ロおよびハならびに124条5号ロおよびハにおいて同じ）を掲げることとする場合　当該会社役員ごとの報酬等の額

ハ　会社役員の一部につき当該会社役員ごとの報酬等の額を掲げることとする場合　当該会社役員ごとの報酬等の額ならびにその他の会社役員についての取締役、会計参与、監査役または執行役ごとの報酬等の総額および員数

5　当該事業年度において受け、または受ける見込みの額が明らかとなった会社役員の報酬等（前号の規定により当該事業年度に係る事業報告の内容とする報酬等および当該事業年度前の事業年度に係る事業報告の内容とした報酬等を除く。）について、同号イからハまでに掲げる場合の区分に応じ、当該

イからハまでに定める事項

5の2　前2号の会社役員の報酬等の全部または一部が業績連動報酬等である場合には、次に掲げる事項

イ　当該業績連動報酬等の額または数の算定の基礎として選定した業績指標の内容および当該業績指標を選定した理由

ロ　当該業績連動報酬等の額または数の算定方法

ハ　当該業績連動報酬等の額または数の算定に用いたイの業績指標に関する実績

5の3　4号および5号の会社役員の報酬等の全部または一部が非金銭報酬等である場合には、当該非金銭報酬等の内容

5の4　会社役員の報酬等についての定款の定めまたは株主総会の決議による定めに関する次に掲げる事項

イ　当該定款の定めを設けた日または株主総会の決議の日

ロ　当該定めの内容の概要

ハ　当該定めに係る会社役員の員数

6　法361条7項の方針または法409条1項の方針を定めているときは、次に掲げる事項

イ　当該方針の決定の方法

ロ　当該方針の内容の概要

ハ　当該事業年度に係る取締役（監査等委員である取締役を除き、指名委員会等設置会社にあっては、執行役等）の個人別の報酬等の内容が当該方針に沿うものであると取締役会（指名委員会等設置会社にあっては、報酬委員会）が判断した理由

6の2　各会社役員の報酬等の額またはその算定方法に係る決定に関する方針（前号の方針を除く。）を定めているときは、当該方針の決定の方法およびその方針の内容の概要

6の3　株式会社が当該事業年度の末日において取締役会設置会社（指名委員会等設置会社を除く。）である場合において、取締役会から委任を受けた取締役その他の第三者が当該事業年度に係る取締役（監査等委員である取締役を除く。）の個人別の報酬等の内容の全部または一部を決定したときは、その旨および次に掲げる事項

イ　当該委任を受けた者の氏名ならびに当該内容を決定した日における当該株式会社における地位および担当

ロ　イの者に委任された権限の内容

ハ　イの者にロの権限を委任した理由

ニ　イの者によりロの権限が適切に行使されるようにするための措置を講じた場合にあっては、その内容

7　辞任した会社役員または解任された会社役員（株主総会または種類株主総会の決議によって解任されたものを除く。）があるときは、次に掲げる事項（当該事業年度前の事業年度に係る事業報告の内容としたものを除く。）
　イ　当該会社役員の氏名（会計参与にあっては、氏名または名称）
　ロ　法342条の2第1項もしくは4項または法345条1項（同条4項において読み替えて準用する場合を含む。）の意見があるときは、その意見の内容
　ハ　法342条の2第2項または法345条2項（同条4項において読み替えて準用する場合を含む。）の理由があるときは、その理由
8　当該事業年度に係る当該株式会社の会社役員（会計参与を除く。）の重要な兼職の状況
9　会社役員のうち監査役、監査等委員または監査委員が財務および会計に関する相当程度の知見を有しているものであるときは、その事実
10　次のイまたはロに掲げる場合の区分に応じ、当該イまたはロに定める事項
　イ　株式会社が当該事業年度の末日において監査等委員会設置会社である場合　常勤の監査等委員の選定の有無およびその理由
　ロ　株式会社が当該事業年度の末日において指名委員会等設置会社である場合　常勤の監査委員の選定の有無およびその理由
11　前各号に掲げるもののほか、株式会社の会社役員に関する重要な事項

役員等賠償責任保険契約に関する事項として、施行規則121条の2に列挙されているのは以下の事項である。役員等賠償責任保険契約に関する事項は、会社役員に関する事項に含めて記載することが多いため、ここで合わせて説明するが、被保険者に取締役・監査役のほか会計監査人も含まれている場合には、会社役員に関する事項に加えて会計監査人の状況においても会計監査人を被保険者とする同様の記載を行うか、「役員等賠償責任保険契約に関する事項」等の独立した大項目を立てて記載するといった工夫も考えられる。

1　当該役員等賠償責任保険契約の被保険者の範囲
2　当該役員等賠償責任保険契約の内容の概要（被保険者が実質的に保険料を負担している場合にあってはその負担割合、塡補の対象とされる保険事故の概要および当該役員等賠償責任保険契約によって被保険者である役員等（当該株式会社の役員等に限る。）の職務の執行の適正性が損なわれないようにするための措置を講じている場合にあってはその内容を含む。）

また、社外役員に関する事項として、施行規則124条に列挙されているの

は以下の事項である。

1　社外役員（直前の定時株主総会の終結の日の翌日以降に在任していた者に限る。次号から4号までにおいて同じ。）が他の法人等の業務執行者であることが121条8号に定める重要な兼職に該当する場合は、当該株式会社と当該他の法人等との関係
2　社外役員が他の法人等の社外役員その他これに類する者を兼任していることが121条8号に定める重要な兼職に該当する場合は、当該株式会社と当該他の法人等との関係
3　社外役員が次に掲げる者の配偶者、3親等以内の親族その他これに準ずる者であることを当該株式会社が知っているときは、その事実（重要でないものを除く。）
　イ　当該株式会社の親会社等（自然人であるものに限る。）
　ロ　当該株式会社または当該株式会社の特定関係事業者の業務執行者または役員（業務執行者であるものを除く。）
4　各社外役員の当該事業年度における主な活動状況（次に掲げる事項を含む。）
　イ　取締役会（当該社外役員が次に掲げる者である場合にあっては、次に定めるものを含む。ロにおいて同じ。）への出席の状況
　　⑴　監査役会設置会社の社外監査役　監査役会
　　⑵　監査等委員会設置会社の監査等委員　監査等委員会
　　⑶　指名委員会等設置会社の監査委員　監査委員会
　ロ　取締役会における発言の状況
　ハ　当該社外役員の意見により当該株式会社の事業の方針または事業その他の事項に係る決定が変更されたときは、その内容（重要でないものを除く。）
　ニ　当該事業年度中に当該株式会社において法令または定款に違反する事実その他不当な業務の執行（当該社外役員が社外監査役である場合にあっては、不正な業務の執行）が行われた事実（重要でないものを除く。）があるときは、各社外役員が当該事実の発生の予防のために行った行為および当該事実の発生後の対応として行った行為の概要
　ホ　当該社外役員が社外取締役であるときは、当該社外役員が果たすことが期待される役割に関して行った職務の概要（イからニまでに掲げる事項を除く。）
5　当該事業年度に係る社外役員の報酬等について、次のイからハまでに掲げる場合の区分に応じ、当該イからハまでに定める事項
　イ　社外役員の全部につき報酬等の総額を掲げることとする場合　社外役員

の報酬等の総額および員数
ロ　社外役員の全部につき当該社外役員ごとの報酬等の額を掲げることとする場合　当該社外役員ごとの報酬等の額
ハ　社外役員の一部につき当該社外役員ごとの報酬等の額を掲げることとする場合　当該社外役員ごとの報酬等の額ならびにその他の社外役員についての報酬等の総額および員数
6　当該事業年度において受け、または受ける見込みの額が明らかとなった社外役員の報酬等（前号の規定により当該事業年度に係る事業報告の内容とする報酬等および当該事業年度前の事業年度に係る事業報告の内容とした報酬等を除く。）について、同号イからハまでに掲げる場合の区分に応じ、当該イからハまでに定める事項
7　社外役員が次のイまたはロに掲げる場合の区分に応じ、当該イまたはロに定めるものから当該事業年度において役員としての報酬等を受けているときは、当該報酬等の総額（社外役員であった期間に受けたものに限る。）
イ　当該株式会社に親会社等がある場合　当該親会社等または当該親会社等の子会社等（当該株式会社を除く。）
ロ　当該株式会社に親会社等がない場合　当該株式会社の子会社
8　社外役員についての前各号に掲げる事項の内容に対して当該社外役員の意見があるときは、その意見の内容

(1)　会社役員の氏名（施121条1号）

会社役員に関する事項に記載する会社役員の範囲は、施行規則121条1号、2号から3号の2まで、8号および9号に関しては、「直前の定時株主総会の終結の日の翌日以降に在任していた者に限る」と定義されている（同条1号）。したがって、一般に一覧表形式で記載される取締役および監査役の氏名等は、一覧表に事業年度末に在任する者を記載して事業年度末までに退任した者は注記等で補足するか、事業年度末までに退任した者を含めて対象者すべてを一覧表に記載することになる。前者の場合、事業年度中の異動が多くなると注記の分量も増えるため、事業年度末の状況と事業年度中の異動状況を、項目を分けて記載するほうがわかりやすい。

会社役員の地位および担当（施121条2号）、重要な兼職の状況（同条8号）は、一覧表に含めて記載するのが一般的である。辞任した会社役員等の氏名等（同条7号）、監査役、監査等委員または監査委員が財務および会計に関

する相当程度の知見を有する場合のその事実（同条9号）は、一覧表の注記として記載することが考えられる。

以上のほか、社外取締役または社外監査役である旨を注記等で記載するのが一般的であり、証券取引所に届け出た独立役員である場合はその旨を注記等で記載することが多い。

なお、事業年度末日後に就任した会社役員の氏名等は記載不要であるが、会社役員に関する重要な事項として注記することは考えられる（施121条11号）。

〈記載例1〉株懇モデル

4．会社役員に関する事項

(1)　取締役および監査役の氏名等

氏　名	地位および担当	重要な兼職の状況
○○○○	取締役会長（代表取締役）	公益財団法人○○理事長
○○○○	取締役社長（代表取締役）	
○○○○	取締役副社長（社長補佐）	
○○○○	専務取締役（○○本部長）	
○○○○	常務取締役（営業部長）	○○○○株式会社代表取締役社長
○○○○	取締役（人事部長）	○○○○株式会社代表執行役社長
○○○○	取締役	
○○○○	常勤監査役	○○○○株式会社取締役会長
○○○○	監査役	○○○○株式会社代表取締役社長
○○○○	監査役	

（注）1．常務取締役○○○○氏は、平成○年○月○日退任いたしました。
2．取締役○○○○氏は、社外取締役であります。
3．監査役○○○○氏および○○○○氏は、社外監査役であります。
4．監査役○○○○氏は、○○○の資格を有しており、財務および会計に関する相当程度の知見を有するものであります。

〈記載例2〉有沢製作所

(3)　会社役員の状況

①　取締役及び監査役の状況（平成23年3月31日現在）

会社における地位	氏　　名	担当および重要な兼職の状況

代表取締役社長	有　沢　三　治	最高経営執行責任者（ＣＥＯ） 株式会社プロテック インターナショナル ホールディングス　代表取締役 Protec Arisawa Europe, S.A. Director and Chairman
取　締　役	渡　辺　雄　一	専務執行役員　製造部、生産革新室分掌
取　締　役	高　島　幸　男	常務執行役員　総務部、生産技術部、品質保証部、資材部分掌 アリサワファイバーグラス株式会社　代表取締役
取　締　役	三　輪　　卓	常務執行役員、回路材料事業部、電絶・複合材料事業部、電子材料技術部、電子材料ＳＥ部、電子材料製造技術部、複合材料技術部分掌
取　締　役	飯　塚　哲　朗	常務執行役員　経営企画部、人事部分掌
取　締　役	西　田　善　行	常務執行役員　ディスプレイ技術部、３Ｄ材料事業部、３Ｄ技術部、３Ｄ製造技術部、技術管理部分掌
取　締　役	有　沢　悠　太	常務執行役員　電子材料事業部、東京支店、大阪支店分掌 Protec Arisawa America, Inc. Director and Chairman
取　締　役	中　澤　　務	株式会社ポラテクノ取締役
取　締　役	金　谷　浩　介	
取　締　役	後　藤　克　誓	
常勤監査役	渡　辺　一　男	
監　査　役	酒　井　信　喜	株式会社八十二銀行常勤監査役
監　査　役	国　領　保　則	株式会社第四銀行常勤監査役

（注）１．取締役の金谷浩介及び後藤克誓の両氏は、社外取締役であります。
２．監査役の酒井信喜及び国領保則の両氏は、社外監査役であります。
３．当事業年度中の取締役及び監査役の異動は次のとおりであります。
・平成22年６月29日開催の第62回定時株主総会終結の時をもって、取締役の松廣憲治氏と監査役の荻原英俊氏及び渡辺　茂氏の３氏は辞任により退任いたしました。

・平成22年6月29日開催の第62回定時株主総会において、有沢悠太、後藤克誓の両氏は取締役に、酒井信喜、国領保則の両氏は監査役に選任され、それぞれ就任いたしました。

4．当社は、金谷浩介及び後藤克誓の両氏を株式会社東京証券取引所の定めに基づく独立役員として指定し、同取引所に届け出ております。

(2)　会社役員の地位および担当（施121条2号）

取締役および監査役の地位および担当は、氏名とともに一覧表形式で記載するのが一般的である。

記載例は(1)を参照されたい。

(3)　会社役員と責任限定契約を締結しているときは当該契約の内容の概要（施121条3号）

会社役員と責任限定契約を締結しているときは、当該契約の内容の概要を記載する。当該契約の内容の概要には、当該責任限定契約によって職務の執行の適正性が損なわれないようにするための措置が講じられている場合のその内容が含まれる。

記載方法としては、会社役員の一覧表の次に項目を設けて記載すること等が考えられる。ただし、本記載事項が平成26年会社法改正以前は「社外役員に関する事項」として記載することが求められていた（平成27年改正前施124条5号）ことを勘案すると、実際に責任限定契約を締結している会社役員が社外役員である限りは、従来どおり、「社外役員に関する事項」で記載することも考えられる。

〈記載例1〉株懇モデル

(2)　責任限定契約の内容の概要

取締役○○○○氏………………、監査役○○○○氏、○○○○氏、および○○○○氏は、当社と会社法第423条第1項の賠償責任を限定する契約を締結しており、当該契約に基づく賠償責任限度額は、金○○○円と法令の定める最低限度額とのいずれか高い額となります。

〈記載例２〉オリンパス

> **２．責任限定契約の内容の概要**
> 当社は、各取締役（業務執行取締役等であるものを除く。）との間で、会社法第423条第１項の損害賠償責任を限定する契約を締結しており、当該契約に基づく損害賠償責任限度額は、法令に規定する最低責任限度額です。

(4)　会社役員と補償契約を締結しているときは当該契約の内容の概要等（施121条３号の２～３号の４）

会社役員と補償契約を締結しているときは、当該会社役員の氏名、当該補償契約の内容の概要を記載する。当該補償契約の内容の概要には、当該補償契約によって職務の執行の適正性が損なわれないようにするための措置が講じられている場合のその内容が含まれる。さらに、補償契約に基づき費用や損失を補償した場合にも所定の事項を記載しなければならない（施121条３号の３・３号の４）。

記載方法としては、会社役員の一覧表の次に項目を設けて記載すること等が考えられる。

〈記載例１〉株懇モデル

> **(3)　補償契約の内容の概要**
> 取締役○○○○氏………………、監査役○○○○氏、○○○○氏および○○○○氏は、当社と会社法第430条の２第１項に規定する補償契約を締結しており、同項第１号の費用および同項第２号の損失を法令の定める範囲内において当社が補償することとしております。

〈記載例２〉日本製鐵

> （注２）当社は、各取締役との間で、会社法第430条の２第１項第１号の費用及び同項第２号の損失を法令の定める範囲内において補償する旨の契約を締結しております。当該契約においては、当社が各取締役に対して責任の追及に係る請求をする場合（株主代表訴訟による場合を除く。）の各取締役の費用や、各取締役がその職務を行うにつき悪意又は重大な過失があった場合の費用については、当社が補償義務を負わないこと等を定めております。

(5)　保険者との間で役員等賠償責任保険契約を締結しているときにおける当該保険契約の内容の概要等（施121条の２）

保険会社との間で役員等賠償責任保険契約を締結しているときは、当該保険契約の被保険者の範囲、当該保険契約の内容の概要を記載する。当該保険契約の内容の概要には、被保険者が実質的に保険料を負担している場合にあってはその負担割合、塡補の対象とされる保険事故の概要、当該保険契約によって職務の執行の適正性が損なわれないようにするための措置が講じられている場合のその内容が含まれる。

記載方法としては、会社役員の一覧表の次に項目を設けて記載すること等が考えられる。

〈記載例１〉株懇モデル

(4)　役員等賠償責任保険契約の内容の概要

当社は会社法第430条の３第１項に規定する役員等賠償責任保険契約を保険会社との間で締結し、被保険者が負担することになる……の損害を当該保険契約により塡補することとしております。

当該保険契約の被保険者は取締役および監査役であります。

〈記載例２〉日立製作所

③役員等賠償責任保険契約の概要

(i)被保険者の範囲

当社の取締役、執行役及び出向先で役員等として勤務する従業員並びに一部の国内子会社の取締役、監査役、執行役、執行役員及び従業員（出向先で役員等として勤務する従業員を含む。）

(ii)保険契約の概要

被保険者が会社の役員等の業務として行った行為（不作為を含む。）に起因して損害賠償請求がなされたことにより、被保険者が負担する損害賠償金や争訟費用等を補償するものです。ただし、故意による任務懈怠、私的な利益又は便益の供与を違法に得たこと及び犯罪行為等に起因する損害等は補償対象外とすることにより、役員等の職務の執行の適正性が損なわれないように措置を講じています。保険料は当社及び当該保険に加入している子会社が全額負担しています。

(6)　当該事業年度に係る会社役員の報酬等（施121条4号）

開示の方法は、取締役、監査役等の区分ごとに報酬等の総額および員数を一覧表形式等で記載することでよいが、会社役員ごとの開示を行う場合には、個別の報酬等の額をすべての会社役員について記載するか、会社役員の一部につき個別の報酬等の額を記載し、その他の会社役員については取締役、監査役等の区分ごとに報酬等の総額および員数を記載する（施121条4号イ・ロ・ハ）。

報酬等に業績連動報酬等または非金銭報酬等が含まれる場合には、業績連動報酬等の総額（または額。以下(6)について同じ）、非金銭報酬等の総額およびそれら以外の報酬等の総額を記載することが求められる（施121条4号イ・ロかっこ書）。

当該事業年度に係る会社役員の報酬等を記載することから、必ずしも当該事業年度中に支払った額を記載するのではなく、当該事業年度中に費用計上した額を記載することになる。

図表Ⅰ－7－2　報酬等の額等の記載

業績連動報酬等	●業績連動報酬等とは、取締役の個人別の報酬等のうち、利益の状況を示す指標、株式の市場価格の状況を示す指標その他の会社または関係会社の業績を示す指標（業績指標）を基礎としてその額または数が算定される報酬等をいう（施98条の5第2号）。 ●報酬等の全部または一部が業績連動報酬等である場合には、当該業績連動報酬等の額または数の算定の基礎として選定した業績指標の内容および当該業績指標を選定した理由、当該業績連動報酬等の額または数の算定方法、当該業績連動報酬等の額または数の算定に用いた当該業績指標に関する実績を記載しなければならない（施121条5号の2）。これらは会社役員の報酬等の一覧表に注記等することが考えられる。 ●役員賞与は、通常、業績連動報酬等に含まれるが、業績指標を基礎として算定される報酬等でない場合は、それら以外の報酬等に含まれることになる。

	●業績達成条件を付した株式報酬など、業績連動報酬等と非金銭報酬等の双方の性格を有する報酬等については、注記で報酬等の種類別総額はどちらに含めているか記載するか、業績連動報酬等の総額の内訳として非金銭報酬等の総額を記載することが考えられる。また、その他の記載事項は一体として記載することが考えられる。
非金銭報酬等	●非金銭報酬等とは、取締役の個人別の報酬等のうち、金銭でないもの（募集株式または募集新株予約権と引換えにする払込みに充てるための金銭を報酬等とする場合における当該募集株式または募集新株予約権を含む）をいう（施98条の5第3号）。 ●報酬等の全部または一部が非金銭報酬等である場合には、当該非金銭報酬等の内容を記載しなければならない（施121条5号の3）。非金銭報酬等の内容は、会社役員の報酬等の一覧表に注記等することや、非金銭報酬等の内容が、株式または新株予約権等であれば株式会社の株式に関する事項や株式会社の新株予約権等に関する事項に記載することが考えられる。
それら以外の報酬等	●基本報酬（固定報酬）のほか、退職慰労金などが該当しうる。 ●基本報酬（固定報酬）については、当該事業年度中に支給した報酬等の総額を記載する。 ●退職慰労金については、事業年度中に退職慰労引当金を計上している場合は、その引当金の繰入額を記載する。退職慰労引当金を計上していない場合は、定時株主総会で付議する退職慰労金支給議案の予定額のうち当該事業年度に係る報酬等が区分できる場合は当該報酬等の額を記載する（当該事業年度に係る報酬等を区分できない場合は、報酬等の総額には含めずに、「受ける見込みの額が明らかとなった会社役員の報酬等」（施121条5号）としてその金額を別記することになる）。

使用人兼務取締役の使用人分給与を開示する必要はないが、その額が重要な場合には、その他会社役員に関する重要な事項（施121条11号）として、注

記することが考えられる。

なお、社外役員に対する報酬等の総額（施124条5号）は、ここで記載（内訳表示）することが考えられる。社外役員に対する報酬等の総額の記載にあたっては社外取締役と社外監査役を区分して記載する例が多いようである。社外役員が親会社等または当該親会社等の子会社等から役員としての報酬等を受けている場合の当該報酬等の総額（施124条7号。個別開示は想定されていない）も、ここで注記することが考えられる。

〈記載例1〉株懇モデル

(5)　当事業年度に係る取締役および監査役の報酬等

①　取締役の個人別の報酬等の内容に係る決定方針に関する事項

当社は、取締役の個人別の報酬等の内容に係る決定方針（以下、決定方針という。）を定めており、その概要は、………<会社法361条7項および施行規則98条の5の規定により取締役会決議された「取締役の個人別の報酬等の内容についての決定に関する方針」の概要を記載する。>

また、決定方針の決定方法は、…………………………………………………

②　取締役および監査役の報酬等についての株主総会の決議に関する事項

取締役の金銭報酬の額は、○年○月○日開催の第○回定時株主総会において年額○円以内（うち、社外取締役年額○円以内）と決議されております（使用人兼務取締役の使用人分給与は含まない)。当該定時株主総会終結時点の取締役の員数は○名（うち、社外取締役は○名）です。また、当該金銭報酬とは別枠で、○年○月○日開催の第○回定時株主総会において、株式報酬の額を年額○円以内、株式数の上限を年○株以内（社外取締役は付与対象外）と決議しております。当該定時株主総会終結時点の取締役（社外取締役を除く。）の員数は○名です。

監査役の金銭報酬の額は、○年○月○日開催の第○回定時株主総会において年額○円以内と決議しております。当該定時株主総会終結時点の監査役の員数は○名です。

③　取締役の個人別の報酬等の内容の決定に係る委任に関する事項

当社においては、取締役会の委任決議に基づき代表取締役○○○○が取締役の個人別の報酬額の具体的内容を決定しております。

その権限の内容は……………………………………………………………………………

これらの権限を委任した理由は………………………………………………………………

取締役会は、当該権限が代表取締役によって適切に行使されるよう……
……………………………等の措置を講じており、当該手続きを経て取締役の個人別の報酬額が決定されていることから、取締役会はその内容が決定方針に沿うものであると判断しております。

④　取締役および監査役の報酬等の総額等

役員区分	報酬等の総額（百万円）	報酬等の種類別の総額（百万円）			対象となる役員の員数(人)
		基本報酬	業績連動報酬等	非金銭報酬等	
取締役（うち社外取締役）	○○○（○○○）	○○○（○○○）	○○○（—）	○○○（—）	○○○（○）
監査役（うち社外監査役）	○○○（○○○）	○○○（○○○）	—	—	○（○）

注1．業績連動報酬等として取締役に対して賞与を支給しております。
業績連動報酬等の額（または数）の算定の基礎として選定した業績指標の内容は、………
……………であり、また、当該業績指標を選定した理由は……………業績連動報酬等の額の算定方法は………………………………………………………………………
なお、当事業年度を含む○○（選定した業績指標）の推移は1．(5)財産および損益の状況の推移に記載のとおりです。

2．非金銭報酬等として取締役に対して株式報酬を交付しております。
当該株式報酬の内容およびその交付状況は2．会社の株式に関する事項に記載のとおりです。
＜ストックオプションがある場合も同様に、「会社の新株予約権等に関する事項」（施行規則123条1号）を参照することが考えられる。＞

〈記載例2〉経団連モデル

(1)　当事業年度に係る役員の報酬等の総額等

区分	支給人数	報酬等の種類別の額			計	摘要
		基本報酬	業績連動報酬等	非金銭報酬等		
取締役	人	円	円	円	円	
監査役	人	円	円	円	円	
計	人	円	円	円	円	

注1．上記業績連動報酬等の額には、第○回定時株主総会において決議予定の役員賞与○○

円（取締役××円、監査役△△円）を含めております。
注2．上記のほか、当事業年度に退任した取締役○名に対し業績連動報酬等と非金銭報酬等以外の報酬等である退職慰労金○円を支給しております。
注3．上記業績連動報酬等は、○○（業績連動報酬等に関する事項を記載する）
注4．上記非金銭報酬等は、○○（非金銭報酬等に関する事項を記載する）
(2) 取締役および監査役の報酬等についての株主総会の決議に関する事項
(3) 取締役の個人別の報酬等の内容に係る決定方針に関する事項
(4) 取締役の個人別の報酬等の決定に係る委任に関する事項

(7) 当該事業年度において受け、または受ける見込みの額が明らかとなった会社役員の報酬等（施121条5号）

会社役員に支給される報酬等の額はすべて開示されるべきであることから、施行規則121条4号に該当しない会社役員の報酬等を開示させる趣旨で同条5号が設けられている。ただし、ある事業年度に係る事業報告において支給される見込みの報酬等の額がすでに同条4号に基づき開示されている場合には、その後、当該報酬等の支給が現に行われた事業年度に係る事業報告において重ねて開示を行う必要はないことから、同条5号のかっこ書では、「当該事業年度前の事業年度に係る事業報告の内容とした報酬等を除く」と規定され、重複した開示が不要である旨が明確化されている(5)。また、支給される見込みの額として開示された額を超える額がその後の事業年度において現に支給された場合には、その差額は、「当該事業年度前の事業年度に係る事業報告の内容」とはされないことになるので、現に支給が行われた事業年度に係る事業報告において同号に基づき開示されなければならないこととなる(6)。

なお、施行規則121条5号は「当該事業年度において受け、又は受ける見込みの額が明らかとなった」と規定する。同号を適用する具体的な局面として、定時株主総会で付議する退職慰労金支給議案の予定額が明らかとなった場合が考えられるが、「当該事業年度終了後事業報告作成までに」受ける見

(5) 松本真＝小松岳志「会社法施行規則及び会社計算規則の一部を改正する省令の解説――平成20年法務省令第12号」商事1828号（2008）6頁。
(6) 松本＝小松・前掲(5)論文6頁。

込みの額が明らかとなった会社役員の報酬等を同号に基づいて記載することに問題はないであろう。

〈記載例1〉

2．上記の報酬等の額のほか、平成23年6月29日開催の第○回定時株主総会にて決議予定の退職慰労金支給予定額は、次のとおりであります。
　取締役　○名　○○,○○○千円（うち社外取締役　○名　○,○○○千円）

〈記載例2〉

3．上記のほか、平成23年6月29日開催の第○回定時株主総会の決議に基づき、役員退職慰労金を下記のとおり支給しております。
　退任取締役　○名　○○,○○○千円（うち退任社外取締役　○名　○,○○○千円）

(8)　取締役および監査役の報酬等についての株主総会の決議に関する事項（施121条5号の4）

会社役員の報酬等についての定款の定めまたは株主総会決議による定めに関して、当該定めを設けた日または株主総会の決議の日、当該定めの内容の概要、当該定めに係る会社役員の員数を記載する。

独立した項目として記載することのほか、(6)の当該事業年度に係る会社役員の報酬等を表形式で記載する場合にはその注記とすることが考えられる。当該定めが、基本報酬に関するもの、業績連動報酬等に関するもの等、複数ある場合には、表形式で記載することも考えられる。

記載例は(6)を参照されたい。

(9)　取締役の報酬等の額またはその算定方法に係る決定に関する方針（施121条6号）

取締役の報酬等の額またはその算定方法に係る決定方針が定められている場合には、当該方針の決定方法、当該方針の内容の概要、当該事業年度における取締役の個人別の報酬等の内容が当該方針に沿うものであると取締役会が判断した理由を記載する。本項目の記載を要するのは、監査等委員会設置会社、指名委員会等設置会社または発行株式について有価証券報告書を内閣総理大臣に提出しなければならない監査役会設置会社（公開会社かつ大会社であるものに限る）である。

どの時点において存在する方針を記載すべきかについては、事業報告の作成時と事業年度末日のいずれの考え方もあり得るが、施行規則121条6号ハが当該事業年度における報酬等の内容が当該方針に沿うものであると取締役会が判断した理由を記載することを求めていることも踏まえ、事業年度中または事業年度末日後に当該方針の変更があった場合には、変更前の方針についても当該理由の説明のために必要な記載をすることが考えられる[7]。

〈記載例１〉(6)の**〈記載例１〉**参照

〈記載例２〉キッコーマン

１）取締役の個人別の報酬等の内容に係る決定方針に関する事項

当社は、「取締役の個人別報酬等の決定方針」（以下「決定方針」という。）を2022年1月27日開催の取締役会で決議しており、その概要は以下の通りであります。

基本報酬は、当期の各取締役の役位、職責に応じて設定されている標準月額報酬に、会社業績の評価指標と個人業績の評価指標を反映した係数を乗じて支給額を決定する。会社業績の評価指標は、主に前期の担当部門の事業利益及び連結事業利益の前々期比を用いて決定する。個人業績の評価指標は、前期の担当事業の業績評価指標（収益性、成長性、資産効率、個別課題等）、担当部門方針の達成度、定性的評価等を用いて決定する。基本報酬は、標準達成時を100％として、評価に応じて90％から110％までの範囲で変動する。基本報酬は毎月一定の時期に定額を金銭で支給する。

賞与は、基本報酬としての月額報酬より算出される標準賞与額に、当期の連結税引前利益に鑑み、会社業績の評価指標と個人業績の評価指標を反映した係数を乗じて支給額を決定する。会社業績の評価指標は、主に当期の担当部門の事業利益及び連結事業利益の前期比を用いて決定する。個人業績の評価指標は、当期の担当事業の業績評価指標（収益性、成長性、資

(7)　法務省民事局参事官室「会社法の改正に伴う法務省関係政令及び会社法施行規則等の改正に関する意見募集の結果について」（2020年11月24日）35～36頁。

産効率、個別課題等)、担当部門方針の達成度、定性的評価等を用いて決定する。賞与は、標準達成時を100%として、評価に応じて25%から150%までの範囲で変動する。賞与は定時株主総会の日を目途に金銭で支給する。

株式報酬は、今後当社の経営環境に合った実効性のある株式報酬制度が考案された際には採用を検討する。

社外取締役を除く取締役の、基本報酬と賞与における業績連動部分の合計は報酬全体の40%以内とする。

報酬委員会は、取締役会の委任を受けて、取締役の基本報酬及び賞与の算定方式、基本報酬と賞与の個人別の額を決定する。報酬委員会は、過半数の社外取締役と、社内取締役とで構成され、委員長は社外取締役とする。

社外取締役の報酬については、業務執行から独立した立場での監督機能が重視されることから、業績連動報酬は支給しておらず、固定の基本報酬のみとする。社外取締役の報酬の個人別の額は、取締役会の委任を受けた報酬委員会で決定する。

⑽　各会社役員の報酬等の額またはその算定方法に係る決定に関する方針（施121条6号の2）

監査役（監査等委員会設置会社は監査等委員）の報酬等の額またはその算定方法に係る決定方針が定められている場合には、当該方針の決定方法、当該方針の内容の概要を記載する。ただし、発行株式について有価証券報告書を内閣総理大臣に提出しなければならない監査役会設置会社（公開会社かつ大会社であるものに限る)、監査等委員会設置会社または指名委員会等設置会社でない会社は、記載を省略することができる（施121条柱書ただし書)。

〈記載例1〉菱電商事

②監査役の報酬等の額又は算定方法に係る決定方針に関する事項

監査役の報酬は定額報酬とし、監査役（社外監査役を除く）は、個々人の会社への貢献度、役割・責任の達成度を総合的に勘案し、社外監査役は本人の社会的地位、会社への貢献度及び就任の事情などを総合的に勘案し、監査役の協議により決定します。

〈記載例２〉三菱重工業

> **②監査等委員である取締役**
> 監査等委員である取締役の報酬等の内容についての決定に関する方針は、監査等委員である取締役の協議により定めております。
> ・監査等委員である取締役の報酬は基本報酬のみとし、その役割・職務の内容を勘案し、常勤及び非常勤を区分の上、相応な固定報酬といたします。ただし、常勤の監査等委員については、会社の経営状況その他を勘案して、これを減額することがあります。

⑾　取締役の個人別の報酬等の内容の決定に係る委任に関する事項（施121条６号の３）

指名委員会等設置会社以外の取締役会設置会社において、取締役会から委任を受けた取締役その他の第三者が当該事業年度に係る取締役（監査等委員を除く）の個人別の報酬等の内容の全部または一部を決定したときは、その旨、当該委任を受けた者の氏名ならびに当該内容を決定した日における当該株式会社における地位および担当、委任された権限の内容、委任した理由、委任された権限が適切に行使されるようにするための措置を講じた場合のその内容を記載しなければならない。

〈記載例１〉⑹の**〈記載例１〉**参照

〈記載例２〉キッコーマン

> ３）取締役の個人別の報酬等の内容の決定に係る委任に関する事項
> 　当社においては、取締役報酬の決定についての透明性・客観性を高めるため取締役会の委任を受けて、過半数の社外取締役と社内取締役とで構成され、委員長を社外取締役とする報酬委員会が取締役の基本報酬及び賞与の算定方式、基本報酬と賞与の個人別の額を決定しております。当事業年度における報酬委員会の委員は以下の通りであります。
> 　委員長　福井俊彦（社外取締役）
> 　委員　　尾崎護（社外取締役）
> 　委員　　井口武雄（社外取締役）
> 　委員　　飯野正子（社外取締役）
> 　委員　　茂木友三郎（取締役名誉会長 取締役会議長）

委員　　堀切功章（代表取締役会長 CEO）
当社は、個人別の報酬等を決定する報酬委員会の権限が適切に行使されるよう、報酬委員会の構成につき、委員の過半数かつ委員長を社外取締役としており、当該委員会が決定する取締役の個人別の報酬等の内容は決定方針に沿った適切なものであると取締役会として判断しております。

⑿　事業年度中に辞任した会社役員または解任された会社役員の氏名等（施121条7号）

事業年度中に辞任した、または解任された会社役員（株主総会または種類株主総会の決議によって解任された者を除く）があるときはその氏名、監査役または監査等委員の意見陳述があるときはその内容、辞任監査役または辞任監査等委員が辞任の旨およびその理由を述べるときはその理由を記載する。意見陳述の有無、辞任の旨およびその理由の陳述の有無は、事業報告の作成前に事前に書面等で確認しておくのが望ましい。

記載事項が氏名のみである場合は、⑴の一覧表の注記または異動状況の記載とあわせて記載することでよい。意見陳述や辞任の旨およびその理由を述べるときは、独立した項目で記載することが考えられる。

記載例は⑴を参照されたい。

⒀　重要な兼職の状況（施121条8号）

会社役員に、重要な兼職がある場合は、その状況を記載する。会社役員の一覧表中で記載するのが一般的である。

会社役員の兼職が「重要な兼職」に該当するかどうかは、兼職先が会社にとって重要な取引先等に当たるか否か、兼職先で担当する職務が重要か否か、兼職先での職務に費やす時間の多寡等を総合的に勘案して判断することになる。

記載例は⑴を参照されたい。

⒁　監査役、監査等委員または監査委員が財務および会計に関する相当程度の知見を有しているものであるときはその事実（施121条９号）

監査役、監査等委員または監査委員が財務および会計に関する相当程度の知見を有しているものであるときは、その事実を記載する。公認会計士や税理士といった資格を有する場合に限らず、株式会社の財務部門で一定の職歴を有するような場合も含まれる。

記載する場所は、会社役員の一覧表の注記とすることが多い。

記載例は⑴を参照されたい。

⒂　常勤の監査等委員または監査委員の選定の有無およびその理由（施121条10号）

当該事業年度の末日において監査等委員会設置会社である場合は、常勤の監査等委員の選定の有無およびその理由を、当該事業年度の末日において指名委員会等設置会社である場合は、常勤の監査委員の選定の有無およびその理由を記載することを要する。

記載する場所は、会社役員の一覧表の注記または独立した項目とすることが考えられる。

〈記載例１〉会社役員の一覧表の注記として記載する例

（注）１．（略）
　　　２．（略）
　　　３．監査等委員○○○○氏は常勤の監査等委員であります。当社は……のため、常勤の監査等委員を選定しております。

〈記載例２〉独立した項目で記載する例

⑶　常勤の監査委員の選定の有無およびその理由
　当社は常勤の監査委員を選定しております。その理由は、……であります。

⒃　その他会社役員に関する重要な事項（施121条11号）

⑴〜⒂に記載したもののほか、会社役員に関する重要な事項があれば記載する。

通常は、⑴〜⒂の関連で、それぞれに会社役員に関する重要な事項を記載するものと考えられ、独立した項目として記載すべきものはあまりないと考えられる。

〈記載例〉日立電線

> **⑷　その他会社役員に関する重要な事項**
> 平成20年３月28日開催の報酬委員会において、執行役の退職慰労金を平成20年３月31日をもって廃止すること、取締役（執行役を兼務しない者に限る。）の退職慰労金を第71回定時株主総会の開催日（平成20年６月27日）をもって廃止すること並びに取締役及び執行役それぞれの廃止日までの任期に対する退職慰労金について各役員の退任時に報酬委員会の決議を経て支給することを決定しました。なお、取締役及び執行役それぞれの退職慰労金廃止日までの任期に対する退職慰労金の支給見込額は、取締役４名に対して60百万円、執行役14名に対して464百万円であります。

⒄　社外役員が他の法人等の業務執行者であることが重要な兼職に該当する場合の株式会社と他の法人等との関係（施124条１号）

社外役員が他の法人等の業務執行者であることが重要な兼職に該当する場合は、会社と当該他の法人等との関係を記載する。

記載方法としては、各社外役員ごとに他の社外役員に関する事項とまとめて記載することが考えられ、適宜、一覧表形式とすることも考えられる。また、会社役員の一覧表で「重要な兼職」を記載していることから、当該他の法人等との関係も会社役員の一覧表に注記することも考えられる。

なお、重要な兼職に該当する場合に開示される「当該他の法人等との関係」は、明文上、重要なものに限るという限定は特に付されていないが、社外役員としての職務執行に何ら影響を与えるおそれがない一般的な取引条件に基づく単なる取引関係等については、開示の対象とならないと解されている。

〈記載例１〉株懇モデル

(6)　社外役員に関する事項

①　取締役　○○○○

ア．重要な兼職先と当社との関係

○○○株式会社は、当社と………という関係にあります。

イ．主要取引先等特定関係事業者との関係

当社の主要取引先である○○○○株式会社の代表取締役社長は、○○（三親等以内の親族）であります。

ウ．当事業年度における主な活動状況

(ア)　取締役会への出席状況および発言状況

出席率は○%、発言は○回であります。

(イ)　取締役○○○○の意見により変更された事業方針

…………………………………。

(ウ)　当社の○○○（不祥事等の内容）に関する対応の概要

発生の予防のために、以下のような対応を行っていました。

…………………………………。

発生後は、以下のような対応を行いました。

…………………………………。

(エ)　社外取締役が果たすことが期待される役割に関して行った職務の概要

…………………………………。

②　監査役　○○○○

ア．重要な兼職先と当社との関係

○○○○株式会社は、当社と………という関係にあります。

イ．当事業年度における主な活動状況

(ア)　取締役会への出席状況および発言状況

出席率は○%、発言は○回であります。

(イ)　監査役会への出席状況および発言状況

出席率は○%、発言は○回であります。

(ウ)　当社の○○○（不祥事等の内容）に関する対応の概要

発生の予防のために、以下のような対応を行っていました。

…………………………………。

発生後は、以下のような対応を行いました。

…………………………………。

〈記載例2〉会社役員の一覧表の注記として記載する例

（注）1．（略）
　　　2．社外取締役の重要な兼職につき、当社とその兼職先との間に特段の取引関係等はありません。

⒅　社外役員が他の法人等の社外役員等であることが重要な兼職に該当する場合の株式会社と他の法人等との関係（施124条2号）

社外役員が他の法人等の社外役員その他これに類する者を兼任していることが重要な兼職に該当する場合は、会社と当該他の法人等との関係を記載する。

記載方法や記載例は⒄を参照されたい。

⒆　社外役員が株式会社またはその特定関係事業者の業務執行者等であるときはその事実（施124条3号）

社外役員が会社の親会社等（自然人であるものに限る）や会社またはその特定関係事業者（施2条3項19号）の業務執行者または役員（業務執行者であるものを除く）の配偶者、3親等以内の親族その他これに準ずる者であることを会社が知っているときは、その事実（重要でないものを除く）を記載する。

「知っているとき」とは、施行規則124条3号のような事項が開示事項とされていることを前提として行われる調査の結果として知っている場合を指し、十分な調査を行うことなく「知らない」という整理をすることを許容するものではない[(8)]。よって、可能であれば、書面で確認する等の調査を行っておく必要がある。

記載方法としては、⒄と同様に、各社外役員ごとに他の社外役員に関する事項とまとめて記載することが考えられ、適宜、一覧表形式とすることも考えられる。

---

(8)　相澤哲＝郡谷大輔「事業報告」相澤哲編著『立案担当者による新会社法関係法務省令の解説（別冊商事300号）』（商事法務、2006）50頁。

記載例は⒄を参照されたい。

⒇　各社外役員の当該事業年度における主な活動状況（施124条４号）

各社外役員の当該事業年度における主な活動状況として、取締役会への出席状況（社外監査役は監査役会への出席状況、監査等委員は監査等委員会への出席状況、監査委員は監査委員会への出席状況をそれぞれ含む）、取締役会における発言状況、当該社外役員の意見により事業方針等の決定が変更されたときはその内容（重要でないものを除く）、法令・定款違反等が行われた事実（重要でないものを除く）があるときは当該社外役員が当該事実の発生の予防のために行った行為および発生後の対応として行った行為の概要、当該社外役員が社外取締役であるときは当該社外役員が果たすことが期待される役割に関して行った職務の概要等を記載する。

取締役会への出席状況および取締役会における発言状況、社外取締役が果たすことが期待される役割に関して行った職務の概要は、各社外役員について記載しなければならないが、その他の事項は該当があれば記載する。

記載方法としては、⒄と同様に、各社外役員ごとに他の社外役員に関する事項とまとめて記載することが考えられ、適宜、一覧表形式とすることも考えられる。ただし、他の社外役員に関する事項に記載すべき内容がなければ、社外役員に関する事項を独立した項目とせず、⑴の取締役および監査役の状況で注記として記載することも考えられる（社外役員の報酬は、⑹の会社役員の報酬等の総額に記載すればよい）。

〈記載例１〉⒄の〈記載例１〉参照。

〈記載例２〉経団連モデル

（社外役員の主な活動状況）

区　分	氏　名	主な活動状況
取締役		当事業年度開催の取締役会のほぼ全回に出席し、主に○○の観点から、議案・審議等につき必要な発言を適宜行っております。また、上記のほか、当社の経営陣幹部の人事などを審議する指名諮問

		委員会の委員長を務め、当事業年度開催の委員会の全て（○回）に出席することなどにより、独立した客観的立場から会社の業績等の評価を人事に反映させるなど、経営陣の監督に務めております。
監査役		当事業年度開催の取締役会及び監査役会の全てに出席し、必要に応じ、主に弁護士としての専門的見地から、当社のコンプライアンス体制の構築・維持についての発言を行っております。
監査役		当事業年度開催の取締役会のうち8割に、また、当事業年度開催の監査役会のうち9割に出席し、必要に応じ、主に公認会計士としての専門的見地から、監査役会の場において、当社の経理システムの変更・当社監査基準の改定についての発言を行っております。

㉑　当該事業年度に係る社外役員の報酬等の総額（施124条５号）

社外役員の当該事業年度に係る報酬等の総額を記載する。開示の方法は、社外役員の報酬等の総額を記載することでよいが、社外役員の全部または一部を個別開示することも可能である（全部または一部を総額で開示する場合には員数も記載する）。なお、社外取締役と社外監査役に分けてそれぞれの報酬等の総額および員数を記載することは、もちろん差し支えない。

記載方法としては、社外役員ごとに記載するのでない限り、⑹の会社役員の報酬等の総額とあわせて記載することが考えられる。社外役員ごとに記載する場合には、⒄と同様に、他の社外役員に関する事項とまとめて記載することが考えられる。

記載例は⑹を参照されたい。

㉒　当該事業年度において受け、または受ける見込みの額が明らかとなった社外役員の報酬等（施124条６号）

社外役員に対する報酬等で、当該事業年度に係る報酬等の総額（上記㉑）

以外に、当該事業年度において受け、または受ける見込みの額が明らかとなったものを記載する。該当する報酬等の総額を記載することでよいが、社外役員の全部または一部について個別開示することも可能である（全部または一部を総額で開示する場合には員数も記載する）。

その他、記載に関する基本的な考え方は⑺と同様である。

記載例は⑺を参照されたい。

㉓　社外役員が親会社等または当該親会社の子会社等から役員としての報酬等を受けている場合の当該報酬等の総額（施124条7号）

社外役員が親会社等もしくは当該親会社等の子会社等または子会社（親会社等がない場合）から役員としての報酬等を受けている場合には、社外役員であった期間に受けたものについて、当該報酬等の総額を記載する。開示の方法は、社外役員が受けた報酬等の総額を記載することでよいが、社外役員ごとの開示を行う場合には、㉑の社外役員の報酬等の総額に準じて、当該社外役員ごとに受けた報酬等の額およびその他の会社役員の受けた報酬等の総額を記載することが考えられる。

記載方法としては、社外役員ごとに記載するのでない限り、⑹の会社役員の報酬等の総額の注記とすることが考えられる。社外役員ごとに記載する場合には、⒄と同様に、他の社外役員に関する事項に含めて記載することが考えられる。

㉔　社外役員が「社外役員に関する事項」に意見があるときはその意見の内容（施124条8号）

社外役員が、「社外役員に関する事項」に意見があるときはその意見の内容を記載する。

意見の有無は、事業報告の作成前に事前に書面等で確認しておくことが考えられる。

記載方法は、⒄と同様に、社外役員ごとに他の社外役員に関する事項とまとめて記載することが考えられる。

6　株式会社の会計監査人に関する事項

株式会社の会計監査人に関する事項として、施行規則126条に列挙されているのは以下の事項である。なお、同条10号の「剰余金の分配に関する権限の行使に関する方針」は、会計監査人に関する事項として記載するのは適当でないため、独立の項目で記載するのが望ましい（9参照）。

1　会計監査人の氏名または名称
2　当該事業年度に係る各会計監査人の報酬等の額および当該報酬等について監査役（監査役会設置会社にあっては監査役会、監査等委員会設置会社にあっては監査等委員会、指名委員会等設置会社にあっては監査委員会）が法399条１項の同意をした理由
3　会計監査人に対して公認会計士法（昭和23年法律第103号）２条１項の業務以外の業務（以下この号において「非監査業務」という。）の対価を支払っているときは、その非監査業務の内容
4　会計監査人の解任または不再任の決定の方針
5　会計監査人が現に業務の停止の処分を受け、その停止の期間を経過しない者であるときは、当該処分に係る事項
6　会計監査人が過去２年間に業務の停止の処分を受けた者である場合における当該処分に係る事項のうち、当該株式会社が事業報告の内容とすることが適切であるものと判断した事項
7　会計監査人と当該株式会社との間で法427条１項の契約を締結しているときは、当該契約の内容の概要（当該契約によって当該会計監査人の職務の執行の適正性が損なわれないようにするための措置を講じている場合にあっては、その内容を含む。）
7の2　会計監査人と当該株式会社との間で補償契約を締結しているときは、次に掲げる事項
　イ　当該会計監査人の氏名または名称
　ロ　当該補償契約の内容の概要（当該補償契約によって当該会計監査人の職務の執行の適正性が損なわれないようにするための措置を講じている場合にあっては、その内容を含む。）
7の3　当該株式会社が会計監査人（当該事業年度の前事業年度の末日までに退任した者を含む。以下この号および次号において同じ。）に対して補償契約に基づき法第430条の２第１項第１号に掲げる費用を補償した場合において、当該株式会社が、当該事業年度において、当該会計監査人が同号の職務

の執行に関し法令の規定に違反したことまたは責任を負うことを知ったときは、その旨

7の4　当該株式会社が会計監査人に対して補償契約に基づき法第430条の2第1項第2号に掲げる損失を補償したときは、その旨および補償した金額

8　株式会社が法444条3項に規定する大会社であるときは、次に掲げる事項

イ　当該株式会社の会計監査人である公認会計士（公認会計士法16条の2第5項に規定する外国公認会計士を含む。以下この条において同じ。）または監査法人に当該株式会社およびその子会社が支払うべき金銭その他の財産上の利益の合計額（当該事業年度に係る連結損益計算書に計上すべきものに限る。）

ロ　当該株式会社の会計監査人以外の公認会計士または監査法人（外国におけるこれらの資格に相当する資格を有する者を含む。）が当該株式会社の子会社（重要なものに限る。）の計算関係書類（これに相当するものを含む。）の監査（法または金融商品取引法（これらの法律に相当する外国の法令を含む。）の規定によるものに限る。）をしているときは、その事実

9　当該事業年度中に辞任した会計監査人または解任された会計監査人（株主総会の決議によって解任されたものを除く。）があるときは、次に掲げる事項

イ　当該会計監査人の氏名または名称

ロ　法340条3項の理由があるときは、その理由

ハ　法345条5項において読み替えて準用する同条1項の意見があるときは、その意見の内容

ニ　法345条5項において読み替えて準用する同条2項の理由または意見があるときは、その理由または意見

10　法459条1項の規定による定款の定めがあるときは、当該定款の定めにより取締役会に与えられた権限の行使に関する方針

(1)　会計監査人の氏名または名称（施126条1号）

会計監査人の氏名または名称を記載する。記載の対象となるのは、事業年度中に在任していたすべての会計監査人である。

〈記載例〉株懇モデル

5．会計監査人の状況

(1)　会計監査人の名称

○○○○監査法人

⑵　事業年度に係る各会計監査人の報酬等の額および監査役会が同意した理由（施126条2号）

会計監査人の報酬等の額および監査役会が同意した理由を記載する。報酬等の額は、会計監査人との契約において会社法上の監査と金融商品取引法上の監査を明確に区分せず、かつ、実質的にも区分できない場合には、あわせて開示し、その旨を注記することが考えられる。

会計監査人が複数の場合は、会計監査人ごとの報酬等の額および監査役会が同意した理由を記載する。

なお、報酬等の額とあわせて、会計監査人に対してグループ全体で支払うべき財産上の利益の合計額および会計監査人以外の監査法人等が重要な子会社の計算関係書類の監査をしているときはその事実（施126条8号イ・ロ）を記載することが考えられる。

〈記載例1〉株懇モデル

⑶　当事業年度に係る会計監査人の報酬等の額

①　当事業年度に係る会計監査人としての報酬等および監査役会が同意した理由

○○○千円

当社監査役会が○○○○監査法人の報酬等について同意した理由は……であります。

②　当社および当社子会社が支払うべき金銭その他の財産上の利益の合計額

○○千円

なお、当社子会社○○○○株式会社の計算関係書類の監査は、××××監査法人が行っております。

〈記載例2〉アスクル

4．会計監査人の状況

〈省　略〉

⑵　報酬等の額

当事業年度にかかる会計監査人としての報酬等の額　　40百万円

当社および子会社が会計監査人に支払うべき金銭その他の財産上の利益の合計額 44百万円

（注）1．当社と会計監査人との間の監査契約において、会社法に基づく監査と金融商品取引法に基づく監査の監査報酬等の額を明確に区分しておらず、実質的にも区分できないため、当事業年度にかかる会計監査人としての報酬等の額にはこれらの合計額を記載しております。

2．監査役会は、日本監査役協会が公表する「会計監査人との連携に関する実務指針」を踏まえ、会計監査人の監査計画、監査の実施状況、および報酬見積りの算出根拠などを確認し、検討した結果、会計監査人の報酬等について同意を行っております。

⑶ 非監査業務の内容

当社は有限責任 あずさ監査法人に対して、財務デューデリジェンス支援業務に係る対価を支払っております。

⑶ 非監査業務の対価を支払っているときはその非監査業務の内容（施126条3号）

会計監査人に対して公認会計士法2条1項の業務以外の業務（非監査業務）の対価を支払っているときは、その非監査業務の内容を記載する。

〈記載例1〉株懇モデル

⑷ 非監査業務の内容

……………………………………………………………………………………

〈記載例2〉⑵の**〈記載例2〉**を参照。

⑷ 会計監査人の解任または不再任の決定の方針（施126条4号）

会計監査人の解任または不再任の決定の方針を記載する。

会計監査人については、別段の株主総会決議がなければ再任されたものとみなされるため、通常、再任に関して株主総会の決議を経ることはなく、その結果、株主は、会計監査人に再任することについて、株主総会において質問等をする機会もなく、再任につき株主等の監督を受けることがない。そこで、会計監査人の解任または不再任の決定の方針を事業報告において開示させることによって、その方針の妥当性や、現実の会計監査人の職務執行その他の状況等に照らして再任を肯定すべきかどうかということについて、株主が判断することができるようにすることとした[9]。したがって、こうした観点から会計監査人の解任または不再任の決定の方針を決定し、事業報告にも記載することになる。方針を決定していない場合には、その旨を記載せざるをえない。

なお、会計監査人の選任等に関する議案の内容の決定権は監査役会設置会社においては監査役会が有している（法344条1項・3項）ことから、会計監査人の解任または不再任の決定の方針は、監査役会が定めることとなる。同様に、監査等委員会設置会社では監査等委員会が、指名委員会等設置会社では監査委員会が定めることとなる。

〈記載例〉株懇モデル

> **(5)　会計監査人の解任または不再任の決定の方針**
> ……………………………………………………………………………………

(5)　会計監査人の業務停止処分に係る事項（施126条5号・6号）

会計監査人が現に業務停止処分を受け、その停止期間を経過しない者であるときは、当該処分に係る事項を記載する。また、会計監査人が過去2年間に業務停止処分を受けた者である場合における当該処分に係る事項のうち、事業報告の内容とすることが適切であると判断した事項も記載する。

〈記載例〉会社名省略

> **(5)　会計監査人が受けた過去2年間の業務停止の内容**
> 金融庁が、平成18年5月10日付で発表した懲戒処分の内容の概要
> ①　処分対象
> 中央青山監査法人（平成18年9月1日付でみすず監査法人に改称）
> ②　処分内容
> 業務の一部停止2ヵ月（平成18年7月1日から平成18年8月31日まで）
> [停止する業務]

(9)　相澤＝郡谷・前掲(8)論文54頁。事業報告の内容とすることが適切であると判断した事項も記載する。

証券取引法監査および会社法（商法特例法）監査（法令に基づき、会社法（商法特例法）に準じて実施される監査を含む)。ただし、一定の監査業務を除外するものとする。

③　処分の理由

カネボウ㈱の平成11年３月期、平成12年３月期、平成14年３月期および平成15年３月期の各有価証券報告書の財務書類にそれぞれ虚偽の記載があったにもかかわらず、同監査法人の関与社員は故意に虚偽のないものとして証明した。

(6)　会計監査人との責任限定契約（施126条７号）

会計監査人と責任限定契約を締結しているときは、当該契約の内容の概要を記載する。また、責任限定契約を締結しても職務の執行の適正性が損なわれないようにするための措置が講じられている場合には、その内容も記載する。

〈記載例〉会社名省略

②会計監査人の責任限定契約に関する事項

当社は、平成18年６月20日開催の第２期定時株主総会で定款を変更し、会計監査人の責任限定契約に関する規定を設けております。

当該定款に基づき当社が会計監査人のあずさ監査法人と締結した責任限定契約の内容の概要は、次のとおりであります。

（責任限定契約の内容の概要）

会社法第423条第１項の賠償責任について、悪意または重大な過失があった場合を除き、法令に定める最低責任限度額をもって、損害賠償責任の限度とする。

(7)　会計監査人との補償契約（施126条７号の２～７号の４）

会計監査人と補償契約を締結しているときは、当該会計監査人の氏名または名称、当該補償契約の内容の概要を記載する。当該補償契約の内容の概要には、当該補償契約によって職務の執行の適正性が損なわれないようにするための措置が講じられている場合のその内容が含まれる。さらに、補償契約に基づき費用や損失を補償した場合にも所定の事項を記載しなければならない（施126条7号の2・7号の4）。

記載例は、■4(4)の取締役との補償契約の記載例を参照されたい。

(8)　会計監査人に株式会社およびその子会社が支払うべき金銭その他の財産上の利益の合計額（施126条8号イ）

連結計算書類を作成しなければならない大会社について、その会計監査人に対してグループ全体で支払うべき財産上の利益の合計額を記載する。

記載方法は、(2)の会計監査人の報酬等の額にあわせて記載することが考えられる。

記載例は(2)を参照されたい。

(9)　会計監査人以外の監査法人等が子会社の計算関係書類の監査をしているときはその事実（施126条8号ロ）

連結計算書類を作成しなければならない大会社について、その会計監査人以外の監査法人等が重要な子会社の計算関係書類の監査をしているときはその事実（施126条8号ロ）を記載する。

記載方法は、(2)の会計監査人の報酬等の額にあわせて記載することが考えられる。

記載例は(2)を参照されたい。

(10)　事業年度中に辞任した会計監査人または解任された会計監査人があるときはその氏名等（施126条9号）

事業年度中に辞任した会計監査人または解任された会計監査人があるときは、その氏名または名称、解任の場合は解任理由、会計監査人の意見陳述がある場合はその内容、会計監査人を辞任した者または解任された者が辞任の旨およびその理由または解任についての意見を述べるときはその理由等を記載する。

7　業務の適正を確保するための体制に関する事項（施118条2号）

業務の適正を確保するための体制（内部統制システム）に関する事項として、施行規則118条2号に記載されている事項は次のとおりである。

> 2　法348条3項4号、362条4項6号、399条の13第1項1号ロおよびハならびに416条1項1号ロおよびホに規定する体制の整備についての決定または決議があるときは、その決定または決議の内容の概要および当該体制の運用状況の概要

業務の適正を確保するための体制に関する事項は、体制の整備が義務づけられているかどうかにかかわらず、これを定めた会社であれば事業報告の内容として開示しなければならない。決定または決議の内容の概要は、取締役会で決定または決議した内容をすべて記載する必要はない。

また、事業年度中に取締役会決議による変更を加えている場合は、変更前後の決議の内容の概要がわかるように記載するのが望ましい[(10)]。

次に、当該体制の運用状況の概要は、客観的な運用状況を記載すればよく、運用状況の評価の記載が求められるわけではない。

〈記載例〉株懇モデル

> **6．会社の体制および方針**
> **(1)　取締役の職務の執行が法令および定款に適合することを確保するための体制その他業務の適正を確保するための体制および当該体制の運用状況**
> ……………………………………………………………………………

(10)　小松岳志＝澁谷亮「事業報告の内容に関する規律の全体像」商事1863号（2009）11頁以下参照。同論文の（注10）では、事業報告作成時点における最新の決定または決議の内容の概要のみを事業報告の内容とすれば足りるとの考え方も存しうるとしている。

8　株式会社の支配に関する事項（施118条3号）

株式会社の支配に関する事項として、施行規則118条3号に列挙された事項は次のとおりである。

> 3　株式会社が当該株式会社の財務および事業の方針の決定を支配する者の在り方に関する基本方針（以下この号において「基本方針」という。）を定めているときは、次に掲げる事項
> イ　基本方針の内容の概要
> ロ　次に掲げる取組みの具体的な内容の概要
> (1)　当該株式会社の財産の有効な活用、適切な企業集団の形成その他の基本方針の実現に資する特別な取組み
> (2)　基本方針に照らして不適切な者によって当該株式会社の財務および事業の方針の決定が支配されることを防止するための取組み
> ハ　ロの取組みの次に掲げる要件への該当性に関する当該株式会社の取締役（取締役会設置会社にあっては、取締役会）の判断およびその理由（当該理由が社外役員の存否に関する事項のみである場合における当該事項を除く。）
> (1)　当該取組みが基本方針に沿うものであること。
> (2)　当該取組みが当該株式会社の株主の共同の利益を損なうものではないこと。
> (3)　当該取組みが当該株式会社の会社役員の地位の維持を目的とするものではないこと。

株式会社の支配に関する基本方針を定めている場合に、基本方針の内容、企業価値向上・買収防衛策に関する取組みの具体的な内容、当該取組みが基本方針に沿うものであること等についての取締役の判断および判断に係る理由を記載する。いわゆる買収防衛策を導入した会社にすべて記載が求められるわけではない（株式会社の支配に関する基本方針を定めないまま買収防衛策を導入することがないわけではない）。

株式会社の支配に関する基本方針が何を意味するのかは、突き詰めて言うと、どのような株主が会社を支配するのが望ましいか、すなわち、どのような株主が支配権を握ろうとすれば徹底的に抵抗するかを定めたものと考えられる。

〈記載例〉株懇モデル

> (2)　**株式会社の支配に関する基本方針**
> ……………………………………………………………………

9　剰余金の分配に関する権限の行使に関する方針（施126条10号）

剰余金の分配に関する権限の行使に関する方針は、会社法459条１項の規定による定款の定めがある場合に記載する。

会社法459条１項の規定による定款の定めにより、取締役会に与えられる具体的な権限は、合意による自己株式の取得、分配可能額を回復させるための準備金の額の減少、損失の処理・任意積立金の積立てその他の剰余金の処分、剰余金の配当（配当財産が金銭以外の財産であり、かつ、株主に対して金銭分配請求権を与えないこととする場合を除く）である。取締役会においては、将来の会社の事業活動の状況と資金需要に関する判断を前提に、同項の定款の定めにより与えられた権限を包摂するかたちで、どのような方針で内部留保に充てるのか、株主に対して分配を行うのか、さらには、そのために株主資本の各項目をどのようにするのか等の全般的な方針を明らかにすべきこととなる[(11)]。

記載の位置としては、独立した項目や「会社の体制および方針」の１項目として、または「企業集団の現況に関する事項」のなかで記載することが考えられる。

〈記載例１〉株懇モデル

> (3)　**剰余金の配当等の決定に関する方針**
> ……………………………………………………………………

(11)　相澤哲＝和久友子「計算書類の監査・提供・公告、計算の計数に関する事項」相澤編著・前掲(8)書109頁。

〈記載例２〉経団連モデル

当社では、株主に対する利益の還元を経営上重要な施策の一つとして位置付けております。

当社は、将来における安定的な企業成長と経営環境の変化に対応するために必要な内部留保資金を確保しつつ、経営成績に応じた株主への利益還元を継続的に行うことを基本方針としております。

なお、配当性向については、年間約○パーセントを目途としております。今期については、○年○月○日に中間配当として１株あたり○円を実施しており、期末配当×円と合計で１株あたり△円の利益配当を予定しております。

7-3
事業報告の附属明細書

事業報告の附属明細書記載事項は、施行規則128条に定められている。事業報告の附属明細書には「事業報告の内容を補足する重要な事項」を記載するが、公開会社については「会社役員の兼職の状況の明細」（いずれも重要でないものを除く）を記載しなければならない。

記載すべき事項が事業報告に記載されているときは、事業報告の記載内容を参照するかたちとすることも考えられる。

〈記載例〉経団連モデル

（他の法人等の業務執行取締役等との重要な兼職の状況）

区分	氏　　名	兼職先	兼職の内容	関係
取締役			業務執行取締役	
			代表取締役	
監査役			業務執行社員	
			業務執行社員	

第Ⅰ編

第8章

計算書類（含　連結計算書類）

総　　説

株式会社が各事業年度にかかる計算書類として作成すべきものは、①貸借対照表、②損益計算書、③株主資本等変動計算書、④個別注記表の４種類である（法435条２項、計59条１項）。

また、事業年度末日現在で大会社であって金融商品取引法の定めにより有価証券報告書の提出が義務づけられている会社（いわゆる継続開示会社）については、連結対象の子会社がある場合、各事業年度に係る連結計算書類も作成しなくてはならない（法444条３項）。そして、連結計算書類として作成すべきものは、①連結貸借対照表、②連結損益計算書、③連結株主資本等変動計算書、④連結注記表の４種類である（計61条）。ただし、国際会計基準、修正国際基準、米国基準で作成することも可能である（同条２号～４号、120条～120条の３）。

なお、各事業年度における連結計算書類の作成に係る期間を「連結会計年度」と定めている（計62条）。

上記のとおり計算書類ならびに連結計算書類として各々４種類が定められているが、附属明細書を除く計算関係書類（対象書類は8－2参照）の作成については、計算関係書類を構成するものごとに一の書面その他の資料として作成しなければならないものと解してはならないとの定めがある（計57条３項）。したがって、たとえば個別注記表や連結注記表につき、貸借対照表や損益計算書の末尾に各々関連する注記事項を掲載しても、最終的に（個別・連結）注記表の記載事項が網羅されているのであれば問題ないということになる。

8-2 計算関係書類と計算書類等

計算書類と連結計算書類として作成すべき書類は、8－1で記載のとおりであるが、施行規則ならびに計算規則では、別途「計算関係書類」と「計算書類等」という概念を定め、下表のとおり、一定の書類の総称としている。

計算関係書類 （施２条３項11号、計２条３項３号）	①　成立の日における貸借対照表 ②　各事業年度における計算書類および附属明細書 ③　臨時計算書類 ④　連結計算書類
計算書類等 （施２条３項12号）	❶　各事業年度にかかる計算書類 ❷　各事業年度にかかる事業報告 ❸　❶、❷に関する監査報告（監査役会もしくは監査（等）委員会のもの） ❹　❶に関する会計監査報告

上記のうち、定時株主総会招集通知の添付書類（株主への提供書類）とされているもの、上場会社等株主総会資料の電子提供制度が適用される会社における電子提供措置をとることが必要な書類は、各事業年度における(i)計算書類〔❶〕、(ii)事業報告〔❷〕、(iii)事業報告と計算書類に関する監査報告〔❸〕、(iv)計算書類に関する会計監査報告〔❹〕、(v)連結計算書類〔④〕であり、連結計算書類に関する監査報告ならびに会計監査報告は、これを株主に提供することを定めない限り招集通知への添付は任意とされている（計134条２項）。しかしながら、総会当日の連結計算書類の監査結果の報告の説明の便宜からも、実務上は招集通知に添付もしくは電子提供制度下においては電子提供措置を講ずるのが通例と考えられる。

8-3 計算書類（連結計算書類）の概要

本節においては、計算書類ならびに連結計算書類につき簡単にその概要を紹介することとする。

1　貸借対照表等（貸借対照表と連結貸借対照表）

貸借対照表は、一定時点での会社の財産状態を正確に判断するために作成される計算書類であり、その具体的な作成方法については、計算規則72条～86条に定められている。

なお、計算規則では、貸借対照表と連結貸借対照表を一括して「貸借対照表等」と定義しており（計72条）、単体と連結は基本的に同様の区分、項目で作成されることとしている。

貸借対照表等は、「資産の部」、「負債の部」、「純資産の部」の各部に区分して表示することが必要であり（計73条1項）、資産の部はさらに「流動資産」、「固定資産（有形固定資産・無形固定資産・投資その他の資産）」、「繰延資産」の項目に区分することが必要である（計74条1項・2項）。

また、「負債の部」は「流動負債」と「固定負債」に、「純資産の部」は「株主資本」、「評価・換算差額等」、「株式引受権」、「新株予約権」の項目に区分することが必要である（計75条1項・76条1項1号）。さらに、「株主資本」は、「資本金」、「新株式申込証拠金」、「資本剰余金」、「利益剰余金」、「自己株式」、「自己株式申込証拠金」の項目に区分することが必要である（計76条2項）。なお、連結計算書類の「純資産の部」については、「株主資本」、「評価・換算差額等、もしくはその他の包括利益累計額」、「株式引受権」、「新株予約権」、「非支配株主持分」の項目に区分することが必要である（計

76条１項２号)。

貸借対照表ならびに連結貸借対照表については、経団連モデルが公表されている。具体的な様式については、日本経済団体連合会「会社法施行規則及び会計計算規則による株式会社の各種書類のひな型（改訂版）」[(1)]54〜55頁・86〜87頁を参照されたい。

2 損益計算書等（損益計算書と連結損益計算書）

損益計算書は、一定期間における会社の損益の状態を正確に判断するために作成される計算書類であり、その具体的な作成方法については、計算規則87条から94条までに規定されている。

なお、損益計算書についても、貸借対照表と同様、損益計算書と連結損益計算書を一括して「損益計算書等」と定義しており（計87条)、単体と連結は基本的に同様の区分、項目で作成されることとなる。

損益計算書等は、以下の項目に区分して表示することが必要である（計88条１項)。

① 売上高
② 売上原価
③ 販売費および一般管理費
④ 営業外収益
⑤ 営業外費用
⑥ 特別利益（固定資産売却益、前期損益修正損益、負ののれん発生益その他の項目の区分に従い細分し表示)
⑦ 特別損失（固定資産売却損、減損損失、災害による損失、前期損益修正損その他の項目の区分に従い細分し表示)

損益計算書等においては、さらに上記各項目に係る収益もしくは費用または利益もしくは損失を示す適当な名称を付さなければならず、具体的な名称

(1) 日本経済団体連合会経済法規委員会企画部会、2022年11月１日〔https://www.keidanren.or.jp/policy/2022/094.pdf〕。

については計算規則89条以下に定められている。

損益計算書ならびに連結損益計算書についても、経団連モデルが公表されているため、具体的な様式は、前記ひな型56頁・87～88頁を参照されたい。

3　株主資本等変動計算書等（株主資本等変動計算書と連結株主資本等変動計算書）

株主資本等変動計算書は、各事業年度中の純資産の部の各項目の計数の変動（増減）状況を示すために作成されるものである。具体的な作成方法については、計算規則96条で定められている。

株主資本等変動計算書についても、株主資本等変動計算書と連結株主資本等変動計算書を一括して「株主資本等変動計算書等」として定義しており、単体と連結は基本的に同様の区分、項目で作成されることとなる。

株主資本等変動計算書等は、貸借対照表等の純資産の部の変動状況を明らかにする趣旨で作成されることから、項目の表示区分は貸借対照表等の純資産の部と同一であり、そのうち株主資本の項目である「資本金」、「資本剰余金」、「利益剰余金」、「自己株式に係る項目」は、①当期首残高、②当期変動額、③当期末残高を記載するとともに、当期変動額については、各変動事由ごとに当期変動額および変動事由を明らかにすることが必要である（計96条7項）。一方、「評価・換算差額等（連結株主資本等変動計算書については、評価・換算価額等もしくはその他の包括利益累計額）」、「株式引受権」、「新株予約権」、「非支配株主持分（連結の場合）」に係る項目については、それぞれ①当期首残高、②当期変動額、③当期末残高を記載することが必要とされ、そのうえで、当期変動額については（各変動事由ではなく）主要なものについて変動事由とともに明らかにすることも可能とされている（計96条8項）。このように項目の重要性に鑑み、記載事項にも差を設けている。

株主資本等変動計算書ならびに連結株主資本等変動計算書についても、経団連モデルが公表されているため、具体的な様式は、前記ひな型57頁・89～91頁を参照されたい。

4 注記表（個別注記表と連結注記表）

注記表は、旧商法施行規則において、貸借対照表と損益計算書の注記事項として定めていたものを中心に、計算規則で計算書類の１つとして新たに定められたものであり、具体的な作成方法は計算規則97条～116条で定められている。

注記表についても、個別注記表と連結注記表を一括して「注記表」と定義しており、基本的な記載項目は共通化して定めているものの、連結注記表の記載項目は個別注記表に比べて少なくなっている。

個別注記表と連結注記表の記載項目は下表のとおり異なっており、さらに会社の属性（会計監査人設置会社かどうか、会計監査人設置会社以外の公開会社かどうか等）により記載すべき事項が異なる（計98条２項）。

個別注記表の記載項目 （下記※参照）	連結注記表の記載項目
①　継続企業の前提に関する注記 ②　重要な会計方針に係る事項に関する注記 ③　会計方針の変更に関する注記 ④　表示方法の変更に関する注記 ⑤　会計上の見積りに関する注記 ⑥　会計上の見積りの変更に関する注記 ⑦　誤謬の訂正に関する注記 ⑧　貸借対照表等に関する注記 ⑨　損益計算書に関する注記 ⑩　株主資本等変動計算書に関する注記 ⑪　税効果会計に関する注記 ⑫　リースにより使用する固定資産に関する注記 ⑬　金融商品に関する注記 ⑭　賃貸等不動産に関する注記	❶　継続企業の前提に関する注記 ❷　連結計算書類の作成のための基本となる重要な事項に関する注記等（具体的な記載項目は、計102条参照） ❸　会計方針の変更に関する注記 ❹　表示方法の変更に関する注記 ❺　会計上の見積りに関する注記 ❻　会計上の見積りの変更に関する注記 ❼　誤謬の訂正に関する注記 ❽　連結貸借対照表に関する注記 ❾　連結株主資本等変動計算書に関する注記 ❿　金融商品に関する注記 ⓫　賃貸等不動産に関する注記 ⓬　１株当たり情報に関する注記 ⓭　重要な後発事象に係る注記

⑮　持分法損益等に関する注記 ⑯　関連当事者との取引に関する注記 ⑰　１株当たり情報に関する注記 ⑱　重要な後発事象に関する注記 ⑲　連結配当規制適用会社に関する注記 ⑳　収益認識に関する注記 ㉑　その他の注記	⓮　収益認識に関する注記 ⓯　その他の注記

※　会社の属性による個別注記表の記載事項の省略

(i)　会計監査人設置会社以外の非公開会社の個別注記表の場合、②～④、⑦、⑩、⑳、㉑の７項目の記載で可。

(ii)　会計監査人設置会社以外の公開会社の個別注記表の場合、①、⑤、⑥、⑮、⑲の記載は不要。

(iii)　会計監査人設置会社であって法444条３項によって連結計算書類を作成しなければならない会社以外の個別注記表の場合、⑮の記載は不要。

個別注記表ならびに連結注記表についても、経団連モデルが公表されているため、具体的な様式は、前記ひな型60～85頁・92～114頁を参照されたい。

第Ⅰ編

第9章

監査報告

9-1 会計監査人監査報告と監査役（会）監査報告

事業年度ごとに作成される計算書類および附属明細書、連結計算書類、事業報告および附属明細書については、その内容を確定させるための手続として、それぞれ必要な監査手続を経る必要がある。

このうち、会計監査人設置会社かつ監査役会設置会社で連結計算書類作成会社を前提とすると概念的には以下の監査報告が作成されることとなる。

書類名	会計監査人監査報告	監査役監査報告（監査役ごとに作成）	監査役会監査報告※
計算書類および附属明細書	○	○	○
連結計算書類	○	○	○
事業報告および附属明細書	－	○	○

※　監査役会監査報告の作成にあたっては、監査役会は1回以上、会議を開催する方法または情報の送受信により同時に意見の交換をすることができる方法により、監査役会監査報告の内容を審議することが必要である（施130条3項、計128条3項）。

なお、監査等委員会設置会社や指名委員会等設置会社では、監査役会監査報告に代えて、監査（等）委員会監査報告を同様に作成することが必要となるが、個々の監査（等）委員による監査報告の作成義務はない。

また、監査報告については招集通知の添付書類（株主への提供書類）として株主宛に提供もしくは電子提供制度が適用される会社においては電子提供措置を行うことが必要となるが（法437条・325条の3）、連結計算書類に関する会計監査報告および監査報告は、これを株主に提供することを定めない限り招集通知への添付は任意である（計134条2項）。

計算書類ならびに事業報告（附属明細書含む）に関する各監査役の監査報告は、監査役会設置会社においては招集通知への添付は不要と解されるものの、本店での備置の対象となるとの見解もあるため、監査役会監査報告とともに備置しておくのが無難と考えられる。

9-2
監査報告の記載事項

会計監査人の監査報告に記載すべき事項ならびに監査役（会）の監査報告に記載すべき事項は、それぞれ会社の機関設計の属性等に応じて施行規則ならびに計算規則で定められている。

ここでは、会計監査人設置会社かつ監査役会設置会社で連結計算書類作成会社を前提として、監査報告に記載すべき事項の項目を挙げることとする。

1　会計監査人の監査報告の記載事項

会計監査人は、計算書類および附属明細書に関する監査報告と連結計算書類に関する監査報告の2通の監査報告を作成することが必要であるが、記載事項は以下のとおり双方で共通である（計126条）。

① 会計監査人の監査の方法およびその内容
② 計算関係書類が当該株式会社の財産および損益の状況をすべての重要な点において適正に表示しているかどうかについての意見があるときは、その意見（当該意見が、無限定適正意見、除外事項を付した限定付適正意見、不適正意見かにより、一定の事項を記載する）
③ ②の意見がないときは、その旨およびその理由
④ 継続企業の前提に関する注記に係る事項
⑤ ②の意見があるときは、事業報告およびその附属明細書の内容と計算関係書類の内容または会計監査人が監査の過程で得た知識との間の重要な相違等について、報告すべき事項の有無および報告すべき事項があるときはその内容
⑥ 追記情報（会計方針の変更、重要な偶発事象、重要な後発事象その他の事項のうち、会計監査人の判断に関して説明を付す必要がある事項または計算関係書類の内容のうち強調する必要がある事項）

⑦　会計監査報告を作成した日

2　監査役（会）の監査報告の記載事項

(1)　計算書類および附属明細書、連結計算書類に関する監査報告の記載事項（計127条・128条）

①　監査役の監査の方法およびその内容※
②　会計監査人の監査の方法または結果を相当でないと認めたときは、その旨およびその理由
③　重要な後発事象（会計監査報告の内容となっているものを除く）
④　会計監査人の職務の遂行が適正に実施されることを確保するための体制に関する事項
⑤　監査のため必要な調査ができなかったときは、その旨およびその理由
⑥　監査報告を作成した日※

※　監査役会の監査報告の記載事項は、①が「監査役および監査役会の監査の方法およびその内容」、⑥が「監査役会監査報告を作成した日」となる。

(2)　事業報告および附属明細書に関する監査報告の記載事項（施129条1項）

①　監査役の監査（計算関係書類に係るものを除く）の方法およびその内容※
②　事業報告およびその附属明細書が法令または定款に従い、当該株式会社の状況を正しく示しているかどうかについての意見
③　当該株式会社の取締役の職務の遂行に関し、不正の行為または法令もしくは定款に違反する重大な事実があったときは、その事実
④　監査のため必要な調査ができなかったときは、その旨およびその理由
⑤　内部統制システムの決議の内容の概要および当該体制の運用状況の概要（監査の範囲に属さないものを除く）について事業報告に記載がある場合において、当該事項の内容が相当でないと認めるときは、その旨およびその理由
⑥　株式会社の支配に関する基本方針が事業報告の内容となっているときは、

当該事項についての意見
⑦　親会社等との間の取引に関する事項を事業報告の附属明細書で記載しているときは、当該事項についての意見
⑧　監査報告を作成した日※

※　監査役会の監査報告の記載事項は、①が「監査役および監査役会の監査の方法およびその内容」、⑧が「監査役会監査報告を作成した日」となる。

3　監査報告の通数とひな型

監査役の監査報告ならびに監査役会の監査報告については、概念的には、①計算書類および附属明細書、②連結計算書類、③事業報告および附属明細書の3通の監査報告が必要となる。

しかしながら、実務上は、監査役会の監査報告につき、①～③を1通の監査報告として作成・提出している例が多い。

一方、会計監査人の監査報告については、ほぼ例外なく、①と②を別に作成し、2通の監査報告を作成・提出している。

以上のとおり、会計監査人の監査報告と監査役会の監査報告の通数が異なるため、招集通知に監査報告を添付もしくは電子提供措置をとる場合、掲載箇所につき留意が必要となる。

なお、会計監査人の監査報告については日本公認会計士協会から(1)、また監査役（会）の監査報告については日本監査役協会(2)ならびに経団連(3)で、それぞれ監査報告のひな型を公表している。したがって、基本的にはこうし

(1)　日本公認会計士協会・監査・保証基準委員会実務指針第10号「監査報告書の文例」（最終改正2022年10月13日付）〔https://jicpa.or.jp/specialized_field/2-24-700j_1-2-20221013.pdf〕。

(2)　監査役（会）設置会社のひな型の案内・解説として、日本監査役協会「監査報告のひな型について」（最終改正2015年9月29日）〔https://www.kansa.or.jp/wp-content/uploads/support/el001_151015_1_1aa.pdf〕。

なお、KAMへの対応ならびにコロナ禍での監査の方法、監査報告への自署押印に関する柔軟な対応を提案するものとして、日本監査役協会「監査上の主要な検討事項（KAM）及びコロナ禍における実務の変化等を踏まえた監査役等の監査報告の記載について」〔https://www.kansa.or.jp/wp-content/uploads/support/el001_210226b.pdf〕が公表されている。

(3)　日本経済団体連合会 経済法規委員会企画部会「会社法施行規則及び会社計算規則による株式会社の各種書類のひな型（改訂版）」（2022年11月1日）153頁以下に掲載〔https://www.keidanren.or.jp/policy/2022/094.pdf〕。

たひな型に従って記載されることとなるが、招集通知に添付する際には、提出された監査報告書からの転記ミス（押印の表示の要否を含めて）が生じないよう注意が必要である。

第10章

株主総会参考書類

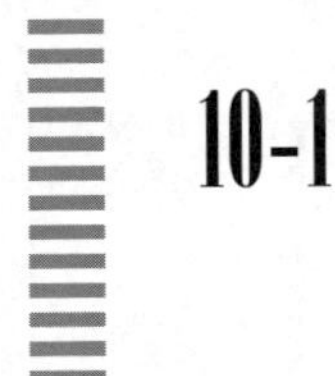

10-1 総　説

株主総会参考書類は、株主総会当日出席できない株主が、事前に議決権行使書や電磁的方法により、議案の賛否の意思表示を行う場合に参考にする議案の内容ならびに参考情報を記載した書類である。

書面投票制度採用会社や電子投票制度採用会社においては、株主総会招集通知の発信に際して、施行規則で定める事項を記載した株主総会参考書類の提供が必要となる（法301条1項）。

なお、上場会社は電子提供制度が一律に適用されるが、電子提供制度下においては、株主総会参考書類も電子提供措置を講ずることが必要となる（法325条の3第1項3号）。併せて書面交付請求のあった株主には招集通知（アクセス通知）とともに送付することが求められる（法325条の5第2項）。

一方、上場会社が議決権代理行使を勧誘する場合には、委任状勧誘府令に基づく『委任状用紙』ならびに『議決権の代理行使の勧誘に関する参考書類』（以下「参考書類」という）を交付することが必要となる（金商法施行令36条の2）。

このように、議案に関する参考書類については、会社法を基礎とする『株主総会参考書類』と金融商品取引法を基礎とする『参考書類』とがある。双方の書類の記載事項は、一般的記載事項で若干の相違が見られるものの、各議案における記載事項は同一である（『参考書類』について、勧誘者が発行会社または役員である場合）。

施行規則に基づく株主総会参考書類の記載については、全株懇や経団連から記載モデルが公表されている。基本的には、これらの記載モデルや、他社の最近の事例を参照し、自社のものを作り上げることとなろう。以下、一般的記載事項ならびに主な議案に関する株主総会参考書類の作成上の留意事項を記載する。

10-2

一般的記載事項

1　株主総会参考書類と参考書類の一般的記載事項

「株主総会参考書類」と「参考書類」には、各議案に共通して記載が必要な事項がある。これは「一般的記載事項」といわれており、**図表Ⅰ－10－1**のとおり、金融商品取引法を基礎とする「参考書類」の場合は、勧誘者を記載する必要があるものの、その他の一般的記載事項は同一であるといえる。

一般的記載事項のうち、「提案の理由」については、会社提案の場合に記載が必須である。提案の理由の記載がないままに、株主が議案の賛否を決するのは酷な面もあるため、会社提案に限り株主総会参考書類への記載を義務づけている。

この提案の理由のなかには、「株主総会で一定の事項を説明しなければならない議案における当該説明が必要な事項」も含まれている。たとえば、取締役の報酬等に関する事項の決定もしくは改定に関する議案を会社側が提出する場合、当該事項の決定もしくは改定を「相当とする理由」につき、議案を付議する株主総会で説明することが必要とされている（法361条４項）。そのため、（改定後の）当該報酬制度を「相当とする理由」を株主総会参考書類にも記載しなければならないことになる。

また、**図表Ⅰ－10－1**の株主総会参考書類④（参考書類の❺）の事項は、明記されている一般的記載事項以外でも、議案の賛否に係る議決権行使にあたり参考となる情報があれば記載することを可能とするものである。したがって、施行規則等で明記されている事項以外でも参考情報を株主総会参考書類等に記載することは差し支えない（むしろ望ましい）。コーポレートガバナンス・コード補充原則１－２①においても、株主総会において株主が適切な判断を行うことに資すると考えられる情報については、必要に応じ適確に提供すべきとされている。

図表Ⅰ－10－１　一般的記載事項の比較表

株主総会参考書類 （施73条）	参考書類 （委任状勧誘府令１条※）
①　議案 ②　提案の理由（会社提案に限り、株主総会で一定の事項を説明しなければならない議案の場合における当該説明すべき内容を含む） ③　議案につき、法384条、389条３項または399条の５の規定により監査役等が株主総会に報告すべき事項があるときはその報告の内容の概要 ④　株主の議決権の行使について参考となると認める事項の記載が可能	❶　勧誘者が当該株式の発行会社またはその役員である旨 ❷　議案 ❸　提案の理由（会社提案に限り、株主総会で一定の事項を説明しなければならない議案の場合における当該説明すべき内容を含む） ❹　議案につき会社法384条、389条３項または399条の５の規定により監査役が株主総会に報告すべき事項があるときはその結果の概要 ❺　上記以外で議決権の行使に係る代理権の授与について参考となると認める事項の記載が可能

※　勧誘者が当該株式の発行会社またはその役員である場合。

2　他の書類の記載に伴う株主総会参考書類記載事項の省略

株主総会参考書類に記載すべき事項について、同一の株主総会において株主に対して提供する他の書面への記載もしくは電磁的記録をもって、株主に対して提供する株主総会参考書類への記載を省略することができる旨の定めがある（施73条３項）。

株主総会招集通知および添付書類（提供書類）、株主総会参考書類において、同一事項につき複数の書類間で重複記載となる事項については、いずれか一方の書類で記載し株主に提供されていれば、他の書類への記載を省略することを認めるものである（ほかに施66条４項・５項・73条４項等）。

ただし、他の書類への記載等により株主総会参考書類への記載を省略する場合、他の書面に記載している事項または電磁的方法により提供する事項があることを明らかにする必要がある点に注意が必要である。

また、電子提供措置を講ずるに際しては、他の書類への記載をもって株主総会参考書類への記載を省略することは認められないものと解される。したがって、電子提供措置により自社のウェブサイト等に掲載する株主総会参考書類や書面交付請求のあった株主に送付する交付書面には記載が省略されていない「完全版」を掲載もしくは送付する必要があるといえる。

参考書類に関しても委任状勧誘府令１条２項から４項までにおいて他の書類の記載（公告やウェブサイトへの掲載を含む）に伴う参考書類への記載省略の認容ならびに他の書面等により提供する事項があることの明記の必要性につき規定している。

なお、他の書面（通常は事業報告）への記載等により株主総会参考書類への記載を省略できる項目としては、例えば役員選任議案において複数の事項が考えられる。**図表Ⅰ－10－２**は、取締役選任議案における記載事項（社外取締役候補者の記載事項を含む）と事業報告の共通（類似）記載事項を示したものである。

図表Ⅰ－10－２　株主総会参考書類と事業報告の共通（類似）記載事項（取締役選任議案の例）

記載事項 【　】は事業報告の記載	株主総会参考書類の規定	事業報告の規定
当該会社における地位および担当 【会社役員の地位および担当】	施74条２項４号	施121条２号
重要な兼職の状況	施74条２項２号	施121条８号
社外取締役（候補者）の法令・定款違反行為等への対応状況	施74条４項４号	施124条１項４号ニ
特定関係事業者の業務執行者等との親族関係	施74条４項７号ホ	施124条１項３号
会社役員（候補者）との責任限定	施74条１項４号	施121条３号

契約締結（もしくは締結予定）の場合の契約の内容の概要		
会社役員（候補者）との補償契約締結（もしくは締結予定）の場合の契約の内容の概要	施74条１項５号	施121条３号の２
会社役員（候補者）との役員等賠償責任保険契約締結（もしくは締結予定）の場合の契約の内容の概要【被保険者の範囲と契約の内容の概要等】	施74条１項６号	施119条２号の２、121条の２
※社外取締役（社外役員）に選任された場合に果たすことが期待される役割の概要【社外役員である社外取締役が果たすことが期待される役割に関して行った職務の概要】	施74条４項３号	施124条４号ホ

※　記載事項が類似するものとして記載している。

10-3 個別の議案に関する記載事項

1　剰余金処分、配当議案

株式会社は、株主総会の決議により、損失処理、任意積立金の積立てその他の剰余金の処分（資本金や準備金の増加、剰余金の配当等社外流出が生ずる場合を除く）を行うことができる（法452条）。また、株主総会の決議により、いつでも株主に対して剰余金の配当を行うことができる（法453条・454条）。

このように、「その他の剰余金の処分」と「剰余金の配当」は根拠条文が異なるものの、双方は広義の「剰余金の処分」と整理できることから、同一の議案（剰余金の処分の件）で付議することで差し支えないと解されている。

なお、会社法459条１項の定款の定めのある会社は、一定の要件を充足する限り、取締役会で決議が可能であり、この場合、本議案の総会での上程は不要となる。

また、株主総会参考書類の一般的記載事項である「提案の理由」であるが、「その他の剰余金の処分」と「剰余金の配当」を同一の議案として付議する場合、議案作成の方針（配当方針、内部留保方針等）を冒頭にまとめて記載することで差し支えないと考えられる。

剰余金処分、配当議案に関する株主総会参考書類の作成上の留意事項、チェックポイント、記載例は以下のとおりである。

(1)　剰余金の配当関係（法454条）

株主総会参考書類への記載事項は、一般的記載事項のほかに、議案（株主総会の決議事項）として、①配当財産の種類（金銭か、金銭以外の場合はその種類）および帳簿価額の総額、②株主に対する配当財産の割当に関する事項（1株当たりの配当金額）、③配当の効力発生日の記載が必要である（法454条1項）。

なお、剰余金の配当につき内容の異なる種類株式を発行している場合は、特有の決議事項が会社法454条2項で定められており、株主総会参考書類にも記載が必要となるため留意が必要である。配当が金銭以外の財産の場合も特有の決議事項があり、株主総会参考書類に記載が必要となる（同条4項）。

また、資本剰余金を配当の原資とする場合には、税制上の取扱いが異なることから、その旨を参考事項として記載することが考えられる。

さらに、剰余金の配当に関する会社提案の議案について否決される、もしくは株主提案の議案が可決となる可能性が相応にあると考えられる場合、配当金の支払開始日を別途設定するなどの対応も検討が必要となる[1]。

(2)　その他の剰余金の処分関係（法452条、計153条1項）

株主総会参考書類への記載事項は、一般的記載事項のほかに、議案（株主総会の決議事項）として、剰余金の処分の額に加え、①増加する剰余金の項目、②減少する剰余金の項目、③処分する各剰余金の項目に係る額、の記載が必要である。

(3)　株主総会参考書類作成に際してのチェックポイント

チェック欄	項　　目
	配当金の表現（期末配当金・利益配当金・株主配当金）は統一されているか
	その他剰余金の処分がある場合に議題を「剰余金の配当の件」としていないか
	自己株式を配当の対象から除外しているか（会社名義失念株式は配当の対象）

(1)　日本経済団体連合会・全国株懇連合会・証券保管振替機構「株主から剰余金の配当に関する提案が行われた場合の標準モデル」（2016年2月8日）。

	提案の理由（議案作成の方針）は、決算短信、事業報告その他の開示書類のトーンとあっているか
	配当とその他剰余金の処分を同一の議案として付議する場合、提案の理由は双方について記載されているか（もしくは冒頭にまとめて記載してもよい）
	配当原資の範囲内であること、ならびに配当原資の種類は確認したか。資本剰余金が原資の場合、その旨の記載があるか
	配当の効力発生日は、総会日の翌日以後かつ基準日から３ヵ月以内の日となっているか
	配当の効力発生日に加え、配当の支払開始日を決議事項に追加する必要がないか（会社提案の配当議案の否決、株主提案の議案の可決の可能性が相応にある場合に対応を検討）
	過去の配当額や配当性向の推移を表にするなど参考情報の掲載は必要ないか

(4)　株主総会参考書類の記載例

〈全株懇モデルでの記載例（補足説明箇所で記載）**〉**

第１号議案　剰余金の処分の件

当期の期末配当につきましては、経営体質の強化と今後の事業展開等を勘案し、内部留保にも意を用い、当社をとりまく環境が依然として厳しい折から下記のとおりといたしたいと存じます。

１．剰余金の処分に関する事項

(1)　減少する剰余金の項目およびその額

○○積立金　　○○○円

(2)　増加する剰余金の項目およびその額

○○積立金　　○○○円

２．期末配当に関する事項

(1)　株主に対する配当財産の割当てに関する事項およびその総額

当社普通株式１株につき金○円○銭　総額○○○円

(2)　剰余金の配当が効力を生じる日

○年○月○日

〈経団連モデル〉

［記載例］

第１号議案　剰余金の処分の件

当期の期末配当につきましては、会社をとりまく環境が依然として厳しい折から、経営体質の改善と今後の事業展開等を勘案し、内部留保にも意を用い、次のとおりとさせていただきたいと存じます。内部留保金につきましては、企業価値向上のための投資等に活用し、将来の事業展開を通じて株主の皆様に還元させていただく所存です。

１．期末配当に関する事項

⑴　配当財産の種類
　　金銭

⑵　株主に対する配当財産の割当に関する事項及びその総額
　　当社普通株式１株につき金○円　総額○○○円

⑶　剰余金の配当が効力を生じる日
　　○年○月○日

２．別途積立金の積立に関する事項

⑴　増加する剰余金の項目及びその額
　　別途積立金　○○○円

⑵　減少する剰余金の項目及びその額
　　繰越利益剰余金　○○○円

2　法定準備金減少議案

準備金（資本準備金、利益準備金）の額を減少する場合には、原則として株主総会の決議が必要である（法448条１項。**第４章４－３ 2⑺**）。

株主総会参考書類に記載すべき事項は、一般的記載事項に加えて、議案（株主総会の決議事項）として、①減少する準備金の額、②減少する準備金の額の全部または一部を資本金とするときは、その旨および資本金とする額、③準備金の額の減少がその効力を生ずる日、である（法448条１項）。

準備金の額の減少については、留保額の定めがないため、全額を減少させる（取り崩す）ことが可能である。

なお、定時株主総会で会社法448条１項に定める事項を決議し、減少した準備金の額の全額を欠損填補に充当する場合は、債権者保護手続は不要である（法449条）。

それ以外の準備金の減少の場合には、債権者保護手続が必要となる。ここで留意すべきは、決議された「準備金の額の減少の効力発生日」が到来した場合でも債権者保護手続が終了していなければ準備金減少の効力は生じず、事前に効力発生日の変更が必要となる点である（法449条６項・７項）。

なお、剰余金の処分議案と同様、会社法459条１項の定款の定めのある会社は、一定の要件を充足する限り、取締役会で決議が可能であり、この場合、本議案の総会での上程は不要となる。

準備金減少の議案に関する株主総会参考書類作成上のチェックポイントと記載例は以下のとおりである。

(1)　株主総会参考書類作成に際してのチェックポイント

チェック欄	項　　目
	債権者保護手続が必要かどうか確認したか
	取崩しを行う準備金の名称ならびに取崩しを行う金額は正しいか確認したか
	債権者保護手続が必要な場合、効力発生日は債権者保護手続の終了後の日付で設定されているか

(2)　株主総会参考書類の記載例

第２号議案　準備金の額の減少の件

剰余金の配当等財源の充実を図るとともに、今後の機動的な資本政策に備えるため、会社法第448条第１項の規定に基づき、準備金の取崩しを行い、繰越利益剰余金およびその他資本剰余金に振り替えることといたしたいと存じます。

１．減少する準備金の額
利益準備金の全額にあたる○○○○円および資本準備金の○○○○○円のうち○○○○円を減少いたします。

２．準備金の額の減少が効力を生じる日

○年○月○日

3　定款変更議案

定款の内容を変更する場合には、株主総会の特別決議が必要となる（法466条・309条2項11号。**第4章4－3 2(2)**）。

定款の内容を変更する議案に関する株主総会参考書類には、一般的記載事項である「提案の理由（変更の理由）」等に加え、変更内容（議案の内容）としては、現行定款と変更案を新旧対照表の形式に記載し、変更箇所に下線を引くのが一般的である。

その他の留意事項、チェックポイントは以下のとおりである。

(1)　株主総会参考書類作成上の留意事項

①　変更箇所としての下線を引く基準を表全体で統一させる。

②　新旧対照表において、新旧いずれか一方にのみ条文の内容が記載される場合、もう一方には「新設」、「削除」、「現行どおり」、「条文省略」等の記載をするのが一般的であるが、これらの用語には「 」、（ ）等をつけて具体的な規定ではないことを明確にする。

③　条文の新設、削除等により、条数の変更が生じる場合、他の箇所で定款の条数を引用しているときには、当該引用箇所においても条数の変更が必要となるため注意が必要である。

④　附則を設ける場合には、内容により削除時期や削除方法について定めることも考えられる。

⑤　取締役の任期を1年に短縮する場合には、現任の取締役の任期を維持するための附則を定めることも考えられる。ただし、会社法459条1項の定めを設ける場合、任期2年の取締役がいる間は剰余金の配当等を取締役会決議で行うことはできない点に留意が必要である。

⑥　取締役（監査等委員または監査委員を除く）および執行役の責任軽減ならびに監査等委員または監査委員を除く非業務執行取締役の責任限定契約に

関する定款変更議案を提出する場合には、各監査役の同意（委員会設置会社は各監査委員、監査等委員会設置会社は各監査等委員の同意）が必要であることから、各々の同意を得ている旨を記載することが考えられる（法426条２項・427条３項・425条３項)。

(2)　株主総会参考書類作成に際してのチェックポイント

チェック欄	項　　目
	現行定款の規定と変更案の規定の記載に誤りがないか確認したか
	変更部分の下線の引き方は整合性がとれているか
	事業年度の変更や取締役の任期短縮等の場合、附則の要否や規定内容につき確認したか
	取締役（監査等委員または監査委員除く）または執行役の責任軽減、監査等委員または監査委員を除く非業務執行取締役の責任限定契約に関する定款変更の議案を付議する場合、各監査役（各監査委員、各監査等委員）の同意を得ているか。また、各監査役等の同意を得ている旨を株主総会参考書類に記載しているか
	剰余金処分権限を取締役会に授権する場合、取締役の任期を１年以内とする定款変更も行っているか（監査役会設置会社の場合）
	変更事項に関する機関投資家や議決権行使助言会社の行使（賛否推奨）基準は確認し、票読みを行ったか
	剰余金処分権限を取締役会に授権する規定（監査役会設置会社の場合など)、事業目的の記載（「その他適法な一切の事業」などの包括的な記載）などは機関投資家等のスタンスが厳しいとされるため要注意
	機関投資家等とスタンスが厳しい変更事項とそれ以外の変更事項を別議案とする必要がないか検討したか

(3) 株主総会参考書類の記載例

〈全株懇モデル〉

（会社提案）

第１号議案　定款一部変更の件

(1) 提案の理由
今後の事業展開に備えるため事業目的を追加いたしたいと存じます。

(2) 変更の内容
現行定款の一部を次の変更案（変更部分は下線で示す。）のとおり改めたいと存じます。

現行定款	変更案
（目的） 第○条　当会社は、次の事業を営むことを目的とする。 1……………… 2……………… （新設） 3　前各号に付帯関連する一切の事業	（目的） 第○条　当会社は、次の事業を営むことを目的とする。 1……………… 2……………… 3……………… 4　前各号に付帯関連する一切の事業

4　取締役選任議案

取締役を選任するには、株主総会の決議が必要である（法329条１項）。

取締役選任議案に関する株主総会参考書類の記載事項は施行規則74条・74条の３で規定されており、会社の機関設計や属性、ならびに候補者の属性により記載事項も異なっているほか、記載事項自体も多岐にわたっている。

(1) 株主総会参考書類の記載事項

株主総会参考書類に記載すべき事項は、一般的記載事項（提案の理由等）に加え、以下の事項を記載することが必要である。記載事項は、①共通する記載事項、②公開会社である場合の特有の記載事項、③公開会社かつ他の者の子会社等である場合の特有の記載事項、④社外取締役候補者の場合の特有の記載事項、⑤監査等委員である取締役の選任の場合の特有の記載事項がある。

⑤については、監査等委員会設置会社に移行するもしくは移行済の会社では、取締役の選任にあたり「監査等委員である取締役」と「それ以外の取締役」を区別して選任しなければならないと規定されていること（法329条2項）から、監査等委員である取締役選任に関する株主総会参考書類の記載事項として施行規則74条（取締役の選任に関する議案）とは別に74条の3を定めたものとされている[2]。

具体的な記載事項は以下のとおりである。

① 共通する記載事項（施行規則74条1項）

(i) 候補者の氏名、生年月日および略歴
(ii) 就任の承諾を得ていないときはその旨
(iii) 監査等委員会設置会社の場合、会社法342条の2第4項に定める監査等委員以外の取締役の選任等に関する監査等委員会の意見があるときはその意見の内容の概要
(iv) 候補者と会社の間で責任限定契約を締結済または締結予定があるときはその契約の内容の概要
(v) 候補者と会社の間で補償契約を締結済または締結予定があるときはその契約の内容の概要
(vi) 候補者を被保険者とする役員等賠償責任保険契約を締結済または締結予定があるときはその契約の内容の概要

② 公開会社である場合の特有の記載事項（施行規則74条2項）

(i) 候補者の有する当該株式会社の株式の数（種類株式発行会社の場合、株式の種類および種類ごとの数）
(ii) 候補者が当該株式会社の取締役に就任した場合、重要な兼職に該当する事

(2) 坂本三郎ほか「会社法施行規則等の一部を改正する省令の解説［Ⅱ］」商事2061号（2015）14頁参照。

実があることとなるときは、その事実
(iii)　候補者と株式会社との間に特別の利害関係があるときは、その事実の概要
(iv)　候補者が現に当該株式会社の取締役であるときは当該株式会社における地位および担当

③　公開会社かつ他の者の子会社等である場合の特有の記載事項（施行規則74条３項）

(i)　候補者が現に当該他の者（自然人）であるとき(3)は、その旨
(ii)　候補者が現に当該他の者（他の者の子会社等含む）の業務執行者であるときは、当該他の者における地位および担当
(iii)　候補者が過去10年間に当該他の者の業務執行者であったことを当該株式会社が知っているときは、当該他の者における地位および担当

④　社外取締役候補者の場合の特有の記載事項（施行規則74条４項）

(i)　当該候補者が社外取締役候補者である旨
(ii)　当該候補者を社外取締役候補者とした理由
(iii)　当該候補者が社外取締役（かつ社外役員）に選任された場合に果たすことが期待される役割の概要
(iv)　当該候補者が現に当該株式会社の社外取締役（かつ社外役員）の場合、当該候補者が最後に選任された後在任中に当該株式会社において法令または定款に違反する事実その他不当な業務執行が行われた事実（重要でないものを除く）があるときは、その事実ならびに当該事実の発生の予防のために当該候補者が行った行為および当該事実の発生後の対応として行った行為の概要
(v)　当該候補者が、過去５年間に他社の役員に就任していた場合で、当該他社での在任中に当該他社で法令・定款違反の事実その他不当な業務執行が行われた事実があることを会社が知っている場合、その事実（重要でないものを除き、当該他社で社外取締役・監査役であったときは発生予防行為および発生後の対応行為の概要を含む）
(vi)　当該候補者が過去に社外取締役または社外監査役（社外役員に限る）となること以外の方法で会社（外国会社含む）の経営に関与していない者の場合、経営に関与したことがなくても社外取締役としての職務を適切に遂行で

(3)　過半数の株式を保有する個人株主（いわゆるオーナー）が考えられる。

　きると会社が判断した理由

(vii)　当該候補者が次のいずれかに該当することを会社が知っているときはその旨（施74条４項７号イ～ヘ）

　イ　過去に会社または子会社の業務執行者または役員（業務執行者除く。ハ、ホも同様）であったことがあること

　ロ　当該会社の親会社等（自然人）であり、また過去10年間に親会社等であったことがあること

　ハ　当該会社の特定関係事業者[4]の業務執行者もしくは役員であり、または過去10年間に当該会社の特定関係事業者（会社の子会社除く）の業務執行者もしくは役員であったことがあること

　ニ　会社または会社の特定関係事業者から多額の金銭その他の財産（これらの者の取締役、監査役等としての報酬等を除く）を受ける予定があり、または過去２年間に受けていたこと

　ホ「会社の親会社等」または「会社または会社の特定関係事業者の業務執行者または役員」の配偶者、３親等以内の親族その他これに準ずる者であること（重要でないものを除く）

　ヘ　過去２年間に会社が合併等により他の会社の事業に関して有する権利義務を承継または譲り受けた場合において、その合併等の直前にその会社の社外取締役または監査役でなく、かつ、当該他の会社の業務執行者であったこと

(viii)　当該候補者が現にその会社の社外取締役または監査役（社外役員に限る）である場合、これらの役員に就任してからの年数

(ix)　各事項に関する当該候補者の意見があるときはその意見の内容

(2)　株主総会参考書類作成上の留意事項

①　総　　説

(i)　略歴については、入社時期、取締役就任以前の主要な役職（部長等）、取締役就任時期、役付取締役（常務・専務・社長等）就任時期等を記載するのが一般的である。

(ii)　所有株数については、一般的には期末現在の株式数を記載する。役員持株会等の持分は原則対象外であるが、含めることも可能と考えられる。

---

(4)　特定関係事業者は、施行規則２条３項19号で定義されている。会社に親会社等がある場合は、「親会社や兄弟会社、関連会社と主要な取引先である者」、親会社等がない場合は、「当該会社の子会社及び関連会社と主要な取引先である者」が該当する。

(iii)「重要な兼職の状況」については、参考書類の作成時点において、候補者が当該株式会社の取締役に就任したと仮定した場合における重要な兼職の状況を記載することでよい。したがって、将来の就任時における兼職状況を参考書類作成時点で予想したうえで開示する必要はないが、他の会社の株主総会および取締役会での承認を経て就任する場合には、参考情報としてその旨を注記することも考えられる。

なお、就任時までに（または就任後間もなく）退任が予定されている兼職は「重要なものでない」と考えてよい。

(iv)「重要な兼職の状況」は、略歴中に「○年○月○日○○○株式会社代表取締役社長に就任（現在に至る）」とする方法が一般的であるが、別途略歴欄の末尾または項目を設けて列挙する方法も考えられる。

(v) 候補者と会社との間に特別の利害関係（取締役候補者と会社との間に競業や利益相反取引の関係があるような場合）があるときは、その事実の概要を記載しなければならないが、その場合は取引の相手先および取引の内容等を記載する。

(vi) 就任の承諾を得ていない場合、その旨を記載しなければならない。

(vii) 書面投票制度採用会社では、候補者が複数の場合、候補者番号を付番する。

(viii) 候補者にふりがなを振る、新任候補者には新任である旨の表記をする、性別を記載するなどの対応やこれら機関投資家の知りたい情報（議決権行使の判断に必要な情報）を冒頭に一覧表化して掲載することも有用である。

②　社外取締役候補者の場合

(i)「知っているとき」は、株主総会参考書類の記載事項であることを前提とした調査の結果「知っている」ことをいい、必要な調査をせずに「知らない」ことを許容するものではない。したがって、事前にアンケート等で調査を行うのが望ましい。

(ii) 特定関係事業者の業務執行者であること等（重要でないものを除く）は、該当する場合はその旨を記載すればよく、具体的な事実を記載する必要はないと解されている。

(iii)　当該候補者が社外取締役（かつ社外役員）に選任された場合に果たすことが期待される役割の概要については、「社外取締役候補者とした理由」と合わせて記載することが考えられる。その際、項目として「社外取締役候補者とした理由及び期待される役割等」などとすることが考えられる。期待される役割等を示す参考資料として、役員のスキル・マトリックスを活用（掲載）することも考えられる。

(iv)　過去に経営に関与したことがない候補者について「職務を適切に遂行できると判断した理由」は、「社外取締役候補者とした理由」と関連づけて記載することができるため、当該理由の箇所に記載することが考えられる。

(v)　各証券取引所は、独立役員および独立役員に指定しない社外役員に関する情報を株主総会における議決権行使に役立てやすいかたちで株主に提供するよう努めるもの（努力義務）としている。また、機関投資家においても社外役員の独立性の判断に際し、独立役員として届出ている旨を招集通知に記載することを求めているケースが見られる。このため、候補者が独立役員である場合（要件を充足する場合）には、その旨を記載するべきである。また、独立役員に指定しない社外役員の独立性に関する情報についても、同様に記載することが考えられる。

なお、属性情報（「主要株主」、「取引」、「相互就任」、「寄付」等の関係）に該当する場合はその概要を記載することが考えられるが、取引等の規模を記載する場合には、「僅少」という表現は避け、「連結売上高の0.1％未満」など比率を記載、もしくは金額を記載するのが機関投資家対応という観点では望ましい。

(3)　株主総会参考書類作成に際してのチェックポイント

チェック欄	項　　目
	候補者複数の場合、候補者番号は記載されているか（書面投票制度採用会社の場合）
	提案の理由として、現任役員等の退任事由の記載があるか（記載するのが一般的）。辞任の場合は日付も記載する

	候補者の氏名（漢字、ふりがな）は本人に確認、または住民票等を受領して確認したか
	重要な兼職の状況は、株主総会参考書類作成時点での記載がなされているか。総会日前後に他社の役員に就任または退任する場合は任意記載するかどうか要検討
	前回と所有株式数が大きく変化している場合は、その増減理由を把握しているか
	再任候補者の氏名、役職等は、事業報告の会社役員に関する事項と一致しているか
	「現任」の表示もれはないか
	候補者名にふりがなを振ることを検討したか
	新任候補者の「新任」等の表示、性別、顔写真（掲載）、就任年数、取締役会出席率、独立役員である旨などの情報を一覧表で示すか検討したか
	候補者との間での責任限定契約、補償契約、役員等責任賠償保険契約の締結（予定）状況につき記載もれ（確認もれ）がないか。契約の内容の概要につき必要な記載がされているか確認したか
	社外役員の候補者につき社外要件を充足しているか確認したか
	社外役員候補者に関する記載事項にもれがないか確認したか
	社外役員候補者の場合で会社が「知っているとき」に記載すべき事項等については、候補者に確認する等調査をしたか
	独立役員に関する記載を行うか検討したか。また、独立役員候補者の属性情報を記載するか検討したか
	社外役員候補者の経歴で他社の役員等を退任している場合、退任時期を明記しているか（機関投資家のクーリングオフ情報として有用）
	社外役員候補者の意見があるかどうか確認したか

(4)　株主総会参考書類の記載例

〈記載例〉全株懇モデル

第2号議案　　取締役○名選任の件

取締役全員（○名）は、本総会の終結の時をもって任期満了となりますので、取締役○名の選任をお願いいたしたいと存じます。

取締役候補者は、次のとおりであります。

候補者番号	氏名（生年月日）	略歴、地位、担当および重要な兼職の状況	所有する当社の株式の数
1	ふりがな ○○○○ （○年○月○日生）	○年○月　当社入社 ○年○月　当社○○部長 ○年○月　当社取締役 ○年○月　当社常務取締役（経理・総務担当） 現在に至る （重要な兼職の状況） ○○株式会社代表取締役副社長	○○○株
選任理由 ○○○○氏を取締役候補者とした理由は、………………です。			
候補者番号	氏名（生年月日）	略歴、地位、担当および重要な兼職の状況	所有する当社の株式の数
※ 2	ふりがな △△△△ （○年○月○日生）	○年○月　○○株式会社入社 ○年○月　同社○○部長 ○年○月　同社代表取締役社長 現在に至る （重要な兼職の状況） ○○株式会社代表取締役社長	○○○株
選任理由および期待される役割の概要 △△△△氏を社外取締役候補者とした理由は……です。 △△△△氏には……や……といった経験を生かし、当社において、主に……を果たしていただくことを期待しております。			
（以下、省略）			

（注）1．候補者と当社との間に特別の利害関係はありません。

2．△△△△氏は社外取締役候補者であり、当社は、同氏との間で会社法第427条第１項の規定により、任務を怠ったことによる損害賠償責任を限定する契約を締結する予定です。ただし、当該契約に基づく責任の限度額は○○万円以上であらかじめ定めた金額または法令が規定する額のいずれか高い額とします。
3．○○○○氏は、当社と会社法第430条の２第１項に規定する補償契約を締結しており、同項第１号の費用および同項第２号の損失を法令の定める範囲内において当社が補償することとしております。また、当社は、△△△△氏との間で、同内容の補償契約を締結する予定です。
4．当社は、会社法第430条の３第１項に規定する役員等賠償責任保険契約を保険会社との間で締結し、被保険者が負担することになる……の損害を当該保険契約により填補することとしております。候補者は、当該保険契約の被保険者に含められることとなります。
5．当社は△△△△氏を○○証券取引所に独立役員として届け出ております。
6．※は新任の社外取締役候補者であります。

上記、全株懇モデルの記載例のほかに、経団連モデルにおいても、記載例ならびに記載上の注意が詳細に記載されており、作成に際して参考になる(5)。

5　監査役選任議案

監査役を選任するには、取締役と同様、株主総会の決議が必要である（法329条１項）。

監査役選任議案に関する株主総会参考書類の記載事項については、施行規則76条で定められており、①共通する記載事項、②公開会社の場合の特有の記載事項、③公開会社かつ他の者の子会社等の場合の特有の記載事項、④社外監査役候補者の場合の特有の記載事項がある。

具体的な記載事項、株主総会参考書類作成上の留意事項、株主総会参考書類作成上のチェックポイントならびに株主総会参考書類の記載例は以下のとおりである。

---

(5)　日本経済団体連合会「会社法施行規則及び会計計算規則による株式会社の各種書類のひな型（改訂版）」（2022年11月１日）125～130頁〔https://www.keidanren.or.jp/policy/2022/094.pdf〕。

(1)　監査役選任議案に関する株主総会参考書類の記載事項

①　共通する記載事項（施行規則76条1項）

(i)　候補者の氏名、生年月日および略歴
(ii)　候補者と株式会社との間に特別の利害関係があるときは、その事実の概要
(iii)　就任の承諾を得ていないときはその旨
(iv)　議案が監査役（会）の提案に基づく場合はその旨
(v)　監査役の辞任に関する監査役の意見の内容の概要
(vi)　候補者と会社の間で責任限定契約を締結済または締結予定があるときはその契約の内容の概要
(vii)　候補者と会社の間で補償契約を締結済または締結予定があるときはその契約の内容の概要
(viii)　候補者を被保険者とする役員等賠償責任保険契約を締結済または締結予定があるときはその契約の内容の概要

②　公開会社である場合の特有の記載事項（施行規則76条2項）

(i)　候補者の有する当該株式会社の株式の数（種類株式発行会社の場合、株式の種類および種類ごとの数）
(ii)　候補者が当該株式会社の監査役に就任した場合において、重要な兼職に該当する事実があることとなる場合は、その事実
(iii)　候補者が現に当該株式会社の監査役であるときは当該株式会社における地位

③　公開会社かつ他の者の子会社等である場合の特有の記載事項（施行規則76条3項）

(i)　候補者が現に当該他の者（自然人）であるときは、その旨
(ii)　候補者が現に当該他の者（子会社等含む）の業務執行者であるときは、当該他の者における地位および担当
(iii)　候補者が過去10年間に当該他の者の業務執行者であったことを当該株式会社が知っているときは、当該他の者における地位および担当

④　社外監査役候補者の場合の特有の記載事項（施行規則76条４項）

施行規則76条４項に株主総会参考書類に記載すべき事項が規定されている。基本的に社外取締役候補者と同様の記載事項であるが、一部異なっているため注意が必要である。

相違点については、(i)社外取締役候補者の場合に記載が必要な「当該候補者が社外取締役（かつ社外役員）に選任された場合に果たすことが期待される役割の概要」（施74条４項３号）の記載は、社外監査役候補者には記載が求められていないこと、(ii)社外取締役候補者について施行規則74条４項４号・５号で「不当な業務の執行」と規定されているが、社外監査役候補者については「不正な業務の執行」（施76条４項３号・４号）と規定されていること、(iii)社外取締役候補者については、当該候補者が現に当該会社の「社外取締役または監査役」であるときのこれらの役員に就任してからの年数の記載が必要となる（施74条４項８号）ところ、社外監査役候補者の場合は「監査役」に就任してからの年数を記載すること（施76条４項７号）などがあげられる。

(2)　株主総会参考書類作成上の留意事項

①　総　　説

(i)　取締役が、監査役の選任に関する議案を株主総会に上程する際には、監査役会の同意が必要であるため、当該同意を得ている旨を記載することが一般的である（法343条１項・３項）。

(ii)　略歴については、入社時期、監査役就任以前の主要な役職（部長、役員の経歴等）を記載するのが一般的である。

(iii)　候補者と会社との間に特別の利害関係（監査役候補者と会社との間に競業や利益相反取引の関係があるような場合）があるときは、その事実の概要を記載しなければならないが、その場合は取引の相手先および取引の内容等を記載する。

(iv)　就任の承諾を得ていない場合、その旨を記載しなければならない。

(v)　所有株数については、一般的には期末現在の株式数を記載する。役員持株会等の持分は原則対象外であるが、含めることも可能と考えられる。

(vi)「重要な兼職の状況」については、参考書類の作成時点において、候補者が当該株式会社の監査役に就任したと仮定した場合における重要な兼職の状況を記載することでよい。したがって、将来の就任時における兼職状況を参考書類作成時点で予想したうえで開示する必要はないが、他の会社の株主総会を経て就任する場合には、参考情報としてその旨を注記することも考えられる。

なお、就任時までに（または就任後間もなく）退任が予定されている兼職は「重要なものでない」と考えてよい。

(vii)「重要な兼職の状況」は、略歴中に「○年○月○日○○○株式会社代表取締役社長に就任（現在に至る）」とする方法が一般的であるが、別途略歴欄の末尾または項目を設けて列挙する方法も考えられる。

(viii)　候補者が現任の監査役である場合、「当社における地位」を記載することが必要であるが、「担当」の記載は不要である（施76条2項3号）。

(ix)　書面投票制度採用会社では、候補者が複数の場合、候補者番号を付番する。

(x)　候補者にふりがなを振る、新任候補者には新任である旨の表記をする、性別を記載するなどの対応やこれら機関投資家の知りたい情報（議決権行使の判断に必要な情報）を冒頭に一覧表化して掲載することも有用である。

②　社外監査役候補者の場合

(i)「知っているとき」は、株主総会参考書類の記載事項であることを前提とした調査の結果「知っている」ことをいい、必要な調査をせずに「知らない」ことを許容するものではない。したがって、事前にアンケート等で調査を行うのが望ましい。

(ii)　特定関係事業者の業務執行者であること等（重要でないものを除く）は、該当する場合はその旨を記載すればよく、具体的な事実を記載する必要はないと解されている。

(iii)　過去に経営に関与したことがない候補者について「職務を適切に遂行できると判断した理由」は、「社外監査役候補者とした理由」と関連づけて記載することができる。

(iv)　社外取締役候補者と同様、独立役員として証券取引所に届け出た者につきその旨を記載することや属性情報の概要等を記載するか検討することが考えられる。留意事項等は、■4(2)②を参照されたい。

(3)　株主総会参考書類作成に際してのチェックポイント

チェック欄	項　目
	候補者複数の場合、候補者番号は記載されているか（書面投票制度採用会社の場合）
	提案の理由として、現任役員等の退任事由の記載があるか（記載するのが一般的）。辞任の場合は日付も記載する
	監査役会の同意を得ている旨を記載しているか
	候補者の氏名（漢字、ふりがな）は本人に確認、または住民票等を受領して確認したか
	重要な兼職の状況は、株主総会参考書類作成時点での記載がなされているか。総会日前後に他社の役員に就任または退任する場合は任意記載するかどうか要検討
	前回と所有株式数が大きく変化している場合は、その増減理由を把握しているか
	再任候補者の氏名、役職等は、事業報告の会社役員に関する事項と一致しているか
	「現任」の表示漏れはないか
	候補者名にふりがなを振ることを検討したか
	新任候補者の「新任」等の表示、性別、顔写真（掲載）、就任年数、取締役会・監査役会出席率、独立役員である旨などの情報を一覧表で示すか検討したか
	候補者との間での責任限定契約、補償契約、役員等責任賠償保険契約の締結（予定）状況につき記載もれ（確認もれ）がないか。契約の内容の概要につき必要な記載がされているか確認したか
	社外役員の候補者につき社外要件を充足しているか確認したか
	社外役員候補者に関する記載事項に漏れがないか確認したか
	社外役員候補者の場合で会社が「知っているとき」に記載すべき事項等については、候補者に確認する等調査をしたか

	独立役員に関する記載を行うか検討したか。また、独立役員候補者の属性情報を記載するか検討したか。
	社外役員候補者の経歴で他社の役員等を退任している場合、退任時期を明記しているか（機関投資家のクーリングオフ情報として有用）
	社外役員候補者の意見があるかどうか確認したか

(4)　株主総会参考書類の記載例

〈記載例〉全株懇モデル

第３号議案　　　監査役○名選任の件

　監査役全員（○名）は、本総会の終結の時をもって任期満了となりますので、監査役○名の選任をお願いいたしたいと存じます。

　なお、本議案に関しましては、監査役会の同意を得ております。

　監査役候補者は、次のとおりであります。

候補者 番号	氏名 （生年月日）	略歴、地位および重要な兼職の状況	所為する当社の株式の数
1	ふりがな ○○○○ （○年○月○日生）	○年○月　当社入社 ○年○月　当社○○部長 ○年○月　当社取締役 ○年○月　当社常勤監査役 現在に至る	○○○株
選任理由 ○○○○氏を監査役候補者とした理由は………です。			

候補者 番号	氏名 （生年月日）	略歴、地位および重要な兼職の状況	所有する当社の株式の数
※ 2	ふりがな △△△△ （○年○月○日生）	○年○月　○○株式会社入社 ○年○月　同社○○部長 ○年○月　同社代表取締役社長 現在に至る （重要な兼職の状況） ○○株式会社代表取締役社長	○○○株

選任理由 △△△△氏を社外監査役候補者とした理由は、……です。
（以下、省略）

（注）1．候補者と当社との間に特別の利害関係はありません。
2．△△△△氏は社外監査役候補者であり、当社は、同氏との間で会社法第427条第1項の規定により、任務を怠ったことによる損害賠償責任を限定する契約を締結する予定です。ただし、当該契約に基づく責任の限度額は○○万円以上であらかじめ定めた金額または法令が規定する額のいずれか高い額とします。
3．○○○○氏は、当社と会社法第430条の2第1項に規定する補償喫約を締結しており、同項第1号の費用および同項第2号の損失を法令の定める範囲内において当社が補償することとしております。また、当社は、△△△△氏との間で同内容の補償契約を締結する予定です。
4．当社は、会社法第430条の3第1項に規定する役員等賠償責任保険契約を保険会社との間で締結し、被保険者が負担することになる……の損害を当該保険契約により填補することとしております。候補者は、当該保険契約の被保険者に含められることとなります。
5．当社は△△△△氏を○○証券取引所に独立役員として届け出ております。
6．※は新任の社外監査役候補者であります。

上記、全株懇モデルの記載例のほかに、経団連モデルにおいても、記載例ならびに記載上の注意が詳細に記載されており、作成に際して参考になる(6)。

6　監査等委員である取締役選任議案

監査等委員会設置会社においては、監査等委員である取締役とそれ以外の取締役とを区別して選任する必要がある。このうち、監査等委員でない取締役の選任については、（一般の）取締役の選任議案に該当するため、4を参照されたい。

一方、監査等委員である取締役については、施行規則74条の3で株主総会参考書類に記載すべき事項が規定されており、取締役選任議案、監査役選任議案と同様、①共通する記載事項、②公開会社の場合の特有の記載事項、③公開会社かつ他の者の子会社等の場合の特有の記載事項、④社外取締役候補

(6)　日本経済団体連合会・前掲(5)ひな型130～132頁〔https://www.keidanren.or.jp/policy/2022/094.pdf〕。

者の場合の特有の記載事項がある。

具体的な記載事項、株主総会参考書類作成上の留意事項、株主総会参考書類作成上のチェックポイントならびに株主総会参考書類の記載例は以下のとおりである。

(1)　監査等委員選任議案に関する株主総会参考書類の記載事項

①　共通する記載事項（施行規則74条の3第1項）

(i)　候補者の氏名、生年月日および略歴
(ii)　候補者と株式会社との間に特別の利害関係があるときは、その事実の概要
(iii)　就任の承諾を得ていないときはその旨
(iv)　議案が監査等委員会の提案に基づく場合はその旨
(v)　監査等委員である取締役の選任等に関する監査等委員会の意見の内容の概要
(vi)　候補者と会社の間で責任限定契約を締結済または締結予定があるときはその契約の内容の概要
(vii)　候補者と会社の間で補償契約を締結済または締結予定があるときはその契約の内容の概要
(viii)　候補者を被保険者とする役員等賠償責任保険契約を締結済または締結予定があるときはその契約の内容の概要

②　公開会社である場合の特有の記載事項（施行規則74条の3第2項）

(i)　候補者の有する当該株式会社の株式の数（種類株式発行会社の場合、株式の種類および種類ごとの数）
(ii)　候補者が当該株式会社の監査等委員である取締役に就任した場合において、重要な兼職に該当する事実があることとなる場合は、その事実
(iii)　候補者が現に当該株式会社の監査等委員会である取締役であるときは当該株式会社における地位および担当

③　公開会社かつ他の者の子会社等である場合の特有の記載事項（施行規則74条の3第3項）

(i)　候補者が現に当該他の者（自然人）であるときは、その旨 (ii)　候補者が現に当該他の者（子会社等含む）の業務執行者であるときは、当該他の者における地位および担当 (iii)　候補者が過去10年間に当該他の者の業務執行者であったことを当該株式会社が知っているときは、当該他の者における地位および担当

④　社外取締役候補者の場合の特有の記載事項（施行規則74条の3第4項）

施行規則74条の3第4項に株主総会参考書類に記載すべき事項が規定されており、基本的に社外取締役候補者と同様の記載事項である。

(2)　株主総会参考書類作成に際してのチェックポイント

取締役選任議案におけるチェックポイントの箇所（☞4(3)）を参照されたい。ただし、監査等委員である取締役の選任に際しては、事前に監査等委員会の同意が必要であり、その旨を株主総会参考書類に記載することが考えられる。

(3)　株主総会参考書類の記載例

〈全株懇モデル〉

第3号議案　　監査等委員である取締役○名選任の件

監査等委員である取締役全員（○名）は、本総会の終結の時をもって任期満了となりますので、監査等委員である取締役○名の選任をお願いいたしたいと存じます。

なお、本議案に関しましては、監査等委員会の同意を得ております。

監査等委員である取締役候補者は、次のとおりであります。

候補者番号	氏名 （生年月日）	略歴、地位、担当および重要な兼職の状況	所有する当社の株式の数
1	ふりがな ○○○○ （○年○月○日生）	○年○月　当社入社 ○年○月　当社○○部長 ○年○月　当社取締役 ○年○月　当社常勤監査役 ○年○月　当社監査等委員である取締役 現在に至る	○○○株
選任理由 ○○○○氏を監査等委員である取締役候補者とした理由は、………です。			
候補者番号	氏名 （生年月日）	略歴、地位、担当および重要な兼職の状況	所有する当社の株式の数
※ 2	ふりがな △△△△ （○年○月○日生）	○年○月　○○株式会社入社 ○年○月　同社○○部長 ○年○月　同社代表取締役社長 現在に至る （重要な兼職の状況） ○○株式会社代表取締役社長	○○○株
選任理由および期待される役割の概要 △△△△氏を監査等委員である社外取締役候補者とした理由は、……です。 △△△△氏には……や……といった経験を生かし、当社において、主に……を果たしていただくことを期待しております。			
（以下、省略）			

（注）1．候補者と当社との間に特別の利害関係はありません。

2．△△△△氏は社外取締役候補者であり、当社は、同氏との間で会社法第427条第１項の規定により、任務を怠ったことによる損害賠償責任を限定する契約を締結する予定です。ただし、当該契約に基づく責任の限度額は○○万円以下であらかじめ定めた金額または法令が規定する額のいずれか高い額とします。

3．○○○○氏は、当社と会社法第430条の２第１項に規定する補償契約を締結しており、同項第１号の費用および同項第２号の損失を法令の定める範囲内において当社が補償することとしております。また、当社は、△△△△氏との間で、同内容の補償契約を締結する予定です。

4．当社は、会社法第430条の３第１項に規定する役員等賠償責任保険契約を保険会社との間で締結し、被保険者が負担することになる……の損害を当該保険契約により填補することとしております。候補者は、当該保険契約の被保険者に含められることとなります。
5．当社は△△△△氏を○○証券取引所に独立役員として届け出ております。
6．※は新任の社外取締役候補者であります。

7　補欠の会社役員の選任議案（補欠監査役選任議案を例に）

取締役（監査等委員でない取締役、監査等委員である取締役含む）、会計参与、監査役については、法令もしくは定款で定めた役員の員数を欠くこととなるときに備えて、補欠の役員を選任することができる。

補欠の会社役員の選任議案につき、株主総会参考書類に記載すべき事項は、施行規則96条で規定されている。通常の取締役選任議案、監査役選任議案で記載すべき事項に加えて、以下の事項を決議事項とし、株主総会参考書類に記載することが求められる。

なお、補欠の会社役員の選任決議の有効期間は、定款に別段の定めがあるときを除き、当該決議後最初に開催する定時株主総会の開始の時までとされている（施96条3項）。したがって、補欠の会社役員を選任する議案は、毎年の定時株主総会に付議するのが原則であり、これを回避するには、定款に補欠の会社役員の選任決議の有効期間を定めることが必要である。

(i)　当該候補者が補欠の会社役員である旨
(ii)　当該候補者を補欠の社外取締役として選任するときは、その旨
(iii)　当該候補者を補欠の社外監査役として選任するときは、その旨
(iv)　当該候補者を1人または2人以上の特定の会社役員の補欠の会社役員として選任するときは、その旨および当該特定の会社役員の氏名
(v)　同一の会社役員（2以上の会社役員の補欠として選任された場合にあっては、当該2以上の会社役員）につき2人以上の補欠の会社役員を選任するときは、当該補欠の会社役員相互間の優先順位
(vi)　補欠の会社役員について、就任前にその選任の取消を行う場合があるときは、その旨および取消を行うための手続

また、補欠の会社役員の選任議案に関するチェックポイントは、取締役選

任議案（▪4(3)）、監査役選任議案（▪5(3)）に記載の箇所を参照されたい。

株主総会参考書類の記載例については、経団連モデルを掲載する。

〈経団連モデル（補欠監査役の例）〉

［記載例］

第5号議案　補欠監査役○名選任の件

法令に定める監査役の員数を欠くことになる場合に備え、あらかじめ補欠監査役○名の選任をお願いするものであります。

なお、本議案につきましては、監査役会の同意を得ております*（監査役会設置会社の場合。単なる監査役設置会社の場合は、「監査役の過半数の同意を得ております。」となる）*。

その候補者は次のとおりであります。

（以下省略）

〈上記(iv)の事由の記載例〉

［記載例］

監査役が法令に定める員数を欠くことになる場合に備え、監査役A氏の補欠監査役として○○○○氏を、社外監査役B氏及びC氏の補欠社外監査役として○○○○氏を選任することをお願いするものであります。

〈上記(v)の事由の記載例〉

［記載例］

なお、○○○○氏及び△△△△氏の選任をご承認いただいた場合の、監査役への就任の優先順位は、○○○○氏を第1順位、△△△△氏を第2順位といたします。

〈上記(vi)の事由の記載例〉

［記載例］

なお、○○○○氏の選任の効力につきましては、就任前に限り、監査役会の同意を得て、取締役会の決議により、その選任を取り消すことができるものとさせていただきます。

8　役員報酬等関係議案

⑴　総　　説

取締役および監査役の報酬等については、株主総会の決議により定めることが必要である（法361条・387条）。ここでいう報酬等とは、いわゆる定例の報酬に限らず、役員賞与や退職慰労金、株式報酬、ストックオプション等いわゆる職務執行の対価として支給されるものを指す。

このうち、取締役の報酬等については、取締役に対して職務を適切に執行する動機（インセンティブ）を付与する重要な機能があることや業績連動報酬等の付与に関する規律が明確でない点があるなどの指摘をふまえ、令和元年改正会社法により記載事項の充実化や明確化等を図るべく大幅な改正が行われた。

取締役の報酬等については、会社法361条１項において、下表のとおり報酬等の種類ごとに株主総会で決議すべき事項を定めている。そして、取締役の報酬等の議案を付議する場合、その報酬等の種類にかかわらず、当該株主総会で報酬等の決議事項につき「相当とする理由」を説明することが求められ、株主総会参考書類にも記載が必要となる（法361条４項、施73条１項２号）。

図表Ⅰ－10－3　報酬等の種類と総会での決議事項

報酬等の種類	株主総会での決議事項	根拠規定
①　確定額報酬等	その額（上限を意味する）	法361条１項１号
②　不確定額報酬等	その具体的な算定方法	法361条１項２号
③　株式報酬	株式の数の上限その他法務省令で定める事項*	法361条１項３号 施98条の２
④　ストックオプション（新株予約権）	新株予約権の数の上限その他法務省令で定める事項**	法361条１項４号 施98条の３

⑤　株式、新株予約権の払込みにあてるための金銭	③、④に記載の事項	法361条1項5号 施98条の4
⑥　非金銭報酬等（③、④を除く）	その具体的な内容	法361条1項6号

＊　(i)　一定の事由が生ずるまで当該株式を他人に譲り渡さないことを取締役に約させることとするときは、その旨および当該一定事由の概要（譲渡制限事由等の条件の概要）
(ii)　一定の事由が生じたことを条件として当該株式を会社に無償で譲り渡すことを取締役に約させることとするときは、その旨および当該一定事由の概要（クローバック条項の規定の概要）
(iii)　(i)、(ii)のほか、取締役に対して株式を割り当てる条件を定めるときは、その条件の概要

＊＊　(i)　法236条1項1号から4号までの事項（新株予約権の目的である株式の数またはその数の算定方法、権利行使に際して出資される財産の価額または算定方法、権利行使を現物出資で行う場合にその旨ならびに当該財産の内容および価額、権利行使期間。なお、法236条3項に該当する場合は施98条の3第1号かっこ書の事項を記載）
(ii)　一定の資格を有する者が新株予約権を行使できることとするときは、その旨および当該一定の資格の概要
(iii)　(i)、(ii)のほか、新株予約権の行使の条件を定めるときは、その条件の概要
(iv)　譲渡による新株予約権の取得につき会社の承認を必要とするときはその旨
(v)　新株予約権の取得条項を定めたときはその事項の内容の概要
(vi)　新株予約権割り当ての条件を定めるときは、その条件の概要

(2)　役員報酬等支給議案に関する株主総会参考書類の記載事項

役員報酬等の議案に関する株主総会参考書類の記載事項については、■8(1)で記載の株主総会での決議事項をはじめとする一般的記載事項（施73条）に加え、施行規則82条（取締役（監査等委員である取締役を除く）の報酬等の議案）・82条の2（監査等委員である取締役の報酬等の議案）・84条（監査役の報酬等の議案）等で規定されている。具体的な記載事項としては、「（報酬等の額をはじめとする決議事項の）算定の基準」、「議案がすでに定められている報酬等に関する事項の変更（報酬等の額の改定等）の場合、変更の理由」、「議案が複数の取締役（監査役）を対象とするものである場合、対象となる取締役（監査役）の員数」、「議案が退職慰労金の場合、退職する取締役（監査役）の略歴」、「報酬等の議案に関する監査等委員会や監査役の意見があるときはその意見の内容の概要」である。

さらに、報酬議案の対象に社外取締役（監査等委員を除き社外役員に限る）が含まれる場合、「算定の基準」、「変更の理由」および「員数」につき、社外取締役とそれ以外で区別して記載が必要である（施82条３項）。この点、仮に「算定の基準」や「変更の理由」の内容が社外取締役とそれ以外で共通する場合は、これらの記載箇所において「取締役（社外取締役を含む。）それぞれにつき」といった文言を追加することも考えられるとされている[(7)]。

なお、株主総会参考書類の記載事項となっている、「報酬等の額の算定の基準」（施82条１項１号等）とは、「当該報酬等の議案を決定するうえで用いた基準のことをいい、報酬等の算定が適正かどうかを判断するのに必要な情報として記載されるべきものである。その基準は、基本となる額、役職、勤続年数等を要素として数式化した基準でも、数式化されない主観的な基準でもよい」[(8)]とされており、抽象的な記載でも差し支えないものと解される。

また、前述のとおり、取締役の報酬等に関する議案を提出する場合、当該報酬等を「相当とする理由」を総会で説明する必要があり、当該理由については、株主総会参考書類にも記載が必要となる。この「相当であること」の説明に際しては、「そのような報酬等を定めることが必要かつ合理的であることについて、株主が理解することができる説明をすることが求められる」とされており[(9)]、議案可決後に取締役会において決定し、または変更することが想定されている取締役（監査等委員である取締役を除く）の個人別の報酬等の内容についての決定に関する方針の内容（法361条７項等）についても必要な説明（当該方針の内容を説明し、それとの整合性に関する説明を行うこと）が求められると考えられている[(10)]。これらの見解をふまえ、相当とする理由の内容を決定することが必要であろう。なお、「相当とする理由」は、「提案の理由」に含めて記載することが考えられる。

確定額報酬等に関する総会決議では支給総額の最高限度額を決め、配分を

(7)　日本経済団体連合会・前掲(5)ひな型136～137頁。
(8)　相澤哲ほか編著『論点解説　新・会社法』（商事法務、2006）310頁。
(9)　竹林俊憲編著『一問一答・令和元年改正会社法』（商事法務、2020）87頁。
(10)　日本経済団体連合会・前掲(5)ひな型137頁。ただし、可決後でも従前の方針が妥当する場合は変更の必要はないとされており、この場合は、現状の個人別の報酬等の内容の決定方針に沿ったものである旨の説明を行うことが考えられる。

取締役分については取締役会の決定、監査役分については監査役の協議（法387条2項）で決定する対応が一般的である。また、使用人兼務取締役の使用人の職務執行の対価を含まない額であることを明らかにすることも必要である。

(3)　株主総会参考書類作成の際のチェックポイント

チェック欄	項　　目
	株主総会での決議事項をはじめとする一般的記載事項が記載されているか
	報酬等の議案につき「相当とする理由」の記載がされているか（「提案の理由」に含めて記載することで差し支えない）
	「相当とする理由」の記載は取締役の個人別の報酬等の内容の決定方針の内容との整合性等をふまえた説明になっているか
	報酬等の種類ごとに必要な決議事項が記載されているか
	監査等委員（会）や監査役の報酬に対する意見があるときはその意見の概要を記載しているか（法361条5項・6項・387条3項）
	報酬等の額算定の基準または改定の理由は記載されているか
	議案（決定事項）が複数の取締役または監査役について定めたものであるときは、対象となる取締役または監査役の員数が記載されているか
	使用人兼務取締役の使用人分給与は含まない旨記載されているか
	社外取締役分の報酬については区分記載されているか（社外取締役の報酬枠と社外取締役の人数の記載等）

(4)　株主総会参考書類の記載例

〈経団連モデル〉

［記載例］

第7号議案　取締役の報酬等の額改定の件

　当社の取締役の報酬等の額は、○年○月○日開催の第○回（期）定時総会の決議で、「月額○円以内」となり今日に及んでいますが、当社と同業または同規模の国内企業を主なベンチマークとしつつ、多様で優秀な人材を確保するため有効な報酬水準とすべく、当社の財務状況と外部環境を考慮のうえ*（注：この部分は各社の事情に応じた内容を記載いただくこととなります）*、これを「年額○円　以内（うち社外取締役●円以内）」、に改定いたしたいと存じます。なお、当社における取締役の個人別の報酬等の内容に係る決定方針の内容の概要は事業報告○頁に記載のとおりであり、【その内容は、本議案をご承認いただいた場合の決定方針としても引き続き相当であると考えられることから、当該方針を変更することは予定しておりません。／本議案をご承認いただくことを条件に、その内容を○○と変更することを予定しております。】本議案は、取締役に対して付与する固定の金銭報酬に関する報酬枠を改定する議案であるところ、当該方針において定められた個人別の固定の金銭報酬に関する算定の基準、取締役報酬全体に対して占める割合の水準、付与対象となる取締役の人数水準などに照らした報酬枠として必要かつ合理的な内容となっており、相当であると判断しております。

また、取締役の報酬等の額には、従来どおり使用人兼務取締役の使用人分給与は含まないものといたしたいと存じます。現在の取締役は○名（うち社外取締役○名）ですが、第○号議案が原案どおり承認可決されますと、取締役は●名（うち社外取締役●名）となります。

［記載例］

第8号議案　監査等委員である取締役の報酬等の額改定の件

当社の監査等委員である取締役の報酬等の額は、○年○月○日開催の第○回（期）定時総会の決議で、「月額○円以内」となり今日に及んでいますが、当社と同業または同規模の国内企業を主なベンチマークとしつつ、監査等委員の職責が増大していることに鑑み、その職責にふさわしい報酬水準とすべく、当社の財務状況と外部環境を考慮のうえ*（注：この部分は各社の事情に応じた内容を記載いただくこととなります）*、これを「年額○円以内（うち社外取締役●円以内）」に改定いたしたいと存じます。現在の監査等委員である取締役は○名（うち社外取締役○名）ですが、第○号議案が原案どおり承認可決されますと、監査等委員である取締役は●名（うち社外取締役●名）となります

(5)　役員賞与支給議案に関する株主総会参考書類の記載事項

役員賞与は報酬等の一部であり、株主総会参考書類には、役員報酬等に関する議案の記載事項を記載する。

①　取締役に賞与を支給する場合

「提案の理由（相当とする理由を含む）」等に加え、(i)賞与の額〔(ア)確定額分については、その額、(イ)不確定額分については、その具体的算定方法、(ウ)非金銭分については、その具体的な内容〕、(ii)賞与の額の算定の基準、(iii)対象となる取締役の員数、(iv)監査等委員以外の取締役の賞与に関する監査等委員会の意見があるときは、その意見の内容の概要を記載する。

公開会社の社外取締役（監査等委員を除き社外役員に限る）に賞与を支給する場合には、(i)～(iii)について、社外取締役以外の取締役と区別して記載しなければならないが、賞与の枠および員数を区別して記載している例が多い(算定の基準は社外取締役以外の取締役と同一であることが多い)。

②　監査役に賞与を支給する場合

「提案の理由」等に加え、(i)賞与の額、(ii)賞与の額の算定の基準、(iii)対象となる監査役の員数、(iv)監査役の意見があるときはその意見の内容の概要、を記載する。なお、社外監査役の賞与は社外取締役と異なり、法令上社外監査役以外の監査役と区分して記載することは求められていないが、参考情報として記載することも考えられる。また、非業務執行役員である監査役に対し業績連動型の性質を有する役員賞与を支給することには厳しい見解を示す機関投資家もあることから票読みの際は留意が必要である。

(6)　退職慰労金支給議案に関する株主総会参考書類の記載事項

退職慰労金は報酬等の一部であることから、報酬等に関する議案を提出する場合の記載事項を記載する。具体的には以下のとおりである。

①　取締役に退職慰労金を支給する場合

「提案の理由（相当とする理由を含む）」等に加え、(i)一定の基準に従い退職慰労金の額を取締役会に一任する旨、(ii)退職慰労金の額の算定の基準（本店への備置等株主が当該基準を知ることができるようにするための適切な措置を講じている場合は株主総会参考書類への記載は不要）、(iii)対象となる取締役の員数、(iv)退職する各取締役の略歴、を記載する。なお、支給金額を開示する場合は、(i)(ii)の記載は不要である。

公開会社の社外取締役（社外役員に限る）に退職慰労金を支給する場合には、(i)〜(iii)について、社外取締役以外の取締役と区別して記載しなければならない。

②　監査役に退職慰労金を支給する場合

「提案の理由」等に加え、(i)一定の基準に従い退職慰労金の額を監査役の協議に一任する旨、(ii)退職慰労金の額の算定の基準（本店への備置等株主が当該基準を知ることができるようにするための適切な措置を講じている場合は株主総会参考書類への記載は不要）、(iii)対象となる監査役の員数、(iv)退職する各監査役の略歴、(v)監査役の意見があるときはその意見の内容の概要、を記載する。

なお、支給金額を開示する場合は、(i)(ii)の記載は不要である。

③　株主総会参考書類作成上の留意点

株主総会参考書類作成上の留意点は以下のとおりである。

(i)　議案は、一定の基準に従い退職慰労金の額を決定することを取締役、監査役その他の第三者に一任するものとし、退職慰労金支給基準を招集通知発送後から総会終結の時まで本店等に備置するのが一般的である。

(ii)　略歴は、支給対象期間中の役職がわかるように記載する。また、一任決議を行う場合、一任先は退任取締役については取締役会に、退任監査役については監査役の協議に委ねるのが一般的である。

(iii)　取締役、監査役在任期間について通算支給する場合は、在任期間別に一任先を区別する例が多い。

(iv)　死亡により退任した取締役または監査役については、標題を弔慰金とする例が多く、支給先は、遺族と明記する例と、「故取締役○○○○氏に対し」とする例に分かれる。

(v)　一任決議の場合、金額の開示義務はないが、議決権行使助言会社や機関投資家の中には金額開示しない場合に厳しいスタンスであるところも増えており、他社動向を勘案して、総額開示（個別開示）するかどうか検討が必要である。

(vi)　支給対象者にふりがなを振ることも考えられる。

(vii)　退職慰労金支給基準（内規）の閲覧請求権（**第Ⅱ編第１章１－６**）は基準日株主の権利で、少数株主権等でないことに注意。

(viii)　退職慰労金制度を廃止する場合、現任役員分の取扱いをどうするか検討が必要である。対応方法としては、(ア)現任役員が将来退任する時点で退職慰労金支給議案を付議する、(イ)実際の退任時に支給する前提で現任役員について退職慰労金支給議案を付議する、(ウ)ただちに打切り支給する前提で現任役員について退職慰労金支給議案（打切り支給議案）を付議する、といった対応が考えられる。

また、退職慰労金支給議案に関する株主総会参考書類作成の際のチェックポイントは以下のとおりである。

チェック欄	項　　目
	相当とする理由の記載はされているか（「提案の理由」に含めて記載することで差し支えない）
	退任取締役・退任監査役の略歴は、役員在任期間分となっているか
	金額、贈呈の時期、贈呈の方法の一任先は、取締役会、監査役の協議となっているか
	退任役員の氏名にふりがなを振るかどうか検討したか
	退職慰労金の金額につき最近の情勢等をふまえ、総額開示するかどうか検討したか

なお、退職慰労金支給議案自体、ことに社外役員や非業務執行役員（監査役）が支給対象に入る場合には内外の機関投資家の見方は大変厳しい。また、議決権行使助言会社の最大手であるISSは金額を開示しないと原則反対、２番手のグラス・ルイスは退職慰労金議案はすべて反対との基準を定めているといわれている。内外の機関投資家も総じて金額を開示しない場合には厳しいスタンスであると思われ、役員賞与議案以上に票読みは慎重に行う必要があろう。

第Ⅰ編

第11章

招集通知の発送

11-1 招集通知の発送

1　招集通知を発する時期

公開会社における株主総会の招集通知は、株主総会の日の２週間前までに株主（議決権のない者を除く）に対して発しなければならない（法298条２項・299条１項）。公開会社でない会社は株主総会の日の１週間（取締役会を設置していない会社が定款で１週間を下回る期間を定めた場合にはその期間）前までに招集通知を発すればよいが、書面投票制度または電子投票制度を採用するとき（法299条１項。ただし、書面投票制度および電子投票制度をいずれも採用しない場合には、公開会社か否かにかかわらず、株主の全員の同意を得て招集通知を発することなく株主総会を開催することも可能である（法300条。**第５章５－７ 2参照**））または定款の定めに基づき電子提供措置をとるとき（法325条の４第１項）[(1)]は株主総会の２週間前までとなる。２週間前までに発するということは、株主総会の日と招集通知を発する日との間に中２週間あることを意味する（株主総会の日の15日前が招集通知の発信期限となる）。

また、書面投票制度または電子投票制度を採用した場合、原則的な議決権行使期限（株主総会の直前の営業時間終了時）とは別に、特定の時をもって議決権行使の期限とすることができるが、この特定の時は、株主総会の日時以前の時であって、招集通知を発した日から２週間を経過した日以後の時に限ると定められている（施63条１項３号ロ・ハ）。したがって、特定の時を株主総会の日の前日に定めた場合には、株主総会の日と招集通知を発する日との

---

(1)　電子提供制度のもとでの招集通知の発送については、**第12章12－１、12－５**を参照されたい。

間に中２週間と１日（株主総会の日の16日前が招集通知の発信期限）を要するため、注意が必要である。

なお、招集通知を発するとは、必要な手続をすべて終えることを意味する。郵送する場合であれば、招集通知を郵便局に引き渡すことで完了すると考えてよい。

2　招集通知の方法

取締役会設置会社の招集通知は書面によらなければならない（法299条２項２号）。取締役会を設置していない会社は、招集通知の方法に特段の制限はなく、口頭や電話などの方法でもたりると考えられるが、書面投票制度または電子投票制度を採用する場合の招集通知は書面によらなければならない（同項１号）。また、書面による招集通知を要する場合、政令で定めるところにより株主の承諾を得たときは、書面に代えて電磁的方法により招集通知を発することができる（法299条３項）。

招集通知は、株主名簿に記載または記録された株主の住所に宛てて送付すればたりる（法126条１項・５項）。株主が、別途、通知等を受ける場所または連絡先を指定している場合は、その場所または連絡先に宛てて送付することになる（同条１項）。電磁的方法により招集通知を発する場合は、株主の承諾を得るに際して、招集通知を受信するメールアドレスを指定してもらい、これに宛てて発信することになる。

3　書面による招集通知の発送

一般に「招集通知を発送する」という場合の「招集通知」は、会社法299条に定める狭義の招集通知（**第６章６－１**参照）をいうのではなく、狭義の招集通知に添付して送付する各種の書類を含めた総称としていうことが多い（これらを広義の招集通知と呼んでいる）。

電子提供措置をとる旨の定款の定めがない会計監査人設置会社が定時株主総会について書面投票制度を採用する場合を想定すると、広義の招集通知は、招集通知（狭義）のほか、株主に対して提供すべき事業報告、計算書類、事業報告および計算書類の監査報告、計算書類の会計監査報告、連結計算書類、連結計算書類の監査報告および会計監査報告、株主総会参考書類、議決権行使書面を指す（法301条・437条・444条7項。連結計算書類の監査報告および会計監査報告を株主に提供すべき義務はないが、株主に提供すると定めた場合は、提供しなければならない（計134条2項））。

定款の定めに基づき電子提供措置をとる場合、株主総会参考書類等の交付義務はない（法325条の4第3項）が、書面交付請求を行った株主に対しては、招集通知に際して電子提供措置事項記載書面を交付しなければならない（法325条の5第2項）。議決権行使書面に記載すべき事項は、電子提供に代えて招集通知に際して議決権行使書面を交付することも可能である（法325条の3第2項）(2)。

また、株主に対して議決権行使書面を交付するときは、個人情報保護の観点から議決権行使書用記載面保護シールを交付することが多い(3)。

広義の招集通知は、封筒に同封して発送するのが一般的である。議決権行使書面には株主の住所・氏名を記載し、その部分を窓空き封筒の窓の位置にあわせて宛名として利用している（議決権行使書面を交付しない場合は、宛名台紙を用いる）。

4　電磁的方法による招集通知の発信

(1)　採用手続

会社は、株主の承諾を得て、書面に代えて電磁的方法により招集通知を送信することができる（法299条3項）。株主の個別の承諾を得ることのみが要

(2)　書面交付請求を行っていない株主に対し、会社が任意に電子提供措置事項記載書面を交付（いわゆるフルセット・デリバリー）したり、電子提供措置事項の一部または要約版を交付したりすることもある（**第12章12－5**参照）。

(3)　議決権行使書用記載面保護シールを招集通知に同封する慣例は、紙資源の節約の観点から見直されてよいと思われる。

件とされているが、会社が招集通知の電子化を採用していない場合には、そもそも承諾を得る余地はない。会社が招集通知の電子化を採用する場合は、株主総会の招集に関する基本的な事項として、取締役会の決議により決定することが考えられる。招集通知の電子化を採用する取締役会決議は、対象となる株主総会を特定していない限り、株主総会のつど行う必要はない。

(2)　株主の承諾

株主の承諾は、あらかじめ当該株主に対して、会社が使用する電磁的方法の種類および内容を開示したうえで、書面または電磁的方法で得ることになる（会社法施行令2条）。

電磁的方法の種類とは、施行規則222条に定められている電磁的方法のうち、会社が使用するものを指し、具体的には、電子メール、WEBの利用、USBメモリ等の交付がこれにあたる。実務上は、効率性、現実の利用可能性の観点から、電子メールによる送信が利用されている。電磁的方法の内容とは、ファイルへの記録の方式を指し、具体的には、利用できるパソコンの環境（OS、ブラウザの種類）、ファイルの種類（PDF、テキスト、WORD等）およびそれらのバージョン等がこれにあたる。

株主から承諾を得るためには、まず、株主に対して招集通知の電子化を採用した旨を案内する必要がある。具体的には、公告またはホームページへの掲載等の方法が考えられるが、最も有効な開示手段は、株主宛の通知物に案内文を同封するなどして個別に通知する方法であろう。また、株主に案内文を同封する場合、株主の承諾の手続について記載するのが一般的であると考えられ、書面により承諾を得るのであれば、承諾書等を同封することになろう。こうした勧誘は、株主総会で議決権を行使することができる基準日現在の株主に対して行うのが効果的ではあるが、当該勧誘のみを目的として通知物を発送することはコストの増加要因であるとともに、基準日後のタイトな招集日程のなかでの事務処理はきわめて繁忙である。経済的な合理性を勘案すれば、中間報告書、IR関係の通知物（四半期通信）、決議通知等に同封して株主を勧誘することが考えられる。

株主の承諾に際してはメールアドレスを届け出てもらうことが必要とな

る。株主が届け出たメールアドレスは、株主名簿に記載または記録すべき住所（法121条１号）ではなく、株主が会社に通知した連絡先（法126条１項・５項）と解される。承諾書を同封して、書面により電子メールアドレスを届け出る方法による場合、特に「l」（エル）と「1」（数字の１）、「-」（バー）と「_」（アンダーバー）のような紛らわしい記号等について、会社が誤って登録する懸念がある。このため、書面により株主の承諾を得るものの、メールアドレスの登録は、別途、株主がホームページ上で行うという方法も考えられる。また、招集通知の電子化を採用する場合には、電子投票制度も採用されていると想定されるため、株主が電子投票を行う際に、次回以降の招集通知を電磁的方法により受信することの承諾を得る方法が最も合理的と考えられる。

株主の承諾は、本来であれば株主総会のつど得るのが望ましいと思われる。ただし、電子化を承諾する株主が、そのつど招集通知の受領方法を変更することは想像に難く、会社にとってもそのつど承諾を得るのは煩雑であることから、実務的には、株主からの承諾撤回の意思表示がない限り継続して電磁的方法により招集通知を発信するものとして承諾を得ることになる。承諾撤回の意思表示は、少なくとも招集通知の発信前に行われる必要があり、すでに電磁的方法により招集通知を発信している場合は、あらためて書面による招集通知を再送する必要はない。ただし、パソコンの故障等により電子メールを開封できない事態も想定されるため、株主の事情に応じて対応するのが望ましいであろう。

(3)　電磁的方法による招集通知の発信方法および内容

電子メールにより招集通知を発信する場合、会社は、株主が届け出たメールアドレスに宛て、招集通知の内容を送信する。招集通知を送信すれば、通常到達すべきであった時に到達したものとみなされる（法126条２項）。電子メールであれば、通常、その日のうちには株主に到達しているとみてよいであろう。

書面と電子メールの同一性は、外見上または様式が問題となることはなく、内容が同一であればたりると考えられる。たとえば、電子メールの本文として招集通知の全文を記載するのではなく、本文は案内文とし、招集通知は添付書類とすることも可能である。実務上は、狭義の招集通知に記載すべき内容は、電子メールの本文または添付ファイルとして送信し、株主総会参考書類等のその他の添付書類はリンクアドレスを記載するという対応が多いと思われる。

株主の届け出たメールアドレスに宛てて招集通知を発信した場合に、株主側のメールサーバーが、不達通知を会社に返信することがありうる。この場合、メールアドレスの登録相違等、会社の責めに帰すべき事由がない限り、当初の招集通知の発信をもって会社は法的に免責されているが、実務上は、あらためて電磁的方法による招集通知を発信するか、書面による招集通知に切り替えて再送するなどの対応をすることが考えられる。こうした対応は、株主との後日のトラブルを未然に防ぐ方法として有効である。また、招集通知の受領をめぐるトラブルに備えるためには、招集通知を適正に発信したことが証明できるよう発信記録等を保存することが必要となる。

なお、招集通知の真正性を担保するために電子署名を要するかという議論もあるが、書面による招集通知との均衡、電子署名を強制することによる株主の利便低下を勘案すれば、電子署名を利用する意義は少ないであろう。

(4)　株主総会参考書類等の交付[4]

会社が書面投票制度または電子投票制度を採用する場合、招集通知を電磁的方法により受信することを承諾した株主に対して、株主総会参考書類の交付に代えて、これらの書類に記載すべき事項を電磁的方法により提供することができる（法301条2項・302条2項。ただし、株主の請求があったときは、株主総会参考書類を交付しなければならない）。実務上は、招集通知を電子メールで送信する際に、株主総会参考書類のファイルが掲載されたホームページのリンクを表示することが考えられる。

また、招集通知を電磁的方法により発する場合、招集通知に添付すべき事

(4)　定款の定めに基づき電子提供措置をとるときは、株主総会参考書類等を交付することを要しない（法325条の4第3項。**第12章12－1**参照）。以下の記述は、定款の定めに基づき電子提供措置をとるときは該当しない点に留意されたい。

業報告、計算書類等についても、電磁的方法で提供することが可能である(法437条、施133条２項２号、計133条２項２号)。実務上は、株主総会参考書類と同様に、招集通知を電子メールで送信するに際して、事業報告、計算書類等のファイルが掲載されたホームページのリンクを表示することが考えられる。

議決権行使書面についても、招集通知を電磁的方法により発する場合は、議決権行使書面に記載すべき事項を電磁的方法により提供することができる(法301条２項。ただし、株主の請求があったときは、議決権行使書面を交付しなければならない)。

また、書面投票制度と電子投票制度をともに採用する場合は、取締役会の決議により、招集通知を電磁的方法により受信することを承諾した株主の請求があった時にはじめて議決権行使書面を交付（その交付に代えて行う法301条２項の規定による電磁的方法による提供を含む）することも認められる（施63条４号イ)。これは、電子投票制度を採用する場合は、招集通知を電磁的方法により受信することを承諾した株主に対して、議決権行使書面に記載すべき事項を電磁的方法により提供しなければならない（法302条３項）とされていて、当該株主には電子投票の機会が与えられているので、株主からの請求がない限り、書面投票の機会を与えないことを会社に許容したものと考えられる。招集通知を電磁的方法により受信する株主は、議決権行使についても電磁的方法により行使すると合理的に推測できることが背景にあるものと思われる。ただし、議決権行使書面は、総会当日の入場票としても用いられていることから、施行規則63条４号イの措置をとる会社は多くないようである。

(5)　WEB 開示(5)

WEB 開示制度は、株主総会参考書類、事業報告、個別注記表、株主資本等変動計算書および連結計算書類といった、株主総会の招集通知とともに提供すべき資料に表示すべき事項の一部について、インターネットのホーム

---

(5)　定款の定めに基づき電子提供措置をとるときは、株主総会参考書類等を交付することを要しない（法325条の４第３項。**第12章12－１**参照)。以下の記述は、定款の定めに基づき電子提供措置をとるときは該当しない点に留意されたい。

ページに掲載するとともに、当該ホームページのアドレス等を株主に通知すれば、当該事項に係る情報が株主に提供されたものとみなすこととして、物理的な書面等による提供を省略することを認めるものである。

WEB開示を利用することで、開示情報の増加に伴う印刷代や郵送代などの費用負担の増加を抑えることができるほか、招集通知の分量が減少する分、校正や印刷にかかる時間を短縮できるので招集通知の早期発送にも資するといった効果が考えられる。

WEB開示の対象とすることができる主な項目は以下のとおりである。

図表Ⅰ－11－1 広義の招集通知のうちWEB開示可能な主な事項（会社法施行規則等の一部を改正する省令（令和4年法務省令第43号）による改正後）

WEB開示可能な主な項目	取締役会決議の要否	監査役等の拒否権（※1）	監査対象書類の一部である旨の記載請求権（※2）
【事業報告】〈施133条3項〉 ・主要な事業内容 ・主要な営業所および工場ならびに使用人の状況 ・主要な借入先 ・事業の経過およびその成果 ・財産および損益の状況の推移 ・対処すべき課題 ・その他会社の現況に関する重要な事項 ・責任限定契約 ・補償契約 ・辞任または解任された会社役員の氏名、意見、理由 ・会社役員の重要な兼職の状況 ・財務および会計に関する相当程度の知見 ・常勤の監査等委員または監査委員に関する事項 ・その他会社役員に関する重要な事項	不要	あり	あり （監査役等のみ）

・役員等賠償責任保険契約 ・株式に関する事項 ・新株予約権等に関する事項 ・社外役員に関する開示事項 ・会計監査人に関する開示事項 ・会社の状況に関する重要な事項 ・内部統制システムに関する事項 ・会社の支配に関する基本方針 ・取締役会の権限の行使に関する方針 ・事業報告に係る監査報告			
【計算書類】〈計133条３項〉 ・すべて（会計監査報告・監査報告を含む）	不要	なし	あり （会計監査人・監査役等）
【連結計算書類】〈計134条４項〉 ・すべて（会計監査報告・監査報告を含む）	不要	なし	あり （会計監査人・監査役等）
【株主総会参考書類】〈施94条〉 ・議案以外の事項（※３）	必要	あり	なし

※１　WEB開示することについて監査役、監査等委員会または監査委員会が異議を述べている事項は利用できない。

※２　会計監査人または監査役、監査等委員会または監査委員会が、現に株主に提供した書類が監査報告を作成するに際して監査した書類の一部であることを株主に対して通知すべき旨を取締役に請求したときは、取締役は、その旨を株主に通知しなくてはならない。

※３　事業報告の内容とすべき事項のうちWEB開示が認められていない事項を株主総会参考書類に記載することとしている場合における当該事項（施94条１項２号）、WEB開示を行うウェブサイトのURL等（同項３号）はWEB開示の対象にできない。

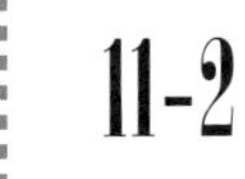

11-2 トラブル発生時の対応

1　招集通知の不着

招集通知は株主総会の日の2週間前までに発信すればたり、適法に発信された場合には通常到達すべきであった時に到達したものとみなされる（法126条2項・5項）。

招集通知の発送後、株主総会までの間に、株主から招集通知が届かない旨の申出がある場合でも、法定期限までに株主名簿に記載された住所（または株主が会社に通知した宛先）に宛てて発送されている限りは、招集通知は有効である。ただし、このような申出があった場合は、実務上、申出のあった株主宛に招集通知を再発送することが多いであろう。

現実には、招集通知を発送すると、何らかの理由で返送されてくることがあるが、この場合でも株主名簿に記載された住所宛に発送されている限りは、招集通知は有効である(6)。

また、招集通知などの通知や催告を株主名簿に記載された住所または株主が会社に通知した宛先に対して発信し、これらが継続して5年間到達しないときは、以後、当該株主に対する通知または催告をすることを要しない（法196条1項）。

---

(6)　大判大正8・11・18民録25輯2165頁。

2　記載ミス発生時の対応[7]

招集通知の発送前の時点で招集通知ならびに添付書類に記載ミス（ミスプリント）が発覚した場合、再作成して送付することが日程的に可能であれば、招集通知を再作成するのが望ましい。重大な誤りの場合はもちろん、軽微な記載ミスであっても、完全に修復できることとなり、担当者としては安心である。また、再作成が間に合わない場合には、訂正文の同封や貼り紙で訂正するなどの対応も可能である。

次に、招集通知発送後に記載ミスが発見された場合の対応としては、WEB 修正を利用するか、訂正状（ハガキ）を送付する（すなわち書面修正）といった対応が考えられる（もちろん、双方を利用する対応もありうる）。また、総会当日の出席株主に周知するため、総会場での正誤表の配布や口頭での訂正といった対応も行うことが多い。

なお、より割り切った対応としては、あえて特段の対応をしないことも考えられる。軽微なミスであれば、決議取消のリスクを心配する必要もないからである（この場合でも、少なくとも想定問答に織り込んでおくことは必要であろう）。ただし、WEB 修正という簡便な方法が認められている以上、軽微だからといってそのまま放置するのは望ましくないであろう。

以上の対応について、フローにしたものが**図表Ⅰ－11－2**である。

---

(7)　電子提供制度のもとでの電子提供措置事項の修正については、**第12章12－7**を参照されたい。なお、電子提供措置事項を修正した場合には、その旨および修正前の事項に係る情報について電子提供措置をとることになり、書面交付請求をした株主に交付する電子提供措置事項記載書面にもこれらの事項を記載することを要するが、この点についてはWEB 修正の方法によることが可能である（**第12章12－7**参照）。

図表Ⅰ－11－2　招集通知等の記載ミス発見時の対応フロー例

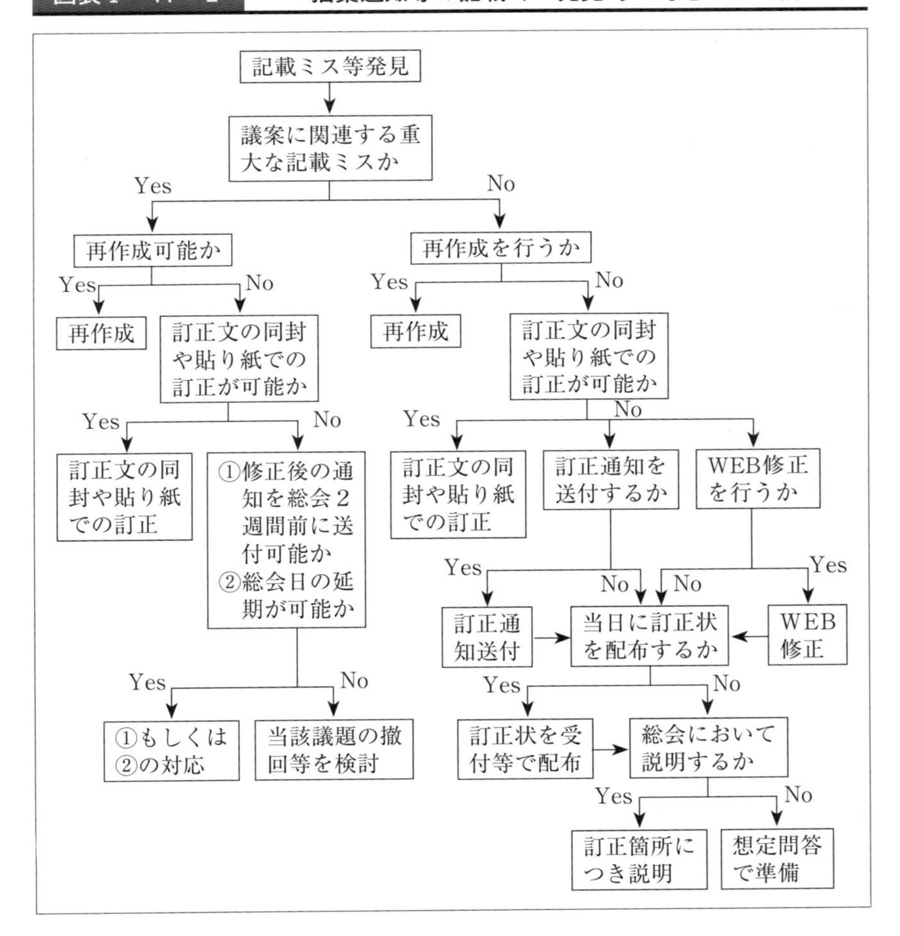

3　WEB修正

招集通知発送後に株主総会参考書類、事業報告、計算書類および連結計算書類の記載事項について修正すべき事情が生じた場合に備えて、株主に対して修正後の事項を周知する方法を招集通知とあわせて通知することができる(施65条３項・133条６項、計133条７項・134条８項)。株主に周知する方法は、インターネットのホームページに掲載することが考えられ、この場合には、その旨ならびに当該ホームページのアドレスを株主に通知する。なお、実例としては、WEB修正と書面修正のいずれかにより周知する旨を記載するものがある。

WEB修正を採用している場合に、修正すべき事情が生じたときは、株主に通知したホームページに修正事項を記載したファイルを掲載する。掲載すべき内容は、訂正通知（ハガキ）に記載する内容、すなわち正誤表と同じでよい。

〈記載例〉WEB修正に関する招集通知記載例1

（注）1．当日ご出席の際は、お手数ながら同封の議決権行使書用紙を会場受付にご提出くださいますようお願い申しあげます。
2．招集通知添付書類ならびに株主総会参考書類の記載事項を修正する必要が生じた場合は、インターネット上の当社ウエブサイト（http://www.○○○.com/）に掲載いたしますのでご了承ください。

〈記載例〉WEB修正に関する招集通知記載例2

2．株主総会参考書類、事業報告、計算書類および連結計算書類の内容について、株主総会の前日までに修正をすべき事情が生じた場合には、書面による郵送またはインターネット上の当社ウエブサイト（http://www.○○○.co.jp/）に掲載することにより、お知らせいたします。

〈記載例〉WEB修正記載例（訂正状記載例）

○年6月○日

株 主 各 位

○○○○株式会社
代表取締役 ○○○○

「第108回定時株主総会招集ご通知」添付書類の事業報告の一部修正について

○年5月31日付にてご送付申しあげました当社「第108回定時株主総会招集ご通知」の添付書類である事業報告の記載内容の一部に誤りがございましたので、本ウエブサイトをもって下記のとおり修正させていただきます。

記

修正箇所：事業報告

「第108期報告書」17ページ「⑽重要な子会社等の状況」に記載している関連会社「○○○株式会社」の議決権比率

正	誤
39.81（0.01）	40.76（0.96）

（　）内の数字は間接所有割合で内数

以　上

第Ⅰ編

第12章

株主総会資料の電子提供

12-1

総 説

「会社法の一部を改正する法律」(令和元年法律第70号。いわゆる令和元年会社法改正)により、「株主総会資料の電子提供制度」(法325条の2以下)が導入され、2022年9月1日から施行されている。特に、上場会社の株主総会の招集手続は、同制度のもとで行う必要がある。

株主総会資料の電子提供制度は、株主総会の招集にあたって株主に対して本来書面により提供すべき株主総会参考書類、議決権行使書面、事業報告、計算書類および連結計算書類(以下「株主総会参考書類等」という。法325条の2柱書参照)を自社のホームページ等のウェブサイトに掲載する(電子提供措置。後述する)とともに、株主に対して当該ウェブサイトのアドレス(URL)等を株主総会の招集通知に記載して通知することにより、株主総会参考書類等を適法に株主に提供したものとし、個別の株主の承諾を得ることを要することなく、株主に対して株主総会参考書類等を書面により交付することを不要とする(招集通知は書面により送付する必要がある)制度をいう[(1)]。

株主総会資料の電子提供制度のもとでの株主総会の招集手続は、株式会社であれば、上場会社に限らず、株主総会参考書類等の内容である情報について、電子提供措置をとる旨の定款の定めを設ける[(2)]ことにより、導入することができる(法325条の2)。他方で、振替株式を発行する会社は、当該定款

(1) 株主総会資料の電子提供制度の下においても、個別の株主の承諾を得て行う、電磁的方法による株主総会の招集通知の発出の制度(法299条3項)も存続している(法325条の4第2項本文参照)。

(2) 電子提供措置をとる旨の定款の定めは、登記事項であり(法911条3項12号の2)、原則として各会社の実際の定款の定めのとおり登記される。このほか、登記手続については、「会社法の一部を改正する法律の施行に伴う商業・法人登記事務の取扱いについて(通達)」(令和4年8月3日法務省民商第378号)参照〔https://www.moj.go.jp/content/001378147.pdf〕。

の定めを設けなければならないとされている（振替法159条の2第1項）。すなわち、上場会社は、株主総会資料の電子提供制度を採用することが義務づけられている。

電子提供措置をとる旨の定款の定めの具体的な内容は、たとえば、「当会社は、株主総会の招集に際し、株主総会参考書類等の内容である情報について、電子提供措置をとるものとする」というものである(3)。電子提供措置をとるウェブサイトのURLを定款の定めの内容とする必要はない（法325条の2後段）(4)。

本章では、電子提供措置をとる旨の定款の定めがあることを前提に、主に、株主総会資料の電子提供制度の採用が義務づけられる上場会社を念頭に置いて、株主総会資料の電子提供制度のもとでの株主総会の招集手続について述べる。

株主総会資料の電子提供制度のもとでの株主総会の招集プロセスの概要は、主に、以下のとおりである。

①	取締役は、株主総会の開催日の3週間前または下記②のアクセス通知の発出日のいずれか早い日の午前零時までに、株主総会参考書類等に記載すべき事項をはじめとする一定の事項（電子提供措置事項）に係る情報について、「電子提供措置」をとらなければならない
②	取締役は、株主に対し、いわゆる狭義の招集通知に相当する書面（アクセス通知）を、株主総会の開催日の2週間前までに発出しなければならない
③	取締役は、電子提供措置をとる事項（電子提供措置事項）を記載した書面（電子提供措置事項記載書面）の交付を議決権行使基準日までに請求した株主に対し、上記②のアクセス通知とともに、当該書面を交付しなければならない

株主に対して提供すべき書面は、原則として、株主総会の狭義の招集通知に相当する「アクセス通知」のみとなり（上記②）、広義の招集通知の大部分を占める株主総会参考書類等を書面により提供する必要がなくなる。その

(3) 全国株懇連合会理事会決定「株主総会資料の電子提供制度に係る定款モデルの改正について」(2021年10月22日）参照〔https://www.kabukon.tokyo/activity/data/study/study_2021_05.pdf〕。
(4) 竹林俊憲編著『一問一答・令和元年改正会社法』（商事法務、2020）15頁。

ため、株主総会参考書類等について、印刷・封入・郵送に要する時間が削減される。そこで、株主総会参考書類等について電子提供措置を開始しなければならない期限は、株主総会資料の電子提供制度によらない、通常の招集手続における招集通知の発出期限（株主総会の開催日の２週間前）よりも早くなっている（上記①）。その結果、株主が議案を検討する時間がより長く確保されることとなる。これが、同制度の最大の目的である。また、これに付随して、会社としても、招集通知の印刷・封入・郵送の手間・費用を削減することができるとともに、より創意工夫をこらし、また、充実した内容の株主総会参考書類等を作成することが可能となるという効果もある。

なお、電子提供措置をとる旨の定款の定めのある会社では、株主総会だけでなく、種類株主総会についても、電子提供措置をとらなければならない（法325条の２前段括弧書）。

また、電子提供措置をとる旨の定款の定めのある会社であっても、株主自身が裁判所の許可を得て株主総会を招集する場合（法297条４項）は、株主総会資料の電子提供制度の適用がなく、通常の招集手続によることとなる（すなわち、電子提供措置をとる必要がない）[(5)]。

(5)　太田洋＝野澤大和編著『令和元年会社法改正と実務対応』（商事法務、2021）106～107頁〔太田洋＝髙木弘明〕、塚本英巨＝中川雅博『株主総会資料電子提供の法務と実務』（商事法務、2021）41～42頁。

12-2

電子提供措置

1　電子提供措置の方法

株主総会参考書類等に係る情報についてとらなければならない「電子提供措置」とは、電磁的方法により株主（種類株主総会を招集する場合は、ある種類の株主に限る）が情報の提供を受けることができる状態に置く措置であって、法務省令で定めるものをいう（法325条の２前段括弧書）。「法務省令で定めるもの」とは、施行規則222条１項１号ロに掲げる方法のうち、インターネットに接続された自動公衆送信装置を使用するものによる措置と定められている（施95条の２）。施行規則222条１項１号ロに掲げる方法とは、「送信者の使用に係る電子計算機に備えられたファイルに記録された情報の内容を電気通信回線を通じて情報の提供を受ける者の閲覧に供し、当該情報の提供を受ける者の使用に係る電子計算機に備えられたファイルに当該情報を記録する方法」をいい、また、「自動公衆送信装置」とは、「公衆の用に供する電気通信回線に接続することにより、その記録媒体のうち自動公衆送信の用に供する部分に記録され、又は当該装置に入力される情報を自動公衆送信する機能を有する装置」をいう（施94条１項柱書）。また、電磁的方法は、受信者がファイルへの記録を出力することにより書面を作成することができるものでなければならない（施222条２項）。

要するに、電子提供措置とは、インターネット上のウェブサイトに印刷可能なファイルをアップロードし、受信者たる株主またはある種類の株主がこれをダウンロードすることができるようにすることをいう。

「送信者の使用に係る電子計算機」とあるが、電子提供措置を行うにあたり、必ずしも、送信者（発行会社）の「保有」する電子計算機（コンピュータ）に備えられたファイルに情報を記録しなければならないわけではなく、また、会社自身が開設するホームページ等のウェブサイトに掲載しなければならないわけではない[(6)]。そのため、電子提供措置をとるウェブサイトは、会社自身が開設するホームページのほか、会社が委託する第三者の開設するウェブサイトとすることも可能である[(7)(8)]。

また、電子提供措置をとるウェブサイトは、１つでなければならないわけではない。通信障害等により電子提供措置に係る情報を閲覧することができなくなるなどの場合に備え、複数のウェブサイトにおいて電子提供措置をとることも許容される。**12－4**のとおり、この場合には、電子提供措置をとるウェブサイトのすべてのURLを株主総会の招集通知（アクセス通知）に記載する必要がある。

電子提供措置は、「株主」（またはある種類の株主）が情報の提供を受けることができる状態に置く必要があり、かつ、それで足り、広く一般に、不特定多数の者に対してそのような状態に置く必要はない（法２条34号（電子公告の定義）対比）。そのため、ウェブサイト上のファイルにパスワードをかけるなどして、当該株主のみが閲覧することができるようにすることも認められる[(9)]。もっとも、株主総会資料の電子提供制度の創設前から、株主総会の広義の招集通知を、パスワードをかけることなくホームページ等のウェブサイトに掲載することが一般的である。そのため、個々の株主に紐付いた議決権行使書面を別とすれば、電子提供措置をとるファイルにパスワードをかけることは、想定し難い。

前述のとおり、電磁的方法は、受信者がファイルへの記録を出力すること

(6)　江原健志＝太田洋「平成13年商法改正に伴う政令・法務省令の制定〔中〕――『商法及び有限会社法の関係規定に基づく電磁的方法による情報の提供等に関する承諾の手続等を定める政令』・『商法施行規則』の概要」商事1628号（2002）34頁。

(7)　渡辺諭ほか「会社法施行規則等の一部を改正する省令の解説――令和２年法務省令第52号」別冊商事法務編集部編『令和元年改正会社法③立案担当者による省令解説、省令新旧対照表、パブリック・コメント、実務対応Q&A（別冊商事法務461号）』（商事法務、2021）51頁。

(8)　電子提供措置をとるウェブサイトのウェブブラウザに関し、青野雅朗「株主総会資料の電子提供措置とウェブブラウザ」商事2296号（2022）56頁参照。

(9)　竹林・前掲(4)書16頁。

により書面を作成することができるものでなければならない（施222条２項）。そのため、電磁的方法の一種である電子提供措置についても、株主総会参考書類等に係る情報を記録したファイルは、印刷することができるものである必要がある。したがって、株主総会参考書類等に係る情報について、動画（たとえば、社長等が株主総会参考書類等の内容を説明する動画）のファイルをウェブサイトに掲載することのみをもって、電子提供措置をとるものとすることはできない。株主総会参考書類等に係る情報について、印刷可能なファイルを掲載し、これにより電子提供措置をとったうえで、動画のファイルも併せて掲載することはもちろん認められる。

2 バックアップとしての東証サイト

1で述べたとおり、通信障害等により電子提供措置に係る情報を閲覧することができなくなるなどの場合に備え、複数のウェブサイトにおいて電子提供措置をとることも許容される。

複数のウェブサイトにおいて電子提供措置をとる方法として、上場会社の場合は、たとえば、自社のホームページにおいて電子提供措置をとることに加え、東京証券取引所が提供する、投資者向け公衆縦覧用のウェブサイトである「東証上場会社情報サービス」（以下「東証サイト」という）も、電子提供措置をとるウェブサイトとして指定することが考えられる。東京証券取引所も、そのようにバックアップとして補助的に東証サイトを利用することを認めている[(10)]。ただし、東京証券取引所は、それを前提に、以下の点に留意する必要があるとしている。

東証サイトのシステム上の一定の制約が伴うこと
障害、メンテナンスその他の理由により東証サイト上の情報にアクセスができない状況が発生した場合であっても、東京証券取引所は、それによる損害等についての責任を負いかねること

(10) 東京証券取引所「株主総会資料の電子提供措置における東証ウェブサイトの利用について」（東証上場第８号）（2022年８月８日）。以下の記述も、東京証券取引所の取扱いに関する部分は、当該文書に基づく。

電子提供措置については、当該電子提供措置をとるウェブサイトとして株主総会の招集通知（アクセス通知）に記載されたウェブサイトが複数ある場合には、いずれかのウェブサイトにおいて通信障害等が生じ、閲覧することができなくなっても、残りのウェブサイトにおいて引き続き閲覧が可能である限りは、**12－8**の「中断」（法325条の6柱書括弧書）は生じていないものと解される。そうすると、自社ホームページとともに東証サイトを電子提供措置に係るウェブサイトとした場合において、自社のホームページでの閲覧ができない状況となり、その期間中に、東証サイトでも、定期メンテナンス等の事情により閲覧ができない状況となった場合は、「中断」が生じていることとなる。東証サイトは、定期メンテナンスにより、月に1回、数時間程度のアクセスの中断が発生し、また、臨時メンテナンス等により、年に1～2回、1日程度のアクセスの中断が発生するとのことである。東証サイトをバックアップとして指定する場合は、この点に留意する必要がある。

また、TDnetへの登録作業を行った株主総会参考書類等が東証に掲載されるタイミングは、登録作業において上場会社が指定する公表日の午前1時頃であり、登録作業から掲載までに一定のタイムラグが生じ、また、登録作業は、公表日前日の午後11時29分までに完了することが必要であるとされている。他方で、**12－4**のとおり、電子提供措置の法定の開始期限は、株主総会の開催日の3週間前の日またはアクセス通知の発送日のいずれか早い日（電子提供措置開始日。法325条の3第1項柱書）の「午前零時」であると解される。そのため、東証サイトについて、当該日（開始期限の日）の前日午後11時29分までに登録作業を行った場合には、掲載開始が当該日の午前1時頃となり、開始期限に間に合わない。

この点については、電子提供措置をとるウェブサイトとして、複数のウェブサイトを指定する場合には、少なくともいずれか1つのウェブサイト（たとえば、自社のホームページ）において法定の開始期限（電子提供措置開始日の午前零時）までに電子提供措置を開始していれば、ほかのウェブサイトにおいて当該開始期限までに電子提供措置を開始することができていなくとも、手続上の瑕疵はないと解する余地もあると考えられる。

これに対し、この点の疑義がないようにするため、電子提供措置に係る正式なウェブサイトとして指定する以上は、電子提供措置をとるすべてのウェブサイトにおいて、法定の開始期限までに電子提供措置を開始しておくことも考えられる。この場合は、東証サイトについて、法定の開始期限の２日前の午後11時29分までに登録作業を完了し、１日前の午前１時に東証サイトでの掲載を開始することになる（すなわち、実際上、東証サイトにおける電子提供措置の開始が１日前倒しとなる）。

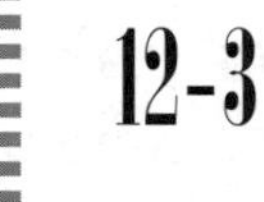

12-3 株主総会の招集手続①：電子提供措置に係る取締役会の決議

株主総会の招集手続は、12－6の株主の書面交付請求への対応を別とすると、①取締役会において株主総会の招集を決定すること、②株主総会の開催日の3週間前または株主総会の招集通知（アクセス通知）の発出日のいずれか早い日の午前零時までに、株主総会参考書類等に係る情報について電子提供措置を開始すること（終期は、株主総会の開催日後3か月を経過する日まで）、③株主総会の開催日の2週間前までに株主総会の招集通知（アクセス通知）を株主に対して書面で発出することである。

以下では、まず、①電子提供措置をとる株主総会の招集事項として決定すべき取締役会の追加的な決議について述べる。②電子提供措置の実施および③アクセス通知の発出については、それぞれ12－4および12－5で述べる。

株主総会を招集するためには、当該株主総会に関する一定の事項を取締役会の決議により決定しなければならない（法298条4項・1項、施63条）。取締役会の決議により一般的に決定しなければならない招集事項は、5－3で述べたとおりであるが、電子提供措置に関し、追加的に以下の事項が取締役会の決議により決定する事項とされている（施63条3号ト・4号ハ）。

なお、12－5のとおり、電子提供措置をとる場合の株主総会の招集通知（アクセス通知）には、電子提供措置をとるウェブサイトのURL等を記載する必要がある（法325条の4第2項各号）。もっとも、会社法325条の4第2項は、同法299条4項の定める招集通知の記載事項についての特則を定めるものであり、取締役会における決議を要する株主総会の招集事項の特則を定めるものではなく、また、当該招集事項を定める同法298条1項・4項の読替えを定めるものではない。そうすると、電子提供措置をとるウェブサイトのURL等の同法325条の4第2項各号に掲げる事項や、（当該事項にも関連するが、）電子提供措置をとるか、それとも後述のEDINETの特例を利用するかということについて、取締役会の決議を経ることは、会社法上必須ではないということになる。もっとも、実務上は、株主総会の招集事項を決定するにあたり、取締役会では、電子提供措置をとるウェブサイトのURL等が記載された招集通知（および後述の電子提供措置事項）が取締役会資料の一部とされ、当該資料のとおり決議されるのが通常であると考えられる。

①	株主総会参考書類に記載すべき事項のうち、会社法325条の5第3項の規定による定款の定めに基づき同条2項の規定により交付する電子提供措置事項記載書面に記載しないものとする事項（施63条3号ト）
②	書面および電磁的方法による事前の議決権行使のいずれをも認め、かつ、電子提供措置をとる旨の定款の定めがある場合において、電磁的方法による招集通知（法299条3項）の承諾をした株主の請求があった時に議決権行使書面に記載すべき事項（当該株主に係る事項に限る）に係る情報について電子提供措置をとることとするときは、その旨（施63条4号ハ）

①は、株主総会参考書類の記載事項についてWEB開示によるみなし提供を利用する場合（施94条・63条3号ホ）と同様に、株主総会参考書類に記載すべき事項のうち、書面交付請求をした株主に対して交付すべき電子提供措置事項記載書面に、定款の定めに基づき記載しないものとする事項、つまり、電子提供措置事項記載書面から省略する事項があるときは、当該省略する事項を株主総会の招集の決定事項として取締役会の決議により定めなければならないこととするものである（施63条3号ト）。実務上は、WEB開示によるみなし提供を利用する場合と同様に、株主総会参考書類の記載事項だけでなく、事業報告および（連結）計算書類についても併せて、電子提供措置事項記載書面に記載しない事項を取締役会の決議により決定するケースもあると思われる。これらの株主総会参考書類等の記載事項のうち電子提供措置事項記載書面に記載しないこととすることができる事項は、施行規則95条の4第1項に定められている（以上の点については、12－6 3参照）。

②に関しては、株主総会資料の電子提供制度が適用されない株主総会では、書面および電磁的方法による事前の議決権行使のいずれをも認める場合において、電磁的方法による招集通知（法299条3項）の承諾をした株主の請

求があった時に会社法301条１項の規定による議決権行使書面の交付または当該交付に代えて行う同条２項の規定による電磁的方法による提供をすることとするときは、その旨を株主総会の招集事項として取締役会の決議により定めなければならないこととされている（施63条４号イ）。

これに対し、電子提供措置をとる旨の定款の定めがある場合には、議決権行使書面を株主に対して交付・提供するのではなく、議決権行使書面に記載すべき事項に係る情報について電子提供措置をとらなければならないのが原則である（法325条の３第１項２号・325条の４第３項）。そこで、書面および電磁的方法による事前の議決権行使のいずれをも認め、かつ、電子提供措置をとる旨の定款の定めがある場合において、電磁的方法による招集通知の承諾をした株主の請求があった時に議決権行使書面に記載すべき事項（当該株主に係る事項に限る）に係る情報について電子提供措置をとることとするときは、その旨を株主総会の招集事項として取締役会の決議により定めなければならないこととされている（施63条４号ハ）。そして、当該事項を定めた場合には、会社は、当該請求があったときに、議決権行使書面に記載すべき事項に係る情報について電子提供措置をとらなければならない（施66条３項本文）。ただし、後述するとおり、議決権行使書面については、電子提供措置をとらず、株主総会の招集通知とともに株主に対してこれを交付することが認められている（法325条の３第２項）。そこで、この場合は、株主の上記請求にかかわらず、議決権行使書面に記載すべき事項に係る情報について電子提供措置をとることを要しないとされている（施66条３項ただし書）。

12-4 株主総会の招集手続②：電子提供措置の継続的実施

1　電子提供措置の開始

電子提供措置をとる旨の定款の定めがある会社の取締役が、株主総会の招集にあたり、電子提供措置をとらなければならないのは、会社法299条2項各号に掲げる場合、すなわち、①書面投票もしくは電子投票を認める場合または②取締役会設置会社である場合である（法325条の3第1項柱書）。これらの①および②の場合は、いずれも、株主総会の招集通知を書面でしなければならない場合である（法299条2項柱書）。なお、**12－1**で述べたとおり、電子提供措置をとる旨の定款の定めのある会社であっても、株主自身が裁判所の許可を得て株主総会を招集する場合（法297条4項）は、①または②に該当するときであっても、株主総会資料の電子提供制度の適用がなく、通常の招集手続によることとなる（すなわち、電子提供措置をとる必要がない）。

電子提供措置をとる旨の定款の定めがある会社であっても、①および②のいずれにも該当しない場合は、株主総会の招集にあたり、電子提供措置をとることを要しない。もっとも、上場会社は、少なくとも②取締役会設置会社であるので、取締役は、株主総会の招集にあたり、必ず、電子提供措置をとらなければならないこととなる。

電子提供措置をとらなければならない場合には、取締役会における株主総会の招集決定後、取締役は、(i)株主総会の開催日の3週間前または(ii)株主総会の招集通知（アクセス通知）の発送日のいずれか早い日までに、株主総会参考書類等その他**図表Ⅰ－12－1**に掲げる事項に係る情報について、電子提供措置をとらなければならない（法325条の3第1項柱書）。そして、電子提供措置は、株主総会の開催日後３か月を経過する日まで継続してとらなければならない（同項）。電子提供措置は、このように一定期間継続して行う必要があるが、電子公告（法941条）と異なり、調査機関による調査を受ける必要はない。

上記(i)または(ii)のいずれか早い日の当日に電子提供措置を開始する場合は、当該日の午前零時に電子提供措置を開始する必要があると解される。

電子提供措置の原則的な開始期限日である上記(i)株主総会の開催日の３週間前の日に開始する場合とは、電子提供措置を開始する日と株主総会の開催日の間に中20日を空け、当該開始する日の遅くとも午前零時までに電子提供措置を開始することをいうと解される（午前零時以降に電子提供措置を開始する場合は、少なくとも中21日を空ける必要がある）。たとえば、株主総会の開催日が６月28日であるとすると、電子提供措置は、遅くとも６月７日午前零時までに開始する必要がある。

ただし、上場会社は、上場規則における「企業行動規範」の「望まれる事項」として、株主総会参考書類等について、株主総会の開催日の３週間前の日よりも前に電磁的方法により投資者が提供を受けることができる状態に置くこと、すなわち、電子提供措置をとるよう努めることが求められている（東京証券取引所有価証券上場規程446条、有価証券上場規程施行規則437条３号）。あくまでも努力義務ではあるが、法定の開始期限よりも早く電子提供措置を開始することが求められている点に留意する必要がある。

また、株主総会の開催日の３週間前よりも早くアクセス通知の発出を行う場合は、電子提供措置は、当該発出日までに、すなわち、遅くとも当該発出日の午前零時までに開始する必要がある（上記(ii)）。アクセス通知の発出期限は、株主総会の開催日の２週間前であり（法325条の４第１項・299条１項。**12－５**参照）、上場会社（取締役会設置会社）については従前の規律から変更がない。もっとも、上場会社は、株主総会資料の電子提供制度の施行前から、コーポレートガバナンス・コードの影響(11)もあって、株主総会の招集通

(11)　コーポレートガバナンス・コードの補充原則１－２②は、「上場会社は、株主が総会議案の十分な検討期間を確保することができるよう、招集通知に記載する情報の正確性を担保しつつその早期発送に努めるべきであ」るとしている（圏点は、筆者）。

知（当時は、広義の招集通知）が株主総会の開催日の３週間以上前に発出されるケースも珍しくなくなっている[12]。株主総会資料の電子提供制度の下では、株主に対して書面で提供する株主総会の招集通知（アクセス通知）は、広義の招集通知に比べて、その分量がはるかに少なく、発出日の前倒しが容易となる（ただし、後述する書面交付請求をした株主に対しては、アクセス通知とともに、原則として広義の招集通知に相当する電子提供措置事項記載書面を交付しなければならない。法325条の５第２項）。そのため、アクセス通知自体を株主総会の開催日の３週間以上前に発出することには大きな支障はないものと思われる。他方で、これに伴い、株主総会参考書類等の電子提供措置の開始期限も前倒しとなること（遅くともアクセス通知の発出日の午前零時までに電子提供措置を開始する必要があること）に留意する必要がある（前述の上場規則の要請を満たすことにはなる）。たとえば、株主総会の開催日が６月28日であるとすると、電子提供措置の原則的な開始期限日であれば、前述のとおり、遅くとも６月７日午前零時までに電子提供措置を開始する必要があるところ、アクセス通知の発出を、株主総会の開催日との間に中21日（３週間）を空けて６月６日に行う場合、電子提供措置は、遅くとも６月６日午前零時までに開始する必要がある。

なお、株主総会の開催日の３週間以上前に電子提供措置を開始しても、アクセス通知の発出日の期限は、あくまでも、株主総会の開催日の２週間前までである（法325条の４第１項・299条１項）。もっとも、電子提供措置が開始されたことを株主に対してより早く周知する観点から、電子提供措置の開始からあまり後れることなくアクセス通知を発出することも十分に検討に値する（繰り返しになるが、アクセス通知を株主総会の開催日の３週間以上前に発出する場合は、電子提供措置は、遅くとも当該発出日の午前零時までに開始する必要がある）。

⑿　商事法務研究会編『株主総会白書2022年版（商事2312号）』（商事法務研究会、2022）83頁〔図表54〕によれば、株主総会の開催日の21日前又はそれよりも早く株主総会の招集通知を発出した上場会社は、回答社数1,917社中823社（43.0％）であった。これに対し、株主総会の招集通知の発出の法定期限である14日前に発出した上場会社は、176社（9.2％）にとどまる。

2　電子提供措置をとらなければならない事項（電子提供措置事項）とその例外

電子提供措置をとる旨の定款の定めのある会社が、1の①書面投票もしくは電子投票を認める場合または②取締役会設置会社である場合に該当することにより、株主総会の招集にあたり、その情報について電子提供措置をとらなければならない事項（電子提供措置事項。法325条の5第1項）は、具体的には、**図表Ⅰ－12－1**の事項である（法325条の3第1項各号）。1のとおり、上場会社は、株主総会の招集にあたり、必ず、電子提供措置をとらなければならない。

上場会社は、上場規則により、原則として、株主総会に出席しない株主が書面によって議決権を行使すること（いわゆる書面投票）ができることとしなければならないとされている（東京証券取引所有価証券上場規程435条本文、**図表Ⅰ－12－1**の③）[13]。そして、上場会社では、臨時株主総会が開催されることは稀であるので、定時株主総会であることを前提とすれば、株主提案を受けた場合（**図表Ⅰ－12－1**の⑧）を別とすると、毎年の定時株主総会の招集にあたり、少なくとも、**図表Ⅰ－12－1**の④を除く電子提供措置事項に係る情報について電子提供措置をとらなければならない（ただし、後述のとおり、議決権行使書面については、例外が認められている）。そして、取締役会・会計監査人設置会社（上場会社は、これに該当する）では、本来、取締役は、（定時）株主総会の招集通知に際し、株主に対し、株主総会参考書類等（⑥、⑦、⑨および⑩）を書面により交付し、または提供しなければならない（法301条1項・302条1項・437条・444条6項）ところ、これを行うことを要しないものとされている（法325条の4）[14]。すなわち、電子提供措置をとる旨の定款の定めがある会社（上場会社）では、株主総会参考書類等に関し、これ

(13)　会社法上は、株主（株主総会の目的事項の全部につき議決権を行使することができない株主を除く）の数が1,000人以上である場合には、原則として、書面投票を認めなければならないとされ、例外的に、上場会社であり、かつ、当該株主の全部に対して後述する委任状勧誘を行う場合は、書面投票を認めなくともよいとされている（法298条2項・3項、施64条）。

に係る情報について電子提供措置をとる必要があり、かつ、それで足り、その書面を株主に対して交付・提供する必要がない。

なお、前述のとおり、上場会社は、原則として、株主総会の書面投票を認めなければならないとされているが、例外として、株主（株主総会の目的事項の全部につき議決権を行使することができない株主を除く）の全部に対して法の規定に基づき株主総会の通知に際して委任状の用紙を交付することにより議決権の行使を第三者に代理させることを勧誘している場合（いわゆる委任状勧誘を行う場合）は、書面投票を認めなくともよいとされている（東京証券取引所有価証券上場規程435条ただし書）。この場合には、株主総会参考書類および議決権行使書面を作成・交付する必要がないので、これらに記載すべき事項（**図表Ｉ－12－１**の⑥および⑦）について電子提供措置をとる必要がない。上場株式について委任状勧誘を行う場合は、勧誘者は、被勧誘者に対し、委任状の用紙および「参考書類」を交付し、または被勧誘者の承諾を得て電磁的方法により提供しなければならない（金商法194条、金商法施行令36条の２第１項・２項）ところ、委任状の用紙および参考書類については、電子提供措置をとるものとはされていない（すなわち、株主総会資料の電子提供制度の施行後も、書面投票を認める代わりに委任状勧誘を行う場合は、委任状の用紙および参考書類については、引き続き、被勧誘者（株主）に対し、書面を交付するか、または被勧誘者の承諾を得て電磁的方法により提供しなければならない）。

電子提供措置事項について、電子提供措置をとったうえで、別途、株主に対し、これが記載された書面を送付すること（フルセット・デリバリー。**12－５■２**参照）も認められる。もっとも、電子提供措置事項が記載された書面を株主の全員に対して送付する場合であっても、法定の開始期限までに電子提供措置事項に係る情報について電子提供措置をとる義務を免れることになるわけではない。

---

(14)　⑧に関し、株主の議案要領通知請求（法305条）についても、読替規定が設けられている（法325条の４第４項）。すなわち、株主の議案要領通知請求は、本来、株主提案に係る議案の要領を株主総会の招集通知に「記載し、又は記録する」ことを請求するものであるところ、電子提供措置をとる旨の定款の定めがある会社においては、当該議案の要領について「電子提供措置をとる」ことを請求するものとされている。

図表Ⅰ－12－1　電子提供措置事項

①	株主総会の日時および場所
②	株主総会の目的である事項があるときは、当該事項
③	株主総会に出席しない株主が書面によって議決権を行使すること（書面投票）ができることとするときは、その旨
④	株主総会に出席しない株主が電磁的方法によって議決権を行使すること（電子投票）ができることとするときは、その旨
⑤	施行規則63条で定める事項
⑥	書面投票または電子投票を認める場合は、株主総会参考書類に記載すべき事項
⑦	書面投票を認める場合は、議決権行使書面に記載すべき事項
⑧	株主による議案要領通知請求（法305条１項）があった場合には、当該議案の要領
⑨	（取締役会設置会社の定時株主総会における電子提供措置事項）計算書類および事業報告ならびにこれらの監査報告または会計監査報告に記載・記録された事項（※１）
⑩	（取締役会・会計監査人設置会社の定時株主総会における電子提供措置事項）連結計算書類に記載・記録された事項（※２）
⑪	以上の事項を修正したときは、その旨および修正前の事項

※１　監査報告または会計監査報告に記載・記録された事項についても電子提供措置をとらなければならないことについて、竹林俊憲編著『一問一答・令和元年改正会社法』（商事法務、2020）21頁。

※２　連結計算書類に係る監査報告および会計監査報告は、単体の計算書類に係る監査報告および会計監査報告（法437条）と異なり、そもそも、定時株主総会の招集通知に際して株主に対して提供することが求められておらず（法444条６項）、電子提供措置をとることを要しない。他方で、連結計算書類に係る監査報告または会計監査報告の内容も株主に対して提供することを定めたときは、当該提供に代えて当該監査報告または会計監査報告に記載・記録された事項に係る情報について電子提供措置をとることができる（計134条３項）。この場合であっても、当該連結計算書類に係る監査報告または会計監査報告が会社法325条の５第１項に定める「電子提供措置事項」に含まれることになるわけではない（法務省民事局参事官室「会社法の改正に伴う法務省関係政令及び会社法施行規則等の改正に関する意見募集の結果について」（2020年11月24日）第３・１⑾⑦（56頁））。

ただし、この点に関しては例外が１点あり、上記⑦の議決権行使書面に記載すべき事項は、取締役が株主総会の招集通知に際して株主に対して議決権行使書面を交付するときは、議決権行使書面に記載すべき事項に係る情報については、電子提供措置をとることを要しないものとされている（法325条の3第2項）。すなわち、議決権行使書面については、従前どおり株主総会の招集通知に際して書面を送付することにより、電子提供措置をとる必要がなくなる。議決権行使書面は、その記載事項に、議決権を行使すべき株主の氏名・名称および行使することができる議決権の数があること（施66条1項5号）にみられるとおり、議決権行使書面は、他の電子提供措置事項と異なり、個々の株主に紐付いた文書である。そのため、これをウェブサイトに掲載しなければならないとすると、そのシステム対応等について会社に一定の負担を課すこととなる。議決権行使書面に係る情報を記録したファイルについて、株主ごとにパスワードを設定する必要もありうる。また、議決権行使書面により議決権を行使する株主にとっても、電子提供措置がとられた議決権行使書面に係る情報をプリントアウトして会社に返送する手間がかかることになる。そこで、議決権行使書面については、アクセス通知とともに議決権行使書面を書面により交付する場合は、議決権行使書面に係る情報について電子提供措置をとらなくてよいとの例外が認められている。当該例外を利用するかどうかについて、取締役会の決議を経ることは会社法上必須のものとはされていない。

実務的には、少なくとも当面は、議決権行使書面については、電子提供措置をとらず、アクセス通知に同封して株主に対して書面により送付する会社が多くなるとみられる。

3　EDINETを通じた有価証券報告書の提出による電子提供措置の例外

電子提供措置をとる旨の定款の定めがある会社が、①書面投票もしくは電子投票を認める場合または②取締役会設置会社である場合のいずれかに該当する場合であっても、株主総会参考書類等について電子提供措置そのものをとることを要しないという例外が1つ定められている。EDINETを通じた有価証券報告書の提出による電子提供措置の例外である。

すなわち、金融商品取引法24条１項の規定によりその発行する株式について有価証券報告書を内閣総理大臣に提出しなければならない会社（上場会社は、これに該当する。同項１号）が、電子提供措置を開始すべき日（電子提供措置開始日）までに、定時株主総会に係る電子提供措置事項（議決権行使書面に記載すべき事項を除く）を記載した有価証券報告書（添付書類およびこれらの訂正報告書を含む）の提出をEDINETにより行う場合には、当該事項に係る情報については、電子提供措置をとることを要しないとされている（法325条の３第３項）。臨時株主総会については、このような例外は認められていない。

要するに、定時株主総会の開催日の３週間前の日（アクセス通知をこれよりも早く発出する場合は、当該発出日）の午前零時までに有価証券報告書をEDINETにより提出する場合には、当該株主総会に関する株主総会参考書類等に係る情報について、別途、電子提供措置をとらなくてよいということである。

ただし、議決権行使書面については、このような例外が認められておらず、上記例外を利用する場合であっても、電子提供措置をとるか、またはアクセス通知とともに株主に対して書面を送付するかのいずれかをしなければならない（法325条の３第３項括弧書）。

EDINETの利用による電子提供措置の例外が認められるためには、上記のとおり、定時株主総会の開催日の３週間前までに有価証券報告書を提出する必要がある。現状では、有価証券報告書を定時株主総会の開催日よりも前に提出する会社は、きわめて少ない。また、そのような会社においても、その提出日は、せいぜい、定時株主総会の前日～数日前である(15)。そのため、定時株主総会の開催日の３週間前までに有価証券報告書を提出し、EDINETの利用による電子提供措置の例外の適用を受けることは、大多数の上場会社にとって、想定し難い状況にある。

---

(15)　商事法務研究会・前掲(12)白書161頁〔図表161〕によれば、有価証券報告書を株主総会の開催日より前に提出した上場会社は、回答社数3,326社中51社（1.5％）にとどまる。そして、当該51社中15社が株主総会の前日の提出であり、10日前以前に提出した会社は、14社である。

12-5

株主総会の招集手続③：アクセス通知の発出

1　法定の記載事項（株主に書面により通知しなければならない事項）

電子提供措置をとる旨の定款の定めのある会社が、株主総会の招集にあたり、実際に電子提供措置をとる場合には、株主総会参考書類等をはじめとする電子提供措置事項に係る情報について電子提供措置をとることとは別に、株主総会の招集通知（アクセス通知）を株主に対して書面で送付しなければならない。アクセス通知の発出期限は、株主総会の開催日の２週間前までである（法325条の４第１項・299条１項）。この点は、上場会社（取締役会設置会社）を前提とすれば、株主総会資料の電子提供制度が適用されない株主総会の招集通知の発出期限（法299条１項）と同じである[(16)]。

アクセス通知の記載事項は、**図表Ⅰ－12－２**の①～⑥に掲げる事項である（法325条の４第２項・298条１項１号～４号、施95条の３第１項）。アクセス通知には、会社法298条１項５号、施行規則63条各号に定める事項を記載する必要がない（法325条の４第２項第１文）。これらの事項は、電子提供措置事項として当該事項に係る情報について電子提供措置をとらなければならない（法

(16)　公開会社でない株式会社では、電子提供措置をとる旨の定款の定めがない（株主総会資料の電子提供制度の適用がない）場合の株主総会の招集通知の発出期限は、原則として株主総会の開催日の１週間前であり、また、当該株式会社が取締役会設置会社でなければ、定款によりこれを短縮することもできる（法299条１項括弧書）。これに対し、当該会社であっても、電子提供措置をとる旨の定款の定めを設けた場合において、会社法325条の３第１項の規定により電子提供措置をとるときは、株主総会の招集通知（アクセス通知）の発出期限は、一律に、株主総会の開催日の２週間前とされている（法325条の４第１項）。

図表Ⅰ－12－2　アクセス通知に記載しなければならない事項

		電子提供措置事項でもあるもの
①	株主総会の日時および場所	○
②	株主総会の目的である事項があるときは、当該事項	○
③	株主総会に出席しない株主が書面によって議決権を行使することができることとするときは、その旨	○
④	株主総会に出席しない株主が電磁的方法によって議決権を行使することができることとするときは、その旨	○
⑤	電子提供措置をとっている旨	×
⑥	電子提供措置をとっているウェブサイトのURLその他の株主が電子提供措置事項の内容を閲覧するために必要な事項	×

※　EDINETの利用による電子提供措置の例外の適用を受ける場合は、上記⑤および⑥は、それぞれ、⑤' 電子提供措置事項を記載した有価証券報告書の提出の手続をEDINETを利用して行った旨および⑥' EDINETに係るURLその他株主が電子提供措置事項の内容を閲覧するために必要な事項となる。

325条の3第1項1号)。

他方で、**図表Ⅰ－12－2**の⑤および⑥の事項（法325条の4第2項1号、施95条の3第1項1号）が、株主総会資料の電子提供制度の下で新たにアクセス通知に記載を要する事項である。

⑥の事項は、電子提供措置をとっている、すなわち、株主総会参考書類等に係るPDFを掲載しているウェブサイトのURLを記載することが典型的である。当該URLが株主に通知されることにより、株主は、電子提供措置がとられているウェブサイトにアクセスすることができる。そのため、株主総会の招集通知は、「アクセス通知」と呼ばれる。

また、電子公告（法911条3項28号イ、施220条1項2号）と同様に、個別の電子公告が掲載されるページの前段階にある目次ページやホームページのフロントページのURLであっても、いわゆるリンクによって個別の電子提供措置をとっているページにたどり着くことができる措置をとることにより、これらの目次ページやホームページのトップページのURLを電子提供措置に係るURLとしてアクセス通知に記載することも許されると考えられる[17]。たとえば、ホームページのトップページのメニューに「株主総会」というリンクを配置し、そのリンク先で電子提供措置をとる場合には、トップページのURLのみをアクセス通知に記載することも許容されよう。

このほか、たとえば、会社のホームページのトップページ等のURLを記載し、当該トップページから目的のウェブページに到達するための方法を併記することも認められる[18]。

また、複数のウェブサイトにおいて電子提供措置をとる場合は、そのすべてのURLをアクセス通知に記載する必要がある。典型的には、会社のホームページのほか、東証サイトにおいても（バックアップとして補助的に）電子提供措置をとる場合である。この場合は、会社のホームページのURL等のほか、東証サイトに関する事項をアクセス通知に記載する必要がある。電子提供措置をとる媒体として東証サイトを利用する場合、東証サイトのURLとして指定可能であるものは、東証サイトのトップページ（検索ページ）のURL〔https://www2.jpx.co.jp/tseHpFront/JJK010010Action.do?Show=Show〕のみであり、各上場会社の縦覧書類の掲載ページのアドレスを直接指定することはできないとされている[19]。当該URLからは、各上場会社の名称を入力するなどして検索結果のページに移り、縦覧書類である株主総会参考書類等が掲載されたページに移る必要がある。そのため、電子提供措置をとる媒体として東証サイトを利用する場合は、上記URLに加えて、検索方法等の説明もアクセス通知に併記する必要がある（東証サイトについては、**12－2■2**も参照）。

以上のほか、パスワード等を入力して株主としてログインする必要である場合には、その方法やパスワード等をアクセス通知（その他アクセス通知の

⒄　始関正光編著『Q&A 平成16年改正会社法　電子公告・株券不発行制度』（商事法務、2005）18頁、渡辺ほか・前掲⑺論文52頁。

⒅　法務省民事局参事官室「会社法の改正に伴う法務省関係政令及び会社法施行規則等の改正に関する意見募集の結果について」（2020年11月24日）第3・1⑾④（54頁）。

⒆　東京証券取引所・前掲⑽。

同封書面）に記載する必要がある。

2　実務対応

図表Ⅰ－12－2に掲げる事項を記載した書面自体は、せいぜい裏表印刷で1枚に収まりうるものであり、ハガキで送付することも可能であろう。もっとも、議決権行使書面について、電子提供措置をとらず、アクセス通知とともにこれを書面で株主に対して送付することとする場合（法325条の4第3項）は、アクセス通知と議決権行使書面を封書で送ることになると考えられる。また、後述する書面交付請求権を行使した株主に対しては、電子提供措置をとる株主総会参考書類等の一部の内容を記載した書面もアクセス通知とともに送付しなければならないため、やはり、封書で送らざるをえない。

他方、電子提供措置事項について、電子提供措置をとったうえで、より積極的に、株主に対し、会社法で求められる以上の書面を提供したいという会社も実務上ありうる。その典型が、株主の全員に対し、アクセス通知とともに、電子提供措置事項のすべて（厳密には、従前、WEB開示によるみなし提供制度を利用して書面による提供をしていなかった事項を除く）を書面で提供する、いわゆる「フルセット・デリバリー」である。これは、株主総会資料の電子提供制度が適用されない株主総会において、株主に対して広義の招集通知を書面により提供することと同じである。同制度の創設の趣旨とは逆行するものであるが、電子提供措置事項について、電子提供措置をとっている限りは、そのうえでフルセット・デリバリーを行うことは、会社法上許容される。個人株主（インターネットの操作にあまり慣れていない株主や地元の株主、会社の提供するサービスの利用者でもある株主）が多い上場会社の中には、フルセット・デリバリーを行いたいと考えるものも少なくないかもしれない。もっとも、いったんフルセット・デリバリーを行ってしまうと、以後、その「止め時」の判断は、お土産と同様に、容易でないかもしれない。株主総会資料の電子提供制度が適用される1回目の定時株主総会の招集にあたり、いわば経過措置的にフルセット・デリバリーを行いつつ、次回以降は、同制度のもと、フルセット・デリバリーは行わない（原則としてアクセス通知と議決権行使書面のみを送付する）旨を招集通知に付記し、株主に周知することも考えられる。これに対し、同制度が適用される１回目の定時株主総会から、フルセット・デリバリーは行わず、アクセス通知と議決権行使書面のみを送付することとするという割り切った対応も十分に考えられる。

他方で、株主総会の議案に関し、アクセス通知には、株主総会の議題（目的事項。たとえば、「剰余金処分の件」、「取締役○名選任の件」）しか記載されておらず、議案の具体的な内容（たとえば、配当金額がいくらであるのか、誰が候補者であるのか）は、株主総会参考書類に係る情報について電子提供措置がとられているウェブサイトを閲覧しなければわからない。また、当事業年度の業績等も、同様に、（連結）計算書類や事業報告に係る情報について電子提供措置がとられているウェブサイトを閲覧する必要がある。このように、株主に対して書面（アクセス通知）により提供される情報は、限定的であることから、フルセット・デリバリーまでは行わないとしても、アクセス通知に、多少の追加的な情報を記載するか、またはアクセス通知とは別の書面も同封して株主に送付することも考えられる。いかなる情報を追記するかは各社各様の判断がありうるが、たとえば、株主総会参考書類の全文を同封することや、議案の内容および業績数値の一部をそれぞれ抜粋して記載した書面を別途作成して同封することが考えられる。

ところで、**図表Ⅰ－12－２**のとおり、アクセス通知に記載しなければならない事項のうち、⑤電子提供措置をとっている旨および⑥電子提供措置をとっているウェブサイトのURL以外の①～④に掲げる事項は、電子提供措置事項（の一部）でもある。そして、書面交付請求（**12－６**参照）をした株主に対しては、アクセス通知とともに、電子提供措置事項を記載した書面（電子提供措置事項記載書面）を送付しなければならない。そのため、これらの２つの書面を別個の書面として送付すると、まったく同じ事項（すなわち、**図表Ⅰ－12－２**①～④に掲げる事項）が記載されている別個の書面を送付することになり、重複感がある。

そこで、実務上は、アクセス通知に係るファイル（当該ファイルは、書面に印刷するもの）と電子提供措置事項に係るファイル（当該ファイルは、ウェブサイトに掲載するもの）を別個のものとして作成するのではなく、**図表Ⅰ**

−12−２⑤および⑥の事項に係る情報も記録したものを後者の電子提供措置事項に係るファイルとして作成し、これをウェブサイトに掲載して電子提供措置をとるとともに、当該ファイルのうち、少なくともアクセス通知に記載しなければならない部分（のページ）を印刷し、当該印刷書面をもってアクセス通知として株主に送付することが合理的であろう。

この点に関し、全国株懇連合会は、2022年10月に、「一体型アクセス通知」と呼ばれる招集通知モデルとして、「電子提供制度における招集通知モデル（電子提供措置事項の一部を含んだ一体型アクセス通知）」を公表している[20]。これは、前述のとおり、アクセス通知の記載事項と、電子提供措置事項のうち会社法298条１項（同項５号、施行規則63条各号に掲げる事項を含む）に掲げる事項を網羅したものである。一体型アクセス通知を利用する場合は、書面交付請求をしていない株主に対しては、一体型アクセス通知を送付し、書面交付請求をした株主に対しては、一体型アクセス通知とともに、電子提供措置事項記載書面への記載を要するその他の事項を記載した書面を送付することとなる。

〈全株懇モデル〉電子提供制度における招集通知モデル（電子提供措置事項の一部を含んだ一体型アクセス通知）

2022年10月21日
全国株懇連合会理事会決定

（証券コード　○○○○）
○年○月○日

株主各位

東京都○○区△△○丁目○○番○○号
○　○　○　○　株　式　会　社
取締役社長　○　○　○　○

⒇　https://www.kabukon.tokyo/activity/data/study/study_2022_07.pdf。また、全国株懇連合会の提案書「電子提供制度の実務対応」（2022年11月）98～99頁（QⅢ－24）も参照〔https://www.kabukon.tokyo/activity/data/study/study_2022_09.pdf〕。

第○回定時株主総会招集ご通知

拝啓　平素は格別のご高配を賜り、厚くお礼申しあげます。
　さて、当社第○回定時株主総会を下記のとおり開催いたしますので、ご通知申しあげます。
　本株主総会の招集に際しては、株主総会参考書類等の内容である情報（電子提供措置事項）について電子提供措置をとっており、インターネット上の当社ウェブサイトに「第○回定時株主総会招集ご通知」として掲載しておりますので、以下の当社ウェブサイトにアクセスのうえ、ご確認くださいますようお願い申しあげます。

　当社ウェブサイト　https://www.○○○○.co.jp/agm.html　二次元コード

　電子提供措置事項は、上記ウェブサイトのほか、東京証券取引所（東証）のウェブサイトにも掲載しておりますので、以下の東証ウェブサイト（東証上場会社情報サービス）にアクセスして、銘柄名（会社名）または証券コードを入力・検索し、「基本情報」、「縦覧書類/PR情報」を選択のうえ、ご確認くださいますようお願い申しあげます。

　東証ウェブサイト（東証上場会社情報サービス）　二次元コード
　https://www2.jpx.co.jp/tseHpFront/JJK010010Action.do?Show=Show

　なお、当日ご出席されない場合は、インターネットまたは書面により議決権を行使することができますので、お手数ながら株主総会参考書類をご検討のうえ、○年○月○日（○曜日）午後○時までに議決権を行使してくださいますようお願い申しあげます。
　［インターネットによる議決権行使の場合］
　　当社指定の議決権行使ウェブサイト（https://www.○○○○）にアクセスしていただき、同封の議決権行使書用紙に表示された「議決権行使コード」および「パスワード」をご利用のうえ、画面の案内にしたがって、議案に対する賛否をご入力ください。
　　インターネットによる議決権行使に際しましては、○頁の「インターネットによる議決権行使のご案内」をご確認くださいますようお願い申しあげます。
　［郵送による議決権行使の場合］
　　同封の議決権行使書用紙に議案に対する賛否をご表示のうえ、上記の行使期限までに到着するようご返送ください。

敬　具

記

1．日時　　○年○月○日（○曜日）　午前10時
2．場所　　東京都○○区△△○丁目○○番○○号
　　　　　　当社本店
3．目的事項
　報告事項　1．第○期（○年○月○日から○年○月○日まで）事業報告の内容、連結計算書類の内容ならびに会計監査人および監査役会の連結計算書類監査結果報告の件
　　　　　　2．第○期（○年○月○日から○年○月○日まで）計算書類の内容報告の件
　決議事項
　（会社提案）
　第1号議案　　定款一部変更の件
　第2号議案　　取締役○名選任の件
　第3号議案　　監査役○名選任の件
　第4号議案　　補欠監査役○名選任の件
　第5号議案　　会計監査人選任の件
　第6号議案　　取締役の報酬額改定の件
　（株主提案）
　第7号議案　　取締役○名選任の件
　第8号議案　　取締役○○○○解任の件
4．招集にあたっての決定事項
　（1）電子提供措置事項のうち、次の事項につきましては、法令および当社定款第○条の規定に基づき、書面交付請求をいただいた株主様に対して交付する書面には記載しておりません。従って、書面交付請求をいただいた株主様に対して交付する書面は、監査報告を作成するに際し、監査役および会計監査人が監査をした対象書類の一部であります。
　①　株主総会参考書類の以下の事項
　　　……（各社が定めた事項を記載する）
　②　事業報告の以下の事項
　　　……（各社が定めた事項を記載する）
　（2）インターネットによる方法と議決権行使書と重複して議決権を行使された場合は、インターネットによる議決権行使を有効なものといたします。また、インターネットによる方法で複数回議決権

を行使された場合は、最後に行われたものを有効なものといたします。

（3）ご返送いただいた議決権行使書において、各議案につき賛否の表示をされない場合は、会社提案については賛、株主提案については否の表示があったものとして取り扱います。

（4）…………（各社が定めた招集の決定事項を記載する）

以　上

◎当日ご出席の際は、お手数ながら同封の議決権行使書用紙を会場受付にご提出くださいますようお願い申しあげます。

◎電子提供措置事項に修正が生じた場合は、上記インターネット上の当社ウェブサイトおよび東証ウェブサイトにその旨、修正前の事項および修正後の事項を掲載させていただきます。

3　若干の論点の検討

アクセス通知の同封物に関する論点として、まず、一部の株主のみに、アクセス通知以外の書面（たとえば、補足の説明資料）を同封して送付することやフルセット・デリバリーを行うことが認められるかというものがある。たとえば、機関投資家のみに送付することや、一定の数・割合以上の議決権を有する株主や過去の株主総会において議決権を行使した株主のみに送付することが考えられる。

これについては、従前も、たとえば、会社提案の議案について議決権行使助言会社から反対の推奨がされた場合や委任状勧誘が行われている場合に、一部の機関投資家等のみに対して、対面の席で、または書面により、会社から補足の説明がされることは比較的一般的に見られていた。もちろんフェア・ディスクロージャー規制等に留意する必要はあるが、一般の株主も、電子提供措置がされているウェブサイトを閲覧することにより、電子提供措置事項に係る情報の内容自体を確認することができる以上は、一部の株主のみに対し、これを補足的に説明する資料等をアクセス通知に同封して送付することやフルセット・デリバリーを行うことも、特に株主平等原則に反するものではなく、許容されると解される[21]。

次に、株主による議案要領通知請求（法305条１項・325条の４第４項。株主提案）がされている場合において、議案の要領に係る情報について電子提供措置をとった（法325条の３第１項４号、**図表Ⅰ－12－１の⑧**）上で、アクセス通知には、会社の反論文書のみを同封し、当該株主提案に係る議案の要領を記載した書面を同封しないことは許容されるか。この点について、否定的な見解もある[22]が、議案の要領については、電子提供措置がとられている以上、その内容を確認したいと考える一般株主は、電子提供措置がとられているウェブサイトを閲覧することによりこれを確認することができる。そのため、アクセス通知に、会社の反論書面のみを同封したからといって、株主の意思が当然に歪められるわけでもなく、そのような対応も許容されると解すべきであると考えられる[23]。

---

(21)　藤田友敬ほか「令和元年・平成26年改正の検討〈第４回〉企業集団・株主総会(1)」ジュリ1560号（2021）56頁〔藤田友敬、松井智予各発言〕。

(22)　例えば、岩崎友彦ほか編著『令和元年改正会社法ポイント解説 Q&A』（日本経済新聞出版社、2020）66頁、田中亘ほか編著『Before/After 会社法改正』(弘文堂、2021）14～15頁〔久保大作〕。

(23)　邉英基「株主総会資料の電子提供制度への実務対応」別冊商事法務編集部編『令和元年改正会社法②立案担当者・研究者による解説と実務対応（別冊商事法務454号)』(商事法務、2020）213頁、野村修也＝奥村健志編著『令和元年改正会社法――改正の経緯とポイント』(有斐閣、2021）29頁、塚本＝中川・前掲(5)書75頁、藤田ほか・前掲(21)論文53～54頁〔藤田友敬、田中亘、松井智予の各発言〕、野澤大和「電子提供制度における会社側の主張のみを記載した書面の追加提供の可否」商事2313号（2022）57頁参照。

12-6 株主の書面交付請求権

1　権利の内容と行使要件

株主総会資料の電子提供制度の下では、株主は、大部な株主総会参考書類等について、書面の提供を受けることはなく、電子提供措置がとられているウェブサイトにアクセスしてその内容を確認する必要がある。

もっとも、株主の中には、インターネットに慣れていない者もいるとみられる。そのような株主の利益を保護するため、会社法上、株主には、「書面交付請求権」が認められている。

これは、株主は、会社に対し、電子提供措置事項を記載した書面（電子提供措置事項記載書面。施63条３号ト）の交付を請求することができるというものである（法325条の５第１項）。取締役は、電子提供措置をとる場合には、株主総会の招集通知（アクセス通知）に際し、適法な書面交付請求をした株主に対し、当該株主総会に係る電子提供措置事項記載書面を交付しなければならない（同条２項）。書面交付請求をした株主に対し、電子提供措置事項記載書面が交付されなかった場合は、株主総会の招集手続の法令違反として、当該株主総会の決議の取消事由となる（法831条１項１号）[24]。

適法な書面交付請求とは、当該株主総会に係る議決権行使基準日（法124条１項）が定められている場合には、当該議決権行使基準日までに書面交付請求をしている場合をいう。上場会社では、基本的に、議決権行使基準日が定められるのがきわめて一般的であるため、株主は、電子提供措置事項記載

---

(24)　竹林・前掲(4)書37頁。

書面の交付を受けたい場合は、議決権行使基準日までに書面交付請求を行わなければならない。非上場会社の場合も、少なくとも、電子提供措置をとる旨の定款の定めのある会社では、相応の数の株主がいることが想定され、議決権行使基準日が定められるのが通常であろう。

これに対し、議決権行使基準日が定められていない場合は、株主は、株主総会の招集通知の発出時までに書面交付請求をする必要があると解される(25)。

一度適法にされた書面交付請求は、その後のすべての株主総会および種類株主総会について効力を有すると解される(26)。すなわち、株主は、いったん適法な書面交付請求をすれば、以後、撤回し、または後述の異議申述手続の下で失効しない限り、株主総会のつど、その議決権行使基準日までに書面交付請求をする必要はない。

単元未満株主（単元株式数に満たない数の株式を有する株主。法189条１項）も、書面交付請求をすることができる。もっとも、単元未満株主は、株主総会において議決権を行使することができない（同項）ため、基本的に、株主総会の招集通知を発する必要がない（法299条１項・298条２項本文括弧書）。したがって、この場合には、書面交付請求をした当該単元未満株主に対し、電子提供措置事項記載書面を交付する必要もない(27)。

また、電磁的方法による株主総会の招集通知の発出について承諾（法299条３項）をした株主は、書面交付請求をすることができない（法325条の５第１項括弧書）。当該株主は、インターネットの利用に慣れており、電子提供措置との関係において、類型的に、その利益を保護する必要がないためである。

2　書面交付請求の方法

1で述べたとおり、ある株主総会において電子提供措置事項記載書面の

---

(25)　竹林・前掲(4)書33頁。
(26)　竹林・前掲(4)書38頁。
(27)　竹林・前掲(4)書35頁。

交付を受けたいと考える株主は、当該ある株主総会に係る議決権行使基準日までに書面交付請求をしなければならず、いったんこれを行使すれば、当該ある株主総会だけでなく、それ以後に開催する株主総会についても、電子提供措置事項記載書面の交付を受けることができる。

書面交付請求をする方法は、二とおりある。一つには、①株主名簿に記載された株主が会社（実際上は、株主名簿管理人）に対して直接行う方法である。もう一つは、上場会社（振替株式の発行会社）であることを前提とすると、株主（振替株主）は、必ずしもタイムリーに株主名簿に記載されているわけではないことから、②株主が証券口座を開設している証券会社等（直近上位機関）を経由して会社に対して行う方法である（振替法159条の２第２項）。

これらのいずれの方法による場合であっても、書面交付請求をするにあたり、個別株主通知（振替法154条３項）をする必要はない[28]。書面交付請求権は、株主総会の決議における議決権と密接に関連する権利であり、「少数株主権等」（同法147条４項）に該当しないためである。

また、書面交付請求の方式について、会社法上、特段の定めはないため、書面によるほか、電話等での口頭によることも可能であると解される。もっとも、書面交付請求は、株主総会の招集手続に関する権利であり、その行使の有無を明確にするため、少なくとも①の会社（株主名簿管理人）に対して直接行う場合について、その方式を書面に限定することも考えられる（②の証券会社等を経由して行う場合は、各証券会社等の取扱いに委ねることになろう）。この場合、株式取扱規程においてあらかじめ定めておくことが適切である。株主による書面交付請求の方法および株主が後述の異議申述手続において異議を述べる方法を書面に限定する場合における株式取扱規程の定めの内容については、全国株懇連合会の株式取扱規程モデルにおいて、「会社法第325条の５第１項に規定された株主総会参考書類等の電子提供措置事項を記載した書面の交付の請求（以下「書面交付請求」という）および同条第５項に規定された異議の申述をするときは、書面により行うものとする。ただし、書面交付請求を証券会社等および機構を通じてする場合は、証券会社等および機構

(28)　竹林・前掲(4)書33～34頁。

が定めるところによるものとする。」とされている[29]。

3　電子提供措置事項記載書面への記載を要する事項とその一部省略

1で述べたとおり、取締役は、議決権行使基準日までに書面交付請求をした株主に対し、株主総会の招集通知（アクセス通知）とともに、電子提供措置事項記載書面を交付（送付）しなければならない。アクセス通知の発出期限は、株主総会の開催日の2週間前（法325条の4第1項・299条1項）であるので、電子提供措置事項記載書面の発出期限もこれと同じとなる。

電子提供措置事項記載書面に記載しなければならない事項は、株主総会参考書類等をはじめとする電子提供措置事項のすべてであるのが原則である（法325条の5第2項）。したがって、イメージとしては、書面交付請求をした株主に対しては、株主総会資料の電子提供制度が適用されない株主総会の広義の招集通知と同じ大部な書面を送付しなければならない。

もっとも、WEB開示によるみなし制度のもとで、株主総会参考書類等の一部の情報について、電子提供措置と同様にインターネット上のウェブサイトに掲載することにより株主に提供したものとすることができるところ、WEB開示がされた情報に係る書面交付請求権は、認められていない。このこととの平仄もあって、会社は、電子提供措置事項のうち法務省令で定めるものの全部または一部については電子提供措置事項記載書面に記載することを要しない旨を定款で定めることができることとされている（法325条の5第3項）。すなわち、定款の定めを設けることを条件として、電子提供措置事項記載書面に記載する事項の一部を省略することが認められている。電子提供措置をとる旨の定款の定めのある会社では、少なくとも、当該定款の定めを設けるのがきわめて一般的である。定款の定めの内容は、たとえば、「当会社は、電子提供措置をとる事項のうち法務省令で定めるものの全部または

(29)　全国株懇連合会理事会決定「株主総会資料の電子提供制度に係る株式取扱規程モデルの改正について」（2022年4月8日）〔https://www.kabukon.tokyo/activity/data/study/study_2022_03.pdf〕。

一部について、議決権の基準日までに書面交付請求した株主に対して交付する書面に記載しないことができる。」とすることが考えられる[30]。

電子提供措置事項のそれぞれについて、電子提供措置事項記載書面への記載を省略することができる事項であるかどうかを示したものが、**図表Ⅰ－12－3**である（施95条の4第1項各号）。

電子提供措置事項記載書面から省略することができる事項については、2022年12月26日公布・施行の「会社法施行規則等の一部を改正する省令」（法務省令第43号）により拡大されている。なお、当該改正省令では、WEB開示によるみなし提供が認められる事項も拡大されており、WEB開示によるみなし提供が認められる事項の範囲と電子提供措置事項記載書面から省略することができる事項の範囲は同じである。

当該改正の結果、単体および連結の計算書類に記載すべき事項については、いずれも、（連結）貸借対照表および（連結）損益計算書を含め、すべて、電子提供措置事項記載書面からの省略が可能である。単体の計算書類に係る監査役等の監査報告および会計監査人の会計監査報告に記載すべき事項も、省略が可能である（なお、連結計算書類に係る監査役等の監査報告および会計監査人の会計監査報告は、そもそも電子提供措置の対象でない（法325条の3第1項6号・444条6項参照））[31]。

また、事業報告に記載すべき事項についても、省略することができる事項が大幅に増えるとともに、事業報告に係る監査役等の監査報告も省略が可能である[32]。これにより、事業報告に記載すべき事項のうち、電子提供措置事項記載書面から省略することが「できない」事項は、(i)重要な資金調達、設備投資、事業の譲渡、吸収分割または新設分割、他の会社の事業の譲受け、合併等についての状況（施120条1項5号）、(ii)重要な親会社および子会社の状況（同項7号）、(iii)会社役員の氏名（同規則121条1号）、(iv)会社役員の地位および担当（同条2号）ならびに(v)会社役員の報酬等に関する事項（同条4

(30)　全国株懇連合会・前掲(3)決定。
(31)　法務省民事局参事官室「『会社法施行規則等の一部を改正する省令案』に関する意見募集の結果について」（2022年12月26日）第3・1③（2～3頁）。
(32)　法務省民事局参事官室・前掲(31)文書第3・1③（2～3頁）。

号～６号の３）のみである（施95条の４第１項２号イ）。

以上をまとめると、電子提供措置事項である株主総会参考書類等に記載すべき事項のうち、電子提供措置事項記載書面から省略することができない事項は、株主総会参考書類に記載すべき事項のうちの議案および事業報告に記載すべき事項の一部（上記(i)～(v)の事項）のみである。

そして、上記定款の定めの下で、実際に、電子提供措置事項記載書面に記載する事項を一部省略する場合において、当該事項が株主総会参考書類に記載すべき事項であるときは、**12－３**のとおり、取締役会において当該株主総会の招集を決定するにあたり、併せて、当該省略する事項も決定しなければならない（施63条３号ト）。施行規則上は、株主総会参考書類に記載すべき事項の一部について、電子提供措置事項記載書面への記載を省略する場合に、取締役会の決定が必要とされているが、実務上は、それ以外の事業報告および（連結）計算書類に記載すべき事項の一部を省略することについても併せて取締役会の決議を経ておくことも考えられる。

電子提供措置事項記載書面への記載を省略する事項についての取締役会の決議は、当該省略を決定する最初の取締役会において、当該株主総会以後に開催する株主総会にも適用する旨を定めておけば、省略する事項を変更しない限りは、株主総会のつど、当該決議を行う必要はないと考えられる。

ただし、事業報告または計算書類もしくは連結計算書類に記載された事項のうち、電子提供措置事項記載書面への記載を省略することができる事項の全部または一部を実際に省略する場合において、監査役、監査等委員会もしくは監査委員会または会計監査人が、電子提供措置事項記載書面に記載された事項が監査報告または会計監査報告を作成するに際して監査をした事業報告等に記載された事項の一部である旨を株主に対して通知すべきことを取締役に請求したときは、取締役は、その旨を、電子提供措置事項記載書面の交付を受ける株主に対して通知しなければならない（施95条の４第２項各号）。WEB 開示によるみなし提供制度についても同様の規律が設けられている（施133条５項、計133条６項・134条７項（改正前の同条６項））が、同制度では、監査役等からの請求の有無にかかわらず、株主総会の招集通知に、監査をした事業報告等の一部である旨が記載されるのが一般的である。そこで、株主総会資料の電子提供制度の下でも、電子提供措置事項記載書面への記載を一部省略する場合には、監査役等からの請求の有無にかかわらず、監査をした事業報告等の一部である旨を電子提供措置事項記載書面等に記載することが考えられる。

図表Ⅰ－12－3

電子提供措置事項	電子提供措置事項記載書面への記載の省略の可否 ○：省略可能 ×：省略不可
1．会社法298条1項各号に掲げる事項（法325条の3第1項1号）	×
2．書面による議決権行使を認める場合において議決権行使書面に記載すべき事項（法325条の3第1項2号）	× （ただし、議決権行使書面に記載すべき事項について電子提供措置をとらず、議決権行使書面を株主に交付する場合を除く）
3．株主総会参考書類に記載すべき事項（法325条の3第1項2号・3号）	
①　議案（施73条1項1号・95条の4第1項1号イ）	×
②　提案の理由（施73条1項2号）	○
③　監査役等が議案について報告をすべき場合（法384条等）における報告の内容の概要（施73条1項3号）	○
④　株主の議決権行使について参考となる事項（施73条2項）	○
⑤　電子提供措置事項記載書面に記載しないことについて監査役等が異議を述べている事項（施95条の4第1項1号ロ）	×
⑥　上記以外の事項	○

4．会社法437条に規定する事業報告に記載・記録すべき事項（法325条の3第1項5号）	
①　会社の状況に関する重要な事項（施118条1号）	○
②　内部統制システムの整備についての取締役会の決議の内容の概要およびその運用状況の概要（施118条2号）	○
③　会社の財務および事業の方針の決定を支配する者のあり方に関する基本方針に関する事項（施118条3号）	○
④　特定完全子会社に関する事項（施118条4号）	○
⑤　親会社等との間の取引に関する事項（施118条5号）	○
⑥　会社の現況に関する以下の事項（公開会社に限る。施119条1号）	
(1)　主要な事業内容（施120条1項1号）	○
(2)　主要な営業所・工場および使用人の状況（施120条1項2号）	○
(3)　主要な借入先および借入額（施120条1項3号）	○
(4)　事業の経過およびその成果（施120条1項4号）	○
(5)　重要な資金調達、設備投資、事業の譲渡、吸収分割または新設分割、他の会社の事業の譲受け、合併等についての状況（施120条1項5号）	×
(6)　直前3事業年度の財産および損益の状況（施120条1項6号）	○
(7)　重要な親会社および子会社の状況（施120条1項7号）	×
(8)　対処すべき課題（施120条1項8号）	○

(9) その他会社の現況に関する重要な事項（施120条1項9号）	○
⑦ 会社役員に関する以下の事項（公開会社に限る。施119条2号）	
(1) 会社役員の氏名（施121条1号）	×
(2) 会社役員の地位および担当（施121条2号）	×
(3) 会社役員と会社との間の責任限定契約の内容の概要（施121条3号）	○
(4) 会社役員と会社との間の補償契約に関する事項（施121条3号の2～3号の4）	○
(5) 会社役員の報酬等に関する事項（施121条4号～6号の3）	×
(6) 辞任した会社役員または解任された会社役員に関する事項（施121条7号）	○
(7) 当該事業年度に係る当該会社の会社役員の重要な兼職の状況（施121条8号）	○
(8) 財務および会計に関する相当程度の知見を有している監査役等についての事実（施121条9号）	○
(9) 常勤の監査等委員または監査委員に関する事実（施121条10号）	○
(10) その他会社役員に関する重要な事項（施121条11号）	○
⑧ 役員等賠償責任保険契約（D&O保険契約）に関する事項（公開会社に限る。施119条2号の2・121条の2）	○
⑨ 株式に関する事項（公開会社に限る。施119条3号・122条）	○
⑩ 新株予約権等に関する事項（公開会社に限る。施119条4号・123条）	○
⑪ 社外役員等に関する事項（公開会社に限る。施119条2号・124条）	○

⑫　会計参与に関する以下の事項	
(1)　会計参与と会社との間の責任限定契約の内容の概要（施125条１号）	○
(2)　会計参与と会社との間の補償契約に関する事項（施125条２号～４号）	○
⑬　会計監査人に関する以下の事項	
(1)　会計監査人の氏名または名称（施126条１号）	○
(2)　会計監査人の報酬等に関する事項（施126条２号）	○
(3)　非監査業務の内容（施126条３号）	○
(4)　会計監査人の解任または不再任の決定の方針（施126条４号）	○
(5)　会計監査人の業務停止処分に関する事項（施126条５号・６号）	○
(6)　会計監査人と会社との間の責任限定契約の内容の概要（施126条７号）	○
(7)　会計監査人と会社との間の補償契約に関する事項（施126条７号の２～７号の４）	○
(8)　会社が有価証券報告書の提出義務を負う大会社である場合において、会計監査人である公認会計士または監査法人に当該会社およびその子会社が支払うべき金銭その他の財産上の利益の合計額等（施126条８号）	○
(9)　辞任した会計監査人または解任された会計監査人に関する事項（施126条９号）	○
(10)　剰余金の配当に関する方針（施126条10号）	○
⑭　監査役等の監査報告	○
⑮　電子提供措置事項記載書面に記載しないことについて監査役等が異議を述べている事項（施95条の４第１項２号ロ）	×

5．会社法437条に規定する計算書類に記載・記録すべき事項（法325条の３第１項５号）	
①　貸借対照表	○
②　損益計算書	○
③　株主資本等変動計算書	○
④　個別注記表	○
⑤　会計監査人の会計監査報告および監査役等の監査報告	○
6．会社法444条６項に規定する連結計算書類に記載・記録すべき事項（法325条の３第１項６号）	
①　連結貸借対照表	○
②　連結損益計算書	○
③　連結株主資本等変動計算書	○
④　連結注記表	○
⑤　会計監査人の会計監査報告および監査役等の監査報告	○ （そもそも株主総会の招集通知に際しての提供は任意であり、電子提供措置事項でなく、電子提供措置事項記載書面に記載することを要しない（計134条３項、法務省民事局参事官室・前掲⒅第３・１⑾⑦（56頁）））
7．株主の議案要領通知請求があった場合における当該議案の要領（法325条の３第１項４号）	×
8．電子提供措置事項を修正した旨および修正前の事項（法325条の３第１項７号）	×

4　電子提供措置事項記載書面の交付の実務対応

前述のとおり、電子提供措置事項記載書面は、株主総会の招集通知（アクセス通知）に際して、書面交付請求をした株主に対して交付しなければならない（法325条の5第2項）。すなわち、アクセス通知に電子提供措置事項記載書面を同封して、書面交付請求をした株主に対して送付するということである。

ここで、電子提供措置事項記載書面に記載する事項の一部について、定款の定めに基づき、その記載を省略するかどうかが一つの判断事項となる。

電子提供措置事項記載書面に記載する事項の一部を省略するとした場合は、電子提供措置事項に係る電子ファイルとは別に、電子提供措置事項記載書面のためのデータを作成する必要があることとなる。

このような手間を考慮したうえで、たとえば、書面交付請求をした株主の数が多くない場合は、電子提供措置事項記載書面に記載する事項の一部を省略することはせず、電子提供措置としてウェブサイトに掲載するPDFファイル（電子提供措置事項に係る電子ファイル）をそのままプリントアウトして電子提供措置事項記載書面を作成し、書面交付請求をした株主に送付することが考えられる。

これに対し、やはり電子提供措置事項記載書面に記載する事項の一部を省略する場合は、たとえば、従前のWEB開示によるみなし提供を行う場合と同様に、①電子提供措置事項記載書面に記載する事項に係るファイルと、②電子提供措置事項記載書面からその記載を省略する事項に係るファイルとを作成し、これらの①および②のファイルをもって、電子提供措置事項に係るファイルとし、①および②の双方をウェブサイトに掲載して電子提供措置事項に係る情報について電子提供措置をとるとともに、書面交付請求をした株主に対しては、①のファイルをプリントアウトしたものを電子提供措置事項記載書面として交付することが考えられる。

5 異議申述手続

書面交付請求は、前述のとおり、いったん適法に行使されれば、その後撤回され、または以下に述べる異議申述手続の下で失効しない限りは、その直後に到来する議決権行使基準日に係る株主総会だけでなく、それ以後に開催される株主総会についても行使されたこととなる。すなわち、株主は、株主総会のつど、その議決権行使基準日までに書面交付請求権を行使する必要はなく、ある議決権行使基準日までに1度行使しさえすれば、以後、すべての株主総会について電子提供措置事項記載書面の交付を受けることができる。

他方で、株主の中には、書面交付請求をしたものの、その後、電子提供措置事項記載書面の交付を受ける必要がなくなった者がいることが想定される。書面交付請求をした株主が累積的に増加しうる中で、そのような株主にまで引き続き電子提供措置事項記載書面が交付されるのは適切でない。そこで、書面交付請求をした株主の数を減らすための措置が会社に認められている。これが、会社法325条の5第4項に定める異議申述手続である。

会社は、株主の行った書面交付請求の日から1年を経過したときは、当該株主に対し、電子提供措置事項記載書面の交付を終了する旨を通知し、かつ、これに異議のある場合には、1ヵ月を下らない一定の期間（催告期間）内に異議を述べるべき旨を催告することができる（法325条の5第4項）。実務上は、会社法上最短のちょうど1ヵ月を催告期間として設定することになろう。また、書面交付請求の日から1年の経過という要件は、異議申述手続において次に述べる異議を述べた株主については、当該異議を述べた日から1年の経過とされている。

そして、当該通知および催告を受けた株主が催告期間内に異議を述べたときは、書面交付請求は、引き続き効力を有する（法325条の5第5項ただし書）。これに対し、当該通知および催告を受けた株主が催告期間内に異議を述べなければ、当該株主がした書面交付請求は、催告期間を経過した時にその効力を失う（同項本文）。すなわち、以後は、当該通知および催告を受けた株主のうち、催告期間内に異議を述べた株主に対してのみ、電子提供措置事項記載書面を交付すれば足りる（書面交付請求をした株主のうち、当該通知及び催告の対象とならなかったものについても、当然ながら、引き続き、電子提供措置事項記載書面を交付しなければならない)。

なお、催告期間内に異議を述べなかったために書面交付請求が失効した株主は、書面交付請求を行う権利自体を失うわけではない。すなわち、当該株主は、あらためて、議決権行使基準日までに書面交付請求をすることにより、当該議決権行使基準日に係る株主総会（およびそれ以後の株主総会）について、電子提供措置事項記載書面の交付を受けることができる。

会社が通知および異議催告を行う方式は、法定されていないため、口頭でもよいと考えられるが、実務的には、書面により行うことになると考えられる。

また、通知および異議催告を受けた株主が催告期間内に異議を述べる方式も、法定されていない。もっとも、この点は、書面交付請求の方式と同様に、異議が述べられたかどうかの事実を明確にするため、異議申述の方式を書面に限定することが考えられる。そして、この場合は、株式取扱規程においてその旨を定めておくことが適切である（■2参照)。

異議申述手続は、毎年行う必要があるわけではない。書面交付請求をした株主がある程度の人数に達してから行うことが考えられる。

また、書面交付請求または異議申述をしてから1年を経過した株主の全員に対して行う必要はなく、書面交付請求をした株主のうち、特定の株主に対してのみ行うことも可能であると解される。この点について、株主によって、書面交付請求をした日または前回の異議申述手続において異議を述べた日からどの程度の期間が経過しているかは区々である。そこで、書面交付請求または異議申述をしてから一定の期間（たとえば、5年間）以上が経過した株主について、順次、異議申述手続を行うことも考えられる。他方で、会社としては、そのような株主を選り分けて手続を行うことは煩雑であろうから、会社法に定めるとおり、書面交付請求または異議申述をしてから1年以上が経過した株主に対し、まとめて異議申述手続を行うことも実務上は考えられる。このほか、議決権数・割合の少ない株主や過去の株主総会において議決権を行使しなかった株主に対して、異議申述手続を行うことも考えられる。

異議申述手続を行うタイミングとしては、通知および異議催告に係る書面をアクセス通知に同封して送るか、または株主通信等の年間を通じて株主に対して書面で送付する文書があればそれに同封して送ることが会社にとって便宜的である。通知および異議催告に係る書面をアクセス通知に同封する場合のスケジュールについて、３月決算の上場会社を前提とすると、まず、X年において、株主は、議決権行使基準日であるX年３月末日までに書面交付請求をする必要がある。会社は、X年６月に開催する定時株主総会については、書面交付請求をした当該株主に対し、アクセス通知とともに電子提供措置事項記載書面を交付する必要がある。会社は、当該株主について、当該書面交付請求をした日（遅くともX年３月末日）から１年を経過したときに、異議申述手続をとることができる。そこで、当該１年が経過した、翌年のX＋１年６月に開催する定時株主総会のアクセス通知に、電子提供措置事項記載書面とともに通知および異議催告に係る書面を同封する。この場合に、催告期間が１ヵ月とされていると、当該アクセス通知の受領日から１ヵ月以内に当該株主が異議を述べなければ、当該株主の書面交付請求が失効することになる。会社は、翌年のX＋２年６月に開催する定時株主総会において、書面交付請求が失効した当該株主に対し、書面を交付することを要しない。

もっとも、株主は、いったん書面交付請求が失効した場合であっても、その後あらためて書面交付請求をすることができる。したがって、当該株主が議決権行使基準日であるX＋２年３月末日までにあらためて書面交付請求をした場合は、会社は、X＋２年６月に開催する定時株主総会の招集通知に際し、当該株主に対し、書面を交付する必要がある。

以上に対し、当該株主が、上記催告期間の１ヵ月以内に異議を述べた場合は、書面交付請求は失効せず、会社は、引き続き、当該株主に対して電子提供措置事項記載書面を交付しなければならない。会社が当該株主に対して再度異議申述手続をとることができるのは、当該異議を述べた日から１年が経過してからである。たとえば、X＋１年６月開催の定時株主総会のアクセス通知とともに通知および異議催告に係る書面を株主が受領した日がX＋１年６月１日であり、当該株主がそれから１ヵ月以内であるX＋１年６月20日に異議を述べたとすると、当該株主に対して再度異議申述手続をとることができるのは、X＋1年6月20日から1年を経過したときである、X＋2年6月21日以後となる。この場合には、実際上、当該株主に対し、X＋2年6月に開催する定時株主総会のアクセス通知に、通知および異議催告に係る書面を同封することができず（アクセス通知は、株主総会の開催日の2週間前までに発出する必要があるため）、したがって、当該株主に対して再度異議申述手続をとるためには、それよりも後の別のタイミングで通知および異議催告に係る書面を当該株主に対して送付する必要があることに留意する必要がある。

12-7
電子提供措置事項の修正

株主総会参考書類等をはじめとする電子提供措置事項（会社法325条の３第１項１号から６号までに掲げる事項）に関しては、当該事項を修正したときは、その旨および修正前の事項に係る情報について電子提供措置をとらなければならない（同項７号。**図表Ⅰ－12－１の⑪**）。これは、電子提供措置事項を修正することができることを前提とするものである。この点について、株主総会資料の電子提供制度の施行前の実務では、株主総会参考書類等について、株主総会の招集通知を発出した日から株主総会の開催日の前日までの間に修正をすべき事情が生じた場合における修正後の事項を株主に周知させる方法（施65条３項・133条６項、計133条７項・134条８項（同制度の施行前の同条７項））として、いわゆるWEB修正の方法、すなわち、修正後の内容をウェブサイトに掲載する方法が定められていたことをふまえたものであるとされている[(33)]。

電子提供措置事項の修正の方法も、実務上は、修正後の内容をウェブサイトに掲載するWEB修正の方法によることとなると考えられる[(34)]。そして、このような修正後の内容をウェブサイトに掲載する（電子提供措置をとる）とともに、会社法325条の３第１項７号に基づき、修正した旨および修正前の事項に係る情報について電子提供措置をとらなければならない[(35)]。実務上は、電子提供措置事項の内容を修正後の内容に差し替えたファイルを掲載するとともに、修正の前と後の事項を正誤表のかたちで掲載することが考えら

(33)　竹林・前掲(4)書30頁。

(34)　塚本＝中川・前掲(5)書58頁、坂本佳隆「電子提供制度施行後の上場会社における議案の修正等の可否と限界」商事2294号（2022）77頁。

(35)　会社法325条の３第１項７号の規定により電子提供措置事項が修正されたことは、電子提供措置事項の「改変されたこと」に該当せず、後述する電子提供措置の「中断」は生じないものとされている（法325条の６柱書括弧書）。

れる。

電子提供措置事項の修正が認められる範囲は、基本的には、WEB修正が認められる範囲、すなわち、誤記の修正または電子提供措置の開始後に生じた事情に基づくやむをえない修正等であって、内容の実質的な変更とならないものに限られるのが原則であると考えられる(36)。そうすると、たとえば、役員の選任議案における候補者の交代といった議案（株主総会参考書類）の内容の実質的な変更となる修正は、電子提供措置事項の修正の手続によっても行えないのが原則である。

他方で、株主総会資料の電子提供制度が適用されない株主総会については、株主総会の招集通知の発出期限である株主総会の開催日の2週間前までに修正後の内容を反映した招集通知を再度株主に対して送付することにより、役員の選任議案における候補者の交代のような内容の実質的な変更も認められうると解されている(37)。そうすると、電子提供措置について、少なくとも、法定の開始期限（定時株主総会の開催日の3週間前の日または株主総会の招集通知の発出日のいずれか早い日）よりも早くこれを開始している場合は、当該法定の開始期限までであれば、当該電子提供措置の開始後、電子提供措置事項の内容の実質的な変更となる修正をすることも認められると解するべきである(38)（**13－3**も参照）。

なお、電子提供措置事項を修正した場合には、その旨および修正前の事項に係る情報について電子提供措置をとることになるが、さらに、書面交付請求をした株主に交付する電子提供措置事項記載書面にもこれらの事項を記載することを要する（修正した旨および修正前の事項も、電子提供措置事項の一部であるため）。株主総会の招集通知（アクセス通知）とともに電子提供措置事項記載書面を株主に送付した後に、電子提供措置事項を修正した場合に、当該修正のつど、修正した旨および修正前の事項を記載した書面を当該株主に交付しなければならないかが問題となる。この点については、株主総会参考

(36)　竹林・前掲(4)書30頁。

(37)　商事法務編著『ハンドブックシリーズ①　株主総会』（商事法務、2002）150頁、久保利英明＝中西敏和『新しい株主総会のすべて〔改訂2版〕』（商事法務、2010）339頁。

(38)　邉・前掲(23)論文212頁、塚本＝中川・前掲(5)書60頁、坂本・前掲(34)論文81頁。

書類等を修正すべき事情が生じた場合における修正後の事項を株主に周知させる方法を、ウェブサイトに掲載する方法と定め、株主総会の招集通知と併せてこれを株主に通知していたときであって、当該方法によって修正するときは、別途、書面交付請求をした株主に対し、電子提供措置事項を修正した旨および修正前の事項を記載した書面を交付することを要しないと解されている[(39)]。すなわち、この場合は、アクセス通知の発出時までに修正した事項について、電子提供措置事項を修正した旨および修正前の事項を電子提供措置事項記載書面に記載すればたりることとなる。

---

(39)　竹林・前掲(4)書30～31頁。

12-8 電子提供措置の中断とそれへの対応

電子提供措置は、電子提供措置開始日（株主総会の日の３週間前の日またはアクセス通知を発した日のいずれか早い日をいう。法325条の３第１項柱書）から株主総会の開催日後３か月を経過する日までの間（電子提供措置期間。同柱書）、継続してとらなければならない（同柱書）。

このように一定期間継続して電子提供措置をとる必要があるところ、通信障害等により電子提供措置がとられているウェブサイトにアクセスすることができなくなるなどの事態が生ずることが想定される。そのような場合に、常に、電子提供措置が無効となり、株主総会の招集手続に瑕疵があり、株主総会の決議に取消事由があるものとされてしまっては、会社にとって非常に酷である。そこで、会社法325条の６は、電子提供措置期間中に電子提供措置の「中断」が生じた場合において、一定の要件を満たすときは、当該電子提供措置の中断が当該電子提供措置の効力に影響を及ぼさないものとし、電子提供措置の中断に対する救済を設けている。

まず、「中断」とは、(i)株主が提供を受けることができる状態に置かれた情報がその状態に置かれないこととなったことまたは(ii)当該情報がその状態に置かれた後改変されたこと（会社法325条の３第１項７号の規定により電子提供措置事項が修正されたことを除く）をいう（法325条の６柱書括弧書）。要するに、サーバのダウン等により、ウェブサイト上の電子提供措置を閲覧することができなくなることや、ハッキング等により電子提供措置に係る情報の内容が改ざんされることが、会社法上の「中断」である。

なお、**12－2■1**のとおり、複数のウェブサイトにおいて電子提供措置をとることも許容され、この場合には、電子提供措置をとるすべてのウェブサイトのURLを株主総会の招集通知（アクセス通知）に記載する必要がある。

そして、このように電子提供措置をとるウェブサイトが複数ある場合には、いずれかのウェブサイトにおいて通信障害等が生じ、閲覧することができなくなっても、残りのウェブサイトにおいて引き続き閲覧が可能であれば、「中断」は生じていないと解される[40]。

次に、電子提供措置の「中断」が生じたにもかかわらず、それが当該電子提供措置の効力に影響を及ぼさないものとして、その救済が認められるための一定の要件とは、以下のいずれにも該当することをいう。電子提供措置については、調査機関による調査を受ける必要はない。そのため、特に下記②および③の要件との関係で、会社において独自に、ウェブサイトのログを保存し、これらの要件を満たすことについての証拠を残しておくことが適切である。

①	電子提供措置の中断が生ずることにつき会社が善意でかつ重大な過失がないことまたは会社に正当な事由があること
②	電子提供措置の中断が生じた時間の合計が電子提供措置期間の10分の１を超えないこと
③	電子提供措置開始日から株主総会の開催日までの期間中に電子提供措置の中断が生じたときは、当該期間中に電子提供措置の中断が生じた時間の合計が当該期間の10分の１を超えないこと
④	会社が電子提供措置の中断が生じたことを知った後すみやかに、以下の事項について当該電子提供措置に付して電子提供措置をとったこと (i)　電子提供措置の中断が生じた旨 (ii)　電子提供措置の中断が生じた時間 (iii)　電子提供措置の中断の内容

これらの要件については、電子公告の中断に対する救済が認められるための要件（法940条３項各号）に関する解釈が参考となる。

---

(40)「中断」の定義のうち、本文の(ii)の情報の改変については、複数のウェブサイトで電子提供措置をとっており、いずれか１つのウェブサイトにおいて改変がされたものの、残りのウェブサイトにおいては改変がされていないという場合であっても、株主総会の招集手続の瑕疵があるとされる可能性を指摘するものとして、藤田ほか・前掲(21)論文58～60頁〔藤田友敬発言〕、渡辺邦広ほか「株主総会資料電子提供制度の実務対応 Q&A (4)各論３」商事2306号（2022）50～52頁（Q23）参照。

上記①の要件の「正当な事由」とは、たとえば、ハッキングにより閲覧が不可能となった場合や、電子提供措置をとるサーバのメンテナンスによって閲覧が一時的に停止された場合が、これに該当すると考えられる。もっとも、上記③の要件との関係で、後述のとおり、メンテナンス期間が電子提供措置開始日から株主総会の開催日までの期間中に２日程度に及ぶと、当該③の要件を満たさなくなる。そのため、可能であれば、当該期間中のメンテナンスは避けたほうがよいであろう。

上記③の要件については、電子提供措置開始日、すなわち、株主総会の日の３週間前の日またはアクセス通知を発した日のいずれか早い日から株主総会の開催日までの期間中、すなわち、株主総会の開催前までの期間における電子提供措置の中断については、当該期間中の中断時間が当該期間の10分の１を超えない必要がある。電子提供措置を株主総会の日の３週間前よりも早く開始していても、アクセス通知を株主総会の日の３週間前よりも早く開始していない限りは、株主総会の日の３週間前の日から株主総会の開催日までの期間を基礎として、当該期間中の中断時間が当該期間の10分の１を超えていない必要がある。つまり、当該期間中に２日間程度の中断が生じてしまうと、当該要件に抵触してしまうことに留意する必要がある。

上記④の要件は、電子提供措置をとっているウェブサイトのページと同じページに、当該電子提供措置に付加するかたちで、中断が生じた旨等について電子提供措置をとるものである。中断の解消前に中断が生じたことを知った場合は、その解消後すみやかに当該付加的な電子提供措置をとり、また、中断の解消後に中断が生じたことを知った場合には、当該知った後すみやかに当該付加的な電子提供措置をとることになる。付加的な電子提供措置の内容は、たとえば、以下のとおりである。

> ○年○月○日午前○時○分から同日午後○時○分までの間、当社サーバメンテナンスのため、電子提供措置の中断が生じました。

以上に対し、これらの要件のいずれかでも満たさない場合は、電子提供措置が無効となり、株主総会の招集手続の瑕疵となるのが原則である。

もっとも、電子提供措置期間のうち、株主総会の開催日後の期間は、株主総会の招集手続そのものではない。当該期間は、あくまでも、電子提供措置事項に係る情報が、株主総会の決議の取消しの訴え等における証拠等として使用されうることから、当該訴えの提訴期間（法831条1項）を経過する日までの間、電子提供措置をとることが求められているにすぎない。したがって、電子提供措置期間中の電子提供措置の中断が、株主総会の開催日後の期間のみに生じた場合は、当該中断が生じた時間の合計が電子提供措置期間の10分の1を超えているかどうか（上記②の要件）にかかわらず、当該電子提供措置の効力に影響が生じないと解される[41]。

これに対し、電子提供措置の中断が、電子提供措置期間中に、株主総会の開催日後だけでなく、開催日前にも生じていた場合には、当該電子提供措置の中断時間の合計が電子提供措置期間の10分の1を超えてしまっていると、上記②の要件を満たさないこととなり、当該電子提供措置が無効となる。

なお、電子提供措置の中断が生じ、上記①～④の要件のすべてを満たさないことにより、当該電子提供措置が無効となる場合であっても、具体的な事情によっては、株主総会の決議の取消しの訴えにおいて、いわゆる裁量棄却（法831条2項）となるケースもあると考えられる。

---

(41)　竹林・前掲(4)書42頁。

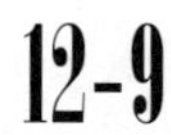

12-9 種類株主総会における電子提供措置

電子提供措置をとる旨の定款の定めのある会社では、株主総会だけでなく、種類株主総会についても、電子提供措置をとらなければならない（法325条の2柱書。定款の定めとして、株主総会についてのみ電子提供措置をとる旨を定めることはできない）。

それを前提に、会社法325条の7は、株主総会資料の電子提供制度に関する同法325条の3から325条の6までの規定（一部の規定を除く）を、種類株主総会に準用している。

なお、EDINETの利用による電子提供措置の例外は、定時株主総会に係る電子提供措置事項についてのみ認められ、種類株主総会については認められない（会社法325条の7における、同法325条の3第3項の準用除外）。

また、書面交付請求は、いったん行われれば、株主総会のみならず、種類株主総会についても効力を有し（法325条の5第1項括弧書参照）、また、異議申述手続の下で失効すれば、再度行われない限り、その後に開催される株主総会および種類株主総会において電子提供措置事項記載書面を交付する必要はなくなる。

第Ⅰ編

第13章

招集の撤回・延期、議案の修正・撤回等

13-1 招集の撤回または延期

招集の通知をした後に、招集を撤回または延期することは差し支えない。この場合、招集の手続に準じて、招集権者である取締役会の決議に基づき[(1)]、すべての株主に通知し、これが当初通知された会日の前に到達すること[(2)]を要する。このような手続をとる限り、正当な理由なく撤回・延期をした場合でも、取締役の責任の問題が生ずることがありえても、撤回または延期の効力は左右されない。

なお、計算書類作成の遅延等の事情から３月決算会社が７月に株主総会を延期することについて会社法上の制約はない。会社法は毎事業年度の終了後一定の時期に招集しなければならないと規定するのみであり、事業年度終了後３ヵ月以内に必ず定時株主総会を招集しなければならないとの規定は存在していない[(3)]。定款に「毎年６月」あるいは「毎事業年度終了後３ヵ月以内」に定時株主総会を開催しなければならないとの規定がある場合でも、天災等のようなきわめて特殊な事情によりその時期に定時株主総会を開催することができない状況が生じた場合にまで形式的・画一的に適用してその時期に定

---

(1)　取締役会決議を経ずに代表取締役が撤回または延期を全株主に通知した場合について、大隅健一郎＝今井宏『会社法論中巻〔第３版〕』（有斐閣、1992）31頁は、代表取締役から通知を受けた株主は有効に撤回・延期されたものと考えるからその効力を否定すべきではないとしつつ、取締役会決議がないとの事情を知る株主が撤回は無効であると考えて当初予定されていた日時に株主総会を開催した場合、その決議は、特段の事情がない限り、法律上当然無効とすることは適当ではなく、決議取消の原因が生じうるものと考えるべきとされる。小規模閉鎖会社の内紛関連で生じうる事態であり、個別事情により原則例外が判断されることになる。

(2)　取締役会決議に基づく撤回通知が会日まで株主の全部または一部に届かずに当初の会日に開催した株主総会の決議の効力について大隅＝今井・前掲(1)書31頁（有効）。前掲(1)同様、個別事情（到達割合等）によって判断されるべきである。

(3)　河合芳光「定時株主総会の開催時期に関する法務省令のお知らせについて」商事1928号（2011）４頁参照。

時株主総会を開催しなければならないとする趣旨ではないと考えるのが合理的である[4]。ただし、議決権行使基準日から３ヵ月を超えて株主総会を開催する場合は、あらためて基準日を設定することが必要であることに留意する必要がある。

株主総会が成立後、別の会日に変更する会社法317条の延期（延会）については、同条の続行（継続会）と併せて**第23章**参照。

---

(4)　河合・前掲(3)論文５頁参照。この場合、任期の末日が定時株主総会の終結の時までとされる役員の任期については、定時株主総会を開催することができない状況が解消された後合理的期間内に開催された定時株主総会終結の時までとされる。コロナウィルス感染症を踏まえて公表された法務省「商業・法人登記事務に関する Q&A」(2020年５月28日）Q1〔https://www.moj.go.jp/hisho/kouhou/hisho06_00076.html〕参照。

13-2 会場または開始時刻の変更

株主総会の会場や開会時刻は、会日と同様に株主の出席の機会を確保するうえで重要な要素であるから、会日の変更と同様に正当な理由なしに恣意的に変更することは許されない。

しかし、招集通知発送後に予定された会場の使用が不可能になった、株主総会の直前に出席株主数が予想以上に増加したなどの事情により会場の変更を余儀なくされる場合が生じうる。また、こうした会場の変更に伴い、またはその他の理由（交通機関の大幅遅延や途絶など）により開始時刻を遅らせざるをえない場合も生じうる。こうした場合、その旨を会社のホームページ等で株主に周知徹底し、それぞれの事態に応じて、株主の出席を確保する万全の措置を講ずるのであれば、会場の変更や開始時刻の変更は有効なものと考えられる[(5)]。

このことは株主総会当日であっても同様である。当日、会場を変更する場合には、予定された会場に案内係を置き、新会場に株主をきちんと誘導し、その出席をきちんと確保できるようにする手だてを講じる。こうした臨機応変な対応は取締役会の決定を得るまでもなく、当初の取締役会の決議の合理的な解釈により代表取締役の判断で行いうることが多いであろう[(6)]。

ただし、いったん開会宣言をした後に突発的事情により会日の延期を決定

---

(5)　広島高松江支判昭和36・3・20下民集12巻3号569頁、山口幸五郎「株主総会の議事」大隅健一郎編『株主総会』（商事法務研究会、1969）92頁。

(6)　大阪地決令和2・4・22資料版商事435号143頁はコロナウィルス流行下で招集通知発送後に会場としたホテルが使用不能となり、株主総会の日の8日前に代表取締役社長がその判断で取締役会決議を経ることなく会場を変更し開催時刻を30分繰り下げることとし、会社のHPで告知した事案であるが、当初の取締役会決議の合理的解釈によりに代表取締役限りで株主総会の日時・場所を変更することの可否を判断するとして、変更を是認した。

する場合には、総会場における多数株主の同意により行うのが適当である(7)。開始時刻を長時間遅らせる場合、それにより出席できない株主も出てくることから、いったん開会宣言を行い、総会場に諮ったうえで遅らせるのが適切であるとされるが(8)、株主を収容できないので急遽会場を変更することとなって時刻を繰り下げるといった場合、開会宣言をすることは事実上困難であり、会社が誠実に株主に説明して、その出席に万全の措置をとるのであれば、開会時刻の繰下げは有効になしうると解すべきであろう。２時間以上遅延する場合は延会の決議か再度の招集を要するとの見解(9)もあるが、会社および株主双方にとってやむをえない外的事情による場合、一律の基準で決定することは必ずしも合理的でない場合もあろう(10)。

他方、事前通知することなく開催時刻を繰り上げることは株主の参加を不意打ちにより妨げるものであり、許容されない。

(7)　今井宏『株主総会の理論』（有斐閣、1987）109頁。
(8)　水戸地下妻支判昭和35・９・30下民集11巻９号2043頁・判時238号29頁。
(9)　東京弁護士会会社法部編『新・株主総会ガイドライン〔第２版〕』（商事法務、2015）５頁。
(10)　菊地伸「震災時の株主総会準備・運営に関するQ&A」商事1930号（2011）40頁注16。

議案の修正・撤回

公開会社である取締役会設置会社においては招集通知を発送した後に、新しい議題を追加する場合や議案を修正する場合[11]、取締役会決議により決定したうえで、招集通知に株主総会の目的事項を追加・修正する必要がある。追加・修正した通知は会社法所定の期間内（２週間）に発送することを要し、かつ、電子提供措置がとられない会社においては議案の追加を反映した株主総会参考書類（書面投票制度採用会社または電子投票制度採用会社ではこれに加え賛否欄が追加された議決権行使書）を同期限までに送付・アップロードし、電子提供措置をとる会社においては当該議題に係る株主総会参考書類記載事項等を株主総会の日の３週間前の日までにアップロードする必要がある。この３週間を前提とすると、議題の追加・修正は事実上無理な場合が多いであろう。招集通知に記載している議案の修正、たとえば、取締役候補者の変更や剰余金処分案の変更などを行いたい場合についても同様である[12]。

この必要な手続をとらずに議案の変更は認められない。この場合の対策として、交代後の議案が採決されるのは大株主の了承を前提とすることから、総会当日に大株主またはその委任を受けた株主が修正動議を提出するという方法が考えられる（議案が修正して決議された場合、決議通知も変更する必要が

⑾　末永敏和「株主総会の招集と議案の変更」商事1121号（1987）２頁参照。

⑿　施行規則65条３項は、株主総会参考書類の記載に印刷ミスその他の事情で誤りがあった場合や株主総会参考書類の発出後の事情変更等があった場合において修正後の事項を株主に周知させる方法を招集通知にあわせて通知できるとする（相澤哲編著『立案担当者による新会社法関係法務省令の解説（別冊商事300号）』（商事法務、2006）15頁）。しかし、事情変更等があった場合の修正が議案の変更まで許容するものとすれば、修正して周知方法を実施することで変更は随時可能ということになり、２週間および３週間の期間を設けた意味がなくなる。実質的な議案の修正まではできないと解される。

あることから、事前に用意しておく必要がある）。

他方、招集通知発送後に取締役候補者が死亡した場合、その取締役候補者の選任議案は当然に失効するものであるから、その限りでの変更は、取締役会決議を必要とせず、また、株主総会前日であっても可能である[13]。

⒀　さらに株主総会での選任決議を条件に就任の内諾を得ていた取締役候補者が就任を固辞するに至った場合、当初の就任内諾を前提として行われた取締役会決議の合理的解釈から再度の取締役会決議を要さず、また、株主総会前日であっても撤回することは可能であると思われる。

第Ⅰ編

第14章

計算書類等の備置

14-1 備置対象の計算書類等

会社法においては、株式会社における利害関係者への情報開示制度の一環として、各種書類の備置ならびに株主等による閲覧・謄写（謄本交付）請求が設けられている。計算書類等についても、会社法442条の定めにより、以下の計算書類等を一定期間本店および支店（支店は写し）に備置すること、ならびに株主・債権者等からの謄抄本交付請求があればこれに応ずることが義務づけられている（**第Ⅱ編第１章１－４**）。

①　各事業年度に係る計算書類（附属明細書含む）および事業報告（附属明細書含む）
②　臨時計算書類
③　①②の書類に係る監査報告または会計監査報告

なお、連結計算書類は備置対象とはなっていない。また上記③に記載の監査報告には、会計監査人の監査報告、監査役会の監査報告に加え、各監査役の監査報告も備置対象となる（監査役会設置会社の前提）との見解もあるため、各監査役の監査報告もあわせて備置しておくことが無難である。

14-2 備置場所および備置期間

計算書類等の備置場所と備置期間については以下の表のとおりである。

対象書類	備置場所（備置期間）
①　各事業年度に係る計算書類および附属明細書（監査報告または会計監査報告含む）、事業報告および附属明細書（監査報告含む）	本店（定時株主総会の２週間前の日から５年間）※ 支店（定時株主総会の２週間前の日から３年間）※
②　臨時計算書類（監査報告または会計監査報告含む）	本店（臨時計算書類を作成した日から５年間） 支店（臨時計算書類を作成した日から３年間）

※　取締役会設置会社の場合。取締役会非設置会社では総会の１週間前の日から開始。

なお、支店における備置については、計算書類等が電磁的記録で作成されている場合であって、支店における閲覧請求もしくは書面等の交付請求に応ずることを可能とするための措置として法務省令で定める措置をとっている場合には、支店への備置は不要となる（法442条２項但書）。

具体的な措置は、施行規則227条で定められており、「会社の使用に係る電子計算機を電気通信回線で接続した電子情報処理組織を使用する方法であって、当該電子計算機に備えられたファイルに記録された情報の内容を電気通信回線を通じて会社の支店において使用される電子計算機に備えられたファイルに当該情報を記録するものによる措置とする」旨の定めがある。いわゆるイントラネットにより、支店がいつでも計算書類等のファイルにアクセスでき、必要に応じて画面での表示またはプリントアウトできるようになっていれば、支店での備置は省略できると考えてよいであろう。

1　閲覧等請求への対応

本店もしくは支店に備置された計算書類等については、株主および債権者は、株式会社の営業時間内は、いつでも閲覧請求ならびに謄抄本等の交付請求を行うことができる（**第Ⅱ編第1章1－4**）。

また、親会社の社員（株主）も、その権利を行使するため必要があるときは、裁判所の許可を得て、当該子会社の計算書類等の閲覧請求ならびに謄抄本等の交付請求を行うことができる（法442条4項）。

閲覧請求ならびに謄抄本等の交付請求は具体的には以下の4つの請求である（法442条3項1号～4号）。

① 計算書類等が書面をもって作成されているときは、当該書面または当該書面の写しの閲覧の請求
② 前号の書面の謄本または抄本の交付の請求
③ 計算書類等が電磁的記録をもって作成されているときは、当該電磁的記録に記録された事項を法務省令で定める方法（電磁的記録の画面での表示もしくはプリントアウト）により表示したものの閲覧の請求
④ 前号の電磁的記録に記録された事項を電磁的方法であって株式会社の定めたもの（電子メールの添付ファイル形式での送信等が想定される）により提供することの請求またはその事項を記載した書面の交付の請求

上記①～④の請求のうち、②または④の請求については、会社の定めた費用を支払うことが必要である（法442条3項ただし書）。しかしながら、濫用的な請求でない限り、計算書類等の謄抄本等の交付請求については、費用を徴収しないケースも多いものと想定される[1]。

(1)　商事法務研究会編『株主総会白書2022年版（商事2312号）』（商事法務研究会、2022）の調査結果によると、謄写請求（謄本交付請求）等があった際に、費用を「原則徴収しない」と回答した会社は412社（21.5％）、「ケース・バイ・ケース」と回答した会社は834社（43.5％）となっている（同白書108頁〔図表81〕）。

2　株券電子化後の計算書類等の閲覧等請求と本人確認

株券電子化の実施により、上場会社の株主が「社債、株式等の振替に関する法律」147条4項で定義されている「少数株主権等（基準日の設定により付与される権利（議決権、配当受領権等）以外の権利）」を会社に対して行使するには、個別株主通知の手続が必要となる（振替法154条2項・3項）。

当該個別株主通知については、会社への対抗要件と解されているため、個別株主通知がなくとも会社の判断により請求を受理することは可能と解されている。

計算書類等の閲覧等請求権も、上記少数株主権等に該当するものと考えられる。そのため、当該請求を行うにあたり、個別株主通知の手続がない場合に、会社は請求を拒絶することも可能であるが、計算書類等に記載された内容は、招集通知の添付書類（株主総会資料電子提供制度下における電子提供措置事項。法325条の3第1項5号）であり、自社のウェブサイトならびに上場会社の場合は取引所のウェブサイトにも掲載され株主以外の者でも閲覧可能であることから、株主本人確認のハードルを高くする必要性は希薄であるように思われる。実務上も計算書類の謄抄本交付請求があった場合には個別株主通知まで求めないケースも少なからずあるようだ。

ただし、附属明細書については、招集通知の添付書類でないことから、原則どおり個別株主通知を求める対応が無難と考えられる[(2)]。

なお、株主が閲覧等請求を行うにあたり、株主は、個別株主通知の手続とともに、会社に対し所定の申込書（請求書）を提出することが求められる（申込書の例は**第Ⅱ編第1章の図表Ⅱ－1－3**参照）。

当該請求書への押印については、株券電子化制度下においては発行会社（株主名簿管理人）で株主の届出印を管理していないため、届出印による本人

(2)　商事法務研究会編・前掲(1)白書の調査結果によると、個別株主通知がなくとも請求に応じた書類として「附属明細書」と回答した会社は107社（17.2%）にとどまっている（同白書107頁〔図表80〕）。

確認は（特別口座の株主の場合を除き）困難である。

そこで、請求者本人であることの確認として、請求書への印鑑登録証明書印の押印の要請や免許証等の本人確認書類の提示を要請する例も多い。ことに、株主名簿や議決権行使書、委任状の閲覧・謄写請求の場合等、個人情報が含まれている場合や機密性の高い情報が含まれている場合等には本人確認を厳格に行うケースも多い。しかし、計算書類等の場合は、個人情報や機密性の高い情報は含まれていないことから、本人確認手続は厳格なものとしない対応も考えられる。

なお、株主総会関係の前後で閲覧・謄写請求等が想定される書類等のうち主なものとして以下の書類等が考えられる。

① 株主総会議事録（総会前は前年のもの、総会後は本年のもの）
② 株主名簿
③ 過去の計算書類
④ 議決権行使書、委任状（閲覧・謄本請求は株主総会の日から３ヵ月以内）
⑤ 附属明細書（計算書類と事業報告）
⑥ 退職慰労金支給規程（内規）
⑦ 有価証券報告書（総会前は前年のもの、総会後は本年のもの）
⑧ 決算短信

上記のうち、⑥、⑦、⑧の書類については、個別株主通知が不要と解される。⑦、⑧は取引所の要請や金融商品取引法の要請で開示が求められているものであり、少数株主権等の射程外と考えられること、⑥も本来は株主総会参考書類に記載すべき事項であるところ、記載の代替手段すなわち「各株主が当該基準を知ることができるようにするための適切な措置」として規程の備置等を行うものであるから、基準日時点の株主に閲覧等の権利があるものと解されるためである。

各書類の閲覧・謄写等請求については、**第Ⅱ編第１章本文**、および同章の**図表Ⅱ－１－１**に取りまとめている。

第Ⅰ編

第15章

事前質問への対応

15-1 事前質問状の法的意味

1　事前質問状の法的効果

株主総会に先立ち質問事項を記載した書面等が提出されることがある。これがいわゆる事前質問状であるが、質問状提出の法的効果は、「調査が必要」という理由で説明を拒否できない効果を発生させるのみである(1)。

すなわち、施行規則71条１項１号に定める説明拒絶事由（説明をするために調査が必要な場合）の例外事由としての「株主総会の日より相当の期間前の質問事項の通知」としての意味を持つにすぎない。

したがって、事前質問状に記載された質問事項が、そもそも会議の目的事項に該当しない等、他の事由により説明拒絶可能であれば、説明義務は生じない。事前質問状に記載された質問にすべて回答しなければならないというわけではないのである。

次に、事前質問状で質問された事項が説明義務のある質問だとしても事前質問状の提出を受けた時点で説明義務（回答義務）が生ずるわけではなく、あくまで総会当日に議場で質問をされない限り、説明義務（回答義務）は生じない(2)。

---

(1)　類似の判決は複数あるが、東京電力事件・東京地判平成４・12・24判時1452号127頁では、「質問書の事前送付の制度は、質問予定事項を事前告知することにより、当該事項につき調査を要することを理由に説明拒絶ができなくなるという効果を生じさせるものであって……、株主総会における質問に代替する書面による質問を認めたものではない」から、株主から質問事項書の事前送付があった場合においても、あらためて総会場で質問しない限り、取締役等の説明義務は生じない旨判示している。

(2)　前掲(1)東京電力事件・東京地判平成４・12・24。

2　「株主総会の日より相当の期間前」の意味

事前質問状は、「株主総会の日より相当の期間前」に提出された場合に、調査を要することを理由に説明を拒むことができないという法的効果を生じさせることになる。「回答に調査を要する」との理由を排斥するためには、一定の調査期間（時間）は当然に与えられるべきであるから、「相当の期間前」の提出を要請しているものと思われる。ここで、「相当の期間前」とは、質問の数や質問の内容等をふまえ調査に要すると合理的に判断される期間を意味すると思われるが、実務的には総会前日までに提出されたものは事前質問状として取り扱うのが無難といえよう。

15-2

事前質問への対応

1　事前質問の「通知」と書面性

事前質問状は施行規則の定めによると「質問事項の通知」とされていることから、必ずしも書面での提出に限定されていない。そのため、株式取扱規程等で書面での提出を要請することも考えられるが(3)、書面に限らず、FAXや電子メール等で質問事項が総会前に送付されてきた場合や会社のウェブサイトに書き込みがあった場合なども、事前質問があったものとして取り扱うのが無難であろう。

2　質問状受領の場合の実務対応

事前質問状を受領した場合には、以下の流れで確認や作業等を行うことが考えられる。

① 事前質問状提出者が、議決権のある株主として株主名簿に登録されているかを確認
② 事前質問状に記載された質問について、「説明義務のあるもの」と「説明義務のないもの」に分別
③ 説明義務のあるものについては回答を作成し、説明義務のないものについては、説明を拒絶する理由を確認

(3) 株主の権利行使を不当に妨げることのない、合理的な通知の方法（たとえば書面によること）を会社が定款またはその授権に基づく株式取扱規則で定めることはできるとする見解がある（弥永真生『コンメンタール会社法施行規則・電子公告規則〔第３版〕』（商事法務、2021）375頁）。

④　事前質問状に記載された質問事項についての総会当日の対応方針を決定（一括回答方式、一問一答方式いずれとするか等）

3　総会当日の対応――一括回答方式の採用の検討

15－1で述べたように、事前質問状が提出されたからといって、当然に説明義務（回答義務）が生ずるわけではなく、あくまで総会当日に議場で質問をされない限り、説明義務（回答義務）は生じない。しかしながら、総会の運営上、株主の質問を待つまでもなく、あらかじめ質問が予想される事項について説明をしてしまうことは問題なく、これは事前質問状に記載された事項についても同様である。

このように、事前質問状に記載された質問事項について、総会当日の株主からの質問を待つことなく、あらかじめ質問内容の説明と回答を行う方法を「一括回答方式」という。一括回答方式については、裁判所もその適法性を認めている(4)。

ただし、事前質問状に対し、質問に先立ち一括説明をすることは取締役の一般的説明にすぎず、法律的意味における説明義務の履行ではないと解されている。そのため、あらためて株主から質問があった場合には、回答済であるとして回答を拒むことはできないが、一括回答での説明を援用し回答することが可能であることから、総会運営という観点では好都合といえる。

なお、一括回答を行う方針の場合でも、総会当日事前質問状提出者が欠席した場合には一括回答を行わないという対応も考えられる。しかしながら、直前でのシナリオの変更による混乱を懸念するのであれば、事前質問状提出者の出席、欠席にかかわらず一括回答を行う対応が無難と思われる。

ちなみに、『株主総会白書2022年版』によると、事前質問があった場合の

---

(4)　名古屋地岡崎支判平成９・６・12資料版商事161号183頁において、「限られた時間に効率的に議事進行をはかるため、原告からの質問のように多岐にわたり、かつ、議案との関連性の少ない質問事項は、これを整理して一括回答するのはむしろ当然のことであり、これをもって議長による権利の乱用や説明義務懈怠による違法・不当があるとは到底いえない」と判示されている。

対応（会社が募集した場合を除く）として、「一括回答によった」が51社、「一問一答によった」が40社、「当日欠席のため回答せず」が７社となっている[5]。かつては一括回答方式を採用する会社が多数派であったが、2022年の調査結果では、双方ほぼ拮抗している。

4　会社が募集する事前質問

新型コロナ禍における株主総会の運営として、多くの会社で会場への来場株主を抑制し感染防止を図る動きが見られた。その一環として会社が株主に対し「事前質問」を募集し、提出された事前質問に対し、「総会前（ウェブサイトへの掲載）」、「総会中（一括回答等）」、「総会後（ウェブサイトに掲載）」に回答を実施（掲載）する対応も見られた。株主の側からすると株主総会当日に会場まで足を運ばずとも、バーチャル総会や事後配信、もしくはウェブサイトにQAの掲載等がされることで総会当日質問したのと同等の効果を享受することが可能となる。

また、会社側にとっても事前に株主から質問を提出してもらうことで株主の関心事を知ることができるし、時間的な余裕をもって回答の準備をすることも可能となる。このように新型コロナ禍での感染防止策として出てきた動きではあるが、アフターコロナにおいても、株主と会社の対話の促進の観点から前向きに検討してよい施策と思われる。

ちなみに、『株主総会白書2022年版』によると事前質問の募集につき招集通知に記載した会社は189社（9.9％）[6]であり、「事前質問なし」との回答は69社、「総会当日に取り上げて回答」が168社、「総会前にHP等で回答」が17社、「総会後にHP等で回答」が65社などとなっている[7]。

(5)　商事法務研究会編『株主総会白書2022年版（商事2312号）』（商事法務研究会、2022）145頁〔図表141〕。
(6)　商事法務研究会編・前掲(5)白書69頁〔図表38〕。
(7)　商事法務研究会編・前掲(5)白書145頁〔図表141〕。

第Ⅰ編

第16章

議決権の事前行使等

16-1 総　説

株主が議決権を行使する方法はいくつかある。

原則は、株主が株主総会に出席して自ら議決権を行使する方法である。

株主総会に出席できない場合には、代理人に議決権の行使を委任することが可能である。議決権の代理行使は、株主が自ら代理人を立てて議決権を行使させる場合と、会社等の勧誘に応じて議決権の行使を委任する場合（委任状勧誘）がある。後者の場合、決議の定足数を満たす等の必要から会社が株主に対して委任状用紙を送付し、株主が委任状を返送することにより議決権を代理行使するのが一般的である。

さらに、会社が書面投票制度または電子投票制度を採用する場合には、これらの方法により議決権を行使することが可能である。

16-2
書面投票制度

1　書面投票制度の手続

会社は、株主総会に出席しない株主のために、取締役会の決議をもって、議決権行使書による書面投票制度を採用することができる（法298条１項３号）。書面投票制度を採用するための取締役会の決議は、株主総会のつど行うのが原則であるが、以後の株主総会においても書面投票制度を採用する旨の包括的な決議をすることは可能である。

また、議決権を行使することができる株主が1,000人以上の会社は、取締役会の決議をもって、議決権行使書による書面投票制度を採用しなければならない（法298条１項・２項）。さらに、各証券取引所の上場規則で、上場会社には書面投票制度の採用が義務づけられている。書面投票制度が強制適用される会社であっても、書面投票制度を採用する旨の取締役会の決議は必要である。

なお、書面投票制度が強制適用される会社であっても、当該会社が証券取引所（金融商品取引所）上場会社であり、議決権を行使することができる株主全員に金融商品取引法の規定に基づき招集通知に際して委任状用紙を交付し議決権の代理行使を勧誘する場合は、書面投票制度を採用しなくてもよい（法298条２項ただし書、施64条）。

2　議決権行使書面

(1)　法定記載事項

議決権行使書面に記載すべき事項は、施行規則66条に定められている。

議決権行使書面の様式までは定められていないため、全国株懇連合会が「議決権行使書面モデル」（昭和57年12月全株懇理事会決定）を作成しており(1)、実務上は、これが参考になる（書式例につき(3)）。

①　各議案についての賛否を記載する欄（施66条１項１号）

議決権行使書面には、議案ごとに、株主が賛否を記載する欄を設けなければならない。また、別に棄権の欄を設けることも可能とされているが、実際に棄権の欄を設ける事例は見当たらない。

複数の役員等の選任または解任に関する議案または複数の会計監査人の不再任に関する議案については、候補者または役員等ごとに賛否が記載できるものでなくてはならない。実務上は、各候補者等に番号を振り、当該番号を記入することによって候補者等ごとに賛否の意思表示ができるよう対処している。

②　賛否の欄に記載がない場合の取扱い（施66条１項２号）

会社は、取締役会の決議によって、賛否の欄に記載がないまま返送された議決権行使書の各議案について、賛成、反対または棄権のいずれかの意思表示があったものとする取扱いを定めることができる（施63条３号ニ）。当該取扱いを定めた場合、議決権行使書面にはその取扱いの内容を記載しなければならない（招集通知に記載することも可能である（施66条４項）が、通常は、議決権行使書面に記載される）。

最近は、議決権行使に関する株主の関心が高まっているとはいえ、返送さ

---

(1)　全国株懇連合会編『全株懇株式実務総覧〔第２版〕』（商事法務、2021）281頁以下。

れる議決権行使書は賛否の欄に記載がない、白紙のものも相変わらず多い。株主が議決権行使書を返送してくる以上、議決権を行使する意思があることは明らかであり、賛否の記載がない場合にどのように取り扱うかあらかじめ取締役会で決定し、議決権行使書面に記載して株主に周知することはきわめて有意義である。実務上は、白紙の議決権行使書は取締役会に対する白紙委任であることが多いと推測されるため、賛否の記載がない場合は、(取締役会の提案に) 賛成の意思表示があったものとして取り扱うと定めている。また、株主提案がある場合は、取締役会に対する白紙委任の趣旨から、取締役会の提案には賛成、株主提案には反対の意思表示があったものとして取り扱うのが一般的である。このように提案主体によって賛否の取扱いを異ならしめることは有効と認められている(2)。

③　重複行使があった場合の取扱いについての定めがあるときは、当該事項（施66条１項３号）

書面による議決権行使が重複してなされる場合の取扱いについて取締役会の決議により決定した場合（施63条３号へ(1)）は、議決権行使書面に当該事項を記載しなければならない（施66条１項３号。ただし、招集通知に記載する場合はこの限りでない)。実務上、株主に送付する議決権行使書面は１通であり、書面による議決権行使が重複してなされることは想定しにくい。このため、取締役会の決議により、重複行使があった場合の取扱いを定める必要はほとんどない。株主が議決権行使書面を複数所持することがありうるとすれば、それは、紛失または未着を理由に議決権行使書面を再発行した場合くらいであろう（この場合、再発行した議決権行使書面には「再発行」等の表示を行うことが多い)。

一方、書面投票制度とあわせて電子投票制度を採用する場合は、電子投票が重複行使された場合の取扱い（施63条３号へ(2))、書面投票と電子投票が重複行使された場合の取扱い（同条４号ロ）を定めるのが一般的である。このため、当該取扱いを議決権行使書面に記載すべきことになるが、後記(3)のと

(2)　住友銀行株主総会決議取消事件・大阪地判平成13・２・28金判1114号21頁など。

おり、議決権行使書面と招集通知の記載事項には互換性がある。

④　議決権行使期限（施66条1項4号）

書面による議決権行使期限は、株主総会の日時の直前の営業時間の終了時である（施69条）。会社は、これと異なる議決権行使期限を定める場合、取締役会の決議によって特定の時を定めることができる（施63条3号ロ。ただし、特定の時は、株主総会の日時以前の時であって、招集通知発送日から2週間を経過した日以後の時に限られる）。このように、議決権行使期限は、会社が定めることにより原則と異なる時となることがあるため、これを議決権行使書面の記載事項としている。

なお、後記(3)のとおり、議決権行使書面と招集通知の記載事項には互換性がある。

⑤　議決権を行使すべき株主の氏名等（施66条1項5号）

議決権行使書面には、議決権を行使すべき株主の氏名または名称および行使することができる議決権の数を記載しなくてはならない。議案ごとに行使することができる議決権の数が異なる場合は、議案ごとの議決権の数を、一部の議案につき議決権を行使することができない場合は、議決権を行使することができる議案（または、できない議案）を、それぞれ記載しなくてはならない。

(2)　任意的記載事項

法定の記載事項ではないが、次のような事項も議決権行使書面に記載されることがある。

①　所有株式数

所有株式数は、株主からの照会が最も多い事項である。このため、一般に、議決権行使書面には所有株式数を記載する取扱いとしている。所有株式数を記載する箇所は、厳密には、議決権行使書面そのものではなく、株主が返送時に切り離す、いわゆる耳の部分に記載することが多い。

②　電子投票制度採用の場合の記載事項

会社が書面投票制度とあわせて電子投票制度を採用する場合、株主がインターネット上の議決権行使サイトにアクセスするためのIDおよびパスワードを議決権行使書面に記載するのが一般的である。なお、IDおよびパスワードを記載する箇所は、厳密には、議決権行使書面そのものではなく、株主が返送時に切り離す、いわゆる耳の部分に記載することが多い。最近は、株主ごとのIDおよびパスワードの情報を含む二次元コードも掲載し、株主がスマートフォン等で当該二次元コードを読み取れば簡便に議決権行使サイトにアクセスできるようにすることが多くなっている。

(3)　記載事項に関する招集通知との互換性

招集通知に記載すべき事項は、議決権行使書面に記載することが可能である（施66条4項）。また、議決権行使書面に記載すべき事項は、招集通知に記載することが可能である（同条5項）。よって、それぞれの記載事項は、招集通知と議決権行使書面のいずれかに記載してあればよいことになる。

次に、電子提供制度の適用前は、賛否の欄に記載がない場合の取扱い、重複行使があった場合の取扱い、議決権行使期限（ただし、招集通知については「特定の時」を定めた場合に法定記載事項となる）といった招集通知と議決権行使書面の双方に記載すべき事項について、賛否の記載がない場合の取扱いは、招集通知への記載を省略して議決権行使書面に記載し、重複行使があった場合の取扱いおよび議決権行使期限は、議決権行使書面への記載を省略して招集通知に記載する（あるいは双方に記載する）のが一般的であった。

全国株懇連合会「電子提供制度における招集通知モデル（電子提供措置事項の一部を含んだ一体型アクセス通知）」[3]によると、上記3つの記載事項はいずれも「一体型アクセス通知」に記載するものとしているので、議決権行使書面への記載に影響することはなく、従来どおりの議決権行使書面を使用して差し支えないことになる。

---

(3)　東京株式懇話会ウェブサイト〔https://www.kabukon.tokyo/〕のWhat's Newに掲載された「電子提供制度における招集通知モデル（電子提供措置事項の一部を含んだ一体型アクセス通知）」参照。

〈書式例〉全国株懇連合会の「議決権行使書モデル」で示されている議決権行使書面

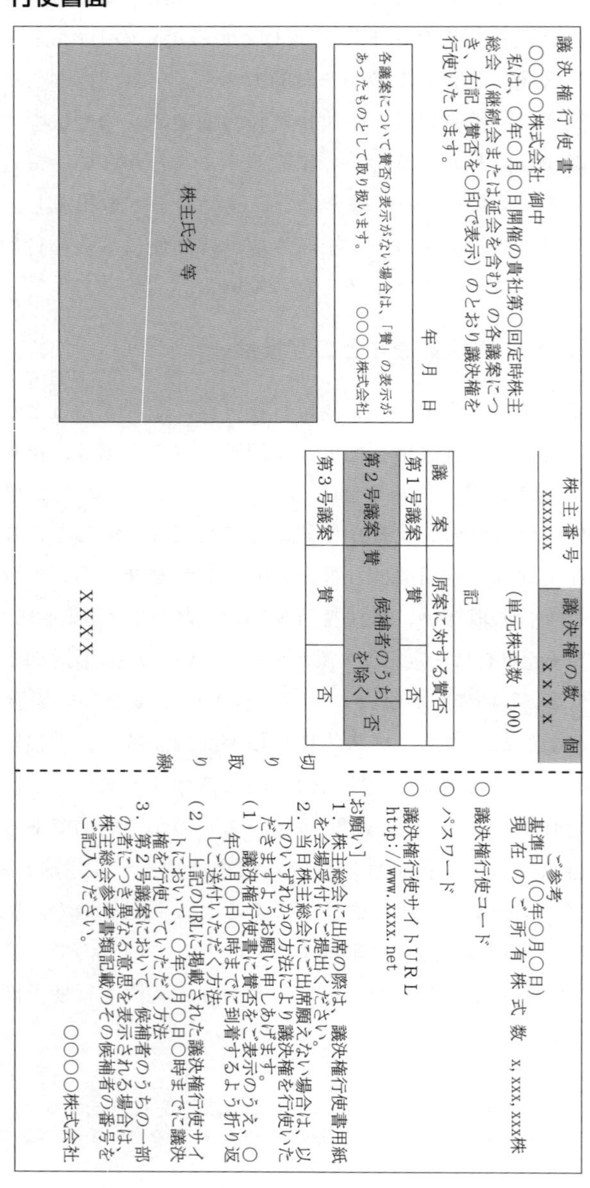

○議決権行使書面

議 決 権 行 使 書

○○○○株式会社 御中

私は、○年○月○日開催の貴社第○回定時株主総会（継続会または延会を含む）の各議案につき、右記（賛否を○印で表示）のとおり議決権を行使いたします。

年　月　日

各議案について賛否の表示がない場合は、「賛」の表示があったものとして取り扱います。　○○○○株式会社

株主氏名 等

株主番号	議決権の数　個
xxxxxxx	x x x x

（単元株式数　100）

記

議　案	原案に対する賛否		
第1号議案	賛	否	
第2号議案	賛	候補者のうちを除く	否
第3号議案	賛	否	

XXXX

切り取り線

ご参考

基準日（○年○月○日）

現在のご所有株式数　x, xxx, xxx株

○ 議決権行使コード

○ パスワード

○ 議決権行使サイトURL

http://www.xxxx.net

[お願い]

1．株主総会に出席の際は、議決権行使書用紙を会場受付にご提出ください。

2．当日株主総会にご出席願えない場合は、以下のいずれかの方法により議決権を行使いただきますようお願い申しあげます。

（1）議決権行使書に賛否をご表示のうえ、○年○月○日○時までに到着するよう折り返しご送付いただく方法

（2）上記のURLに掲載された議決権行使サイトにおいて、○年○月○日○時までに議決権を行使していただく方法

3．第2号議案において、候補者のうちの一部の者につき異なる意思を表示される場合は、株主総会参考書類記載のその候補者の番号をご記入ください。

○○○○株式会社

郵便はがき

料金受取人払郵便

XXX—XXXX

差出有効期間
○年○月
○日まで

（受取人）

○○郵便局私書箱第○号

○○○○信託銀行株式会社

証券代行部 気付

○○○○株式会社　行

第○回定時株主総会

○日　時　　○年○月○日（○）　午前○時

○場　所　　○○県○○市○○　○丁目X番X号
当会社本店X階　会議室

切　り　取　り　線

- - - - - - - - - - - - - - - - - - - -

（1）　このはがきは切手をはらずにお出しください。

（2）　○年○月○日以降は、ご使用にならないようお願いいたします。

（3）　議決権行使書をお送りくださる場合は、切り取り線からお切り取りのうえお差し出しください。

3 不統一行使

(1) 不統一行使の許容

1株式につき1議決権とする原則のもとで、株主が複数の株式を有していても各株式は独立性を保持して存在し、その議決権も数個集積的に存在しているにすぎない(4)。そこで、2個以上の議決権を有する株主は、そのうちの一部の議決権をもって議案に賛成し、残りをもって反対するというように、統一しないで行使することができるのが原則からの論理的帰結である。とりわけ、株式信託の場合やADR・EDRのような外国預託証券が預けられている場合、株式信託の場合は受託者が委託者の代理人として、または、その指図に従って議決権を行使し、ADRの現株式については名義上の株主がADR所有者の指示に従って議決権を行使することが必要であり、不統一行使を認めることは不可欠である。そこで、会社法は、株主が複数の議決権を行使することができる場合に、これを統一せずに行使（不統一行使）することを認めている（法313条1項）。ただし、上記のように不統一行使の必要性がある株主以外の株主にまで不統一行使を認めた場合、投票の集計等の事務処理が非常に煩瑣になる。また、不真面目な議決権行使も予想される。そこで、会社法は、不統一行使を拒否する場合を認めている（同条3項）。

(2) 不統一行使の手続

取締役会設置会社の場合、不統一行使をする株主は、株主総会の日の3日前までに会社に対してその有する議決権を統一しないで行使する旨およびその理由を通知しなければならない（法313条2項）。

「3日前までに」とは通知が会社に到達した日と株主総会の会日との間に丸3日間存在することを要するということである（招集通知と異なり発信主義が採用されていないので原則に戻る）。

---

(4) 大隅健一郎＝今井宏『会社法論中巻〔第3版〕』（有斐閣、1992）51頁。

「理由」とは「他人のために株式を所有する」ことと関連したものであることが想定される。こうした記載がないと会社において拒否事由に該当すると判断する可能性があるからである。

議決権行使書面や委任状に議案に対し何個賛成、何個反対と記載し、不統一行使をする旨およびその理由を記載している場合、事前通知があったものと認められる(5)。しかし、議決権行使書面や委任状の集計等の事務処理の便宜を考えれば、事前通知の標準的な様式が定まっているのが望ましく、平成7年4月14日付で、全国株懇連合会が「株主総会の議決権不統一行使に関する取扱い等について」(6)と題する事務指針を制定したことから、議決権の不統一行使にかかる実務上の取扱いは、これに準拠して行うのが一般的である。同指針では、その後の改正を経て、事前通知書の様式および議決権行使書に添付する議決権不統一行使の内容を記載する書式の様式を定めるとともに、信託協会が定める電磁的方法による不統一行使事前通知様式案が参考様式として添付している。

会社においては株主総会招集時の取締役会決議または定款により、事前通知を書面に限る旨の定めをすることが可能であるが、実際にそのような対応をする事例は少数である。全国株懇連合会が2021年に前記「株主総会の議決権不統一行使に関する取扱い等について」を改正し、電磁的方法による事前通知の利用が可能であることを明記するとともに前記の信託協会参考様式を示したことから、常任代理人等で電磁的方法による事前通知を利用する動きが広まりつつあるので、今後はさらに少なくなるであろう。

4　議決権行使書の集計

(1)　判定基準

会社は、返送された議決権行使書の記載内容に基づき、議案に対する賛否

(5)　大隅＝今井・前掲(4)書57頁。
(6)　全国株懇連合会編・前掲(1)書295頁以下。

の集計を行う。役員等の選任議案等について候補者等が複数ある場合には、候補者等ごとに賛否の集計を行う。議決権行使書の集計にあたっては、記載内容により、有効分・無効分の判定、賛成・反対の判定を行うことになるが、公正な集計事務および効率化を図る観点から、あらかじめ判定基準を作成することが必要となる。判定基準の具体例は**図表Ⅰ－16－1**を参照されたい。

図表Ⅰ－16－1　議決権行使書の判定基準の具体例

摘　　要	取扱内容
(1)　議案に対する賛否の取扱い等	
①　議案の賛否欄に表示のないもの	「みなし規定」により賛成とする
②　議案の否の欄に○印の表示があるもの	反対とする
③　議案の否の欄を抹消または×印の表示があるもの	賛成とする
④　議案の賛の欄に○印の表示があるもの	賛成とする
⑤　議案の賛の欄を抹消または×印の表示があるもの	反対とする
⑥　議案の賛否欄へ、明らかに株主の意思が推定できない表示（△など）がなされているもの	無効とする
⑦　議案の賛否欄の賛否双方に○印を表示している場合、議案の賛否欄の賛否双方を抹消している場合など、株主の意思が確認できないもの	無効とする
⑧　棄権と表示してきたもの	棄権として取り扱う（議決権数には算入）
⑨　「みなし規定」を抹消してきたもの	賛否欄に表示があれば、それに従い、賛否欄に表示がない場合は、無効とする
⑩　議決権個数を訂正しているもの（不統一行使の要件を充足しない場合）	訂正前の議決権個数で取り扱う
(2)　取締役、監査役等の選任議案で複数候補者がいる場合等（賛否の取扱いは(1)のとおり）	
①　議案の賛否欄の表示により賛成として取	当該候補者は反対、当該候補者

扱われる場合で、かつ、候補者番号の記載のあるもの	以外は賛成とする
②　議案の賛否欄の表示により反対として取り扱われる場合で、かつ、候補者番号の記載のあるもの	当該候補者は賛成、当該候補者以外は反対とする
③　①②の場合に、候補者番号に代えて候補者氏名を記載してあるもの	候補者が特定できる場合には、それぞれ①②に従い取り扱う
④　①②の場合に、候補者番号に代えて候補者以外の氏名を記載してあるもの	記載を無視し、賛否欄の表示等に従って取り扱う
(3)　その他	
①　汚損、き損の程度が著しく株主の意思が確認できないもの	無効とする
②　住所変更等、諸届に係る他事記載	住所変更等、諸届の手続をするよう依頼する
③　他事記載（②以外のもの）	行使の意思が確認できない場合には無効（不行使）とする
④　会社作成用紙以外の私製用紙を使用したもの	無効とする

(2)　議決権行使書の集計

返送された議決権行使書について、判定基準に従い、議案に対する賛否を集計するが、集計にあたっては、議案別候補者別の集計表を作成するとともに、議決権行使書提出株主の一覧表を作成することになる。

議案別候補者別の集計表により、定足数を要する議案について、その充足状況が確認できるとともに、議案が可決される見通しを判断することができる。また、定足数の充足状況が芳しくない場合には、議決権行使書提出株主の一覧表に基づき、議決権行使書が未提出の大株主等に議決権行使の依頼を行うことも可能となる。

議決権行使書の集計事務は、株主名簿管理人に委託することが多い。その場合には、会社の了解を得て、株主名簿管理人が判定基準を用意する。株主数が少なければ、会社自ら議決権行使書を集計する負担も少ないが、株主が多数になると返送される議決権行使書の枚数も増えるため、集計事務にかかる負担は大きくなる。株主総会の準備に専念する意味でも、議決権行使書の集計は株主名簿管理人に委託するのが望ましいであろう。株主名簿管理人に議決権行使書の集計事務を委託した場合、日々の集計状況がすみやかに会社に連携されるのが望ましく、インターネットを経由して最新の情報を伝達できるようになっている。

また、議決権行使書に議案に対する賛否以外の事項が記載されることがあるが、たとえば議決権行使書に事前印字された住所を訂正してきた場合には、住所変更の手続を希望する趣旨と考えられるため、必要な手続を案内するなど、記載内容に応じて対応すべき場合がある。

⑶　私製の議決権行使書面の可否

書面による議決権の行使は、会社が株主総会の招集通知に添付して株主に送付した（または株主に再交付した）または電子提供等した議決権行使書面によってすることを要する。会社は、会社が交付等した議決権行使書面以外の私製の議決権行使書面が株主から提出された場合、これを有効なものとして取り扱う必要はない。

ただし、絶対的に無効と解するべきかという点については、考え方が分かれている。会社が自己の責任において私製の議決権行使書面を有効と取り扱ってよいとする考え方をとる立場からは、会社が交付した議決権行使書面に限るとする趣旨は、書面投票についての会社の事務処理の明確性・確実性に配慮したものであり、会社のほうで事務処理上の負担の増大にもかかわらず、株主の意思に沿って有効な議決権行使と認めようとする場合にこれを禁止しなければならない理由は存しないとされる[(7)]。

⑺　上柳克郎ほか編代『新版注釈会社法⑹』（有斐閣、1987）639頁〔神崎克郎〕。なお、会社が交付した議決権行使書面が提出された場合には、当該議決権行使書面の提出をもって株主本人確認資料とすることができる（全国株懇連合会の「株主本人確認指針」（前掲⑴書70頁以下））が、私製の議決権行使書面が提出された場合には、株主の本人確認をどのように行うかにも留意を要する。

5　議決権行使の効果

議決権行使書面に必要な事項が記載され、議決権行使期限までに当該書面が会社に到達することをもって、議決権は行使される（法311条1項）。行使された議決権の数は、株主総会に出席した議決権の数に算入される（同条2項）。

議決権行使の内容は、議決権行使書の記載に基づき、議案に対して賛成または反対等の行使があったものとされる。ただし、総会場で修正動議がなされた場合には、書面による議決権行使分は、原案に対して賛成であれば修正案には反対、原案に対して反対であれば修正案には棄権として取り扱うのが妥当と考えられる。棄権は、議決権の数には反映されるが賛成ではないことから、実質的には反対と同様の効果となる。また、議長不信任等のいわゆる手続上の動議に対しては、書面投票分はカウントされず、株主総会に現に出席している株主のみで採決されることになる。

書面投票を行った株主が、株主自らまたは代理人を通じて株主総会に出席することは可能である。この場合は、書面投票による議決権行使は撤回されたものとして取り扱う[8]。

6　議決権行使書の備置

議決権行使書は、総会終結の日より3ヵ月間本店に備置して、株主の閲覧に供しなくてはならない（法311条3項）ため、集計済の議決権行使書は適宜整理して保管しておくことになる。

---

(8)　バーチャル株主総会においてバーチャル出席した株主が事前の議決権行使を行っていた場合、ログイン時点では事前の議決権行使の効力を取り消さずに維持し、議決権を行使した時点で事前の議決権行使の効力を取り消す取扱いが可能である（27－4 ■ 5(3)参照）。総会場に出席した株主についても、出席時点を入場時ではなく議決権行使時点とする取扱いは考えられる。

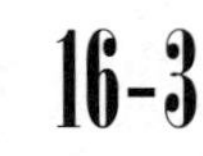

16-3 電子投票制度

1　電子投票制度の手続

会社は、取締役会の決議をもって、電磁的方法による議決権行使（電子投票制度）を採用することができる（法298条1項4号）。電子投票制度を採用するための取締役会の決議は、株主総会のつど行うのが原則であるが、以後の株主総会においても電子投票制度を採用する旨の包括的な決議をすることも可能である。

書面投票制度を採用していない場合であっても、電子投票制度を採用することは、理論上は可能である。このため、電子投票制度を採用した会社は、株主総会参考書類を作成して交付することを要する旨が規定されている（法302条1項）。

また、電子投票制度を採用した場合には、その旨を招集通知に記載または記録しなければならない（法299条4項）。実務上は、電磁的方法による議決権行使ができる旨および議決権行使サイトのアドレス等を記載している。

2　会社の承諾

株主が電磁的方法により議決権を行使する場合は、政令に定めるところにより会社の承諾を得ることが必要となる（法312条1項）。ただし、会社が電子投票制度を採用した以上、会社が用意する電磁的方法による議決権行使について承諾を与えないということは考えられない。あらかじめ議決権行使書面に議決権行使サイトのアドレス、アクセスに必要なID（株主ごとに付番した識別符号)、パスワード（当初は会社が設定し、株主がこれを変更することもある)、さらには議決権行使サイトへの簡便なアクセスのための二次元コード等、電磁的方法による議決権行使に必要な事項を表示して送付するのであるから、事前に包括的な承諾を行っているということも可能であろう（実務上は、念のため、議決権行使サイトにアクセスする際に、会社が承諾する旨を表示することも考えられる)。会社が承諾を拒む場合があるとすれば、会社が用意したのと別の電磁的方法による議決権行使を求める場合（たとえば、電子メールに議案の賛否を表示して送付してくるような場合）が考えられる。なお、会社法302条４項は、電磁的方法による招集通知の受領を承諾していない株主が、総会日の１週間前までに議決権行使書面に記載すべき事項の電磁的方法による提供を請求できる旨定めているが、書面による招集通知に際して、議決権行使サイトのアドレス等必要な事項を通知しているのであるから、株主からの請求があってもその旨を説明すればたりるであろう。

3　議決権行使の手続

議決権行使サイトには、ID、パスワードを用いてアクセスすることになるため、議決権行使書面に議決権行使サイトのアドレス、アクセスに必要な株主固有のID、パスワード、その他電磁的方法による議決権行使に必要な事項を記載することになる。電磁的方法による招集通知の受領を承諾している株主には、電子メールによる招集通知でID等が通知される。議決権行使サイトの行使画面には、議決権行使書面に記載すべき事項が記録される必要がある（法312条１項)。すなわち、①議案ごとに株主が賛否を記載する欄（取締役、監査役等の選任または解任議案等において複数の候補者等が提案されているときは、各候補者等について賛否を記載する欄を含む)、②賛否の記載がない場合の取扱いを定めたときは当該取扱いの内容、③議決権の重複行使があった場合の取扱い、④議決権行使期限、⑤議決権を行使すべき株主の氏名または名称および議決権を行使できる議決権の数、を設けることが必要である（施66条１項)。株主の氏名または名称については、外字等の問題もあり、表示が困難なことが考えられる（振替株式発行会社については、振替制度で使用する文字が制限されているため、このような問題は生じないと思われる）。少なくとも、株主が特定できるよう、実務上株主ごとに付番している株主番号程度は表示すべきであろう。また、機関投資家等が電磁的方法により議決権の不統一行使を行うことも考えられるため、こうした株主について、不統一行使ができるように手当てしておくことも必要である。

電磁的方法により議決権を行使する株主は、議決権行使期限までに、議決権行使サイト上で賛否を入力することにより、議決権を行使することが可能である。厳密には、議決権行使期限までに議案の賛否等の行使内容が電磁的方法により会社に提供されること（到達主義）が必要であるが、株主が議決権行使に必要な手続を終えれば、行使内容は瞬時に会社に到達するような仕組みになっているはずである。電磁的方法により行使された議決権は、書面投票と同様に、出席株主の議決権の数として取り扱われる（法312条３項）。

4　議決権集計

会社にとっての電子投票制度の利点は、郵便事情による無効票が生じにくいこと、株主の議決権行使の内容が明確で議決権集計に際して判定基準の作成が不要なこと、行使結果を自動集計してファイルに蓄積することが可能で、集計事務がきわめて効率的に行えることにある。集計事務に関する限りは、電子投票制度を採用することによって負担が生じることはほとんどないであろう。

一方、書面投票制度と異なって、電子投票は、議決権行使期限までに何度でも議決権を行使することができる。こうした重複行使に備えて、取締役会の決議により、いずれの議決権行使を有効と取り扱うか定めることが可能である（施63条３号へ。定款に定めることも可能であるが、通常はそのような定款の定めを設けることはないであろう）。具体的な定めとしては、最後に行使された議決権行使の内容を有効なものとして取り扱うことになろう。

また、書面投票と電子投票が重複して行われた場合の取扱いについても、あらかじめ取締役会で決定しておくことができる（施63条４号ロ。定款に定めることも可能であるが、通常は考えられない）。ただし、具体的な取扱いの内容は、電子投票が重複した場合と比較すると、困難な問題がありうる。つまり、電子投票が重複して行使された場合であれば、最後に到達したものが最終的な株主の意思表示であることは疑いないが、電子投票と書面投票の重複は、それぞれ会社に到達するまでの時間的な差異があることから、特に電子投票が先に到達している場合は先後関係が不明確である。たとえば、議決権行使書をポストに投函した直後に考え直して電子投票を行った場合には、先に電子投票が到達し、遅れて書面投票が到達することになるが、考え直すタイミングによっては書面投票が先に到達することも考えられる。実務的な対処方法としては、①媒体の如何を問わず、後に到達したものを優先して取扱う方法、②電子投票の即時性に着目し、会社への到達の前後を問わず電子投票を優先して取扱う方法、が考えられるが、②の取扱いを採用することが多いようである。②の取扱いを採用した場合に不都合があるとすれば、電子投票を行った後に書面投票を行う場合であるが、電子投票を行った株主が行使内容を修正する場合は、あらためて電子投票を行うというのが合理的な行動パターンと推測できるため、ほとんど問題にならないであろう。いずれにせよ、招集通知に重複行使の取扱いを記載させるのは、株主の予見可能性を高める趣旨であり、会社が重複行使の取扱いを定めた場合は、株主にその内容を周知するよう努めなくてはならない。

なお、電子投票を行った株主が当日の総会に出席したときは、書面投票の場合と同様に、電子投票による議決権行使は撤回されたものとして取り扱う。

5　機関投資家向け議決権電子行使プラットフォーム

「機関投資家向け議決権電子行使プラットフォーム」（以下「プラットフォーム」という）は、東京証券取引所、日本証券業協会、ADP（Automatic Data Processing, Inc.〔現 Broadridge Financial Solutions, Inc.〕）の合弁により設立された株式会社 ICJ が運営する議決権行使サイトである。平成18年３月に運営を開始し、令和４年６月末時点で上場会社1,738社がこれを採用している。

プラットフォームは、投資信託や年金基金等の機関投資家が直接議決権を行使することができるシステムである。通常、投資信託や年金基金等は、株主名簿上の株主となることは少なく、国内であれば信託銀行等、国外であればグローバル・カストディアン等の名義株主の背後に隠れた実質株主として、名義株主に議決権行使の指図を行うことにより、間接的に議決権を行使している。プラットフォームを利用すれば、株主名簿上には現れないこうした実質株主が、直接、議決権を行使することが可能となる。

実質株主は、会社（その前提として電子投票制度を採用していることが必要である）がプラットフォームを採用し、信託銀行等の名義株主または常任代理人がこれに参加することによって、直接議決権を行使する機会を与えられる。プラットフォームの利用にかかるコストは、会社および名義株主または常任代理人が負担する。会社のメリットとしては、機関投資家等の実質株主に議案情報を早く確実に提供でき、十分な検討期間を経て議決権を行使してもらうことができることのほか、議決権行使状況がタイムリーに把握できるため、予想以上に反対票が多いような場合に議案に対する考え方等を表明して再考を促すこともできることが挙げられる。

プラットフォームの概念図

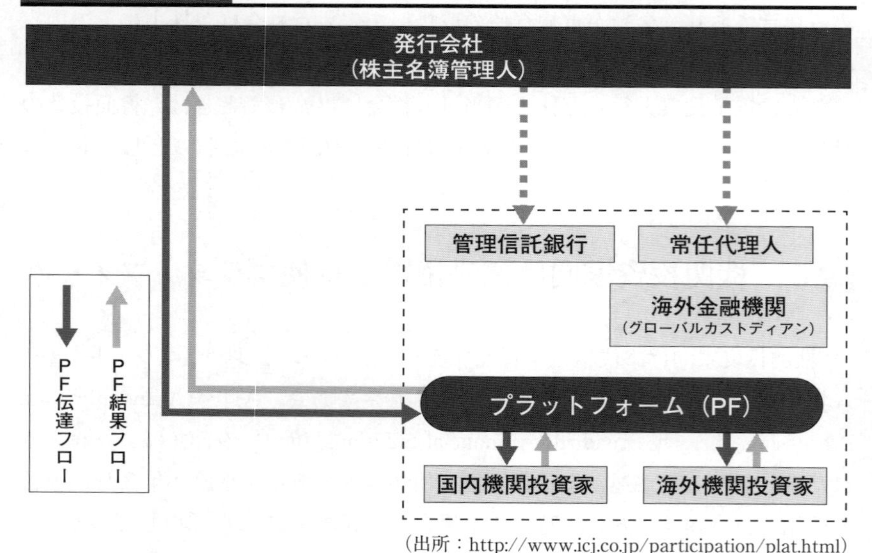

（出所：http://www.icj.co.jp/participation/plat.html）

6　総会当日の投票

株主総会の決議は、その議案に対する賛成の議決権数がその決議に必要な数に達したことが明白になった時に成立する(9)。このため、総会場における議案の採決は、通常、拍手や挙手による簡便な方法が採用されている(10)。このような簡便な方法が用いられるのは、総会前日までの議決権行使状況により議案の承認可決が明らかであるか、総会当日に出席した大株主の賛成が確認できれば承認可決となるからである。ただし、最近は、総会当日に出席する大株主の賛成票を勘案しても、議案の承認可決に至らないことが稀にあり、このような場合には、総会場での投票が行われることがある。総会場での投票方法としては、出席株主が投票用紙に議案の賛否を記載のうえ投票箱に入れる方法やタッチパネルで議案の賛否を入力する方法などが考えられる。出席株主が多くなる場合には、効率的な集計が可能となるよう電子機器等を用いた投票や集計を行う前提で準備することが必要であろう。

また、上場会社に臨時報告書による議決権行使結果の開示が義務づけられていることから、総会当日の来場株主の議案に対する賛否を集計して、臨時報告書にも反映する会社がある。来場株主の賛否の意思を確認する方法としては、投票による採決を行うことが考えられるが、採決自体は従来どおり拍手等によりつつ、総会終了後にアンケートのかたちで議案ごとの賛否を確認する方法（出口調査）を採用する会社もある。

---

(9)　最三判昭和42・7・25民集21巻6号1669頁・判時492号77頁。

(10)　事前の議決権行使で全議案の承認可決が確定している場合に、総会の冒頭で全議案の可決が確実となっていることを説明し、採決時の採決のシナリオを簡略化する実務対応の提案もなされている（倉橋雄作「WEB時代における新しい株主総会シナリオ——コンテンツとしての価値を意識した議事運営へ」商事2260号（2021）27頁。

16-4 議決権の代理行使

1　代理人による議決権の行使

(1)　代理行使の許容

株主は、代理人によってその議決権を行使することができる（法310条１項前段。種類株主総会につき法325条）。株主の利益を考慮してできるだけ議決権行使の機会を保障するために代理人による議決権行使を認めたものであり、これに反して、定款で代理行使を禁止したり、代理人資格を不当に制限したりすることは許されない（通説）。

制限が不当であるか否かは代理人の資格制限の態様または程度等を考慮して個別に判断される。この点で、定款で代理人資格を株主に限定する会社が多いが、こうした制限は、株主総会が第三者によってかく乱されることを防止し、会社の利益を保護するための合理的理由に基づく制限として有効と解されている[11]。

制限行為能力者の法定代理人や法人の代表機関がその権限に基づいて議決権を行使する場合は、上記の定款が禁止する任意代理とは異なる。外国在住の株主等の常任代理人もこれに準ずる。そもそも常任代理人は、会社が定款で外国在住の株主に国内で会社からの通知などを受ける代理人を定めて会社に通知することを求めるがゆえに設けられるもので（議決権行使のみを代理するものではない）、議決権行使のみを否定するのは背理であり、実際に何の

---

(11)　最二判昭和43・11・１民集22巻12号2402頁・判時542号76頁。

弊害も認められないからである。法人の従業員が本人に代わって議決権を行使する場合[12]も、病気の場合に家族が代わって議決権を行使する場合も同様に解される[13]。これらの者は議決権行使に関して格別に代理権を授与されたものではなく、一般的な代理権限のなかに議決権行使が含まれたにすぎないからである。

また、代理人資格を制限する定款規定は、株主総会が第三者によってかく乱されることを防止するためという目的の範囲で許容されるのであるから、こうした事情がないにもかかわらず、株主の議決権行使が事実上不可能となるような場合に代理人資格を制限することは許されない。たとえば、実質上の株主が議決権を行使するために名義株主から代理権を授与されて議決権を行使する場合（株式管理信託の場合など）である。これに対して、特段の理由がないのに弁護士を代理人とした場合、会社は定款の規定に基づき代理権行使を拒むことができる[14]。

(2) 代理行使の方法

株主が代理人によって議決権を行使する場合、株主または代理人は、株主総会ごとに会社に対して代理権を証明する書面を提出することが必要である(法310条１項・２項)。代理権を証明する書面は、一般に委任状と呼ばれる。

一般に、各社の定款によって代理人の資格は議決権を行使することができる他の株主に限定されているのは前記のとおりである。代理人が議決権を行使することができる株主である限り、当該代理人は当然に（株主として）総会場への入場が認められるが、株主の代理人としての議決権行使を許容するかどうかは、委任状の有効性を確認したうえで判断することになる。委任状の有効性の確認は、委任状に記載された株主の住所・氏名が株主名簿上のそ

(12) 最二判昭和51・12・24民集30巻11号1076頁・判時841号96頁。
(13) 大隅＝今井・前掲(4)書59頁。
(14) 江頭憲治郎『株式会社法〔第８版〕』（有斐閣、2021年）355頁注(6)。下級審裁判例は閉鎖型のタイプの会社につきこれを認め、上場会社について反対している。同注(6)掲記の裁判例参照。なお、実質株主の株主総会への出席については、全国株懇連合会の「グローバルな機関投資家等の株主総会への出席に関するガイドライン」および永池正孝ほか「『グローバルな機関投資家等の株主総会への出席に関するガイドライン』の解説」商事2088号（2015）19頁以下も参照されたい。

れと一致することのほか、委任状に押印された印鑑証明印と添付された印鑑証明書の印影の合致、株主の議決権行使書用紙の添付等により行われる[15]。このような代理権の証明方法については、取締役会の決議によって定めることができ（施63条5号）、現に取締役会で決議したうえで招集通知に代理権の証明方法を記載する事例もある。実務上は、株主が請求その他の株主権行使をする場合、当該請求等を本人が行ったことを証するものを添付するよう株式取扱規程に定めており、これを根拠に証明資料の提出を求めることが考えられる[16]。

また、委任状は、会社の承諾を得て電磁的方法により提供することも可能である（法310条3項）。会社は、電磁的方法による招集通知の発信を採用している場合、電磁的方法による招集通知の受信を承諾している株主が代理権を証明する書面を電磁的方法により提供することを求めたときは、正当な理由がない限り、これを拒否することができない（同条4項）。

(3)　代理人の数の制限

会社は、株主総会に出席することができる代理人の数を制限することができる（法310条5項）。制限の方法は、定款の定めまたは株主総会招集の取締役会の決議による（施63条5号）。一般に、代理人の資格は議決権を行使することができる他の株主に限定する旨の定款の定めを置く会社が多いことから、実務対応としては、当該規定に代理人の数は1名とする旨を追加している。

ただし、投資信託財産として有する株式に係る議決権の行使については、会社法310条5項の規定が適用されないため（投資信託及び投資法人に関する法律10条2項）、同一の信託銀行が複数の投資信託の受託者となっており、複数の投資信託委託業者が同一銘柄につきそれぞれ自己を代理人とするよう指

(15)　ただし、総会当日の慌ただしいなかでの委任状の有効性の確認であるから、入場を拒むことによる後日の決議取消等のリスクを回避するため、株主の印鑑証明書や議決権行使書用紙等の確認書類が添付されていない場合であっても、委任状が有効でないことを疑うべき特段の事情がない限り、株主の住所・氏名の一致と押印があることをもって、有効な委任状と認め、代理人に議決権を行使させることが少なくないと思われる。

(16)　大盛工業事件・東京高判平成22・11・24資料版商事322号180頁。

示したときは、複数の代理人が株主総会に出席することがありうる。

(4) 代理権を証明する書面の備置等

委任状またはその電磁的記録は、株主総会の日から３ヵ月間、本店に備え置かなければならない（法310条６項）。当該株主総会において議決権を行使することができる株主は、営業時間内はいつでも備え置きされた委任状またはその電磁的記録の閲覧・謄写を請求することができる（同条７項）。

2　委任状勧誘

(1) 委任状勧誘の意義

株主総会には、役員選任議案（法341条）や特別決議を要する議案（法309条２項）等、一定の定足数を要する議案がある。これらの議案については、定足数（たとえば役員選任議案であれば、議決権を行使することができる株主の議決権の過半数または定款で定める３分の１以上の割合）を満たさなければ株主総会で決議することができない。したがって、この定足数を満たすために、会社が、招集通知に委任状用紙を同封して株主に送付し、委任状による議決権行使を勧誘する場合がある。株主は、株主総会に出席することができない場合は、委任状用紙に議案の賛否を記載し、押印のうえ、会社に返送して議決権の行使を委任することができる。

委任状勧誘は、昭和56年商法改正により書面投票制度が導入されるまでは上場会社等において一般的に利用されてきた。その後は、議決権を行使することができる株主数1,000名以上の大会社に原則として書面投票制度の利用が義務づけられたことから、委任状勧誘が利用される機会は激減した。ただし、書面投票制度の利用が義務づけられる会社（会社法のもとでは議決権を行使することができる株主数1,000名以上の会社）も、上場会社であれば、金融商品取引法の規定に従って、議決権を行使することができる株主全員に対して議決権の代理行使を勧誘したときは書面投票制度が適用されないとされ（法298条２項ただし書、施64条）、委任状勧誘を利用する選択肢が認められている。

大株主が議案に反対することが明らかな場合など、総会当日の総会場での投票まで決着がつかないと想定される状況においては、会社側も委任状勧誘を利用することがある。委任状による場合は、勧誘者の意見に賛同するよう広く積極的な働きかけが可能となることのほか、受任者が総会場に出席することから、委任の本旨に反しない限り、受任者の判断で機動的に議決権を行使することができるからである。

一方、書面投票制度を採用する会社も総会場における議事進行に関する動議に対応するために大株主から委任状（多くの場合は白紙委任状である）の提出を受ける会社が多いが、会社または役員がこれを勧誘する場合、金融商品取引法の規制が適用されることに変わりはない(17)。

また、委任状勧誘は、会社以外の第三者が利用することもできる。株主提案を行う株主や会社提案に反対する株主が勧誘者となって、他の議決権を行使することができる株主に委任状を送付し、株主提案への賛成または会社提案への反対を求める場合がその典型である。

(2)　委任状勧誘の手続

上場会社株式についての委任状勧誘は、委任状勧誘府令に従って行わなくてはならない（金商法194条、金商法施行令36条の２）。ただし、上場会社またはその役員のいずれでもない者が行う議決権の代理行使の勧誘であって、被勧誘者が10人未満である場合等についてはこの限りでない（金商法施行令36条の６第１項１号）。なお、非上場会社株式の委任状勧誘には特段の手続が定

(17)　東京地判平成17・7・7判時1915号150頁は、書面投票制度を採用する会社がこれを怠って追加的に大株主に委任状勧誘をした事案について、証券取引法（当時）の規制は株主総会の「決議の方法」を規定する法令に該当せず、かつ、決議の方法が著しく不公正であるとはいえないとした。当該事案では株主総会参考書類を交付するなどしており（現行法はこうした場合、交付を不要としている)、実質的に証券取引法（当時）の規制に相当する情報提供を行っていることが判断の背景にあると思われる。書面投票制度を採用しない上場会社が上記規制を遵守せずに委任状勧誘をする場合には該当しないものと解される（江頭・前掲(14)書359頁注(12)）。なお、モリテックス事件・東京地判平成19・12・6判タ1258号69頁は、会社提案への賛否欄がない委任状について、会社提案に賛成しない趣旨で議決権行使の代理権の授与を行ったと解することが委任状勧誘府令の制度目的に反しないか丁寧な判断を示している。中村直人「モリテックス事件判決と実務の対応」商事1823号（2008）25頁参照。

められていない。

上場会社株式につき委任状勧誘を行おうとする者は、その相手方（被勧誘者）に対して委任状用紙および参考書類を提供しなければならない（金商法施行令36条の２）。また、勧誘者は、被勧誘者に交付した委任状および参考書類をただちに金融庁長官（管轄の財務局長に委任）に提出しなければならない（同令36条の３。ただし、議決権を行使することができる株主全員に対して株主総会参考書類および議決権行使書面が提供されている場合を除く（委任状勧誘府令44条））。

(3)　参考書類の内容

参考書類には、勧誘者が会社またはその役員である場合は、①勧誘者が会社またはその役員である旨、②議案、③議案につき会社法384条または389条３項の規定により株主総会に報告すべき調査結果があるときはその結果の概要を、勧誘者が会社またはその役員以外の者である場合は、①議案、②勧誘者の氏名または名称および住所を記載する（委任状勧誘府令１条１項）。なお、参考書類の電子提供やWEB開示、WEB修正は、特段の規定が手当てされておらず、利用することはできないと考えられる。

各議案の記載内容については、委任状勧誘府令２条以下に規定されているが、会社側が勧誘者である場合は、施行規則に定める株主総会参考書類の議案の記載内容と同様である。

(4)　委任状の書式等

被勧誘者に交付する委任状用紙には、議案ごとに賛否を記載する欄を設けなければならない（委任状勧誘府令43条）。棄権の欄を設けることもできるとされるが、その必要は乏しく、通常は棄権欄が設けられることはない。また、実務慣行として、被勧誘者が賛否の表示をせず委任状を返送する場合や議案の修正動議が提出される場合には白紙委任する旨が記載され、代理人の都合（急病等）による複代理人の選任についても委任する旨が記載される。

その他、議決権行使書面と比較した場合の相違点として、次のようなものがある。

第１に、議決権行使書面に株主の押印欄はないが、委任状用紙には委任の意思表示のための押印欄がある。

第２に、議決権行使書面は取締役選任等の議案で候補者等が複数の場合に、候補者等別の賛否が記載できるようにしなければならない（施66条１項１号）が、委任状用紙にはこのような定めはない（実務上は、候補者等ごとに賛否を記載できるものが用いられることもあるようである）。

第３に、書面投票の行使期限は原則として総会日直前の営業時間終了時であり議決権行使書面にもその旨記載されるが、委任状にはこのような制限はなく、期限に関する特段の記載はない。

第４に、議決権行使書面は会社が送付したものを利用する前提であり、私製の議決権行使書面は認められないと考えられるが、委任状用紙は私製のものを利用してもかまわない。

次に、委任状の集計については、株主の押印がない場合は無効とされる点が議決権行使書の取扱いと異なるが、その他の集計基準は大きく異ならない。

また、議案に対して反対の表示がなされた委任状を代理人が受任するかどうかは、代理人の判断による。代理人が、議案に対して否の表示がなされた委任状を受任しない場合であっても、株主総会の決議に影響を及ぼすことはないが、定足数確保のために会社が委任状勧誘を行う場合などは、会社を信頼して委任状を返送した株主の期待に応えて、集計に反映するのが望ましい。

なお、株主が、代理人の氏名欄に特定の者の氏名を記載して返送してきた場合、勧誘者は、指定された者を代理人として議決権を行使させる義務を負うことにはならない。ただし、株主が「代理権を証明する書面」を提出する趣旨で会社に返送している可能性もあるため、代理人の氏名欄に記載された者（株主）が株主総会に出席し、代理人として議決権を行使する旨の意思表示をしたときは、当該代理人による議決権の代理行使を認めざるをえないであろう。

第Ⅰ編

第17章

有価証券報告書の定時株主総会前提出

17-1

総　　説

かつて有価証券報告書については、定時株主総会が終結するまでは提出できなかったが、企業内容等の開示に関する内閣府令（以下「開示府令」という）が改正され、平成21年12月31日以降に終了する事業年度から、有価証券報告書等を定時株主総会前に提出することが可能となっている。

開示府令17条１項１号ロにおいては、有価証券報告書に添付する計算書類について、定時株主総会に報告したものまたは承認を受けたものとしているが、括弧書のなかで、有価証券報告書を定時株主総会前に提出する場合には、定時株主総会に報告しようとするものまたは承認を受けようとするものを添付することとされている。

このように、有価証券報告書ならびに内部統制報告書について、定時株主総会前に提出するか、従前どおり定時株主総会後に提出するかは会社の選択に任されているが、現状では定時株主総会前の提出を行っている会社は、ごく少数にとどまっている[(1)(2)]。

その理由としては、現状において総会前提出のインセンティブがほとんどないことが考えられる。すなわち、有価証券報告書の定時株主総会前提出は、情報開示に積極的であるという評価は得られるかもしれないが、反面、**17－２**に記載のとおり、有価証券報告書作成のスケジュールが前倒しとなることに伴う懸念事項（監査法人の監査日程の調整や作成日程が偪迫することによ

---

(1)　商事法務研究会編『株主総会白書2022年版（商事2312号）』（商事法務研究会、2022）の調査結果によると、有価証券報告書等の総会日前提出を行っている会社は、51社（1.5％）であり、このうち15社が総会前日に提出をしている（同白書161頁〔図表161〕）。

(2)　有価証券報告書等の株主総会前提出に関する実務上の課題については、大橋博行「６月定時株主総会における開示の充実等への企業の対応――有報の総会前提出と総会当日の議決権行使結果の集計に関する先進的事例」商事1906号（2010）96頁以下で詳しく取り上げられている。

る記載ミスの懸念等）があり、あえて総会前提出に変更するメリットが感じられていないものと思われる。

ただし、株主総会資料電子提供制度下において、有価証券報告書を電子提供措置開始日（株主総会の日の３週間前の日または招集通知発信日のいずれか早い日）までに提出し、当該有価証券報告書に電子提供措置の記載事項が記載されている場合、当該記載事項は電子提供措置をとることを要しないものとされている（法325条の３第３項）。議決権基準日を事業年度末日としている場合、この日程での有価証券報告書の提出はハードルが高いと思われるが、今後議決権基準日を事業年度末日と異なる日に設定する会社が増えてくれば、実施に向けたハードルも下がるものと思われる。

17-2 定時株主総会前の提出に際しての留意事項

有価証券報告書等の総会前提出を実施する場合に、検討あるいは留意すべき主な事項としては以下の点が考えられる。

1　有価証券報告書作成時期の前倒し

有価証券報告書を定時株主総会前に提出することは、作成日程（校了時期）の前倒しを意味する。有価証券報告書の記載事項は、年々記載事項の充実化がはかられており、作成の負荷も高まっている。また、記載事項に誤りがあると虚偽記載に該当するリスクも出てくる。このようななかで、作成日程を前倒しすることは事務担当者の負担が増大することになる。関係者には早めの作業を依頼するとともに、校正作業もより短時間で効率的に行うことができるよう事前に手を打つ必要があろう。

2　監査法人との監査日程の調整

有価証券報告書を定時株主総会前に提出するとなると、いわゆる金商法監査（財務諸表監査、内部統制監査、有価証券報告書監査）のスケジュールも従前より前倒しとならざるをえない。会社法上の（連結）計算書類の監査日程との関係も含めて、事前に監査法人との間で日程調整を行う必要がある。

3　有価証券報告書記載事項の変更箇所確認

有価証券報告書を定時株主総会前に提出する場合に、「役員の状況」の記載については、提出日現在のものに加え、定時株主総会で役員選任議案が付議される場合は、定時株主総会終結後の状況の記載も必要になるなど、これまでと異なる記載事項、記載基準となる点が出てくる。

そのため、変更箇所を確認のうえ作成する必要が出てくる。

4　想定問答への取込み

有価証券報告書を定時株主総会前に提出する場合、株主は当該有価証券報告書を見たうえで、総会に出席しその内容について質問をする可能性もある。株主総会の説明義務については、基本的に株主総会招集通知ならびに添付書類、その他会社法に基づく株主への開示書類に記載されたものが対象となると考えられる。しかし、だからといって投資家に開示されている有価証券報告書の内容について質問が出されたときに説明義務の対象外として説明を拒絶することは、来場株主の満足度向上という観点や株主総会における株主との対話の重要性などを勘案すると賢明な対応とはいえないであろう。当日の質問に備え、適宜想定問答に取り込むことも必要と考える。

なお、想定問答への取込みという観点では、定時株主総会前に有価証券報告書を提出しない会社において、定時株主総会前に有価証券報告書を提出しない理由や今後の方針を問われる可能性があるため、想定問答として用意しておくことが考えられる。総会前提出をしない理由としては種々考えられるが、たとえば、有価証券報告書の記載事項が充実化される中で監査法人との監査日程の調整がますます困難なものとなる可能性があることや総会前提出を実施している会社がごく少数であることから従前どおりの対応としていること、今後については他社の状況等もふまえ引き続き検討したいといった主旨の回答とすることが考えられよう。

5　議案が修正もしくは否決された場合の対応

有価証券報告書を総会前に提出した場合で、総会決議を前提に記載した事項（役員の状況等）について、議案が修正されて可決もしくは否決された場合には、臨時報告書で開示が必要となる。なお、これ以外で記載事項に誤りがあった場合は訂正報告書を提出することとなる。

6　変更後の定款の添付時期

定款が変更された場合には、変更後の定款を有価証券報告書に添付することが必要となるが、有価証券報告書の総会前提出を行う場合、当該定時株主総会において定款変更議案が承認可決された場合の変更後の定款の添付時期が問題となる。この点については、有価証券報告書提出時には当該定款変更に係る総会決議が行われていないため、変更後の定款は翌期の有価証券報告書に添付することとなる。すなわち、2023年６月の定時株主総会で定款変更の決議が行われた場合、変更後の定款は、2024年３月期の有価証券報告書に添付されることとなる。この点、有価証券報告書を定時株主総会後に提出する会社では、当該総会後に提出される2023年３月期の有価証券報告書に添付されることになる。

第Ⅰ編

第18章

直前の準備事項・緊急対応

18-1 包括委任状と受任者の指定

1　包括委任状の意義

会社が大株主からいわゆる包括委任状の提出を受けることがある。

その目的は、会社提案への賛成票を確保するという狙いもあろうが、多くは総会当日のいわゆる手続的動議への円滑な対応であろうと想定される。

すなわち、総会場で手続的動議（議長不信任動議や会計監査人出席要請動議、休憩動議等、議案の修正動議以外の動議を指す）が出された場合、その採否は、議場に出席した株主の議決権の数により決せられ、議決権行使書や電磁的方法による行使等いわゆる事前行使分は考慮されない。そのため、手続的動議が議場に出された場合、議長の意図するかたちで動議の採否が決定されるよう、あらかじめ大株主から、動議への対応も含めた一切について委任する旨の包括委任状の提出を受けておき、会社関係者である受任者の意思によって手続的動議の採否が決定されるようにしているものと推察される。

2　包括委任状の提出状況

包括委任状の提出を受けている会社は、『株主総会白書2022年版』によると910社（48.0％）であり、ほぼ半数にのぼっている。また、提出通数については、「１通～３通」までで481社と包括委任状の提出を受けた会社の５割強を占める(1)。

包括委任状の目的を手続的動議への対応と考えた場合、包括委任状を何通提出を受けるかについては、例年の当日出席の株主の議決権数を勘案し、その過半数を占める議決権数を包括委任状で確保しておけば問題ないといえる。したがって、通数の問題というより、提出を受ける大株主の議決権の数（比率）が重要といえる。

3　委任状勧誘府令との関係

上場会社が、包括委任状の提出を株主に要請することは、金融商品取引法194条に定める「自己又は第三者に議決権の行使を代理させることを勧誘」する行為に該当する。したがって、大株主からの自主的な提出ではなく、会社側から大株主に包括委任状の提出を要請する場合には、委任状の様式は委任状勧誘府令43条に定める様式に則ったものとすることが必要である[(2)]（**第16章16－4 2(4)**）。

また、委任状勧誘府令の適用がある場合には、所定の様式の委任状に加えて、参考書類の交付が必要となり（金商法施行令36条の２）、さらに委任状の用紙と参考書類の写しをただちに金融庁長官（財務局長に委任）に提出することが必要となる（同施行令36条の３）。

なお、議決権を有する株主全員に株主総会参考書類と議決権行使書を送付している場合は、委任状用紙と参考書類の写しの提出は不要とされている（委任状勧誘府令44条）が、実務上はこのような場合でも写しを提出している例が多いようである。

委任状勧誘府令に定める要件を満たした包括委任状の様式例は、**図表Ⅰ－18－１**を参照されたい。

---

(1)　商事法務研究会編『株主総会白書2022年版（商事2312号）』（商事法務研究会、2022）103頁〔図表75〕。

(2)　金融商品取引法施行令36条の６第１項１号では、「当該株式の発行会社又はその役員のいずれでもない者が行う議決権の代理行使の勧誘であつて、被勧誘者が10人未満である場合」は適用除外としているが、たとえば会社の総務担当者が勧誘を行った場合には、会社の業務として行っているものと考えられるため、発行会社が行う勧誘とされる可能性が高い。そうすると、このような場合にも委任状勧誘府令が適用されると解するのが無難であろう。

図表Ⅰ－18－1　包括委任状の様式例（委任状勧誘府令に定める様式）

委任状

株式会社○○○○　御中

○年○月○日

株主（住所）
（氏名）
議決権個数　＿＿＿＿＿＿個

私は□□　□□を代理人と定め、以下の事項を委任します。

1．平成○年○月○日開催の貴社第○期（回）定時株主総会（その継続会または延会を含む）に出席して、下記の議案につき私の指示（○印で表示）に従って議決権を行使すること。ただし、各議案につき賛否の表示をしていない場合、原案につき修正案が提出された場合および議事進行等に関連する動議が提出された場合は、白紙委任いたします。
2．復代理人を選任すること。

記

第1号議案	原案に対し	賛	否
第2号議案	原案に対し	賛	否
	ただし、候補者のうち（　　　　　　　）を除く		
第3号議案	原案に対し	賛	否

以　上

4　包括委任状の受任者

包括委任状は、あくまで委任状であるから、代理人が委任状に基づき議決権を代理行使してはじめて議決権が行使されたことになる。

したがって、包括委任状が提出された株主の分については、代理人資格を有する者を受任者として指定し、その受任者に議決権を代理行使させることが必要となる。包括委任状には、委任する相手方の欄をブランクで提出される（受任者も白紙委任する）ケースもあるが、委任する相手を会社の代表者としておき、あわせて復代理人の選任権限を与えておくパターンもある。

いずれの方法でも問題ないと思われるが、最終的にはたとえば株主総会に詳しい総務部長や法務部長などを代理人（包括委任状の受任者）とすることが考えられる。この場合、受任者になる者は、定款で定める代理人資格を有する者（「その総会で議決権を行使できる他の株主」とする旨の規定が一般的）であることが必要である。

なお、受任の意思を明確化するため、受任者からは受任承諾書の提出を受けるのが適切と思われる。受任承諾書の様式例は、**図表Ⅰ－18－2**を参照されたい。

図表Ｉ－18－２　受任承諾書の様式例

○年○月○日

○○○○　株式会社
代表取締役社長　○○○○　殿

受任承諾書

私は、別紙委任状による下記議決権につき代理人として本日開催の貴社第○期定時株主総会および継続会または延会に出席し、別紙委任状にもとづき一切の議決権を行使することを承諾します。

記

受任議決権数　　　　　　　　　個

（ただし、この委任株主数　　　　　　名）

受任者株主

住所

氏名

以　上

18-2 会社からの議決権行使勧誘

1　総　　説

株主総会では、会社提案の議案を承認可決することが最大の目的である。

しかしながら、付議する議案によっては、機関投資家が厳しいスタンスのこともあるし、敵対的な大株主が反対すると議案の成立が厳しくなるケースもありうる。

このような場合に、会社としては賛成票の獲得もしくは議決権行使の勧誘のための方策を行うことが考えられる。

ただし、どのような方策を実施するかにあたっては、

① 賛成票の獲得を目的とするのか、議決権行使の勧誘（促進）を目的とするのか
② ターゲットは個人株主か、法人株主か、国内機関投資家か、外国人株主か
③ どの程度の賛成票もしくは議決権行使の上積みを目標とするのか
④ 費用対効果はどうか

といった観点からの検討が必要であろう。

2　議決権行使促進策

まず、議決権行使促進策として考えられる方策につき検討する。

考えられる方策は以下のとおりである。

① 株主総会招集通知の早期発送

② 議決権電子行使制度ならびに機関投資家向け電子行使プラットフォームの採用
③ 招集通知や議決権行使書面へのネット行使や議決権行使書送付要請文言の記載、強調
④ ネット行使や封筒への議決権行使書投函のイラスト表示
⑤ 議決権行使書返還要請文書の招集通知への同封
⑥ 議決権行使督促ハガキの送付
⑦ 招集通知（参考書類、計算書類を含む）の自社ホームページへの掲載および自社ホームページへの事前の議決権行使要請文言の掲載
⑧ 議決権行使者へのインセンティブの付与
⑨ 英文招集通知の取引所への提出、実質株主宛送付（外国人機関投資家をターゲット）
⑩ 英文招集通知の自社ホームページへの掲載（外国人機関投資家をターゲット）および議決権行使（指図）の要請
⑪ 外部機関（調査機関）を使った実質株主への行使勧誘
⑫ （外部機関を使った）個人株主への行使勧誘（電話）

3　賛成票（信任）獲得のための施策への発展

賛成票獲得のための主な施策（想定されるアクション）としては以下のものが考えられる。

なお、機関投資家からの賛成票獲得のためには、日ごろからのエンゲージメント（目的を持った対話）の実施により、機関投資家との信頼関係を構築したうえで議案決定後に議案の説明とともに賛成票を投ずるよう依頼することが有効と思われる。日頃まったく接触がなく、議案の決定後に突然賛成票を投ずるよう依頼しても信頼関係が構築できていないと面談すら難しいという状況にもなりかねない。最近はウェブでの面談を活用することで相互に効率的な対話を行うことも可能である。

また、議案の賛否の判断に際して、機関投資家が知りたい情報をいかに早く提供できるかも重要なポイントである。機関投資家は、議案の内容について「早期に」、「充実した」情報の提供を求めている。ICJ の機関投資家向け議決権電子行使プラットフォームなどを活用し、早期に内外の機関投資家に

情報発信できるようにするとともに、賛否の判断基準となる情報を招集通知に記載する、あるいは必要に応じて補足説明として適時開示を行うなどの対応も有意義と思われる。

一方、個人株主は、議決権行使率が低いものの、議決権行使をする場合には、９割を超える比率で会社提案すべてに賛成している(3)。したがって、個人株主の事前の議決権行使率を上昇させることで、賛成率の向上が期待できる。

①　友好的な株主に対する委任状提出、議決権行使の要請
②　機関投資家との意見交換（議案決定前）
③　機関投資家の要望する方策の実施、議案への反映（議案決定前）
④　機関投資家への議案に関する事前説明と補足説明、意見交換
⑤　議案の説明資料、補足説明資料の作成と機関投資家等への発信
⑥　議決権電子行使プラットフォームを通じた説明（議決権行使助言会社が反対推奨した場合の反論の実施）
⑦　外部機関（調査機関）等を使った実質株主への行使勧誘
⑧　一定株数以上を有する株主への委任状勧誘（委任状用紙送付、電話勧誘、個別訪問等）
⑨　適時開示による会社の見解の開示

(3)　三菱 UFJ 信託銀行の調査によると同行が株主名簿管理人となっている上場会社（2022年１月～６月総会）において、個人株主の事前行使の比率（人数ベース）は35.8％であるが、事前に議決権行使をした個人株主の93.0％（人数ベース）が会社提案の全議案に賛成票を投じている。

18-3

議場の設営

1　総　　説

株主総会の議場（総会場）の設営は、当日の運営を円滑に行うにあたっての重要なポイントとなる。議場の設営については、会場を変更したり、ビジュアル化やバーチャル総会をはじめて実施するなどの事情がなければ、基本的には前年の対応に準じて行うことになる。

したがって、前年の総会を振り返り、設営の観点で見直すべき点がなかったかを関係者にも確認することが重要であろう。

また、会場を変更する場合には、設営も一から考えなくてはならないし、第２会場を使用する場合には第２会場の設営のみならず、第２会場での発言希望者への対応（第１会場に誘導する場合には、誘導の担当者、動線、第２会場から移動した質問希望者の座席位置の確保等）も含め入念な事前準備が必要となる。

なお、新型コロナ禍で感染防止策として、座席の間隔を広くとったり、会場への来場を控えてもらうべく株主に案内する（事前登録制や定員制の実施を含む）などしてコンパクト（小規模）な総会とする対応がとられてきた(4)が、アフターコロナを見据えて株主総会の運営をどうするかで会場の設営の仕方やレイアウト等も変わってくるであろう。また、バーチャル総会を実施する場合には、カメラ等の機材や運営スタッフのスペース等も必要となる。早めに関係者と打ち合わせを行い、会場の設営の準備に入る必要がある。

---

(4)　新型コロナ感染拡大防止のための会場設営上の工夫の実施状況については、商事法務研究会編・前掲(1)白書48頁〔図表13〕を参照されたい。

2 議場の設営に際しての留意事項

議場の設営にあたり、一般的に検討もしくは留意すべき事項としては以下の点が挙げられよう。

(1) 会場にどのような機器を設置するか

ビジュアル化、議長支援システム、バーチャル総会等で必要な機器ならびに配置場所を確認する。記録用としてビデオ撮影する場合もカメラの位置を目立たない場所におくなどの配慮をする。

会場が広い場合は、正面以外にビジュアル画面のモニターを設置するか、設置する場合、どこにどれだけ設置するか検討する。

(2) セキュリティをどのように確保するか

不測の事態が発生した場合に、来場株主をすみやかに避難させることができるようレイアウトを工夫する。また、議長席の安全確保についても警備担当者と打ち合わせするとともにレイアウト上も工夫できる点がないか検討する。

(3) 会場のキャパシティ

会場には来場株主がゆったりと座れるよう、またウィズコロナの状況下では感染防止の観点からも座席間の間隔を十分に確保し、座席数も例年の出席者の数を基準に、多めの座席数を用意するのが望ましい。ことにアフターコロナの状況になった場合には、来場株主数の大幅な増加の可能性もある。コロナ前の出席者を基準に必要な座席数を検討する必要があろう。

また、議長ならびに役員側も窮屈にならないように余裕をもったレイアウトにする。

(4) 入退場口

役員と株主の動線を別にするため、役員の入退場口と株主の入退場口は別の場所とするのが望ましい。

(5) 控室の用意

役員控室と事務局の控室は近いほうが好都合であり、逆に株主対応等のための別室はこれらと離れているほうが望ましい。

株主対応という点での別室に加え、株主総会に出席される方に高齢な方も増えていることやウィズコロナ下で体調のすぐれない株主への応急処置ができるよう、別室を用意し看護師等を待機させるかどうか検討する。

(6) 会場に入場しきれない場合の対応の検討

万一、会場内に株主が入場しきれない場合、ホワイエ（会場の外のスペース）にモニターを設置し議場の模様を見てもらうことができるか検討する。

3　会場での確認事項と会場のレイアウト例

総会当日の株主からの照会に備える意味でも、会場の設備等について以下の点などを確認しておく必要がある。

①　エレベーター、エスカレーター、階段、非常口、トイレの位置の確認
②　駐車場の利用可否、場所の確認
③　クローク、傘立ての要否確認（自社会場の場合）
④　案内板の表示位置の確認
⑤　空調の設定温度と調整方法の確認
⑥　会場への案内係（最寄駅からの案内、建物内での案内、会場内での誘導担当者等）の配置状況の確認
⑦　照明の明るさ（減灯するかどうか）の確認
⑧　会場のBGM（氛囲気を和らげるためにBGMを流すか）の確認

なお、議場（総会場）のレイアウト例は**図表Ⅰ－18－3**を、総会当日用意すべき準備道具のチェックリスト、事務局が議場に持ち込む書類等のチェックリスト、会場案内の表示例については**図表Ⅰ－18－4**をそれぞれ参照されたい。なお、各図表については、アフターコロナを前提に記載しているのでご留意いただきたい。

図表Ⅰ－18－3　議場のレイアウト例

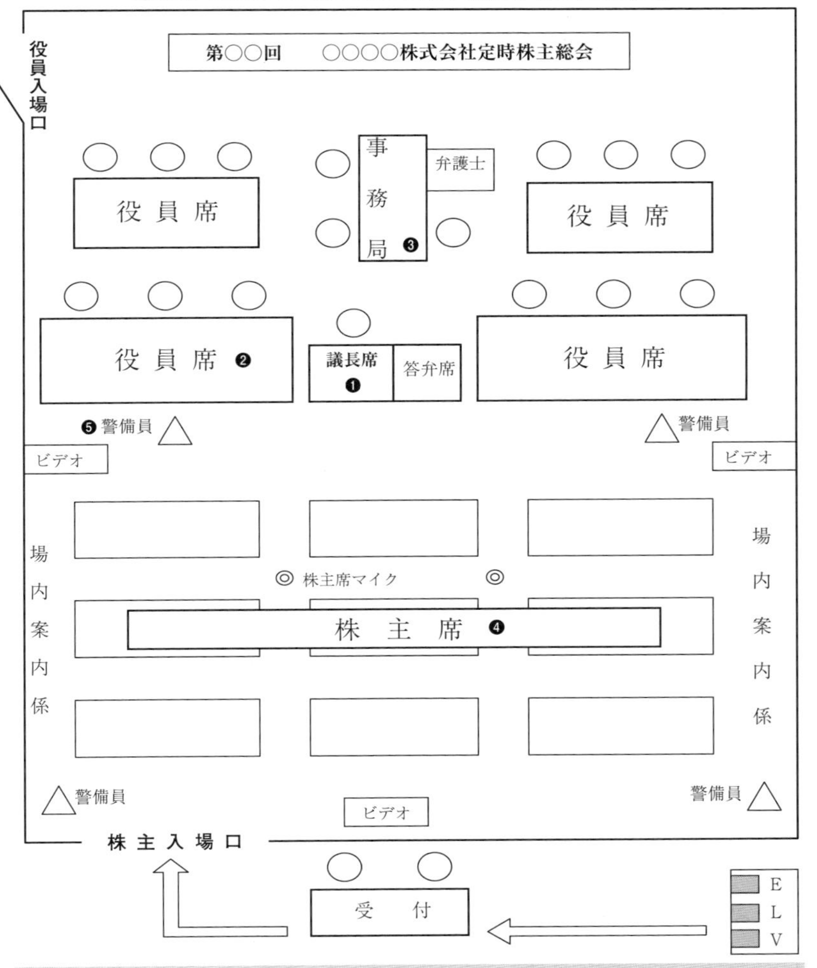

❶ **議長席**：セキュリティ面ならびに株主席の様子がよく見えるように、ひな壇上に設営する例が多い。
❷ **役員席**：役員は必ずしも序列にこだわらず、答弁機会の多い役員を前列または答弁席に移動しやすい位置に着席させる。答弁席を設ける場合、答弁後はいったん自席にもどる。
❸ **事務局席**：議長との連携を考慮し、議長席の背後に設ける。顧問弁護士は事務局に着席するのが一般的。
❹ **株主席**：株主席用マイクを設けるケースが多い。
❺ **警備員**：セキュリティの観点から要所に警備員を配置。壇上に駆け上がる株主を阻止するため書記席を議長席の前に置いたり、花を飾る例もある。

図表Ⅰ－18－4　株式実務担当者としての株主総会運営準備

コロナ対応、バーチャル総会は考慮せず

1．会場の設備等についての確認

① エレベーター、エスカレーター、階段、非常口、トイレの位置の確認
② 駐車場の利用可否、場所の確認
③ クローク、傘たての場所の確認、自社会場の場合要否確認
④ 案内板の表示位置の確認
⑤ 空調の設定温度と調整方法の確認
⑥ 会場への案内係り（最寄駅からの案内、建物内での案内、会場内での誘導担当者の状況確認）
⑦ 照明の明るさ（間引きするかどうか）の確認
⑧ 会場のBGM（雰囲気を和らげるためにBGMを流すか）

2．受付関係の用具等の確認

チェック欄	用具等（例）
	① 出席票（または入場票）
	② 株主総会受付整理票（⇒議決権行使書提出済み株主の出席の場合等に使用）
	③ 株主総会出席者名簿（⇒当日出席者を記載するリストの白紙）
	④ 全株主名簿（全株主明細CD－ROMを使用する場合はパソコンの用意）
	⑤ 事務用品（鉛筆・ボールペン、消しゴム、クリップ、ホチキス、ホチキス針、電卓、輪ゴム、付箋、議決権行使書用紙を運ぶトレイなど）
	⑥ 招集通知（⇒株主配付用）
	⑦ お土産（⇒株主配付用）
	⑧ 議決権行使書等集計の最終報告（議決権行使株主のリスト等を含む）
	⑨ 会場案内図（⇒照会があった時の案内用）

3．会場設営の用具等の確認

チェック欄	準備するもの	備　考
	掲示板	数、位置、内容等確認
	役員の名札	椅子の上にも貼り、席順を間違わないようにする工夫要
	クローク、合札、受付員等の名札	配置も併せて確認
	文房具類	ハサミ、ホチキス他必要物の確認
	マイク	設置、数、位置、操作方法の確認
	議長席の水差し、シナリオ台等	
	役員席のメモ、筆記用具等	
	電話、インカム	内部連絡用
	録音、録画機器等	複数台用意
	パソコン等ビジュアル機器	
	専用エレベーターの確保	

4．その他の持込み書類チェックリスト例

チェック欄	持 込 み 書 類
	過年度分の事業報告、計算書類、中間報告書等（過去何年か分も一応用意しておく）
	附属明細書、株主総会議事録、決算短信、有価証券報告書、退職慰労金規程等
	六法全書、定款、株式取扱規則、就業規則等諸規則
	想定問答集、重要条文集
	議事進行要領（シナリオ）
	会場レイアウト図、株主総会関係者配置図

5. 事務局・会場等担当者チェックリスト例

チェック欄	役　割	担　当	担当者
	事務局		
	会場内	会場入口案内担当	
		会場警備担当	
		質問マイク担当	
		録音、ビデオ担当	
	受付関係	総会受付担当	
		議決権行使書集計担当	
		株主検索担当	
		土産・招集通知状担当	
		イレギュラー対応担当	
	案内、誘導関係	役員付	
		株主の会場への案内担当	
		クローク、傘案内担当	
		駐車場担当	
		マスコミ対応担当	
	社員株主		
	従業員持株会代表、包括委任状受任者		

6. 会場案内の表示例

○○○○株式会社　株主総会会場（立て看板、横看板、入口の各場所用）

株主総会会場・於 ○ 階

○階まで直通

受　付

恐れ入りますが出席票のご提示をお願いいたします

議　長　席

取　締　役　席

監　査　役　席

事　務　局

お　手　洗　い

締　切　り

入　口

株　主　様　控　室

これから先へは立入りご遠慮願います

恐れ入りますが会場内では携帯電話の電源をお切りいただくか、マナーモードでご使用ください

18-4 緊急対応

株主総会の直前に不測の事態が発生した場合にどのような方針で臨むべきか、あらかじめ対応方針を決定しておくことは有意義である。以下においては、天災により総会の開催が不能となった場合（1）、交通機関のマヒ等によって株主の来場に支障が生じた場合（2）、多数の株主が来場し会場に入場できない事態が生じた場合（3）につき、考えられる対応方針を記載する。なお、新型コロナ禍対応等パンデミック対応については触れていない。

1　災害発生時の対応

東日本大震災発生後には大きな余震の発生も懸念され、総会直前あるいは総会当日に大きな地震が発生した場合にどのような対応をとるべきかが問題となった。これについては実務上の観点からの書籍が出版されておりそこで詳細に解説がされている(5)。

総会直前もしくは総会当日に大きな災害が発生した場合に最優先で考えるべきは、出席者の身の安全の確保である。そのうえで次に優先すべきは議案を承認可決させることであり、そのために議案の採決を最優先で行うことが必要であると思われる。

---

(5)　中村直人＝山田和彦『大震災と株主総会の実務』（商事法務、2011）、松山遙＝西本強編著『Q＆A　震災と株主総会対策』（商事法務、2011）、商事法務編『大震災後の株主総会直前対策』（商事法務、2011）などの書籍がある。

(1)　出席者の身の安全の確保が最優先であること

総会前に大きな災害が発生した場合、まずは会場の被災状況を確認し、万一損傷がひどく総会を開催できない状況であれば、当初の会場の近くに代替会場を手配できるか確認することが考えられる。そして、代替会場が確保できれば、すみやかにその旨を適時開示もしくは自社ホームページで案内し株主に周知をはかり、当日も当初の会場に人員を配置し、代替会場への案内、誘導を行うべきであろう(6)。

万一、代替会場がみつからない場合には、すみやかに前述の方法により総会の延期の案内等を行うことになろう。この場合も、当日当初の会場付近に人員を配置し総会が延期になった旨を案内するべきであろう。

次に、総会開催中に大きな地震が発生した場合等は、まず出席者の身の安全の確保を最優先することが重要である。耐震性が十分な建物であれば、揺れがおさまるまで会場で待機しておくことが安全な場合が多いと思われる。

いずれにしても、状況に応じて臨機応変な対応が必要となろうが、基本的な対応方針ならびに株主等への案内文言（シナリオ等）は事前に準備しておけば万一の場合にも慌てることなく対応できるであろう(7)。

(2)　次に優先すべきは議案の採決であること

次に、総会開催中に大きな地震等が発生し、その後議事を再開できる場合において、再び大きな余震が来そうな場合や総会をすみやかに終了し避難させた方がよいと考えられる場合でも、即座に総会を中止するのではなく、可能な限り議案の採決は済ませておきたい。そうしないと、延会・継続会の開

---

(6)　日本フェンオールは、平成23年３月30日に開催した定時株主総会の会場につき、当初予定していた場所から近隣のホテルに会場を変更するとともに、変更前の会場に来場した株主を変更後の会場に誘導する時間を確保するため開始時刻を30分繰り下げている。当該変更については、株主宛に通知するとともに、同社のホームページにも掲載した。

(7)　比較的可能性が高いのは、総会開催中に緊急地震速報がだされるケースと想定される。この場合、携帯電話をマナーモードにしている場合でもアラーム音が鳴る設定のものが多いと思われるため、議長がいったん議事を中断し、安全確認をしたうえで議事を再開するというシナリオなどを用意しておくことが考えられる。

催が必要となり実務上の負担も大きくなる。

そのためにも、事前行使（議決権行使書や電子行使）段階で議案の成立要件を満たしておく、もしくは総会当日の大株主の賛成により議案が成立するようにしておくことが重要であるし、議事の途中でも採決に移行できるようシナリオを用意しておくことも有用であろう。

2　交通機関のマヒの場合の対応

総会当日、鉄道等の主要な交通機関がマヒした場合の対応も問題となる。

まずは、情報収集を行い、復旧の見込みや他の交通機関の状況等を確認し、来場株主数が例年に比べ極端に少ない場合等には、総会開催時刻を繰り下げて様子をみることも考えられる。総会当日の開催時刻を繰り上げることは許されないが、繰り下げる（遅らせる）ことは、遅延の理由と程度によって許容される場合もある（**第13章13－２**）。総会時間の繰下げについては、５分や10分程度であれば別段の問題とならず、仮に電車の事故などが原因で、予想される出席株主と比べてきわめて少ない場合や取締役の出席が遅れるような場合は常識的な程度（たとえば30分程度あるいは１時間程度）で開催時刻を遅らせることは差し支えなく、むしろそうすることが妥当なこともあるとされている[8]。ただし、２時間以上遅れるような場合には延期の決議が必要とされている。

また、議長や答弁担当役員、事務局のメンバーは、交通機関がマヒした場合にも確実に会場に来ることができるよう、会場近くに宿泊しておくのが無難であろう。

なお、バーチャル・オンリー総会を実施する場合、もしくはハイブリット出席型のバーチャル総会の場合も、リアルの会場に株主が来場する必要はないため、会社側のスタッフが問題なく運営できるのであれば、交通機関がマヒした場合でも影響は受けないものと考えられる。また、役員については、交通機関がマヒした場合ウェブで参加するという代替手段もとりうる。コン

---

(8)　東京弁護士会会社法部編『新・株主総会ガイドライン〔第２版〕』（商事法務、2015）５頁。

ティンジェンシープランとして準備しておくことも考えられよう。

3　多数参加の場合の対応

総会場は例年の出席者や株主数の増減、自社の固有の事情の有無等をもとに手配するものと思われるが、何らかの事情により想定をはるかに上回る株主が来場し、会場に入場できない場合もありうる。ことにアフターコロナの状況になった場合、自然体で臨むと来場株主数が大幅に増加する可能性もある。

このような場合に、急遽第２会場を手配することは実質的に不可能と思われる。会社としては、このような事態が生じないよう、来場株主数については多めに見積もり、余裕をもった座席数の確保をするべきであるが、用意した座席数を多少超える程度であれば、椅子を会場に搬入するなり、立ち見でお願いするという対応が考えられる。

しかしながら、万一想定をはるかに上回る株主が来場した場合の方針を決定しておく必要がある。会社としては、会場の外にスペースがあればそこに株主を誘導したうえで音声が届くよう会場の扉を開放したり、発言希望者を確認し、会場内に誘導するなどの対応は最低限必要であると思われる。

多数の株主が来場し、会場に入場できないという事態を回避するには、このほかにもバーチャル・オンリー総会の実施、あるいはハイブリッド型バーチャル総会を実施する場合には事前登録制や定員制とセットで実施することも考えられる。ただし、総会直前の対応ではなく、総会準備の早い段階から方針を決定し、準備しておく必要がある。

第Ⅰ編

第19章

株主総会の受付

19-1

総　　説

1　株主総会の受付の意義

株主総会に出席し議決権を行使できる株主は、基準日現在で議決権を有する株主として株主名簿に登録された者であり、株主総会への出席権のない（総会場への入場資格のない）株主の入場を認めたり、逆に出席権のある株主の入場を拒絶してしまうと、株主総会の招集手続に瑕疵ありとして決議取消事由を帯びることとなる。

このため、株主総会会場において受付を設けて、来場者の出席資格の有無ならびに出席者の氏名や議決権数を確認・集計することが必要となる。

株主総会の受付事務の骨子は、以下の３点である。

①　来場者のお迎えと来場者の入場資格確認
②　出席者の氏名と議決権の数の集計（議場報告ならびに最終の数字の確定）
③　出席者のリストの作成

2　株主総会受付での留意事項

株主総会の受付のミスは、決議取消事由にもつながりかねないことから、慎重かつ正確な対応が必要となる。

また、来場者は開会時間直前に集中して来場するケースが多いため、短時間に混乱なく受付事務を行うことができるよう、受付のレイアウトを工夫し、人員体制、役割分担につき明確にしておくことが必要である。

さらに、株主総会の受付は、来場株主が最初に足を運ぶ場所であるため、受付での印象が会社のイメージにつながるし、受付での不手際は総会場でのクレーム発言にもつながりかねない。そのため、元気に明るく、かつ丁寧な応対と状況に応じ毅然としたあるいは臨機応変の対応が求められる。

なお、新型コロナ感染防止対応として、受付時の株主対応においても種々の対応が行われた。詳細については、『株主総会白書（2022年版）』を参照されたい[(1)]。

3　受付に際しての事前準備

株主総会の受付にあたり事前に検討、確認しておくべき主な事項は以下のとおりである。

(1)　会場ならびに受付場所のレイアウト図作成、株主の動線の確認

多数の株主が短時間で来場することを前提に、来場株主が滞留しないように受付レーンの数や受付レイアウト、受付後の株主の動線を検討し、レイアウト図を作成する。

(2)　前年の出席者の状況や前年までの反省事項と対応策の確認

前年の出席者の数や前年での受付の際の反省点等をふまえ、対応策や留意点を確認する。

(3)　受付人員と役割分担の決定

受付人員の手配と役割分担を決定する。基本的には経験者に担当してもらうのが無難である。あるいは、受付を２人１組で行う場合は、ベテランと経験の浅い人でセットにするという対応も考えられる。

また、代行機関や人材派遣会社から受付人員の派遣を受ける場合は、事前

(1)　商事法務研究会編『株主総会白書2022年版（商事2312号）』（商事法務研究会、2022）110頁〔図表82〕。

に調整を行う。

受付の事務は日常業務ではないため、役割分担については明確にし、必要に応じて担当業務につき事前にレクチャーを行うことも有意義である。

(4) 株主への交付物の確認・決定

受付の際に株主に交付するものを確認・決定する。議決権行使書面と引換えに出席票（ポケット差込方式やストラップ方式が多い）を交付するのが通例である。

なお、株主総会資料電子提供制度下での株主総会においては、フルセットデリバリの場合を除き、株主に送付される書面は書面交付請求があった株主とそうでない株主で異なるものになる。当日出席（参加）した株主には、ビジュアル画面をご覧いただき、説明はそれをもって完結させるのであれば、株主によって書面で送付される書類が異なっても問題は生じない。一方で、ビジュアル画面で説明は完結しない場合、株主によって送付される招集通知の内容が異なると「お手元の招集通知○頁をご覧ください」と説明できなくなる。この場合、株主総会当日説明用として、書面交付請求があった株主に送付する書類一式を受付で交付するか、平積みにする対応も考えられる。

また、お土産を用意するか（19－3）、お土産はいつ渡すのか等につき、前年までの対応を確認し、本年の対応を決定する。

(5) 受付に使用する備品の確認、手配

受付に必要な備品（会社で用意するもの、代行機関で用意するもの）を確認、手配する。

(6) イレギュラーケースへの対応方針の確認、決定

付添い者、傍聴希望者への対応、非株主である同居親族や弁護士等から代理人としての入場要請があった場合の対応につき前年までの方針と本年の対応方針を確認する。

(7)　出席株主の議決権数等の報告時期の確認、決定

出席株主（事前行使分含む）の人数、議決権数の議場での報告時期ならびに集計担当者からの数字の連携時期について本年の対応を確認する。

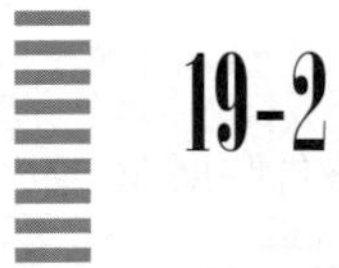

19-2 受付事務における具体的な留意事項

来場株主の受付は、基本的には前年までの方針をふまえ対応することになるが、受付事務を行うにあたって事前に方針を決定しておくべき点は少なくない。以下においては、受付事務において留意すべき点と対応方法につき、実務の状況もふまえて記載する。

1　株主資格の確認方法

(1)　議決権行使書面による確認

来場者の株主資格の確認方法については、明文の定めはなく、基本的には議長の議事整理権に含まれ、議長がその方法を決定することができるものと解される。この点、実務上は、株主宛に送付された議決権行使書面を持参した方を株主として入場させるという取扱いが慣行として確立している。短時間に効率よく株主の資格確認を行う方法として、議決権行使書面を確認書面として提出を求める対応は合理的であり、仮に議決権行使書面を持参しなかった場合でも別途の方法により株主確認を行い入場を認めていることから、特段の問題はないものと考えられる。

株主への周知をはかるため、招集通知の欄外に、当日出席の際は同封の議決権行使書面を会場受付に提出するよう記載しているのが通例である。

また、定時株主総会で議案がなく報告事項のみというケースも考えられる。この場合、議決権行使書面を送付しないため、株主の住所、氏名等を記載した「入場票」を同封し、入場資格確認書面とする対応等が見られる。

なお、株主総会資料電子提供制度下においては、議決権行使書面も電子提供措置を取ることが可能である（法325条の３第１項２号）。議決権行使書面も電子提供とした場合、株主の手元には原則として議決権行使書面は送付されないため、別途の方法（入場票の送付等）で株主資格の確認（本人確認）を行うことが必要となる。

(2)　議決権行使書面を持参しなかった場合の確認

議決権行使書面を持参しなかった場合でも別途の方法で株主確認ができれば入場を認めるべきである。

その際の確認方法としては、会社があらかじめ用意した用紙に受付で株主の住所、氏名等を記入してもらい、基準日時点での株主リストと照合して議決権あり株主として該当があれば入場を認めるという方法が実務上一般的であり、通常免許証等の本人確認書類の提示までは求めていない。

なお、議決権行使書面を持参せず入場した株主が、すでに議決権行使書を投函し議決権行使済であれば、議決権行使書による行使は無効となり当日出席に振り替えるのが通例であるため、当該株主の事前の議決権行使状況を確認することが必要である。

(3)　その他留意が必要なケース

①　性別が異なると推定される場合の対応

たとえば、議決権行使書面が男性から提出されたが、議決権行使書面に記載された氏名は女性のものと思われるような場合に、本人かどうか確認し本人でなければ入場を拒絶するかどうかが実務上問題となる。

この点につき、『株主総会白書2022年版』の調査結果によると「性別の確認を行っている」との回答は、133社（7.0％）と少数派である[(2)]。もとより、性別の確認が義務づけられているわけではなく、株主の本人確認をどこまで行うかという問題であり、いずれの対応でも問題ないものと考えられる。

---

(2)　商事法務研究会編・前掲(1)白書112頁〔図表85〕。

②　法人名義の議決権行使書が提出された場合の対応

法人名義の株式は、株主名簿に法人名ならびに代表者名が登録されている。法人名義の株式について議決権を行使できるのは、本来的には当該法人の代表者と考えられるため、厳格に取り扱うのであれば、入場の際に代表者かどうかを確認し、もし代表者でなく非株主の従業員等が入場する場合には、職務代行通知書の提出を受けるという対応が考えられる。

しかしながら、『株主総会白書2022年版』の調査結果によると、「職務代行通知書（もしくは代表取締役からの委任状）の提出を求めた」との回答は453社（23.8％）にとどまる。もっとも多いのは、議決権行使書面の提出のみを求める対応であり、次に多いのは「（議決権行使書面の提出に加え）名刺・身分証明書等の提出を求めた」との回答である[(3)]。性別確認の問題と同様、株主の本人確認をどこまで行うかという問題であり、職務代行通知書の提出が必須というわけではない。法人名義の議決権行使書面を持参したということで代表者からの指図が推定されるため、議決権行使書面の提出のみで対応することも問題ないであろうし、当該法人に所属することの確認として名刺等の提出を受けることも合理性があるといえるであろう。

③　非株主である代理人からの入場要請への対応

議決権は代理人により行使することが可能であるが（法310条１項）、実務上多数の会社において、定款で代理人の資格を「当該株主総会で議決権を行使できる他の株主」に制限しており、判例でも合理的な制限として認められている[(4)]。こうした定款規定にかかわらず、一定の場合に非株主を代理人として入場を認めるケースも見られる。

実務上問題となるのは、「同居の親族」、「弁護士」、「いわゆる実質株主」の場合である。この点、『株主総会白書2022年版』の調査結果によると「同居の親族は認める」との回答が190社（10.0％）、「弁護士は認めることがある」との回答が137社（7.2％）となっており、多数派は「例外を認めない」（902

(3)　商事法務研究会編・前掲(1)白書113頁〔図表87〕。
(4)　最二判昭和43・11・１民集22巻12号2402頁・判時542号76頁。

社、47.3％）である[5]。個別判断で例外を認めるのは臨機応変な対応であり妥当な結果につながる面はあるものの、どこまでを認めるべきか明確な線を引いておかないと不平等を生ずる懸念もある。そうした意味では、定款の定めに基づき一律に入場は認めないとの判断がもっとも明快であるものの、弁護士については代理人資格を制限する定款規定にかかわらず非株主でも代理人として出席を認めるべきかどうか、下級審でも判断が分かれており[6]悩ましい面もある。事前に弁護士等から代理人としての出席の要請があった場合には、会社の顧問弁護士とも相談の上対応を決定するのが無難であろう。

また、「いわゆる実質株主」については注意が必要である。株主名簿の名義は運用財産の管理上保管銀行の名前で登録しているが、実質的に株式を所有している者から代理人として出席要請があった場合には、定款に定める代理人の資格制限は適用されず代理人として入場を認めるべきとの見解も主張されているためである。このような見解もあることをふまえ、慎重に対応する必要がある。『株主総会白書2022年版』の調査結果をみても、「名義株主の背後にいる実質株主（グローバルな機関投資家等）は認めることがある」との回答は507社（26.6％）と他の選択肢と比べて高い比率となっている。コーポレートガバナンス・コード補充原則１－２⑤において、上場会社は、信託銀行等の名義で株式を保有する機関投資家等が、株主総会において、信託銀行等に代わって自ら議決権の行使等を行うことをあらかじめ希望する場合に対応するための検討を行うべきとされている。この対応方針の決定に際しては、全国株懇連合会等が策定・公表したガイドラインが参考になる[7]。当該ガイドラインの内容もふまえ、各社の方針を検討・決定することが必要となろう。

---

(5)　商事法務研究会編・前掲(1)白書113頁〔図表88〕。

(6)　非株主の弁護士の入場を認めるべきとするものとして、神戸地裁尼崎支判平成12・３・28判タ1028号288頁、札幌高判令和元・７・12金判1598号30頁など。入場を拒否できるとするものとして東京高判平成22・11・24資料版商事322号180頁など。

(7)　平成27年11月13日付会員通知「グローバルな機関投資家等の株主総会への出席に関するガイドライン」（全国株懇連合会）。

2　途中退場・再入場者の確認

株主総会に入場した株主が途中で退場したり、あるいはいったん会場を出た株主が再入場した場合に、どこまでフォローすべきかが問題となる。

当日出席し議決権を行使した株主を厳格に管理しようと思えば、途中入場者のみならず、途中退場者ならびに再入場者をすべて把握し、数字に反映させることになるが、法律上ここまで求められているわけではない。

あくまで、各議案の採決に際しての定足数ならびに成立要件の充足が立証できることが重要であり、それができるのであれば、必ずしも途中退場者等の厳格な管理を行わなくとも差し支えないと思われる。賛否が拮抗している場合等には、途中退場者も含めた厳格な管理が必要となろうが、そうした事態でない場合は、各社の判断ということになろう。

実務上も対応が分かれており、調査時点は多少古くなるが、『株主総会白書2014年版』の調査結果によると、議事途中の退場者のチェックを行った会社は381社（21.7％）となっており、このなかで「人数とともに議決権数のチェックも行った」との回答は174社（9.9％）とさらに少数である(8)。また、再入場者の管理方法として、受付の際に「再入場票付の受付票」を交付する対応が考えられるが、この方法を採用した会社も350社（18.4％）にとどまっている(9)。

なお、議決権行使結果に関する臨時報告書には、各議案に対する賛成票等の比率の記載が必要となるが、分母となる（事前行使分を含めた）出席株主数の議決権個数の合計を算出するにあたり、途中退場の株主を勘案しない取扱いも可能とされている(10)。

---

(8)　商事法務研究会編『株主総会白書2014年版（商事2051号）』（商事法務研究会、2014）94頁〔図表83〕。

(9)　商事法務研究会編・前掲(1)白書115頁〔図表90〕。

(10)　金融庁「コメントの概要及びコメントに対する金融庁の考え方」No.191（平成22年３月31日〔http://www.fsa.go.jp/news/21/sonota/20100331-8/00.pdf〕）。

3 株主からの申出への対応

当日来場した株主から何らかの申出がされるケースもある。申出の内容は種々考えられるが、まずは株主からの申出に対応する担当者を決定し、窓口を明確化することが重要である。

当日想定される主な申出事項は以下のとおりと考えられる。

(1) 定款の交付請求への対応

株主からの定款の謄本交付請求があった場合、当該請求は少数株主権等に該当するため、個別株主通知がないことをもって、請求を拒絶する対応も可能である。しかしながら、定款は取引所のホームページで公開されていることもあり、株主対応という観点からもこれに応ずるのが無難と考える。当日は、取引所のウェブサイトから閲覧する方法を案内するか、もしくは定款を何部か用意しておくことで株主との無用なトラブルを回避できる。

(2) 受付で会社への個別クレームがあった場合の対応

担当者が個別に対応するのが無難であろう。内容によっては、その場で収まる話もあるだろうが、その場で解決しない問題の可能性もある。その場合には後日担当部署から個別に連絡が必要となることもあるため、株主の氏名と連絡先を確認しておくなどの対応が考えられる。

(3) 住所変更等の申出への対応

株主から住所を変更した等の申出があった場合には、取引口座のある証券会社等（特別口座の場合は、特別口座の口座管理機関である信託銀行等）に届出をしていただくことになる。株主にはこの旨を説明するとともに、仮に特別口座の株主かどうか確認を求められた場合には、特別口座管理機関に確認のうえ株主に回答するという対応も考えられる。

(4)　氏名、株式数の誤りの申出への対応

株主から議決権行使書面に記載された氏名や株式数が異なる旨の申出を受けることがある。まず、氏名について考えられるのは、氏名の漢字が、いわゆる振替制度の制度外字の場合に、制度内で使用される文字に変換されることに伴う申出である（たとえば、「髙」→「高」）。この場合には、株券電子化への移行に伴い、機構が使用できる文字に制限があることからの事象である旨を説明することになろう。

あとは、改姓名の事実の有無の確認（株主名簿への反映時期の問題がある）をしていただき、そのような事実もないのであれば、株主名簿管理人もしくは口座管理機関に確認するよう説明することが考えられる。

なお、株式数については、基本的に基準日時点での所有株式数ならびに議決権個数を記載しているため、基準日後に売買等により株式数に変動があったかどうかを確認することとなろう。

■4　持込み制限、所持品確認

株主総会も会議体である以上、秩序を保ち開催される必要がある。そのため、来場する株主の所持品確認を行い、当該所持品の使用により総会場の秩序が乱されるおそれのあるものの持込みを制限することも可能と思われる（議長の秩序維持権（**第21章21－1■3**）の範疇に属する対応と考えられる）。

裁判例でも、入場する株主の所持品を預かったり所持品をチェックすることは、平穏な総会を運営するうえで必要な範囲内の処置であると判示しているものがある[11]。

実際に所持品確認を行う場合には、警備会社の職員等所持品検査に慣れた者に委託すれば来場株主の違和感・抵抗感も少なく感じるものと思われる。

なお、『株主総会白書2021年版』の調査結果によると「所持品検査等を行わなかった」との回答が1,350社（77.2%）と多数である[12]。また、所持品検

---

(11)　九州電力事件・福岡地判平成３・５・14判時1392号126頁。

査や持込み制限を実施した会社で、その対象とした物は「傘」がもっとも多く327社、次いで「危険物」が110社、「カメラ」が58社、「IC レコーダー」が48社、「ハンドマイク」29社などとなっている[13]。

5 付添い、通訳の同席、傍聴要請への対応

これまで述べたほかにも受付の際に留意すべきケースとして以下の場合が考えられる。

(1) 介助者の入場

まず、株主が介助者とともに来場した場合、介助者が株主でないからといって入場を拒絶するのは抵抗があるだろう。この場合、介助者の入場を認めても、株主ではないため、会場内での発言はできないし賛否の意思表示もできない。したがって、介助者の方は発言等ができないことを了承いただいたうえで一緒に入場してもらうことになろう。なお、介助者の入場を認める場合、誓約書の提出を求めたり、交付する出席票に番号のないものを交付したり、介助者専用の入場票を交付するなどの工夫をしている例が見られる。

(2) 通訳の同席

来場株主が外国人であり、日本語で会話ができない場合、通訳同伴での入場を要請することがある。この場合、会社側で通訳を用意しているのであれば、通訳の入場を拒絶することも可能であろうが、用意していない場合は通訳として入場を認める対応も考えられる。

なお、通訳の同席を認める場合、正式な発言はあくまで通訳が話す日本語での発言であること、株主同伴の通訳の誤訳のリスクは株主側が負うことを了承していただくことが必要であろう。

---

(12) 商事法務研究会編『株主総会白書2021年版（商事2280号）』（商事法務研究会、2021）109頁〔図表85〕。なお、2022年版では当該調査は実施されていない。

(13) 商事法務研究会編・前掲(12)白書109頁〔図表85〕。

(3) 傍聴要請

非株主やマスコミ関係者等が傍聴の要請をする場合についての対応も方針を決定しておく必要がある。

傍聴を認めるかどうかは議長の議事整理権の範疇に属するものであり（**第21章21－1■2**）、株主以外の者の入場を許可することも可能である。ただし、株主としての入場ではないため発言は許されない。傍聴希望者はできれば別室で傍聴できるようにしておけば混乱はないであろうが、会場の都合上会場内で傍聴させる場合は、株主とエリアを分けるなどして、株主と傍聴者の区別が容易につくようにするのが望ましいであろう。

19-3 お土産の位置づけ

総会に出席する株主は、多忙な中を交通費をかけて総会場まで足を運ぶものであり、それに対するお礼として、相応のお土産を交付することは特段問題ないと考えられる。

ただし、あまりに高額なお土産を交付することは、株主の権利行使に関する利益供与（**第Ⅲ編第3章3－1■2**）に該当する懸念もあるため、あくまで常識的な範囲で収まるようにする必要があろう。

総会のお土産の金額であるが、もっとも多いのは「（500円超）1,000円以下」の50社であり、全体的に見て2,000円以下に収めている会社が約8割となっている（148社中117社）[(14)]。

なお、お土産としては、自社製品で適当なものがあれば、製品（商品）の紹介を兼ねてお土産とするのが適切であろうが、そうでなければ、軽くてかさばらないものが適切であろう。

来場株主へのお土産配付については、来場した株主と来場しなかった（できなかった）株主との間での平等性の観点等から、お土産を用意する会社は年々減少傾向にあった。これに加え、2020年総会からは、新型コロナ禍での総会となり、感染拡大防止策として会場への来場を抑制するべくお土産の配布を取りやめる会社が一気に増加した。

『株主総会白書2022年版』の調査結果によると、株主総会のお土産を用意していない会社は、1,769社（92.3％）である[(15)]。ビフォアコロナ下での調査結果である『株主総会白書2019年版』では、お土産を出していない会社は

(14)　商事法務研究会編・前掲(1)白書62頁〔図表30〕。
(15)　商事法務研究会編・前掲(1)白書61頁〔図表29〕。

666社（39.3％）であった[(16)]ことから、コロナ禍でお土産配付は一気に下火となったといえる。

株主総会の受付に際しての留意事項であるが、お土産はあくまで来場した株主へのお礼であり、その意味からは来場した株主１名に１個渡すべきものと思うが、来場できなかった株主の分もあわせて議決権行使書面を複数枚提出した場合、提出された枚数分のお土産を渡す会社もある。いずれの対応も考えられるところではあるが、もし、来場株主１名につき１個という取扱いをする場合、他社との比較のなかで受付窓口で株主から苦情が寄せられる可能性もある。こうした場合に備えて、あらかじめ招集通知の欄外に記載して株主に周知をはかることも考えられよう[(17)]。

---

(16)　商事法務研究会編『株主総会白書2019年版（商事2216号）』（商事法務研究会、2019）52頁〔図表29〕。

(17)　一方で、お土産を配布する会社が極めて少ないなか、お土産を配布することを記載すると来場株主の大幅な増加につながる可能性があることには留意が必要である。

第Ⅰ編

第20章

議事の進行

20-1 議事の現状

株主総会の議事の役割は、株主総会の目的事項について審議することである。報告事項についてはそれを理解し、決議事項についてはそれを通じて各人が賛否の意思を決定し、採決をして総会としての意思を決定する。そのための意見の表明や質問と説明を行うのが質疑である。

しかしながら、現実には事前に行使された議決権の状況により、決議事項の可決否決の結論は判明しているのが通例である。実質的にも、非常に多数の株主、それも会社の情報に精通しているわけではない株主が集合した株主総会での議論により、より優れた内容の決議がなされるということは期待できない。さらには、株主総会で質問に応じて重要な情報を開示してしまうと、出席していない株主との間でフェア・ディスクロージャーの問題が生じてしまうという指摘がなされている。そのため、最近では会議体として株主総会を開催することに疑問が呈されている[(1)]。そのような考え方によれば、総会場での質疑を参考に議案に対する賛否の意思決定をするという前提自体が成立しない。むしろ事前の議決権行使のために、事前の情報提供が必要になる。修正動議の提出権についても、事前に提出されなければ意味がない（総会時点ではすでに議案の帰趨は決まっている）。もちろんこれらは立法論となろう。

一方で、一般株主にとっては、年に一度直接経営陣の顔を見ながら経営方針等の話を聞ける場所であり、それを期待する者もいる。また議案の可決否決が拮抗する場合や重大な不祥事があった会社、経営危機にある会社などで

(1)　田中亘「会議体としての株主総会のゆくえ――『株主総会運営に係るQ&A』の法解釈と将来の展望」企業会計72巻6号（2020）41頁、松井秀征「バーチャルオンリー型株主総会――その理論的基礎と可能性について」ジュリ1548号（2020）27頁。

は、現実の会議として行われることに意味がありうる。最近では、ESGの広まりを背景に、そのような活動的な株主が株主提案権を行使する場にもなっている。

学説には、株主総会の実質化、活性化を求める立場と、合理的無関心として株主総会に実質的な機能を期待しない立場がある(2)。なにゆえ、株主総会というものがあるのか。松井秀征教授によると、絶対主義的な契機と、所有と契約という自由主義的な契機の間で、その時々の政治・経済情勢を背景に揺らいできた問題であり、その必要性も理論的一義的に定まるものではないとされる(3)。株主総会も「あってもなくてもよいもの」であるとする。株主総会の存在根拠も自明のものではないのである。

株主総会の所要時間は、大規模会社では、おおむね2時間前後とする事例が多い。株主提案権の行使がある場合には3時間程度となることが多い。最近では、いわゆる総会屋は姿を消し、また議事支援をする社員株主もほとんどいない。会社とトラブルになっている者の発言や特定の目的を持った者の発言は、しばしば見られる。しかし暴力的、威嚇的な事態になることはほとんどない。会社側の議案等の説明を30分から40分ほどした後、10名程度の質問を受けて役員が回答し、採決をして終了する、というのが通例である。議長や役員の議事運営上の注意事項も周知されており、概して適法な議事運営が行われているといってよい。なお、安定株主の減少により、採決結果が賛否拮抗する事例は増加しているようであり、そのような事例では、採決方法等に関する裁判事例も出ている。

なお2020年以降、コロナ禍により、総会場への株主の来場を抑制し、議事も簡略化する事態となっている。またバーチャルオンリー型総会やハイブリッド型総会では、議事の進行方法にもリアル総会とは異なる留意が必要になる（**第27章**）。

---

(2)　仮屋広郷「『株主のジレンマ』と株主総会活性化論議」関英昭ほか編・久保欣哉先生古稀記念『市場経済と企業法』（中央経済社、2000）66頁、末永敏和「株主総会制度論・覚書」平出慶道ほか編・菅原菊志先生古稀記念『現代企業法の理論』（信山社、1998）322頁。

(3)　松井秀征『株主総会制度の基礎理論：なぜ株主総会は必要なのか』（有斐閣、2010）。

20-2 出席者

株主総会の構成員は、議決権を有する株主である。取締役、会計参与、執行役および監査役は、説明義務を負担しているため（法314条）、株主総会に出席すべき義務がある[4]。取締役は、それ以外にも、株主総会の招集者として、あるいは報告事項の報告者（法438条・444条7号）、議案の提案者として（法298条1項2号）、総会に出席する義務があるといえよう。役員等の出席状況は議事録の記載事項ともなっている（施72条3項4号）。

会計監査人は、定時株主総会が出席を求める決議をしたときは、出席して意見を述べなければならない（法398条2項）。

会計参与は、計算書類または連結計算書類の作成に関する事項について取締役と意見を異にするときは、株主総会で意見を述べることができる（法377条1項）。監査役および監査等委員は、取締役が株主総会に提出しようとしている議案または書類その他法務省令で定めるものを調査し、法令定款違反または著しく不当な事項があるときは、株主総会にその調査結果を報告しなければならない（法384条・399条の5）。

監査等委員である取締役、会計参与、監査役または会計監査人を辞任した者は、辞任後最初に招集される株主総会に出席して、辞任した旨およびその理由等を述べることができる（法345条2項・4項・5項・342条の2第2項）。監査等委員である取締役は、株主総会において、監査等委員である取締役の選任、解任または辞任について意見を述べることができる（法342条の2第1項）。

他方、取締役等は、正当な事由があるときは、株主総会を欠席することが

---

(4)　稲葉威雄『改正会社法』（金融財政事情研究会、1982）139頁。

できると解されている[5]。正当な事由としては、業務上の理由、病気、他社の株主総会への出席等が考えられる。

取締役等の出席は、株主総会決議の成立要件ではないと解されている[6]。したがって、すべての取締役や監査役が欠席していても、株主総会の決議はすることができる[7]。ただし、欠席したことにより説明義務が履行されなかったときは、決議の取消事由となることがある。

少数株主が招集した株主総会（法297条4項。**第Ⅱ編第3章3－3**）および裁判所の命令により招集された株主総会（法307条1項・359条1項。**第Ⅱ編第4章4－5**）においても、取締役等は、出席し、発言する職務権限を有するとされる[8]。裁判所の命令による場合は、取締役は、検査役の報告の内容およびその調査結果を開示すべき義務（法307条2項・3項・359条2項・3項）があるので、出席義務がある。また取締役等が説明義務を負うことは同様である（ただし、少数株主が招集した株主総会では、取締役は議案の提案者ではないので、説明すべき範囲は異なる）。ただし、その性質上、取締役等が出席しなくても、決議取消事由とはならないとされている[9]。

---

(5) 竹内昭夫『改正会社法解説〔新版〕』（有斐閣、1983）105頁。

(6) 山口幸五郎「株主総会の議事」大隅健一郎編『株主総会』（商事法務研究会、1969）110頁。

(7) 稲葉・前掲(4)書139頁。

(8) 山口・前掲(6)論文111頁。

(9) 山口・前掲(6)論文111頁。

20-3

シナリオ

1　シナリオの概要

株主総会の議事においてすべきことは、目的事項について審議をし、そのうち決議事項について採決をすることである。そのためのシナリオというのは、特に複雑なわけではない。実務では、過去の経験や各社の慣習に従い、いくつかのステップを踏んでいる。多くの場合、①議長就任宣言、②開会宣言、③出席状況報告、④発言上の注意、⑤監査役等の監査報告、⑥計算書類等の説明、⑦決議事項の説明、⑧審議、⑨採決、⑩閉会、などといった経過を辿る。

2　個別上程と一括上程

目的事項が複数ある場合、1つずつ審議し、採決をしていく方法を、個別上程方式という。それら全部をまとめて上程し、あわせて審議する方法を、一括上程方式という。一括上程方式でも、採決は個別に行う。株主提案がある場合は、一部の議案を一括して上程する方法もある。かつては、総会の審議は招集通知に記載された目的事項の順に1つずつしなければならないとする説もあったが、判例上は、一括上程することも適法で、それは議長の裁量であるとされている[10]。『株主総会白書2022年版』[11]では、77.4％の会社が一

⑽　中部電力事件・名古屋地判平成5・9・30資料版商事116号187頁など。なお、旧説として岡山地決昭和34・8・22下民集10巻8号1740頁。

括上程方式を採用している。一括上程方式は、総会屋対策として生まれた経緯があるが、現在では、株主から見てもどの議案に関する質問であるか考えずに済むという利点や、議長采配の容易さ、審議不足で決議取消となるリスクが低いことなどから、これを採用する会社が増えている。特に東日本大震災の後は、総会中の大地震への対応のため、ただちに全議案を採決できる一括上程方式が増加した。一括上程方式を採用する場合は、一括上程方式によることについて株主の了解を得ることが多い。

3　シナリオの進行

議長就任宣言（①）は、法的に必ずしも必要なわけではないが、議長は定款により定められていることおよび自分がその「社長」等であることなどを説明している。

議長は、所定の開会時刻となったら、株主総会を開会（②）する。開会宣言は、必ずしも明示的なものでなくてもよく、議事に入ったものと客観的に認められればよいとされる(12)。会社法では必ずしも議長が存在しなくてもよいこととなったが、議長がない場合には、出席者間で客観的に議事に入ったことがわかればよいことになろう。実務的には、いつ株主総会が開会されたのかわからないのでは困るので（たとえば議事録の記載も困る）、明確に開会宣言をしている。①議長就任宣言と②開会宣言は、順序が逆のこともある。

議長は開会にあたって、定足数の充足を確認すべきとされる(13)。総会の開会時刻は、必ずしも厳密なものではなく、少々遅れて開会してもただちに違法とはならない(14)。

議長は、株主の出席状況、定足数の充足状況などについて報告（③）するのが通例である。実務的には開会時刻の出席状況の把握には時間を要するた

---

(11)　商事法務研究会編『株主総会白書2022年版（商事2312号）』（商事法務研究会、2022）128頁〔図表112〕。

(12)　服部榮三「株主総会の議長と取締役等の説明義務」代行リポート61号（1982）3頁。

(13)　山口・前掲(6)論文111頁。

(14)　名古屋地判大正12・2・19新聞2127号19頁。

め、その５分ないし10分程度前の時点の出席状況を報告し、それをもって定足数の充足を判断している。最近では、余裕をもって、会議の冒頭ではなく、しばらく経過した時点で集計結果の報告をする例が増えている。議長は株主の出席状況について、定足数を満たしているかどうかなど、株主から質問があれば説明すべきであるとされる。ただし、これは目的事項に関する説明ではないので、会社法314条に基づく説明義務ではなく、議長としての説明義務であるとされる[15]。定足数は、本来審議中継続して満たすべきであるとされるが、一方で、採決の時点で満たしていれば決議は完全に有効であるともされる[16]。

発言上の注意（④）は、議長の議事整理権の行使として行われるものである。趣旨は、発言時期を明示すること、審議が始まるまで発言を禁止すること、発言者の指定方法や発言手順の指図等である。以前は、まだ議案の上程も行われていない時点で不規則発言がなされて総会が長時間化したことから、審議開始前の発言を禁止する趣旨で発言時期の指定をしたのであるが、現在では、発言を希望する株主への発言方法等の説明という意味合いである。

監査役等の監査報告（⑤）は、株主総会に取締役が提出しようとしている議案や書類等に法令もしくは定款に違反しまたは著しく不当な事項があるとき（法384条）以外は、法的には必要がない。少数であるがこれをしない例もある。コロナ下では省略した会社が多かった。報告する場合は、監査報告書に記載された事項のみを説明する方法と、さらに監査報告には記載されていない上程議案の適法性についても言及する方法がある。監査等委員は、取締役の選任等（法342条の２第４項）や報酬等（法361条６項）について意見を述べることができるので、この機会に述べることが考えられる。

計算書類等の報告事項（⑥）に関しては、報告というのは、必ずしも報告すべき書類の全部を音読することではない。「お手元の資料に記載のとおりである」旨を述べるだけでもよいとされる[17]。むしろ「報告」というのは、

⒂　上柳克郎ほか編代『新版注釈会社法⑸』（有斐閣、1986）139頁〔森本滋〕。
⒃　山口・前掲⑹論文108頁。
⒄　大隅健一郎＝今井宏『会社法論中巻〔第３版〕』（有斐閣、1992）380頁。

株主から質問や発言を受けることを含む概念であり、質疑すること全体を報告と呼んでいることに留意が必要である。実務的には、事業報告の「事業の経過及び成果」などや貸借対照表、損益計算書の大項目などだけを朗読する場合が多い。また連結計算書類と個別計算書類があるが、詳しく説明するのは一方のみとすることが多い。

最近では、プロジェクターなどを使用して説明する会社が80%を超えている。その場合、必ずしも事業報告や計算書類等に記載された情報のみではなく、映像を交えたり、事業報告等に記載のない事項についても説明したりすることがある。会社によっては、パワーポイントなどを使用して計算書類等の記載にとらわれずに説明をする例もある。これらも事業の概況や会社の財産、損益の状況などの重要なポイントをわかりやすく説明するものであって、適法である。同様のことは招集通知にもあり、最近はカラー印刷としたり、写真やグラフなどを挿入して見やすくする工夫が行われている。その場合、取締役が作成し、取締役会で承認された厳密な意味での事業報告にそれらのグラフ等が記載されていることもあるが（この場合、そのグラフ等も事業報告の一部である）、取締役会で承認されるのは活字部分だけで、それ以外は付加的な情報として「事業報告」に記載されている例もあるようである。その場合、その部分は、厳密には事業報告の内容ではない。そのように最近では、送付資料や総会での説明の内容が、事業報告等の記載と厳密には一致しないことが多くなっている。

決議事項の説明（⑦）については、株主からの質問を待たず、議案の提案者として、その提案内容や提案理由を説明すべきものと解されている(18)。総会の受付で招集通知一式を配布するのが通例であるので、議案の内容や提案の理由などは、その参考書類に記載のとおりである旨説明すれば、それでたりる。実務的には、参考書類の記載をそのまま朗読して議案の説明としている例が多いが、最近では、役員の報酬等に関する議案や再編の議案など、参考書類の記載事項の多い議案もあり、そのような場合には全部を朗読せずに簡略化した説明をしている。

---

(18)　上柳ほか編代・前掲(15)書134頁〔森本〕。

その後審議（⑧）を行い、採決（⑨）をして、閉会（⑩）となる。

議長は、議事日程が終了したときは、閉会宣言をする。閉会宣言をする権限は議長にある。議長でない代表取締役が解散と叫んでも閉会とはならない[19]。

閉会した後、株主がその場に残って決議をしても、それは株主総会とはいえない[20]。しかし議長が権限を濫用して議事日程が終了していないにもかかわらず閉会を宣言したような場合は、その閉会宣言は無効であって、残った株主は決議をすることができるものとされる[21]。

⒆　東京地判昭和38・12・5判時364号43頁。

⒇　山口・前掲⑹論文123頁。

(21)　大隅＝今井・前掲⒄書85頁、東京地判昭和29・5・7判タ40号55頁。

20-4

社員株主

社員でもある株主が総会に出席することは可能である。この場合、会社の業務ではないので、実務では休暇届出をしているようである。以前は総会屋の威嚇や暴力等に対抗するため、会社が社員株主を動員する例があったが、最近ではそのような趣旨での動員というのは見あたらない。

社員株主の取扱いに関しては、社員株主を総会場の前方席に優先的に入場させたことに関して、四国電力事件・高松地判平成4・3・16判時1436号102頁は、その必要性、妥当性に疑問が残るとした。その控訴審である高松高判平成5・7・20判時1501号148頁は、株主総会の会場設営に関する事項は、総会の招集者の裁量であるが、これを濫用・逸脱して合理的な理由のない差別が生じた場合には、株主平等原則に違反して違法性を帯びると判示し、本件においては、議事運営を円滑に進行させるためやむをえないものであったと判示している。最高裁は、出席株主は、合理的な理由がない限り、同一の取扱いをすべきとし、従業員株主を他の株主よりも先に入場させた措置は適切ではなかったと判示した(22)。したがって、現在では、社員株主の優先入場などの措置は、決議の取消事由になるかどうかは別として、適切でないことは明らかである。また、この各判決の経緯からすると、合理的な理由の証明はなかなか難しいものと見るべきであろう。

次に、北海道電力事件判決(23)は、社員株主の優先入場や質疑時間の水増し、質疑打切りのタイミング作り等が行われたとの主張に対し、「仮に、原告の主張するような不正入場やタイミング作り等が行われたとすれば、そのよう

---

(22) 四国電力事件・最三判平成8・11・12判時1598号152頁。

(23) 北海道電力事件・札幌地判平成5・2・22資料版商事109号56頁。

な被告の措置は、公正さを疑わせるもの」と判示したが、本件では違法行為とまではいえないとした。本件の事実関係はともかく、一般論として、社員株主に質疑打切り動議を提出させる等のやらせ発言も、決議取消事由となるかどうかは別として、適切ではないことになる。

また住友商事事件判決[24]は、社員が一斉に「議事進行」、「異議なし」、「了解」などと連呼したことについて、これにより株主の質問の機会などが全く奪われてしまうような場合には、決議の方法が著しく不公正であるという場合もありうると判示した。

社員の総会への参加に関しては、取締役が社員株主に、予定した意見や質問をさせたり、「異議なし」などを連呼させることにより、それ以外の株主の発言の機会を失わせるという場合には、決議方法の不公正の問題となりうる。それ以外にも、取締役が株主総会の審議の内容にどの程度介入してよいかということも検討課題となる。株主に対して取締役として十分な情報提供をすることは当然可能であり、むしろすべきことであるが、やらせ発言のようなかたちで影響を与えることは慎重であるべきであろう[25]。

以上のとおり、社員株主を優先入場させたり、議事進行で何らかの行為をさせたりすることは、ただちに決議の取消事由になるわけではないが、そのような行為は適切でないといえる。現在では、社員株主を動員して前方に座らせるとか、「異議なし」を連呼するなどということはほとんど行われていないものと思われる。

なお、これと別に、株主総会での一般の株主の発言を促進するため、取引先関係者などに発言の先陣を切ってもらうようなことを依頼する例がある。誰か1人発言すると、他の株主が発言しやすくなって発言が続くことがあるからである。これは特に実害があるわけではなく、むしろ発言しやすい氛囲気とする配慮であるから、特に不適切ということもなかろう。

---

(24)　住友商事事件・大阪地判平成10・3・18判時1598号180頁。

(25)　フジ・メディア・ホールディングス事件・東京地判平成28・12・15資料版商事397号66頁、同事件・東京高判平成29・7・12金判1524号8頁。

第Ⅰ編

第21章

株主総会の議長

21-1

議長の職務権限

1　議長の職務権限の性質

議長は、適法かつ公正な審議により、合理的な時間内に効率的に議事を進めるよう総会を運営する職責を有する[(1)]。そのため議事整理権と秩序維持権を有している（法315条１項）。

議長の権限の性質については、会議体の原則に従い、最終的な決定権はあくまでも株主総会自身にあるとする考え方[(2)]と、個々の議事運営を指揮する権限は議長にあり、株主はそれに従わなければならず、もし株主に不満があれば議長不信任動議によって解決すべきであるとする考え方[(3)]がある。前者の考え方をとると、個々の議事進行について株主から意見があり、総会に諮るよう動議を提出されれば、議長はそれを総会に諮らなければならないこととなる。しかし、それでは多数の株主が出席する株主総会の場合、円滑な議事運営は困難である。そこで議事進行上の問題については、議長にそれを決定する権限があると解するのが後説である。

判例上、議長の権限としては、議事進行方法は、広く議長の合理的な裁量に委ねられていると解されている[(4)]。

かつては、議事進行のルールとして、国会（参議院・衆議院）の規則に従

---

(1)　前田重行「議長と検査役」民商法雑誌85巻６号（1982）942頁。

(2)　大隅健一郎＝今井宏『会社法論中巻〔第３版〕』（有斐閣、1992）83頁。

(3)　森本滋監修・大阪証券代行株式会社代行部編『株主総会のあり方』（商事法務研究会、1986）98頁。

(4)　東京スタイル事件・東京地判平成16・５・13金判1198号18頁・資料版商事243号110頁。

うべきであるという見解があったが[(5)]、国会の厳格な審議手続のルールを100万社を超える民間企業の株主総会に当てはめることは合理性がない[(6)]。

2　具体的な議長の権限の例

議長の権限としては、まず開会を宣言する権限がある。

株主資格の確認および持込品の制限と手荷物検査の権限も、開会後は議長に帰属すると考えられる[(7)]。開会前は（代表）取締役の権限と解される。東北電力事件では、手荷物検査や物品の一時預かりは会社の裁量と判示されている[(8)]。九州電力事件判決[(9)]も同旨である。

傍聴の許可については議長の権限とされるが[(10)]、最終的には株主総会の権限とする説もある[(11)]。外国人に同時通訳の同行を認める権限も議長に帰属する[(12)]。警察の臨場要請や、ガードマンの配置も議長の権限である[(13)]。

株主席や役員席の配置、マイク、机の配置、その他会場の設営は、議長ないし代表取締役の権限である。ビデオ撮影をすることも議長の権限と解される。大トー事件では、総会の状況をビデオ撮影したことが適法とされている[(14)]。

議長に、株主の着席位置を決定する権限があるかどうかについては、学説が分かれ、四国電力事件最高裁判決は、当事件については合理性がないと判示している[(15)]。したがって、合理性がある場合には、そのような権限も認め

(5)　田中誠二『会社法詳論上巻〔３全訂版〕』（勁草書房、1993）495頁。
(6)　上柳克郎ほか編代『新版注釈会社法(5)』（有斐閣、1986）165頁〔森本滋〕。
(7)　上柳ほか編代・前掲(6)書167頁〔森本〕。
(8)　東北電力事件・仙台地判平成５・３・24資料版商事109号64頁。
(9)　九州電力事件・福岡地判平成３・５・14判時1392号126頁。
(10)　森本監修・前掲(3)書167頁、稲葉威雄ほか「〈座談会〉改正会社法セミナー(14)」ジュリ788号（1983）98頁〔稲葉威雄発言、森本滋発言〕。
(11)　山口幸五郎「株主総会の議事」大隅健一郎編『株主総会』（商事法務研究会、1969）114頁。
(12)　稲葉威雄ほか『条解・会社法の研究５株主総会（別冊商事163号）』（商事法務研究会、1994）107頁〔稲葉威雄発言〕、栗山徳子「議長とその権限」酒巻俊雄監修・中央三井信託銀行証券代行部編『株主総会の実務と法（判タ1048号）』（判例タイムズ社、2001）83頁。
(13)　栗山・前掲(12)論文83頁。
(14)　大トー事件・大阪地判平成２・12・17資料版商事83号38頁。

られるということになろう。学説には、合理的な理由がある場合にのみ位置の指定を認める説がある[16]。たとえば株主提案議案の賛成票を集計するため、あるいは反対株主の買取請求の要件を確認するために、該当株主に会場内の一定のエリアに着席してもらう場合などが考えられる。

議事の進行については、まず議案の審議の順序について、合理的な理由があるときは、招集通知に記載されている議題の順序を変更して審議することもできるとする説[17]と、招集通知に記載された順序を変更するときには株主総会の承認が必要であるとする説[18]がある。後者は、株主は、招集通知に記載された議事日程を見てその順序に従って議事が行われることを期待しているから、ということを理由にしている[19]。しかし現在、招集通知には会議の目的事項は列挙されているが、時間的な審議の順序や審議方法は書かれていない。最近では、むしろ一括上程方式なども広がっており、株主がそのような時間的順序の期待を持っているとは思われないし、審議の順序や方法は特に株主に不都合を及ぼすものではないから、その期待は保護すべきものでもなかろう。

前述のとおり、一括上程方式を採用することに関しては、出席株主の過半数の同意が必要という説と、議長の裁量とする説がある。判例は、「一般に議長は審議の目的事項や質疑内容等を（予測）考慮して、その裁量により、合理的と思われる審議方法を採用することができる」として、議長の権限であるとしている[20]。

議案を提出（上程）する権限は議長にある。

事前質問状に対していわゆる一括回答をするかどうかの権限も議長に帰属する[21]。

⒂　四国電力事件・最三判平成８・11・12判時1598号152頁。

⒃　弥永真生「１株運動と会社法〈特集・コーポレート・ガバナンス〉」ジュリ1050号（1994）111頁。

⒄　上柳ほか編代・前掲⑹書168頁〔森本〕、稲葉ほか・前掲⑽座談会98頁〔森本発言〕。

⒅　稲葉ほか・前掲⑽座談会99頁〔竹内昭夫発言〕、岡山地決昭和34・８・22下民集10巻８号1740頁。

⒆　味村治『株主総会をめぐる法律知識』（東洋経済新報社、1970）174頁。

⒇　中部電力事件・名古屋地判平成５・９・30資料版商事116号187頁。

㉑　栗山・前掲⑿論文83頁。

株主の発言時期を指定する権限も議長に帰属する(22)。

発言希望者がある場合に、誰に発言を許可するかを決定する権限も議長の権限である。その質問に対して誰を回答者として指名するかも原則として議長の権限である。ただし、監査役に対する質問である場合には、監査役の独任性から、その指名された監査役が回答すべきであるとされる。

なお、株主提案権の行使があれば、議長は、提案者に提案理由説明の機会を与えなければならない(23)。提案者に提案理由の説明の機会を与えることは、会議一般のルールとされる。しかし議事進行上の動議については、内容が明確であるから、提案理由を説明する機会を付与しなくてよいとされている(24)。

１人当たりの発言時間を制限する権限も議長にある(25)。発言時間が長引いたときにそれを制止する権限も議長にある。東北電力事件判決は、議長が質問中の株主に質問時間をあと２分と制限したことを適法としている(26)。

あらかじめ一般的に１人当たりの発言時間を制限することについて、株主総会の同意が必要とする説もあるが、判例はそれも議長権限で可能であるとしている（東京電力事件判決。１人の質問時間を３分間に制限したことが適法であるとされた(27)）。

１人当たりの質問数を制限する権限も議長にある。質問事項の指示をする権限も議長にある。

中部電力事件判決は、１人１問１項目と制限した事例について、「できるだけ多数の株主に質問の機会を保障する必要があり、議長が合理的な範囲内と認められる質問数等の制限を質問者に課することは、議事の整理としてむしろ適切であるというべきである」としている(28)。

質疑を打ち切って採決をすることについては、議長の権限とする説(29)と、

---

(22)　前掲(9)九州電力事件・福岡地判平成３・５・14。
(23)　山形交通事件・山形地判平成元・４・18判時1330号124頁。
(24)　前掲(9)九州電力事件・福岡地判平成３・５・14。
(25)　神崎克郎「株主総会議長の法規心得」代行通信37号10頁、前田・前掲(1)論文945頁。
(26)　前掲(8)東北電力事件・仙台地判平成５・３・24。
(27)　東京電力事件・東京地判平成４・12・24判時1452号127頁。
(28)　前掲(20)中部電力事件・名古屋地判平成５・９・30。
(29)　稲葉威雄『改正会社法』（金融財政事情研究会、1982）146頁。

総会の同意が必要とする説[30]がある。ただし、十分な質疑を尽くしていない場合には、総会の多数決をもってしても質疑を打ち切ることはできない[31]。判例は、「議長は、株主がなお質問を希望する場合であっても、議題の合理的な判断のために必要な質問が出尽くすなどして、それ以上議題の合理的な判断のために必要な質問が提出される可能性がないと客観的に判断されるときには、質疑を打ち切ることが」できるとしている[32]。

なお、東京スタイル事件判決は、質問を受けている最中に質疑を打ち切った事案について、「議長の議事整理権の行使としても、必要な審議を終えたとの判断に至ったのであれば、他の出席株主から議事を早く進めるようにとの発言があったのであるから、これを審議打切の動議ととらえ、まずは審議の打切を総会の決議に諮り、その動議を可決した上で審議を打ち切る措置をとるべきであった」として、議長の議事進行が不適切であったとしている[33]。

採決方法を決める権限も議長にある[34]。挙手、起立、拍手、投票など適宜の方法を採ることができる[35]。議案ごとに変更することも可能である[36]。議案に対して修正動議が出された場合、原案と修正案のどちらを先に採決するかは、議長の権限である[37]。複数の取締役の選任議案において、候補者ごとに採決するか、候補者全員を一括して採決するかも議長の裁量と考えられる。それが特に書面投票をした者との間で株主平等原則に違反しないことについて、メイテック事件判決[38]がある。なお、最近では、事前の議決権行使等により可決否決の結論が明らかになっている場合には、採決として、拍手や挙手等の手続をとることなく、議長が投票結果を報告すれば足りるとする

(30)　久保田衛「動議の取扱」酒巻監修・前掲(12)書86頁。

(31)　上柳ほか編代・前掲(6)書170頁。

(32)　前掲(27)東京電力事件・東京地判平成４・12・24。同旨、北海道電力事件・札幌地判平成５・２・22資料版商事109号56頁。

(33)　前掲(4)東京スタイル事件・東京地判平成16・５・13。ただし、決議取消事由には該当しないとしている。

(34)　三井住友銀行事件・東京地判平成14・２・21判時1789号157頁。

(35)　前掲(9)九州電力事件・福岡地判平成３・５・14。

(36)　つうけん１次事件・札幌地判平成８・３・26資料版商事146号43頁。

(37)　鉱研工業事件・東京地判平成19・10・31金判1281号64頁。

(38)　メイテック事件・名古屋高判平成12・１・19金判1087号18頁。

説が有力である[39]。

議長は採決結果を確認してそれを宣言する。

議長は議事日程が終了したら、閉会宣言をする。それによって総会は終了する。ただし、この権限を濫用するような場合には、閉会宣言は無効であって、残った株主で議事を続行することができるとされる[40]。

3　秩序維持権

議長は、秩序維持権も有する（法315条2項）。秩序維持権とは、議事整理権に付随するもので、議事を乱す者に発言を止めるよう命令したり、退場させたりして、議場の秩序を保つ権限である。退場命令については後述する（21－5）。

4　議長の地位

議長は必ずしも株主総会の構成員（株主）ではなく、それとは別に株主総会の機関のような存在であると解されている[41]。そのため会社との関係については、準委任契約であると考えられている。議長がその権限を違法に行使し、株主や会社に損害を与えた場合には、役員等の対第三者責任の規定（法429条）を類推適用し[42]、または民法の不法行為の規定により[43]、損害賠償責任を負担することがあると解されている。

---

(39)　辰巳郁「株主総会における採決手続の省略」商事2288号（2022）57頁、倉橋雄作「株主総会における議案採決の合理化——司法判断の解析と実務への示唆」東証代だより225号（2022）2頁。

(40)　大隅＝今井・前掲(2)書85頁、鈴木竹雄＝大隅健一郎監修・上柳克郎ほか編『会社法演習Ⅱ』（有斐閣、1983）42頁。

(41)　山口・前掲(11)論文115頁。

(42)　山口・前掲(11)論文115頁。

(43)　稲葉・前掲(29)書146頁。

21-2 議長の選任

旧商法では、議長の選任に関する定めがあり（旧商237条ノ４第１項）、また株主総会議事録に議長が署名することとされていたため（同法244条３項）、議長は必須であると解されてきた[44]。会社法では、同項に相当する条文はなく（法315条参照）、議長は必須ではないとされている[45]。施行規則72条３項５号も、「議長が存するときは、議長の氏名」を株主総会の議事録の記載事項としている。ただし、旧商法下においても、議長を欠いていたことはただちに総会決議の取消事由にはならないと解されていたので[46]、実質的な差があるわけではない。

議長は、原則として株主総会が定める。会議の進行役を定める権限はその会議体に帰属すると考えられるからである。定款に定めがある場合には、それによる。多くの会社では、社長等を総会の議長とする旨定款で定めている。

この定款の定めは、通常、取締役会の招集に係る株主総会において総会での選任手続を省略する趣旨にすぎないから、たとえば少数株主が招集した株主総会においてはその効力は及ばず、当該株主総会であらためて議長を選任するものと解されている[47]。

もし議長の定めが定款になければ、招集権者が議場に諮って仮議長を定め、あるいは招集権者がそのまま仮議長となり、その仮議長が議場に諮って議長を定めることになる[48]。

---

(44)　上柳ほか編代・前掲(6)書160頁〔森本〕。
(45)　相澤哲ほか編著『論点解説　新・会社法』（商事法務、2006）488頁。
(46)　山口・前掲(11)論文93頁。
(47)　広島高岡山支決昭和35・10・31下民集11巻10号2329頁。

また定款で議長を定めていても、株主総会でその者を不信任としたうえ別途議長を選任することも可能である。そのための定款変更決議は不要であるし、別の者を議長に選任することが定款違反となるものでもない(49)。定款の定めは、総会の決議が特段ない場合のデフォルト・ルールということになる。

議長に事故ある場合は定款の定めがあればそれに従い、そうでなければ総会で定める。議長が自らの意思で議長を辞したときも「事故ある場合」に該当する(50)。

従前、旧商法237条ノ4第1項があったので、同項を根拠に、株主総会の議長を定める場合には、株主総会決議以外には、定款で定める必要があると解されてきた(51)。しかし会社法において同項が削除されたため、定款以外の規程等で定める道も生じたと解される可能性がある。ただし、立案担当者は、実質を変更する意図はなかったとのことである(52)。

当該株主総会の議案に特別な利害関係を有する者であっても、ただちに議長の資格を失うものではない(53)。取締役会については、特別利害関係人は議決に参加できないことが明文で定められているが（法369条2項)、株主総会の議長についてはそのような規定はない。その議事采配が違法または著しく不公正な場合には、決議方法の法令違反等として決議の取消事由となる（法831条1項1号)。実務的には、その株主総会限りで取締役を退任する社長が議長を務めている場合に、退職慰労金贈呈議案があると、自分自身に退職慰労金を贈呈するかたちとなる。そのため議長が自主的に交代する例があるが、特にその必要はないと解される。なお、議長が自らの意思で欠席する場合も定款に定める「事故ある場合」に該当する(54)。

---

(48) 味村・前掲(19)書164頁。

(49) 大盛工業事件・東京高判平成22・11・24資料版商事322号180頁。

(50) 高松地判昭和38・12・24下民集14巻12号2615頁。

(51) 稲葉ほか・前掲(10)座談会93頁〔鴻常夫発言〕。

(52) 江頭憲治郎ほか「〈座談会〉『会社法』制定までの経緯と新会社法の読み方」商事1739号（2005）31頁〔相澤哲発言〕。

(53) 上柳ほか編代・前掲(6)書164頁〔森本〕。

(54) 前掲(50)高松地判昭和38・12・24。

また議長不信任動議が適法に提出された場合には、濫用的な場合を除き、議長は一度はその動議を総会に諮らなければならない[55]。議長はその議長不信任動議の審議に際して、議長を交代する必要はないと解される[56]。

最近、共同議長を定める事例がある。社長が外国人であって日本語に通じていない場合などに日本人の役員と共同議長とする例などである。特に会社法上、それを禁止する規定もないことから、株主総会が共同議長を選任するというのであれば特にそれを違法とすることもないと考えられる[57]。その場合の各議長の権限はその選任決議で定めることになろう。各自が単独で議長権限を有することも可能であろうし、合議によるとすることも可能であろう。

また定款で、議長は取締役会が定める旨規定する例が増えている。そのような選任方法を定める定款規定も有効と解されている[58]。そのように選任された議長であっても、総会は自らその者を不信任として別途議長を選任することが可能だからである[59]。

複数の会場で株主総会を開催する場合に、主会場以外の会場に、議長の補助者を配置して、その補助者が、議長の指示に従い、発言者を指名するなどの補助を行う例があるが、これも適法と考えられる。この補助者は議長そのものではなく、あくまで議長の補助をしている者ということになる。

総会の議長となりうる資格については、学説の争いがある。議長は会議体の議事進行役であるから、その構成員でなければならないということから、株主であることを要するとする説[60]、出席する権能があればよいから株主または取締役（・監査役）であればよいとする説[61]、特に制約はないとする説[62]等である。弁護士が議長となることを認める説もある[63]。株主総会自身が決

---

(55)　前掲(49)大盛工業事件・東京高判平成22・11・24。

(56)　相澤ほか編著・前掲(45)書489頁、前掲(27)東京電力事件・東京地判平成４・12・24。反対、山口・前掲(11)論文95頁、稲葉ほか・前掲(10)座談会95頁〔鴻発言〕。

(57)　稲葉ほか・前掲(10)座談会91頁以下。

(58)　上柳ほか編代・前掲(6)書161頁〔森本〕。

(59)　稲葉ほか・前掲(10)座談会92頁〔竹内発言〕。

(60)　田中・前掲(5)書496頁。

(61)　鈴木＝大隅監修・前掲(40)書38頁。

(62)　上柳ほか編代・前掲(6)書163頁〔森本〕。

めるのであれば、特に法律が制約する必要はないと思われる。

株主総会の議長を社長が務めることが多い日本の慣習については、批判的な意見がある。株主に対して経営の報告をし、その監督を受けるべき立場の者が議長を務めることは適切でないということである[64]。実務では、最近、執行を担当しない取締役、たとえば会長等が議長を務める例も生じている。

議長不信任動議が成立した場合、定款等で次順位者が定められているときには、当然にその次順位者が議長に就任するかどうか学説に争いがある[65]。肯定説の場合、次順位者が当然に議長に就任するとされている。否定説の場合には、総会が決めることになる。議長を定める定款規定の趣旨を上記のとおり手続の便宜にすぎないと考えるのであれば、総会が次順位者以外の者を議長にしたいと考えるならば、現議長の不信任と新議長の選任と両方の決議をすることができると思われる[66]。次順位者が特定されていない場合には、株主総会決議をもって新しい議長を決めることになる。

なお、議長の資格がない者が議長として採決した場合には、その決議は不存在であるとした判決がある[67]。

---

(63)　上柳ほか編代・前掲(6)書163頁〔森本〕、河合伸一「総会議長の専門職化のすすめ――総会運営正常化の一方法として」商事1090号（1986）89頁。

(64)　前田・前掲(1)論文942頁。

(65)　大隅＝今井・前掲(2)書82頁。反対、元木伸『改正商法逐条解説〔改訂増補版〕』（商事法務研究会、1983）101頁、上柳ほか編代・前掲(6)書162頁〔森本〕。

(66)　江頭憲治郎『株式会社法〔第８版〕』（有斐閣、2021）367頁。ただし、鈴木＝大隅監修・前掲(40)書37頁は、それは定款に違反するとする。

(67)　東京地判平成23・１・26資料版商事324号70頁。

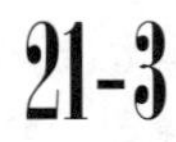

21-3 濫用的な質問等への対応

株主の発言・質問であっても、濫用にわたるものは、発言、質問としての効果を有さない。前掲注(9)九州電力事件判決は、総会の冒頭から不規則発言を繰り返し、離着席を繰り返して前方に押しかけるなどし、装飾用花台を乗り越えるなどした株主の発言について、「公正かつ円滑に運営されるべき株主総会の会議体としての本則を自ら放擲するものであって、その限りにおいて自己の株主としての利益を放棄しているものと評価されてもやむを得ないところがあ」るとして、提出した動議が受け付けられなくても議事運営が不公正ということはできないと判示している。

前掲注(49)大盛工業事件高裁判決は、議長不信任動議について、「合理的な理由に基づくものではないことが一見して明白なものであったと認められ」るとして、これを議場に諮る必要はないと判示している。

前掲注(27)東京電力事件判決は、多数の修正動議の要求がなされている状況で質疑を打ち切ったことについて、これ以上株主から提出されるであろう修正案を審議する必要があったとは認められないとした。

総会屋などが利益の供与を要求する手段として、総会で発言等しても、それは明らかに権利の濫用であり、質問としての法的効力を有さず、回答しなかったとしても決議の方法の法令違反等にはならないものと考えられる。

また、「総会のあり方」や「取締役の責任問題について」などといった抽象的で明瞭性を欠く質問については、説明義務は発生しない(68)。

なお、度を超した暴力、脅迫などがある場合には、そもそも株主総会への出席すら禁止することもありうる(69)。

(68)　日立製作所事件・東京地判昭和62・1・13判時1234号143頁。
(69)　中国銀行事件・岡山地決平成20・6・10金法1843号50頁。

21-4
動議への対応

1　議事進行上の動議

動議には、議事進行上の動議と、実質動議（議案の修正動議）がある。議事進行上の動議には、種々のものがある。前述のとおり、最終的には議事運営は総会自身が決定するとの考え方に立てば、議事進行上の動議もすべて総会に諮って決めることになる。しかし一定のものを除き、議事進行上の権限は議長にあると解せば、それらについては議長がその処理を決定してよいこととなる[70]。

その場合、議長の裁量で決定できない動議が何であるかということになるが、通常は、議長不信任動議、調査者選任動議（法316条）、延期・続行の動議（法317条）、会計監査人の出席要求動議（法398条２項）の４種類が挙げられている[71]。議長不信任動議は、事の性質上、取り上げるかどうかの裁量を議長自身は持たない。他の３者については、いずれも条文上、株主総会の決議が要件とされているから、当該決議をするかどうかは総会が決めることになる。これらの動議であっても、権利の濫用に該当する場合は、取り上げる必要はない[72]。以上のほかの審議打切りや審議方法の変更、議案の審議の順序などは議長自ら決定できるとする[73]。

ただし、取締役選任議案等の場合に一括審議または個別審議（採決）を求める動議や質疑打切り動議については総会に諮るべきとの見解もある[74]。

---

(70)　上柳ほか編代・前掲(6)書169頁以下〔森本〕。
(71)　神崎・前掲(25)論文４頁。
(72)　大盛工業事件・東京高判平成22・11・24資料版商事322号180頁。
(73)　神崎・前掲(25)論文４頁。

取締役選任議案の採決方法については、数名の取締役候補者がある場合、法的にはそれぞれ候補者ごとに分割可能な議案であり（モリテックス事件判決[75]）、書面または電磁的方法による投票の場合には株主も個別に賛否を分けることが可能である（施66条1項1号）。そこで候補者ごとに採決することが原則であるという考え方もあるため、その採決の方法については、各候補者別とするか、全候補者一括とするか、株主から動議が提出されたときには総会に諮るべきという考え方も生じる。

メイテック事件判決[76]は、取締役選任議案に関して特殊な株主提案がなされている事案について、「株主総会における議案の取扱いについては、法令又は定款に違反しない限り、株主総会の決議に基づいて自主的に審議、採決方法を決定することができる」とし、「議長の提案に基づき株主提案第7号議案を会社提案第2号議案の修正案として取り扱う旨、株主提案第8号議案を会社提案第2号議案の追加選任議案として取り扱う旨の各決議と、右各議案の各取締役候補者について一括して賛否を採る旨の決議がされた後、この審議、採決方法に従って株主提案第7号議案、会社提案第2号議案、株主提案第8号議案の順に採決され、右3案がそれぞれ順次否決、可決、否決されたものであって、このような採決方法が法令又は定款に違反しているということはできない」としている。この結果、総会において議決権を行使した者は候補者別に投票ができなかったが、それは議決権行使制度に内在する技術的な制約によるものであって、株主平等原則にも違反しないとした。

なお、質疑打切り動議については、前述のとおり、議長が判断してよいとするのが判例・多数説と考えられる。

議事進行上の動議が提出された場合、まず動議を取り上げるかどうかを総会に諮るべきとする説[77]と、ただちに取り上げて総会にその是非を諮るべきとする説[78]がある。

---

(74) 久保田・前掲(30)論文86頁、株主総会実務研究会編集『Q&A 株主総会の法律実務』（新日本法規出版、2006）1548頁〔久保利英明〕、質疑打切り動議につき山口・前掲(11)論文117頁。

(75) モリテックス事件・東京地判平成19・12・6判タ1258号69頁。

(76) 前掲(38)メイテック事件・名古屋高判平成12・1・19。

(77) 河本一郎『現代会社法〔新訂第9版〕』（商事法務、2004）420頁。

議事進行上の動議については、総会に諮るべき場合であっても、それの適否が出席株主にすぐわかるときには、提出株主に提案理由の説明をさせることなくただちに採決して構わない[79]。

議事進行上の動議の採否は、議決権行使書および電磁的方法により議決権行使をした者以外の現実に出席した株主（代理人を含む）の議決権の過半数をもって決する。ただし、会社が勧誘した委任状を使うことに疑問を呈する見解もある[80]。最近では、議決権行使書を提出した株主が、議事進行動議についての対応のみの委任状を提出することができ、その場合議決権行使書は無効とならないとする説が有力である[81]。

2　議案の修正動議

株主は、株主総会において議案の修正動議を提出することができる（法304条）。ただし、当該議案が法令もしくは定款に違反し、または実質的に同一の議案につき株主総会で総株主の議決権の10分の１以上の賛成を得られなかった日から３年を経過していない場合は、この限りでない。このように株主の動議提出権が会社法で明確にされた。同時に、再提案の禁止の制度が設けられた。再提案の禁止は従来から株主提案権にあった制度であるが、事前の株主提案権と当日提出される動議で別途の取扱いをする合理性がないためとされる[82]。再提案を禁止する趣旨は、無用な審議をしないためである。

取締役会設置会社では、事前に招集通知に記載された目的事項以外の事項について決議をすることはできない（法309条５項）。これは招集通知に記載された総会の目的事項を見て株主は出席の有無を決めるので、記載されてい

---

(78)　藤原祥二「総会の運営」商事法務研究会編『株主総会ハンドブック〔新訂第３版〕』（商事法務研究会、2000）548頁。

(79)　前掲(9)九州電力事件・福岡地判平成３・５・14。

(80)　龍田節＝前田雅弘『会社法大要〔第３版〕』（有斐閣、2022）213頁注20。

(81)　内田修平「手続的動議のみに関する包括委任状を提出した株主の書面による議決権行使の効力」商事2267号（2021）49頁、前田雅弘＝北村雅史・大阪株式懇談会編『会社法実務問答集Ⅱ』（商事法務、2018）96頁。

(82)　相澤哲＝細川充「株主総会等〈新会社法の解説(7)〉」商事1743号（2005）23頁。

ない事項について決議をすることは不意打ちとなるからである。しかし取締役会設置会社以外の会社では、そのような制約はなく、総会においていかなる事項についても決議することができる。取締役会設置会社以外の会社では、株主総会が業務執行を含めた一切の会社に関する事項について決議できる機関とされているからである。

招集通知に記載された目的事項であっても、修正動議を提出できる範囲には限界があるとされる。招集通知の記載から株主が予想できる範囲内でなければならないとされる(83)。しかし、その範囲は明確でない。株主総会参考書類が提供されている場合には、それによって提供された情報ももとに、予想できる範囲を判断することになろう。

取締役会が修正動議を提出しうるかについて争いがある。従前より、書面投票制度を採用している場合、取締役会が提出する議案については、事前に株主にその議案や参考事項が提供されることとなるが、総会当日に取締役会からの修正動議の提出を認めるとその事前の情報開示が行われないことになるため、取締役会が修正動議を提出することはできないとする説がある(84)。会社法下においても、書面または電磁的方法による議決権行使を採用した場合には同様の問題が生じる。

これに対して、取締役候補者の死亡等により法定員数を欠いてしまうこととなる場合など緊急の必要があるときは、修正案を提出できるとする説(85)もある。さらに、総会の承認を得て原案を撤回した後であれば自由に修正案を提出できるとする説(86)もある。この場合、書面または電磁的方法による投票で原案に賛成の投票が可決に必要な数を上回っていた場合には、撤回の承認を得られないおそれもある。しかし実務的には、修正案を提出しただけでは意味がなく、それを可決させなければならないので、修正案に賛成してもら

(83)　山口・前掲(11)論文119頁。

(84)　須藤純正「株主総会の招集通知発送後に監査役候補者が死亡した場合の措置」商事1007号（1984）94頁。

(85)　末永敏和「株主総会の招集と議案の変更――日本ドリーム観光における役員候補者変更事例の検討」商事1121号（1987）4頁。

(86)　森本滋「書面投票の制度的意義と機能」河本一郎ほか編・上柳克郎先生還暦記念『商事法の解釈と展望』（有斐閣、1984）125頁。

うよう委任状の勧誘をしたり、現実出席を要請したりしている。そのため修正案が可決できるときには、原案撤回の承認も得られると思われる。

取締役会による修正案の提出が可能であるとする場合、その原案撤回と修正案の決定は取締役会の決議によることが必要である。なお、株主が動議を提出する場合には以上のような問題がないため、取締役会が修正案を提出するとともに、株主からも同内容の修正案を出す事例がある[87]。

議題の撤回については、学説では、会日前に各株主に通知することで撤回することができるとされている[88]。また株主総会当日においても、総会の承認を得て議案を撤回することができるとされている[89]。実際には、総会当日議長が議題の撤回を宣言して審議および採決をしなければ、取り消すべき決議も存在しないため、それで撤回が可能である。そのため実務ではそのように取り扱っている。

議案の修正動議は、そのすべてを取り上げなければならないというものではない。前述のとおり、前掲注(27)東京電力事件判決では、多数の修正動議要求があったもののその一部のみを取り上げたことについて、判決は議長の議事運営が不適切とはいえないとした。また前掲注(9)九州電力事件では、議長が聞き取ることができなかった動議要求が受理されなかったことはやむをえないとして、議長の議事運営が不公正なものとはいえないとしている（前掲注(8)東北電力事件判決も同旨）。

バーチャル総会では、株主がたとえばテキストで修正動議を会社に送付した場合、それはその時点で提出したことになるのか、その取扱をどうすべきかなどが問題となる（**第27章**）。

適法な修正動議が提出された場合、まず動議を取り上げるかどうかについて総会の決議が必要とする説[90]とただちに取り上げて動議を諮らなければならないとする説[91]がある。

(87)　住友商事事件・大阪地判平成10・3・18判時1658号180頁。
(88)　北沢正啓『会社法〔第6版〕〈現代法律学全集18〉』（青林書院、2001）316頁。
(89)　山口・前掲(11)論文119頁。
(90)　河本・前掲(77)書420頁。
(91)　森本監修・前掲(3)書95頁。

修正動議が提出された場合、修正動議を先に審議、採決すべきという説もあるが(92)、多数説は原案を先に採決することを認めている(93)。判例も同旨である(94)。原案と修正案を一括審議しても構わない。原案が可決されれば、両立しない修正案の採決は不要となる(95)。

修正動議の採決をするとき、書面または電磁的方法により議決権行使をしているものについて、修正案に対して賛成、反対、棄権または欠席のいずれと取り扱うべきか問題となる。欠席扱い(96)としたのでは、原案と修正案の双方が可決されてしまう可能性がある。しかし修正案に賛成するかどうかはわからないのであるから、賛成の方向に加算することもできない。そのため修正案については、棄権と同様に扱うことになると考えられる(97)。原案に対する賛否は、当初の議決権行使に従うことになる。代理人（委任状）については、修正動議についても、代理人の議決権行使によることになる。ただし、代理人は委任者から受任された権限を逸脱して議決権行使をした場合には、その議決権行使は無効となりうる(98)。その場合、それについて、事前の議決権行使があれば、それが有効とされる可能性がある(99)。

議長が適法な修正動議を無視して議事を進めて決議をした場合、当該決議については著しく不公正な決議の方法として、決議取消事由が存することになる(100)。

---

(92)　横田正雄「総会における動議提出権について」商事988号（1983）32頁。

(93)　龍田＝前田・前掲(80)212頁。

(94)　前掲(8)東北電力事件・仙台地判平成５・３・24。

(95)　龍田＝前田・前掲(80)212頁。

(96)　加藤修「株主の書面による議決権の行使」高鳥正夫編著『改正会社法の基本問題』（慶應通信、1982）136頁。

(97)　前田重行「株主総会における書面投票制度」代行リポート56号21頁。なお、河本一郎「〈講演録〉株主総会に関する諸問題」記録（大阪株式事務懇談会）421号13頁および稲葉・前掲(29)書168頁は、原案賛成を修正案反対、原案反対を修正案棄権とする。

(98)　アドバネクス事件・東京高判令和元・10・17金判1582号30頁、弥永真生「権限を逸脱した議決権行使と決議取消し」ジュリ1547号（2020）95頁、議決権の代理行使に関し民法の規定の適用について田中亘「株主総会における議決権行使・委任状勧誘」岩原紳作＝小松岳志編『会社法施行５年理論と実務の現状と課題（ジュリ増刊）』（有斐閣、2011）４頁。

(99)　北村雅史「事前の議決権行使と株主総会への『出席』の意味――東京高判令和元年10月17日を手がかりとして」商事2231号（2020）７頁。

(100)　チッソ事件・大阪高判昭和54・９・27判時945号23頁。

21-5 退場命令等

議長は、秩序維持権を有する（法315条２項）。秩序維持権とは、議事整理権に付随するもので、議事を乱す者に発言を止めるよう命令したり、退場させたりして、議場の秩序を保つ権限である。

会社法では、「議長の命令に従わない者」と「株主総会の秩序を乱す者」を退場させることができるとしている。旧商法では、命令に従わない者というのは、秩序を乱す者の例示であったが（旧商237条ノ４第３項）、新法では、命令に従わないということだけで退場命令を出すことができることになった。

退場命令は、その者の議決権を奪うのと同様であるから、相当に重い処分である。そのため、原則として警告のうえ、それでも議長の命令に従わない場合に退場命令を下すべきものと解されている。しかし暴力を行使した場合などは、ただちに退場を命ずることができると解される。退場命令を出したことが適法であったとされた事例として、佐藤工業事件判決(101)がある。

退場命令がなされたときは、株主は従わなければならない。退場命令にもかかわらず、従わないときは、不退去罪になると解されている（刑法130条）。また退去せずに議事を妨害すれば、業務妨害罪を構成すると解されている(102)。

退場命令にもかかわらず退去しない場合、議長は、相当な範囲で実力をもって当該株主を退出せしめることができると解されている(103)。

---

(101) 佐藤工業事件・東京地判平成８・10・17判タ939号227頁。

(102) 刑法234条、大判昭和５・12・16刑集９巻907頁。

(103) 大隅＝今井・前掲(2)書83頁。

第22章

株主の質問と説明義務

取締役、会計参与、監査役および執行役は、株主総会において、株主から特定の事項について説明を求められた場合には、当該事項について必要な説明をしなければならない（法314条）。ただし、①株主総会の目的である事項に関しないものである場合、②その説明をすることにより株主共同の利益を著しく害するものである場合、③その他正当な理由がある場合として法務省令で定める場合には、説明義務はない。③の法務省令で定める場合とは、(i)株主が説明を求めた事項について説明をするために調査をすることが必要である場合（ただし、当該株主が株主総会の日より相当の期間前に当該事項を会社に通知した場合および説明をするために必要な調査が著しく容易である場合は除く）、(ii)説明することにより会社その他の者（当該株主を除く）の権利を侵害することとなる場合、(iii)実質的に同一の事項について繰り返して説明を求める場合、(iv)以上のほか、株主が説明を求めた事項について説明をしないことに正当な理由がある場合である（施71条）。

まず会社法においては、説明義務が生じるのは「特定の事項」に関する質問に限定されている。特定の事項に関する質問でない場合、すなわち一般的な事項、抽象的な事項等については、説明義務が生じないことになる。また、「必要な説明」についてのみ説明義務が生じることが条文上明確にされている。従来から判例および学説の多数説であったが、議決権行使とは独立した株主権として必要性を要件としない説もあった(1)。

また、いわゆる事前質問状について、会社法では書面は要求されていない(2)。なおバーチャル総会では、総会開会前からテキストなどで質問を受け付け始める可能性があるが、その場合、それは総会場での質問なのか事前質問なのか明確にする必要があろう。

説明義務の範囲については、学説は分かれている。

説明義務は、株主総会の目的である事項に関するものである場合にのみ生じる。そして、そのために必要な説明についてのみ説明義務が生じる。これは取締役等の説明義務が、株主総会において、株主総会の議題を審議するに

---

(1)　末永敏和「取締役等の説明義務の法理」竹内昭夫編『特別講義商法Ⅰ』（有斐閣、1995）193頁。

(2)　相澤哲＝郡谷大輔「会社法施行規則の総論等〈新会社法関係法務省令の解説(1)〉」商事1759号（2006）14頁。

あたって必要な情報（これを実質的関連事項という）を提供する制度であることを示している。

審議にあたって必要な情報とは何かを検討するに、まず決議事項については、株主は、審議において種々の情報を得て、その情報をもとにその議案に対する賛否を決定する。そして採決になって投票をする。したがって、必要な情報とは、賛否の意思決定をするために必要な情報である。その１つの目安になるのは、株主総会参考書類の記載事項である。株主総会参考書類の制度は、書面または電磁的方法による議決権行使の制度において、書面または電磁的方法により議決権を行使する者は株主総会に出席しないで議決権を行使することになるところから、賛否の意思決定のために必要な情報を招集通知に際して提供させて、それを参考に賛否の投票をさせる趣旨である。したがって、株主総会参考書類というのは、原則として、それを見れば一応議案についての賛否の意思決定ができる情報ということになる。そのためこの株主総会参考書類の記載事項が説明義務の一応の目安になるとされている。したがって、それを敷衍する程度の説明が必要と解されている。

次に報告事項に関して、計算書類および事業報告の報告事項については、株主に会社の概況を知らせること、そして株主がそれに基づいて問題がないか違法行為のチェックをすることに意味がある。受託者としての説明義務である。会社の概況については、貸借対照表、損益計算書、株主資本等変動計算書および注記表を見れば、会社の財産および損益の状況ならびに純資産の部の変動状況がわかり、その重要な注記事項もわかる。そして事業報告を見れば、その会社の状況に関する重要な事項もわかる仕組みとなっている（施118条１号)。そのためこれらの書類を見れば、おおむね会社の概況は判明する。

そこで、会社の概況を知らせるためには、これらの書類を補足、敷衍する程度のことを説明すればたりるものと考えられる。その範囲は、従来附属明細書の記載事項と考えられてきた。附属明細書には、計算書類および事業報告の内容を補足する重要な事項が、みな記載されているからである（施128条、計117条)。その結果、計算書類等の報告事項については、附属明細書の記載事項が説明義務の目安になると考えられてきた。ただし、違法行為のチェックという観点から、相当な根拠をもって違法ではないかと指摘された事項については説明義務が生じうるとされる(3)。

判例も同様であり、日本交通事件高裁判決(4)は、「取締役などの説明義務の趣旨は、株主が会議の目的事項について賛否を決するために合理的判断をなすに必要な情報を提供することにあると解される。したがって、取締役などの説明義務は、合理的な平均的株主が、会議の目的事項を理解し賛否を決して議決権を行使するに当たり、合理的判断をするのに客観的に必要な事項について、そのために必要な範囲において認められるものと解するべきであり、質問事項が議題の合理的な判断に必要な事項であるかどうか、取締役が議題の合理的な判断に必要な程度に説明をしたかどうかの判断は、質問株主や説明した取締役などの主観を基礎にしてはならず、合理的な平均的株主の立場を基準に客観的に判断されるべきであり、そして、取締役の説明義務制度の趣旨からすれば、質問株主に、右必要性についての主張立証の責任があるというべきである」とし、さらに計算書類の承認議案についての説明義務について、「計算書類承認決議は、会社の計算が正当なものであると認めこれを法的に確定するとともに、利益の配当及び準備金の積立・取崩をする決議であり、株主はこれを通じて取締役を監督する機会を得ることにもなる。計算を正当なものと確定するためには、株主総会において会社の概況が明らかにされなければならず、合理的な平均的株主が会社の概況を正確に理解し、議案に対する賛否の合理的判断をなすに必要な情報のみが議題と実質的に関連するものとして説明義務の対象となる。そして、説明義務の範囲は、商法が一般的に開示を要求している事項を一応の基準と考えることができ、商法及び計算書類規則に基づき作成される貸借対照表、損益計算書、営業報告書及び附属明細書の記載事項や参考書類規則により大会社の招集通知に添付すべき参考書類の記載事項が一般的な開示事項に当たるものと解すること

(3)　以上につき、森本滋「会社役員の説明義務の機能と限界」法学論叢116巻1～6号（1985）545頁、同「監査役の職務権限とその説明義務」平出慶道ほか編・北澤正啓先生還暦記念『現代株式会社法の課題』（有斐閣、1986）221頁、今井宏「株主総会における説明義務について」月刊監査役185号（1984）3頁。

(4)　日本交通事件・広島高案江支判平成8・9・27資料版商事155号47頁。

ができる。したがって、原則としては右各書面に記載さるべき事項が説明義務の範囲を画するものと考えられ、細かな計数や会計帳簿などを調査してはじめて知り得るような事項は原則として説明義務の範囲外にあると解するべきであるが、他方、計算書類承認決議には、取締役の監督という側面もあることは既に説示したとおりであり、会社の個々の財産につき、取締役の違法行為の存在が疑われるべき相当な事情がある場合には右範囲を越えた説明を必要とする場合があると解するべきである」とする。

また、有価証券報告書の記載事項との関係について、「原告は、有価証券報告書を引合いに出して説明義務の範囲について主張するが、商法その他の規定が特に附属明細書の記載事項を定めていることから総会に提出されるべき計算書類の明細としては右の事項で十分であると解することができ、それ以上に有価証券報告書の記載事項を参考にして説明義務の範囲を考える必要はない。被控訴人が本件総会で提出して承認を求めているのは、貸借対照表、損益計算書等の計算書類であり、これらの計算書類は商法を中心に計算書類規則等に基づいて適式に作成されたものであるから、会社の株主に対する説明義務は、これら商法等に準拠した計算書類に基づいて履行すれば足りるものというべきである。」と判示している。

最近、東京スタイル事件判決[(5)]は、「説明義務の範囲と程度には自ずから限度があり、株主が会議の目的たる事項の合理的な理解及び判断をするために客観的に必要と認められる事項（実質的関連事項）に限定されると解すべきである。」と述べて原則的には同様の解釈を示しているが、続いて、「第４号議案は取締役の選任に関する決議事項であるから、同決議事項についての実質的関連事項は、再任取締役候補者あるいは新任取締役候補者の適格性の判断に必要な事項である。そして、具体的には、通常、商法施行規則13条１項１号所定の『候補者の氏名、生年月日、略歴、その有する会社の株式の数、他の会社の代表者であるときはその事実』等に関する事項であり、同事項に関する説明が行われなければならず、また株主が再任取締役候補者あるいは新任取締役候補者の適格性について質問をした場合には、同規則所定の

(5) 東京スタイル事件・東京地判平成16・５・13金判1198号18頁。

事項に敷衍して、それらの者の業績、再任取締役候補者の従来の職務執行の状況など、平均的な株主が議決権行使の前提としての合理的な理解及び判断を行うために必要な事項を付加的に明らかにしなければならないと解すべきである」と述べている。ここでは、取締役選任議案につき、「それらの者の業績、再任取締役候補者の従来の職務執行の状況など」について敷衍して説明すべきとしている。この業績とか、職務の執行状況がどの程度の範囲を示す趣旨かは明確でないが、従来より説明義務を広く解している可能性もある（ただし、実質的関連事項を拡大したものではないとの理解も示されている(6)）。

学説のなかには、より実質的に、合理的な株主であれば当然知りたいと思うようなことは説明すべきであるという考え方(7)もある。最近の学説には説明義務の範囲をより拡大する傾向も見られる(8)。

なお、連結計算書類の報告に関しては、連結計算書類を報告させる趣旨は、受任者の報告義務というわけではなく（連結グループの経営を委任されているわけではない）、上記のような個別計算書類に関する理解はあてはまらない。連結計算書類は、単に情報提供として報告されているにすぎないので、その内容が理解できる程度の説明でたりるものと思われる。

指名委員会等設置会社については、取締役としての説明義務、各種委員会の委員としての説明義務、執行役としての説明義務等、各人の担当した職務に関して説明する義務を負担することになると考えられる。

監査役は、自分が受任した監査業務について説明義務を負う(9)。決議事項についていえば、監査役は、議案の提案者ではないから、提案者としての説明義務はない。また計算書類等の報告事項についても、監査役は経営の受託者ではないから受託者としての説明義務は負わない。監査役は、受託した監

(6)　吉井敦子「東京スタイル株主総会決議取消訴訟事件」商事1821号（2008）116頁。

(7)　江頭憲治郎「〈座談会〉改正会社法施行後の株主総会〔下〕」ジュリ788号（1983）83頁〔江頭憲治郎発言〕。

(8)　弥永真生＝足田浩『税効果会計』（中央経済社、1997）114頁以下、稲葉威雄「株主総会の開示機能」清水湛ほか編・味村最高裁判事退官記念『商法と商業登記』（商事法務研究会、1998）220頁、上村達男「取締役・監査役の説明義務」酒巻俊雄監修・中央三井信託銀行証券代行部編『株主総会の法と実務（判タ1048号）』（判例タイムズ社、2011）108頁以下。

(9)　森本滋「監査役の職務権限とその説明義務」平出ほか編・前掲(3)書221頁。

査業務について説明義務を負うことになる。その報告事項は、監査報告書の記載事項として法定されているから、基本的にはそれを敷衍する事項を説明すべきである。監査等委員も受任した職務につき説明義務を負う。

会社法では、監査報告書の記載事項として、「監査の結果」や「監査の方法の内容」などとともに、内部統制システムの決議や運用状況の相当性に関する意見や、敵対的買収防衛策、関連当事者取引に関する意見、会計監査人の内部統制に関する事項など、多くの事項が追加されている。項目によっては違法性監査に限定されていないため、その説明すべき範囲は拡大していると考えられる。

また、違法行為があった場合および相当な根拠をもって違法と指摘された場合には、監査役の報告義務、説明義務が生じる。その違法行為の概要など、または違法でないならその理由等については説明しなければならない。

決議事項について、監査役は法令・定款違反または著しく不当な内容であった場合にのみ、そのことを総会に報告する。それ以上の説明義務はない。

第23章

延会・継続会

株主総会においては、延期または続行の決議をすることができる（法317条)。

延期というのは、総会の成立後、議事に入らないで、別途の会日に変更することをいい、続行とは、議事に入った後、審議を一時中断して別途の会日に継続することをいう(1)。

延期または続行の決議があったときには、その延会・継続会の開催については、会社法298条および299条の適用がない。したがって、株主総会を開催するための取締役会等の決議（法298条）および招集通知（法299条）は必要がない。この点が、新たに総会を招集する場合と、延期または続行の決議をする場合の違いである。

また延会・継続会では、当初の総会と同一性を保持しているから、議決権を有すべき株主も同一である。基準日の効力期間である３ヵ月（法124条２項）を超えても、同一の株主総会であるからその違反はないとされる(2)。基準日を定めなかった場合においても同様に、当初の総会の時点の株主と解される(3)。会議の目的（議題）も同一でなければならない（取締役会設置会社の場合)。なお、だからといって、延会・継続会での決議が基準日から３ヵ月以内に決議されたものとみなされるわけではなく、そこでの決議はその決議の日から効力を有する(4)。

延期または続行の決議においては、延会・継続会の日時・場所を決議する必要がある(5)。ただし、日時の決定を議長に一任することも可能とされている(6)。その場合、一任された議長は、決定した日時・場所を、当初の総会に来場した株主に通知すればよいとされる。

延会・継続会が当初の総会と同一性を保っているといいうるためには、延会・継続会が相当期間内に開催されることが必要であると解されている。そ

---

(1)　上柳克郎ほか編代『新版注釈会社法(5)』（有斐閣、1986）246頁〔菅原菊志〕。
(2)　酒巻俊雄＝龍田節編代『逐条解説会社法４巻』（中央経済社、2008）177頁〔浜田道代〕。
(3)　山口幸五郎「株主総会の議事」大隅健一郎編『株主総会』（商事法務研究会、1969）128頁。
(4)　酒巻＝龍田編代・前掲(2)書177頁〔浜田〕。
(5)　白木屋事件・東京地判昭和30・７・８下民集６巻７号1361頁・判時56号５頁。
(6)　上柳ほか編代・前掲(1)書249頁〔菅原〕。

の期間は招集通知の期間である２週間とするのが通説であるとされる(7)。会日がこれを超える場合は、延会・継続会ではなく、あらためて招集手続をとらなければならない(8)。ただし、その期間を２週間を著しく超える場合とする説もある(9)。実務では、１ヵ月程度期間が空いている例も多く見られる(10)。

コロナ禍にあって、令和２年４月15日、金融庁「新型コロナウイルス感染症の影響を踏まえた企業決算・監査等への対応に係る連絡協議会」が発出した「新株コロナウイルス感染症の影響を踏まえた企業決算・監査及び株主総会対応について」(11)に基づき、金融庁・法務省・経済産業省は、「継続会（会社法317条）について」（2020年４月28日）(12)を発した。これはコロナ禍で計算書類の確定手続きが遅延し、定時株主総会の予定日に間に合わない事態に対処するものである。それによると、継続会までの期間について、３ヵ月を超えないことが一定の目安になるとされている。また継続会となった場合の役員の任期満了時点については、法務省が令和２年５月８日に「商業・法人登記事務に関するQ&A」(13)を公表している。

延期または続行の決議は、普通決議で行う（法309条１項）。書面または電磁的方法によって行使された議決権は算入しない(14)。

延期または続行の決議は、議長が専権で行うことはできない(15)。決議された日時・場所を招集権者が変更することもできない(16)。

延期または続行の決議に瑕疵がある場合には、それに基づいて開催された延会・継続会の決議にも瑕疵があることになる(17)。

---

(7) 上柳ほか編代・前掲(1)書248頁〔菅原〕。

(8) 河本一郎『現代会社法〔新訂第９版〕』（商事法務、2004）425頁。

(9) 山口・前掲(3)論文127頁、稲葉威雄ほか『条解・会社法の研究５ 株主総会（別冊商事163号）』（商事法務研究会、1994）144頁〔稲葉威雄発言、森本滋発言〕。

(10) 資料版商事441号23頁以下、資料版商事429号47頁以下など。

(11) https://www.fsa.go.jp/news/r1/sonota/20200415/01.pdf

(12) https://www.fsa.go.jp/ordinary/coronavirus202001/11.pdf

(13) https://www.moj.go.jp/hisho/kouhou/hisho06_00076.html

(14) 河本・前掲(8)書421頁。

(15) 東京地判昭和38・12・５下民集14巻12号2418頁・判時359号60頁。

(16) 前掲(5)白木屋事件・東京地判昭和30・７・８。

(17) 水戸地下妻支判昭和35・９・30下民集11巻９号2043頁・判時238号29頁。

第Ⅰ編

第24章

採　　決

24-1 議決権

1　議決権の性質

株式はその権利者が発行体に対して有するさまざまな権利を表象する有価証券である。その権利の内容は法令と定款によって決まる。

さまざまな権利は、自益権と共益権に二分されるが、自益権は会社から直接的に経済的利益を受ける権利であり、共益権は会社経営に参画し経営者の行為を監督・是正する権利とされる。

その共益権の1つとして株主総会に関連するものがある。株主は総会に出席して、説明を求め、討議に参加し、動議を提出し、決議に加わることができる。株主総会の招集を請求し、また株主提案をすることができる。その中心が議決権である。

これらの権利は法令と定款がその内容を決定する。とりわけ議決権については権利者が同一機会に行使するものであるから、集団的処理になじむようにその内容は画一的に法定され、特に法律の認めた場合を除き、定款または株主総会の決議をもって奪うことができない権利である。

議決権は株主の権利の内容をなす権利であるから、株主のみがこれを有する（ただし、株式の取得者であっても株主名簿の書換えを受けていなければ、会社に対して株主であることを主張して議決権を行使することはできない)。信託譲渡のように、譲渡人と譲受人との間で特約がある場合でも議決権を行使するのは譲受人である。株式が質入れされた場合でも、議決権を行使できるのは株主であって質権者ではない。株主が議決権のみを第三者に移転することは認められていない。

議決権行使により会社の取締役を決定し、会社の支配権を決定する。したがって、支配権をめぐる争いは議決権をめぐる争いである。大規模な会社から零細な会社まで、支配権争奪をめぐる争いは、株主総会を中心に展開されることが多い。

公開会社ではない会社では、株主総会の議決権に関し、株主ごとに異なる取扱いを行うことを定款で定めることができる（法109条2項）。

2　議決権のない株式と議決権の数

(1)　総　　説

株主総会・種類株主総会において株主は1株式につき1議決権を有する。1株1議決権の原則である（株主総会につき法308条1項、種類株主総会につき法325条）。

会社法が特に認める場合のみ例外が存在する。無議決権株式と株主の属性により議決権が認められない株式である。後者には、単元未満株式、相互保有株式、自己株式がある。

(2)　無議決権株式

会社は、株主総会において議決権を行使することができる事項につき異なる定めをした内容の異なる2以上の種類の株式を発行することができる（法108条1項3号）。こうした株式を発行する場合、会社は、定款で、(a)株主総会において議決権を行使することができる事項、および(b)当該種類の株式につき議決権行使の条件を定める場合にはその条件、ならびに当該種類株式の発行可能株式総数を定めることを要する（同条2項3号）。条件付きで全部または一部の事項につき議決権が生ずるなどの条件（一定金額以上の剰余金が配当されない場合に議決権が生ずるなど）を定めることが可能である。

そこで、株式には、議決権に関して、①総会決議事項のすべてについて議決権を有する株式（議決権普通株式）、②一切の事項につき議決権がない株式（完全無議決権株式）、③一定の事項についてのみ議決権を有する株式がある。

②③を議決権制限株式と総称する（法115条）。ある総会の決議事項一切について議決権を有しない株主は招集通知を受けないので、総会に関する共益権を一切有しないと解される[(1)]。一方、議決権を前提とする共益権以外の単独株主権である共益権（帳簿閲覧請求権、株主代表訴訟の提訴権限等）は認められる。

完全無議決権株式でも定款変更によりその株主に損害を及ぼすおそれがある場合の種類株主総会において議決権を行使することができる（法322条１項１号・３項ただし書）。また、持分会社に組織変更する場合（法776条１項）、組織再編により持分会社の持分が対価として交付される場合（法783条４項）には、総株主の同意を要する。組織再編により譲渡制限付株式が対価として交付される場合には種類株主総会において議決権を持つ（同条３項）。

議決権を有しない株式は、総会における定足数および決議の成立を定める基準としての総株主の議決権の個数や株主総会招集請求権および株主提案権の行使の要件を定める基準としての総株主の議決権の個数には算入されない。

ただし、前述のとおり、議決権制限株式といっても決議事項ごとに議決権の有無が異なり、同一の決議事項でも決議内容によっても議決権の有無が異なり、条件成就の有無によって議決権の有無が異なる。また、種類株式発行会社は１単元の株式の数が株式の種類ごとに異なる場合もある、したがって、定足数等を算定する際および少数株主権の持株要件を算定する際には、問題となる議案ごとに議決権の有無を判断して議決権のある株式の議決権の個数を合算することになる。

(3)　単元未満株式

単元株制度は、定款により、一定の数の株式を「１単元」の株式と定め、１単元の株式につき１個の議決権を認め、単元未満の株式には議決権を認めない制度である。株式の管理コストの削減が目的とされる。なお、種類株式

(1)　江頭憲治郎『株式会社法〔第８版〕』（有斐閣、2021）347頁。ただし、定款でこうした株主にも株主総会への出席権や質問権を認めることは可能である（同書350頁注(5)）。

発行会社は、定款で株式の種類ごとに単元株式数を定める（法188条３項）。したがって、ある種類の株式は10株が１単元、他の種類の株式は1,000株を１単元ということもある。

単元未満の株式しか持たない株主は、総会に出席して、説明を求め、討議に参加し、動議を提出し、決議に加わる権利を持たない。株主総会決議の取消を求める権利も有しないと解される[2]。複数の単元未満株主が共同でこれらの権利を行使することもできない。持株要件を持つ株主総会招集請求権、株主提案権についても同様である[3]。

したがって、単元未満株式の合計数は、総会における定足数および決議の成立を定める基準としての総株主の議決権の個数や株主総会招集請求権および株主提案権の行使の要件を定める基準としての総株主の議決権の個数には算入されない。

(4) 自己株式

株式自体に議決権は存在するが、会社が所有する間は会社に議決権は認められない（法308条２項・325条）。議決権行使を認めないのは会社支配の公正維持が目的である。したがって、一切の共益権は認められないのみならず、自益権も認められない。

自ら議決権を行使できないのであるから、他人を代理人として議決権を行使することもできない、株主の属性による議決権制限であるから、株式が譲渡された場合に譲受人が議決権を行使できることはいうまでもない。

なお、会社が自己の計算で他人の名義をもって取得した株式についても、自己株式に準じて議決権は認められないものと解される[4]。

---

(2) 江頭・前掲(1)書304頁。

(3) 単位未満株式につき大隅健一郎＝今井宏『会社法論中巻〔第３版〕』（有斐閣、1992）50頁。議決権があることを前提とする共益権以外の単独株主権である共益権については定款で制限しない限り認められる。

(4) 大隅＝今井・前掲(3)書48頁。

(5)　相互保有株式（図表Ⅰ－3－3）

ある会社（A）の株主総会における議決権の行使を考える。A社がB（国内外の会社、組合等）の議決権の総数の4分の1以上を保有しているとする。すると、Bが有するA社株式には議決権が一切認められない（法308条1項括弧書・325条、施67条・95条5号）。A社とその子会社（孫会社を含む）が合計で、または、子会社のみが合計で、Bの議決権の総数の4分の1以上を保有している場合も同様に、Bが保有するA社株式には議決権が一切認められない。議決権行使を認めないのは会社支配の公正維持が目的である。無議決権株式のところで述べたのと同様に、議決権を前提とする共益権以外の単独株主権である共益権は認められる。

総会における定足数および決議の成立を定める基準としての総株主の議決権の個数や、株主総会招集請求権および株主提案権の行使の要件を定める基準としての総株主の議決権の個数には算入されない。

3　公開会社ではない会社の議決権

公開会社ではない会社では、株主総会の議決権に関し、株主ごとに属人的に異なる取扱いを行う旨を定款で定めることができる（法109条2項）。特定の株主の所有株式について複数議決権を認める、一定数以上の持株につき議決権の上限制・逓減制を設ける、持株数にかかわらず全株主の議決権数を同じくするなどである。定款でこうした定めをした株式は、株主総会に関し、議決権について内容の異なる株式とみなされる（同条3項）。そこで、定款で特定の株主の議決権を制限した場合など、その株主の所有する株式は、定足数および決議の成立を認める基準としての総株主の議決権や株主総会招集請求権および株主提案権の行使の要件を定める基準としての総株主の議決権の個数には算入されない。

24-2
議決権の行使

1　議決権の不統一行使

1株式につき1議決権とする原則のもとで、株主が複数の株式を有していても各株式は独立性を保持して存在し、その議決権も数個集積的に存在しているにすぎない(5)。そこで、2個以上の議決権を有する株主は、そのうちの一部の議決権をもって議案に賛成し、残りをもって反対するというように、統一しないで行使することができるのが原則からの論理的帰結である。とりわけ、株式信託の場合やADR・EDRのような外国預託証券の場合、株式信託の場合は受託者が委託者の代理人として、または、その指図に従って議決権を行使し、ADRの現株式についての名義上の株主がADR所有者の指示に従って議決権を行使することが必要であり、不統一行使を認めることは不可欠である。そこで、会社法は、こうした不統一行使の処理のための規定を設けている。ただし、上記のように不統一行使の必要性がある株主以外の株主にまで不統一行使を認めた場合、投票の集計等の事務処理が非常に煩瑣になる。また、不真面目な議決権行使も予想される。そこで、会社法は、不統一行使を拒否する場合を認める（法313条3項）（詳しくは、**第16章16－2 3**を参照）。

(5)　大隅＝今井・前掲(3)書51頁。

2　議決権の代理行使

株主は、代理人によってその議決権を行使することができる（法310条１項前段。種類株主総会につき法325条）。株主の利益を考慮してできるだけ議決権行使の機会を保障しようとして代理人による議決権行使を認めた規定であり、これに反して、定款で代理行使を禁止したり、代理人資格を不当に制限することは許されない（通説）。

制限が不当であるか否かは代理人の資格制限の態様または程度等を考慮して個別に判断される。この点で、定款で代理人資格を株主に限定する会社が多いが、こうした制限は、株主総会が第三者によってかく乱されることを防止し、会社の利益を保護するための合理的理由に基づく制限として有効と解されている(6)。なお、最近弁護士を代理人とすることが定款の代理人制限に抵触しないとした高裁判決が出されている(7)。代理行使および定款での制限に関する詳細は、**第16章16－４**を参照されたい。

3　契約による制限

(1)　議決権拘束契約

株主間でそれぞれの議決権行使についてあらかじめ合意する契約を締結する場合がある。議決権拘束契約という。こうした議決権拘束契約は、契約当事者間の債権契約であり、契約当事者の一方が契約に違反しても違反の効果を会社に主張できない。

しかし、株主全員が契約当事者である契約については、契約に違反する議決権行使を意図した株主の提案を株主総会に付議しないとしても適法というべきである(8)。たとえば合弁会社を設立する際に株主全員が締結する株主間

---

(6)　最二判昭和43・11・１民集22巻12号2402頁・判時542号76頁。
(7)　札幌高判令和元・７・12金判1598号30頁。
(8)　河本一郎＝今井宏『会社法――鑑定と実務』（商事法務研究会、1999）76頁。

契約がその典型である。あらかじめ取締役の選任など重要な事項について取決めを行い、また、一定の事項を株主総会に付議する前に各株主の承諾を要するものなどと合意することが多い。

さらに、こうした契約については、①契約違反の議決権行使により成立した決議は定款違反とみなして決議取消の対象となる、②契約に従った議決権行使を行わない株主がいる場合に、他の契約当事者が意思表示に代わる判決を求めることは契約内容が明確であれば可能であるとする見解も有力である(9)。

(2)　議決権信託契約

株主が受託者との契約により一定期間受託者にその株式を信託的に譲渡し、受託者をして契約の定めるところに従い、議決権その他株主の権利を行使させる契約を議決権信託契約という。

こうした契約は代理権の授与を株主総会ごとにしなければならないとする会社法310条２項の脱法行為とする見解もあるが、株主の議決権行使を不当に制限する目的であるか否かの観点に立って信託契約締結の動機、委託者・受託者の関係、議決権行使の基準の明確性、信託期間等を基準として有効・無効を判断すべきとの見解が通説となっている(10)。

4　議決権行使停止の仮処分

議決権行使が仮処分によって制限される場合がある。会社を被告として、株主の地位の確認の訴えまたは名義書換請求を本案請求として、あるいは株式発行の無効確認の訴えを本案請求として、株式名義人の議決権行使禁止の仮処分命令を求める場合（あわせて自己に議決権行使許容の仮処分を求めることができる）である（**第Ⅲ編第１章１－５**）。

これらの仮処分申請が認められたにもかかわらず、会社が株主名義人によ

(9)　江頭・前掲(1)書352頁注(2)。
(10)　江頭・前掲(1)書353頁注(3)。

る議決権行使を許容した場合、株主総会決議には取消事由を生ずるものと解される。

一方、株主名義人のみを債務者とする議決権行使禁止の仮処分命令は、会社に効力が及ばず、決議取消事由とはならない。また、会社も株主の明白な議決権濫用による権利行使に対する一種の不作為請求権・妨害排除請求権を被保全権利として議決権行使の禁止を求めることができる。

24-3
株主総会決議の方法

1　採決方法

採決方法について特に規定はない。議長の議事整理権に基づき、適宜採決方法を決めることができる。

その際、議案の成立に必要な議決権数を有する株主が決議に賛成することが明らかになれば賛否の数を確定することは必ずしも必要でない。行使期限までになされた議決権行使書による議決権行使の結果により、総会当日の会場での議決権行使にかかわらず、可決に必要な議決権数が確保されている場合もある。これとあわせて総会場での大株主の賛否を確認するだけで決議の成立・不成立を判断できる場合もある。あるいは、総会場での株主の賛否を確認してはじめて決議の成立・不成立を判断できる場合もある。それぞれの状況に応じて、拍手での採決、投票用紙を用いた投票による採決などの方法を決定する。前述のとおり、最近では、事前の議決権行使で採決結果が明らかになっている場合には、拍手、挙手等の手続も不要とするのが有力である。

賛否が拮抗している場合には投票によって採決をすることがあるが、その場合の議決権行使の効力に関しては、注意が必要である[11]。

(11)　関西スーパーマーケット事件・最判令和３・12・14資料版商事454号101頁、伊藤広樹＝冨田雄介＝森駿介「〈賛否拮抗総会の実務〉Ⅰ　賛否拮抗総会に関する近時の裁判例からの実務上の示唆」商事2294号（2022）32頁。

2　株主総会の決議

株主総会の決議には、(1)普通決議、(2)特別決議、(3)特殊の決議がある。

(1)　普通決議（法309条1項）

法令・定款に別段の定めがある場合を除き、株主総会の決議は、議決権を行使することができる株主の議決権の過半数を有する株主が出席し（定足数）、出席した株主の議決権の過半数の賛成により成立する（普通決議）。

この定足数は役員選解任の決議以外、定款の定めにより自由に引き下げることができることから、定款で、法定の定足数要件をはずし、出席した株主の議決権の過半数で決議が成立する旨を定める会社が多い。ただし、役員選任・解任の決議については、定款の定めによっても、定足数を株主の議決権の3分の1未満と定めることはできない（法341条）。

(2)　特別決議（法309条2項）

定款変更、組織再編行為など株主の地位に重大な影響のある事項、または、支配株主など一部の株主のみが利益を受けることになりがちな事項など、慎重な判断を要する事項については、議決権を行使することができる株主の議決権の過半数（定款で引下げが可能であるが、3分の1未満にすることはできない）を有する株主が出席し、出席した当該株主の議決権の3分の2（定款で引上げが可能）以上にあたる賛成により成立する（特別決議）。定款により法定の要件を加重することもできる。特殊決議と同様に、頭数要件を定めることも可能である。

なお、特例有限会社の場合、特別決議の成立要件は、総株主の半数以上（定款で引上げが可能）が出席し、総株主の議決権の4分の3以上が賛成することが必要である。

特別決議事項は、招集の通知に議案の概要を記載することが要求される（施63条7号ハ～タ規定の各事項）ことが多い。また、反対株主に株式買取請求権が付与されている事項も多い（法469条・785条・797条・806条・816条の6）。

(3)　特殊決議（法309条3項）

特別決議よりも厳重な要件が株主総会決議の成立に要求されている事項がある（特殊の決議）。第1は、株式が定款変更により譲渡制限株式になり、または、株主が組織再編行為により譲渡制限株式等を交付される場合である。この場合は、議決権を行使することができる株主の半数以上（定款で引上げが可能）で、かつ議決権を行使することができる株主の議決権の3分の2（定款で引上げが可能）以上の賛成が要求されている。議渡制限が付され、ガバナンスのあり方が大きく変わるなど株主各人の権利に与える影響が甚大であることによる。

第2は、公開会社ではない会社において、剰余金の配当、残余財産の分配、株主総会の議決権の各事項について株主ごとに異なる取扱いを行う旨の定款変更（当該定めを廃止するものを除く）を行う場合であって、この場合については、総株主の半数以上（定款で引上げが可能）で、総株主の議決権の4分の3（定款で引上げが可能）以上の賛成が要求される（法309条4項）。

なお、持分会社への組織変更や組織再編行為により持分会社の持分を交付される場合、株主全員の同意が必要とされる場合もある。

3　株主総会の決議等の省略（書面決議）

株主総会の決議は、書面決議によることもできる（法319条）。

取締役または株主が、株主総会の目的事項につき提案した場合に、議決権を有する全株主が書面または電磁的方法により同意した場合、当該提案を可決した旨の株主総会決議があったものとみなされる（法319条1項）。特別決議事項・特殊の決議事項についても書面決議によることが可能である。

この同意に係る書面または電磁的記録は、決議があったものとみなされた日から10年間本店に備置する（法319条2項）。株主（債権者は含まれない）はこれの閲覧謄写請求をすることができる（同条3項）。

その会社の親会社社員は、その権利を行使するため必要があるときは、裁判所の許可を得て、その書面等の閲覧謄写請求をすることができる（法319

条４項）。

書面決議の方法により定時株主総会の目的である事項のすべての提案を可決する旨の総会決議があったものとみなされた場合には、その時に当該定時株主総会が終結したものとみなされる（法319条５項）。取締役の任期のように定時総会終結の時を基準にする事項があることから、その基準時点を明確にしたものである。

報告事項についても、取締役が株主全員に対して報告事項を通知し、総会に報告しないことにつき株主の全員が書面等で同意した場合には、報告があったものとみなされる（法320条）。この同意に関しては備置閲覧の規定はない。

書面決議および報告事項の書面同意の場合にも、議事録を作成する（施72条４項）。議事録には次の事項を記載する。

① 会社法319条１項の規定により株主総会の決議があったものとみなされた場合　次に掲げる事項
- (i) 株主総会の議決があったものとみなされた事項の内容
- (ii) (i)の事項の提案をした者の氏名または名称
- (iii) 株主総会の決議があったものとみなされた日
- (iv) 議事録の作成に係る職務を行った取締役の氏名

② 会社法320条の規定により株主総会への報告があったものとみなされた場合　次に掲げる事項
- (i) 株主総会への報告があったものとみなされた事項の内容
- (ii) 株主総会への報告があったものとみなされた日
- (iii) 議事録の作成に係る職務を行った取締役の氏名

24-4
集　　計

1　臨時報告書と証憑の残し方

2010年３月の金融商品取引法・開示府令の改正により、上場会社等の株主総会において、決議事項が決議された場合には、臨時報告書を提出しなければならないこととなった。その記載内容は、開催年月日、決議事項の内容、決議事項に対する賛成、反対および棄権の意思表示に係る議決権の数、当該決議事項が可決されるための要件ならびに当該決議の結果、出席議決権の一部を加算しなかった場合の理由などである（開示府令19条２項９号の２）。

これによって、株主総会の決議結果の票数までが開示されることになった。

しかしながら、同府令は金融商品取引法に基づく開示ルールであり、これによって、会社法が定めるべき株主総会における採決の方法などの法的ルールが変更されることはない。そのため、この改正が施行された後においても、株主総会の運営方法を変更する必要はない。

従来、会社法では、採決にあたって、賛成・反対の数を勘定する必要はないと解されてきており、投票、集計の作業はしてこなかった。その実務は今後も変わらない。

その結果、臨時報告書に記載する賛成、反対等の票数は、行使されたすべての議決権の数を含めなければいけないものではなく、会社が任意に選択した範囲で集計すればよいこととされた[(12)]。

実務的には、現実出席株主数が少ない会社の場合には、株主総会の採決の際に、現実出席者の分も賛成、反対を確認して集計することは可能であるが、ある程度の規模になると、投票を行うのは困難である。そのため、事前に議決権行使書や電磁的方法によって行使された議決権をベースに、それに会社として把握可能な役員が保有している議決権や大株主が保有している議決権の分を適宜加算して、臨時報告書に記入する例が多い。

記載する際、取締役、監査役選任議案については、候補者ごとに賛成・反対の票数を記載する。

この開示により、反対票数が多い議案については、会社側としても、提案しづらいこととなる。社外取締役などについては、独立性に問題があるとされた場合、多くの反対票が集まってしまうので、事実上敬遠される結果となっている。

臨時報告書を提出するにあたっては、その記載の根拠を証憑として残したいところである。議決権行使書等の事前の行使分は当然証拠が残っている。問題は、当日現実出席分等の取扱いであるが、役員については、議決権行使書によって行使してもらい、議決権行使書を証拠とする方法、委任状を総務担当者などに渡してもらいその受任者が賛成等したことをビデオその他に残す方法（委任状とビデオが証拠となる）などがある。役員の場合、役員席にいるので、その場で原案に賛成などと拍手をしたりするのは体裁がよくないのでそのような工夫をしている。

大株主に関しては、同様に議決権行使書によっていただく方法や会社に委任状を渡していただく方法のほか、当該法人の従業員の方が代理人として入場した場合には、その委任状に「賛成」とあれば「賛成」に加算するなどといった対応（その委任状を証拠とする）が考えられる。職務代行通知書の場合には、そこに記載された賛否のとおりに加算することも考えられる（証拠はその職務代行通知書とする)。

採決の場合には、単に「原案にご賛成いただけますか」と発声での採決方法をとらず、「原案に賛成の方は拍手をお願いします」といって、委任状の受任者が拍手をしている姿をビデオに撮るなどする工夫も見られる。そうす

⑿　三井秀範ほか「〈座談会〉上場会社の新しいコーポレート・ガバナンス開示と株主総会対応〔上〕」商事1898号（2010）14頁以下。

ると賛成していることが映像で明確になる（声だと何と言っているのかビデオでは判明しない）。また動議については、その特定のために臨時報告書に動議の内容を記載する例が多い。そのため、あいまいな動議が出された場合には、議長から動議の内容を確認する方法も考えられる。

2　全数集計する場合の方法

全数集計する場合には、投票によるのが一般的であろう。

その場合、まず出席議決権数を確定しなければならない。臨時報告書に記載するためであるから、採決時点で必ずしも出席議決権総数が判明していなくても、後から判明するのでもよい。具体的には、受付で入場者の特定をして保有議決権数を集計できる体制とする。途中入退場者の状況も記録する。そして、決議事項の採決の時、出席議決権数が変動しないよう確定しなければならないから、議場の閉鎖等によって、出席者を確定する必要がある。個別上程方式によって複数の議案を審議のつど採決する場合には、そのつど、出席議決権数の確定が必要である。現実に議場閉鎖する場合には、採決の手順について議長が十分説明しないと株主が混乱することになりかねない。

次いで、出席株主に賛成、反対の意思表示をしていただく必要がある。具体的には、投票用紙を渡して、出席番号等により同一性を確認できるようにしたうえで、投票箱に投票してもらい、それをその場で、または後刻、開票することが考えられる。総会の場で集計する場合には、株主と保有議決権数をコンピュータに入力等しておき、投票用紙で紐付けができるようにしておくなどしないと、時間を要してしまうことになる。集計している間は、休憩などの措置をとる。

それ以外にも、コンピュータの端末を各株主に渡して賛成、反対のボタンを押してもらい、それをコンピュータで集計する方法などがある。

その場合、賛成が多数であることが予測される場合には、反対または棄権の株主にだけ投票をしてもらい、それ以外の株主には賛成であることを議長が口頭で確認する方法もある。採決時の出席議決権数を確認しているので、反対・棄権だけ議決権数がわかれば、それ以外は賛成と判定できるのである。

開票・集計につき、不正や過誤がないことを証明することを考慮する場合には、総会場の株主が見える場所でテーブルを用意し、開票作業をすることも考えられる。投票箱を透明なケースにするなどの工夫もある。

なお、議案の修正動議については、それについて賛成票数を集計するかどうか、する場合にはどのような方法にするか、決めておかなければならない。もともとの投票用紙に、動議の記載欄ないし余白を設けておくことも考えられる。動議が出た場合には、その動議に賛成の株主には、そこに賛成と記載していただく趣旨である。また、別途投票用紙を用意することも考えられるが、保有議決権数と本人の紐付けの手順など、実務的には手間がかかる。動議の審議方式には、動議のみを先に審議して採決し、原案を後刻採決する方法と、原案と動議を一緒に審議して、同じタイミングで両方を採決する方法がある。その点も、集計方法と連動するので、検討が必要である。

議事進行上の動議については、開示事項でないので、集計する必要はない。

以上のように厳密に対応する方法以外に、簡易な方法もありうる。現実出席株主数が50名から100名程度までであれば、総会審議中の株主の出入りもほとんどなく、また会社提案に反対・棄権する株主も少ない。その場合、特に議場の閉鎖や投票用紙による投票の方法をとらずとも、簡易に票数を確認することが可能である。具体的には、議長が採決のとき、原案の賛成可決を確認した後、「本議案に反対の方は挙手を願います」と聞き、もし挙手をした株主がいれば、事務局員がその株主の出席番号を出席票で確認・メモをし、もし誰も挙手しなければ「それでは全員賛成ということでよろしいですね」と確認して、それで受付で確認した出席議決権数をそのまま全数賛成に加算すればよい。

第Ⅰ編

第25章

株主総会後の手続

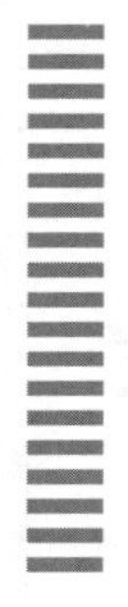

25-1 定時株主総会直後の取締役会

1　招集者

取締役は株主総会の決議によって選任され、その任期の終期は「定時株主総会の終結の時」を基準として定められているところから、取締役の改選は定時株主総会で行われる。このため、定時株主総会の終結後できるだけ早い機会に新たな取締役会構成員が一同に会して必要な決議等を行うことが求められ、通常は定時株主総会直後に取締役会が開催される。

取締役会の招集者については、定款に定めを置いているのが一般的であり、当該招集者が定時株主総会直後の取締役会も招集することになるが、取締役全員が改選された場合などに、誰が招集すればよいのかは問題となりうる。この点、代表取締役を招集者と定めている場合には、代表取締役（ただし、定時株主総会の終結時に取締役の任期満了とともに代表取締役の任期も終了する）が取締役に再任される限り、会社法351条1項を適用して、当該取締役が、なお代表取締役の権利・義務を有する者として取締役会を招集することは可能と思われる。一方、取締役会長や取締役社長などの役職で招集者を定めている場合には、代表取締役と異なり欠員の場合の措置が適用される余地はなく、各取締役が招集者となる（法366条1項）[(1)]。

また、取締役および監査役の全員の同意があれば、招集の手続を経ることなく取締役会を開催することができる（法368条2項）。定時株主総会には、

(1)　各取締役が招集者となるのだから、取締役会長や取締役社長が定時株主総会で取締役に再任される限り、その者が招集して差し支えない。

現任の取締役および監査役に加えて新任の取締役および監査役も候補者として出席していることが多いので、その場合には、直後の取締役会にも取締役および監査役の全員が出席し、招集手続を経ていないことに異議を唱える者もないと思われる。同意を得る方式について書面や電磁的方法によることまでは要求されていないものの(2)、後日の紛争防止の観点からは、全員の同意を得て開催する旨を取締役会議事録に記載しておくのが望ましいであろう。

もっとも、取締役および監査役の全員が出席するのが困難な場合もあるので、そのおそれがある場合には、定時株主総会直後の取締役会に出席困難な取締役および監査役（いずれも新任候補者を含む）から、取締役会の招集手続の省略の同意を事前に取得しておくことが考えられる(3)。

2　議　　題

(1)　代表取締役の選定

代表取締役の選定は、取締役全員が任期満了により改選となったときはもちろん、一部改選のときでも、総会終了後の取締役会で決議されることが多い。現任の代表取締役が取締役に再任された場合には、取締役の任期満了とともに代表取締役の任期が終了しているので、あらためて代表取締役に選定する必要があるが、代表取締役が取締役の改選期でなかった場合であっても、取締役の構成が変更されている場合は、あらためて代表取締役に選定し直すのが望ましいと思われる。実務上、定時株主総会招集の取締役会において取締役候補者を決定した時点（決算発表と同じタイミングであることが多い）で、代表取締役や役付取締役など定時株主総会後の経営体制を内定して公表していることから、定時株主総会直後の取締役会での決議は、追認的な要素が強いといえる。

なお、選定に際して、代表取締役の候補者は、一般に特別利害関係人にあ

(2)　落合誠一編『会社法コンメンタール(8)機関(2)』（商事法務、2009）279頁〔森本滋〕。
(3)　新任の候補者からは、選任を停止条件として同意を得ることになる（東京弁護士会会社法部編『新・取締役会ガイドライン』（商事法務、2011）45頁）。

たらないと解されており、決議に参加することができる[4]。

取締役会決議により代表取締役が改選された場合は、登記申請書に取締役会議事録を添付して、本店所在地において２週間以内にその氏名および住所を登記しなければならない（法911条３項14号・915条１項）。

⑵　業務執行取締役、役付取締役の選定等

取締役会設置会社（指名委員会等設置会社を除く）においては、業務の執行は、代表取締役および取締役会の決議によって会社の業務を執行する取締役として選定された者が行う（法363条１項）。ただし、後段の「業務を執行する取締役として選定された者」は、役付取締役の選定というかたちで業務執行権限を与える会社が多く、文字どおり業務執行取締役の選定というかたちで決議する会社は少ないものと思われる。いずれにせよ、代表取締役とともに、役付名称が持つ意味は役員人事という観点からは重要である。また、上場会社の間で定着した「執行役員」は、それ自体は指名委員会等設置会社における「執行役」と異なり、会社法における会社の機関ではない。執行役員は、会社法上は「重要な使用人」にあたると考えられるが、最近では、専ら業務執行に専念する役員すなわち指名委員会等設置会社における「執行役」と同様の意味合いを持たせていることも多い。

代表取締役の選定と同様に、業務執行取締役・役付取締役の選定は、現任の取締役が重任された場合を含め、総会終了後の取締役会であらためて決議することになる。ただし、代表取締役の選定と同様に総会前の取締役会で決議し公表済みの事項であることが多いところから、この決議は追認的な要素が強い。

以上のほか、特別取締役制度を採用している場合には特別取締役の選定（法373条１項）、特定取締役を定めることとしている場合はその選定（施132

⑷　江頭憲治郎『株式会社法〔第８版〕』（有斐閣、2021）435頁注⒂。なお同注では、続けて、代表取締役の解職について言及されており、この場合には代表取締役は特別利害関係者に該当するとする判例（最二判昭和44・３・28民集23巻３号645頁・判時553号74頁）に対して、特別利害関係にあたらないと解する見解（龍田節『会社法大要』（有斐閣、2007）116頁）があり、これを支持するとしている。

条４項、計124条４項・130条４項）を行うことが考えられる。

(3) 執行役員、使用人職務の委嘱

すでに述べたとおり、わが国では、執行役員制度を採用する会社が増加している。執行役員の任期も取締役の任期とあわせている例が多く、定時株主総会後の取締役会を改選期として考えているように思われる。また、取締役に使用人としての職務を委嘱する例が多く、役付取締役や社外取締役を除いて、ほとんどの取締役が使用人を兼務しているものと思われる。

(4) 取締役の報酬等の決定

取締役の報酬等については、定款にその額等を定めていない場合、株主総会の決議によって定めなければならない（法361条１項)。仮に定款で定めるとすれば、改定のつど特別決議をもって定款変更を行わねばならないため、専ら株主総会の決議で定められる。

株主総会の決議事項は、報酬等のうち、①額が決定しているものについては、その額、②額が確定していないものについては、その具体的な算定方法、③募集株式については、募集株式の数の上限その他法務省令で定める事項、④募集新株予約権については、募集新株予約権の数の上限その他法務省令で定める事項、⑤募集株式または募集新株予約権と引換えにする払込みに充てるための金銭については、募集株式または新株予約権の数の上限その他法務省令で定める事項、⑥金銭でないものについては、その具体的な内容である。

取締役の報酬等は一般に、株主総会では取締役の報酬の限度額を定めるだけで、各人ごとの具体的配分額は、取締役会に一任される。取締役会においても、各人ごとの具体的な支給額を示して取締役会の承認を得ることは少なく、代表取締役の決定に一任することが一般的な実務とされてきたが、コーポレートガバナンス・コードの要請に基づく任意の報酬委員会の設置や令和元年改正会社法による取締役の報酬決定手続等の透明性向上により、変化が生じているようである[(5)]。

また、取締役の報酬等について株主総会の決議が行われた場合には、取締

役の報酬等の決定方針の変更（法361条7項）を要することも少なくない。

⑸　競業取引、利益相反取引等の承認等

取締役会設置会社においては、①取締役が自己または第三者のために株式会社の事業の部類に属する取引（競業取引）をしようとする場合、②取締役が自己または第三者のために株式会社と取引（自己取引）をしようとする場合および会社が取締役の債務を保証することその他取締役以外の者との間で取締役と会社の利益相反取引をする場合は、それぞれその取引について重要な事実を開示し、取締役会の承認を受けなければならず、かつ、取引をした取締役は、取引実行後、遅滞なく、取引について重要な事実を取締役会に報告しなければならない（法356条1項・2項）。通常、これらの取引は、他の会社の取締役が新たに会社の取締役に就任し、または、会社の取締役が新たに他の会社の取締役を兼任する場合に生じることが多いところから、株主総会直後の取締役会で承認することが多い。なお、本件承認決議においては、それぞれの取引の当事者である取締役は、当該承認を求める事項について特別の利害関係を有するところから議決に加わることはできない。

上記のほか、任意の委員会の委員の選定、責任限定契約の内容の決定などの庶務的な事項もこの取締役会でまとめて行う例が多い。また、株主総会の承認が要件になっている事項についての事後処理（たとえば、本店移転に伴う定款の本店所在地の変更を受けて行われる具体的な移転先、移転時期の決定等）も、この取締役会で行われることが多い。

⑸　株主総会白書2022年版によると、代表取締役への再委任を取締役会で決議する会社は回答会社全体の50.1％、報酬委員会等への諮問を条件に代表取締役に再委任する会社または報酬委員会等への再委任を取締役会で決議する会社は回答会社全体の40.7％（複数回答）となっている（商事法務研究会編『株主総会白書2022年版（商事2312号）』（商事法務研究会、2022）175頁〔図表175〕）。

25-2 定時株主総会直後の監査役会

1　招 集 者

監査役会の招集者は各監査役であるが（法391条）、監査役会規則等で、通常の招集者とともに、他の監査役も必要に応じて監査役会を招集することができる旨を定めるのが一般的である(6)。

監査役会が定めた通常の招集者を含め、監査役全員が改選された場合などには、取締役会と同様に、定時株主総会直後の監査役会を誰が招集すればよいかが問題となりうる。この点、監査役会の招集は各監査役が行うのが原則であることから、再任される監査役がいればその者が招集すればよいと考えられる。監査の継続性の観点から、監査役全員が一度に入れ替わることは考えにくいが、そのような場合には、通常の招集者（退任予定の監査役）が、新任の監査役候補者全員に対して、定時株主総会での選任を停止条件とした招集通知を発することになると思われる。

なお、取締役会の場合と同様に、全員の同意があれば招集手続なしに監査役会を開催することは可能である（法392条２項）。

---

(6)　日本監査役協会「監査役会規則（ひな型）」（2021年７月13日最終改定）５条１項では、通常の招集者を議長と定めている。また、各監査役は議長に対し、監査役会の招集を請求でき、当該請求にもかかわらず、議長が監査役会を招集しない場合は、招集請求した監査役が自ら監査役会を招集できるとしている（同条２項・３項）。

2　議　　題

(1)　常勤監査役の選定等

代表取締役について述べたのと同様、常勤監査役の監査役としての任期が満了した場合はもちろん、他の監査役が改選されるなど、構成メンバーが変わった場合も、常勤監査役の選定を行うべきである。

また、会社法が、事業報告およびその附属明細書に係る監査役会の監査報告の内容の通知をすべき監査役（施132条５項）および計算関係書類に係る会計監査報告の内容の通知を受ける監査役（計130条５項）を特定監査役として定めることを認めているが、これについても定時株主総会直後の監査役会で定めておくことが考えられる(7)。

このほか、監査役会議長や監査役会の招集権者を定めることとしている場合はそれらの選定を行うことが考えられる。

(2)　監査の方針等に関する事項

監査の方針、監査役会設置会社の業務および財産の状況の調査の方法その他の監査役の職務の執行に関する事項の決定（法390条２項３号）は、監査対象期間が事業年度であることを勘案すると事業年度の初めには決定しておくべきであるが、直前事業年度の期末監査の結果を受けて、修正を加える必要が生じることもあるほか、構成メンバーが変わったような場合には、あらためて監査の方針や監査計画を確認するとともに、職務分担（業務分担）の変更を行う必要がある。

(3)　監査役の報酬等の決定

監査役の報酬等は、定款にその額を定めていないときは株主総会の決議に

(7)　日本監査役協会・前掲(6)ひな型９条２項では、特定監査役は常勤監査役とする旨を定めているので、この場合には、特定監査役の選定を決議する必要はない。

よって定めなくてはならず、監査役が２人以上ある場合において、各監査役の報酬等について定款の定めまたは株主総会の決議がないときは、当該報酬等は、定款または株主総会の決議した報酬等の範囲内において、監査役の協議によって定める（法387条１項・２項）。監査役の協議によるのは、多数決を前提とする監査役会の決議事項になじまないと考えたことによるものである。監査役の報酬等は、定例報酬のほか、退任監査役に対する退職慰労金、監査役に対する賞与などがあるが、具体的な配分、金額の決定を要するときは、いずれも監査役の協議による。

監査役の協議事項を、監査役会で決議することができるかについては、上記の趣旨から困難であると考えられる。しかし、監査役会の場で協議することに特段の問題はないので、各監査役に異議がなければ、監査役会において各監査役の受ける報酬等の額を協議することは可能である[(8)]。監査役会議事録においても、「協議のうえ、全員一致で決定した」旨を記載しておけばよい。

なお、報酬・賞与・退職慰労金については、具体的な支給等に関する事務は執行機関が行うところから、協議結果を代表取締役にすみやかに伝える必要がある。

(8)　日本監査役協会・前掲(6)ひな型13条では、監査役の報酬等の協議については、監査役の全員の同意がある場合には、監査役会において行うことができる旨を定めている。

25-3 決議通知の作成と発送

1　決議通知の性質と目的

株主総会の招集通知は会社法に明文の規定を置いているが、総会後の決議通知には、特段の定めがない。したがって、決議通知は法定通知物ではないが、株主総会における報告事項および決議事項の概要のほか、配当金の支払いに係る案内、代表取締役や役付取締役の選定、常勤監査役の選定等を案内することを目的とした株主宛通知物として、決議通知の作成および株主への送付は実務において定着している(9)。

決議通知は、総会において議決権を有する単元株主および議決権を有しない単元未満株主のいずれにも送付される。

まず、単元未満株主については、総会における議決権はなく、株主総会招集通知は送付されないが、自益権として配当金を受ける権利を有することから、株主総会において剰余金の配当の決議がなされた場合には、配当金関係書類の送付が必要になる。したがって、その送付機会を利用して配当金を含め、どのような事項が株主総会で報告・決議されたかを知らせる目的を有している。

単元株主についても、株主総会の招集通知は送付されてくるものの、すべ

(9)　ただし、決議通知を株主に送付する会社は年々減少傾向にある。株主総会白書2022年版によると、決議通知を株主あてに送付した会社は、回答会社全体の73.7％で前年比3.4ポイント減少している（商事法務研究会編・前掲(5)白書164頁〔図表165〕）。配当金関係書類の送付が必要ない場合等に、郵送コストの負担軽減の観点から決議通知の送付を廃止し、会社のホームページへの掲載で済ませる会社が増加してきているものと考えられる。電子提供制度の施行や株主総会のデジタル化の進展等をふまえると、今後もこのような傾向が強まるものと思われる。

ての株主が総会に出席するわけではないので、単元未満株主と同様に株主総会の報告・決議事項についてお知らせすることは、株主対応として望ましく、配当金関係の書類に同封して送付することが定着している。

また、決議通知には「報告書」(「株主通信」の名称を用いる会社も少なくない) を添付することが多い。事業報告や計算書類と同じような内容が含まれることになるが、単元未満株主には招集通知が送付されていないため、報告書を添付することで株主とのコミュニケーション向上に役立てることができる。報告書は法定通知物ではないこともあって、写真やグラフなどを活用し、株主にとって親しみやすく、かつわかりやすいものにするべく創意・工夫をこらす会社が多い。

2　決議通知の体裁

決議通知は、配当金関係書類および報告書を同封して株主宛に送付することが一般的であるため、封書形式により送付するのが通例である。その場合、封筒の株主名等は、配当金領収証や配当金計算書の宛名を台紙として利用することが多い。

剰余金の配当を取締役会決議で決定することができる会社の場合、配当金関係書類は、総会終了後ではなく、招集通知に同封あるいは招集通知とは別に、総会日の前に送付することが可能である。その場合、決議通知には配当金関係書類が同封されないため、あわせて報告書の同封を省略することで、決議通知のみを株主に送付することもできる。決議通知に同封する書類がない場合には、決議通知をハガキ形式にし、報告事項および決議事項を結果のみ簡潔に記載する事例もある。

3　会社提案議案の否決と決議通知

決議通知は、配当金関係の書類を同封することが通例であることから、総会終了後ただちに株主宛に送付するのが一般的である。ただし、近年は総会において会社提案議案が否決あるいは撤回されるケースが一部の会社に見られる。事前に決議通知を印刷・封入してしまっている場合には、配当金関係書類の送付を優先して（剰余金の配当に関する議案が付議されている場合はその承認可決を前提とする）、会社提案議案が否決されたにもかかわらず、全議案可決の決議通知をやむなく送付する事例も稀にある。したがって、賛否の趨勢が定かでない議案を提出する場合や、事前の議決権行使状況次第では、決議通知を複数パターン用意しておいて結果が明白になったところで封入作業を開始するとか、決議通知の同封を見送って株主宛の送付物は配当金関係書類等に限定し、決議通知は会社のホームページに掲載するなどの対応を検討することが必要になる（決議通知を複数パターン用意する場合は、取り違えのリスクがあることにも留意を要する）。

4　ホームページへの掲載

株主総会のデジタル化の進展や電子提供制度の施行に伴って、株主が株主総会前後に会社のホームページにアクセスして、情報を得る動きがいっそう定着していくものと思われる。このような動きに連動して、決議通知を会社のホームページに掲載する会社はますます増えると想定される。

また、前述の会社提案議案が万が一否決され、会社が事前に用意していた決議通知を送付できなくなるといった事態を想定すると、最初から書面での決議通知の送付を取り止めて、ホームページに掲載する方針を採用するのが得策であるともいえる。

さらに、剰余金の配当を株主総会に付議せず、取締役会決議により決定している会社は、配当金関係書類を招集通知に同封あるいは招集通知とは別に株主総会前に送付することにより、総会後の決議通知（報告書を含む）の送付を省略することも可能である。

剰余金の配当

1　基 準 日

事業年度末日は、定時株主総会で議決権を行使することができる株主を確定するための基準日であるとともに、期末配当金を受領することができる株主を確定するための基準日であるのが一般的である。期末配当金に係る基準日は、定時株主総会の議決権基準日とともに各社の定款で、事業年度末を基準日とする旨が定められている。

具体的な定款の規定例は次のとおりである。

〈記載例〉定款規定例①

（期末配当金）
第○条　当会社は、株主総会の決議によって、毎年○月○日の最終の株主名簿に記載または記録された株主または登録株式質権者に対し、金銭による剰余金の配当（以下「期末配当金」という。）を支払う。

定款規定例①は、株主総会の決議により剰余金の処分（配当）を行うパターンであり、配当の効力発生日を株主総会の翌日とする従来どおりの支払日程の会社の定款規定例である。定時株主総会の決議通知に配当金関係書類を同封するかたちをとることが多く、剰余金の処分（配当）が定時株主総会の議題になるため、配当金と定時株主総会はきわめて密接な関係にある。

〈記載例〉定款規定例②

（剰余金の配当等の決定機関）

第○条 当会社は、剰余金の配当等会社法第459条第1項各号に定める事項については、法令に別段の定めのある場合を除き、株主総会の決議によらず取締役会の決議によって定める。

(剰余金の配当の基準日)
第○条 当会社の期末配当の基準日は、毎年3月31日とする。
2 当会社の中間配当の基準日は、毎年9月30日とする。
3 前2項のほか、基準日を定めて剰余金の配当をすることができる。

定款規定例②は、剰余金の配当を取締役会の権限とするパターンであり、配当の効力発生日は株主総会と直接の関連がなく、中間配当に近い支払日程となる。ただし、配当金関係書類を送付するための郵送コストの観点から、招集通知に同封して、招集通知発送日の翌営業日を配当の効力発生日とすることがある(10)。この場合には、配当金と定時株主総会の関連は比較的薄まることになる。

〈記載例〉定款規定例③

(剰余金の配当等の決定機関)
第○条 当会社は、剰余金の配当等会社法第459条第1項各号に定める事項については、法令に別段の定めのある場合を除き、取締役会の決議によって定めることができる。

定款規定例③(基準日に関する規定は定款規定例②と同様であるので省略している)は、剰余金の配当を取締役会の権限で行うことができる旨を規定しており、会社の判断で、株主総会の決議による配当も、取締役会の決議による配当も、いずれもできるパターンである。

なお、剰余金の配当権限が、株主総会、取締役会のいずれにある場合も、配当金を受領することができる株主は、基準日現在の株主であり、期末配当金であれば、事業年度末を基準日とする。したがって、事業年度末の到来により基準日(事業年度末)現在の株主を確定し、配当を行う場合は、基準日

(10) 効力発生日を定時株主総会の翌営業日として、従来どおり決議通知に配当金関係書類を同封することは可能であり、そのように対応している会社も少なくない。

現在の株主に対してその保有する株式数に応じた配当金を計算して、定時株主総会または取締役会による機関決定を経て配当金を支払う一連の配当事務が生じる点は共通である。

また、定款に具体的な基準日を設けていない会社が剰余金の配当を行う場合は、そのつど取締役会の決議により基準日を定め、基準日の２週間前に公告を行うことになる（法124条）。

2　配当計算

(1)　配当金の税務上の取扱い

配当金（剰余金の配当）は、利益剰余金を原資とする限り、配当所得となる（所得税法24条）。一方、資本剰余金を原資とした配当金（剰余金の配当）は、資本の払戻しとしての課税がなされる[11]。みなし配当に該当する部分があれば、当該部分は配当課税となるが、みなし配当に該当する部分以外は、配当所得に当たらず、キャピタルゲイン課税がなされる。

配当所得（みなし配当を含む）に該当する配当金を支払う場合、会社は所定の所得税等を源泉徴収しなくてはならない。

また、資本の払戻しに該当する配当金は、みなし配当に該当する部分を除いて、源泉徴収を行う必要はない。

以下、株主から提出される諸届出については、利益剰余金を原資とする配当金を前提とする。

①　租税条約に関する届出書

租税条約を締結している相手国の国籍を有する株主については、租税条約に定める軽減税率の適用ができる。軽減税率を適用するためには、源泉徴収義務者である会社が、（株主名簿管理人を経由して）外国人株主の常任代理人

---

(11)　利益剰余金と資本剰余金の双方を原資として剰余金の配当が行われた場合は、その全体が資本の払戻しに該当する（最一判令和３・３・11民集75巻３号418頁）。

から「租税条約に関する届出書」の提出を受け、配当支払日の前日までに会社の所轄税務署長へ提出しなければならない。

具体的な軽減税率は、それぞれの租税条約により異なる。

なお、株券電子化後、租税条約に関する届出書等の諸届出は、原則として、口座管理機関を経由して会社（株主名簿管理人）に提出される。

②　配当金非課税請求書

地方公共団体・公社・学校法人・宗教法人等、所得税法に定める内国法人が、株主として受領する配当金は、非課税扱いとなる。法律により、非課税法人として定められている場合は、非課税法人が株主となった際に「配当金非課税請求書」の提出を受けて、非課税の取扱いとする。非課税法人が、学校法人、宗教法人等のように固有の法人名が法律で規定されていない場合は、「配当金非課税請求書」のほかに登記事項証明書の提出を受けて、現に非課税法人であることを確認する必要がある。

③　免税搭載申請書

証券投資信託、年金信託等、一定の信託財産に組み入れられた株式に対する配当金については、非課税とされる。この場合は、株主名簿上の株主である信託銀行から、基準日後すみやかに「免税搭載申請書」の提出を受けて、非課税の取扱いとする。

(2)　配当計算

基準日現在の株主が確定し、非課税法人等からの税務関係書類の提出により各株主の属性に応じた税率が確定したところで、１株当たりの配当金に基づき、配当計算事務を行い、各株主に支払うべき配当金額、源泉徴収税額を算出する。

なお、配当計算の結果、各株主に支払うべき配当金額に１円未満の端数が生じた場合は、これを切り上げて支払う取扱いとしている。

3　支払方法

配当金の効力発生は、株主総会または取締役会の決議により具体的な日にちが定められるが、当該効力発生日をもって、株主には具体的な配当請求権が生じる。会社から見た場合は、配当金を支払う債務となるが、持参債務であるため、会社は株主名簿上の住所または通知先において支払うことが原則となる（法457条１項）。

具体的な配当金の支払方法には、以下のようなものがある。

(1)　配当金領収証

配当金領収証は、(2)〜(4)の配当金受領方法を指定しない株主に対して会社から郵送される。株主は、配当金領収証を指定金融機関の窓口に呈示することで配当金の支払を受けることができる。

配当金領収証は、指定金融機関の分類によって２種類あり、全国のゆうちょ銀行および郵便局窓口で受け取ることができるものと、ゆうちょ銀行および郵便局以外の銀行（複数の銀行が配当金支払事務を取り扱うことも可能）で受け取ることができるものがある。

いずれも取扱期間が定められており（ゆうちょ銀行の取扱分は支払開始の日から２ヵ月以内、ゆうちょ銀行以外の銀行取扱分は支払開始の日から１ヵ月を超えない範囲）、当該期間経過後は、会社の株主名簿管理人が未払配当金の支払事務を取り扱う。

(2)　銀行預金口座（ゆうちょ銀行の口座を含む）への振込み

株主の便宜のため、特定の銘柄について、あらかじめ株主から配当金の振込口座を指定してもらい、当該口座に指定銘柄の配当金を振り込む方法である。この場合、(1)の配当金領収証のように未着になるといったリスクはなく、株主は確実に配当金を受け取ることができる。口座振込の場合、株主が自ら銀行や郵便局まで出向く必要がなく、また、支払開始後ただちに受け取ることができるといったメリットもある。

なお、株主は、口座管理機関に対して配当金振込指定の取次ぎの請求を行い、振替機関（証券保管振替機構）を経由して、会社に振込口座の情報が連携されることになる。

(3)　登録配当金受領口座方式

株券電子化により、新たに加わった配当金の支払方法である。この方式は、株主（加入者）があらかじめ口座管理機関に対して指定した１つの預金口座を届け出ることで、保有するすべての振替制度対象株式の配当金を受領できる方法である。この方法によれば、従来は発行会社ごとに配当金振込指定書の提出が必要であったが、一度、加入者情報として配当金振込口座を登録すれば、どの会社の配当金であっても当該預金口座で受領することができる。株主は、口座管理機関に対して配当金振込指定の取次ぎの請求を行い、口座管理機関は加入者情報として管理するとともに、振替機関は株主等通知用データとして１つの銀行口座を登録する。振替機関は、総株主通知の際に（会社に対して直前の総株主通知により株主として通知されているものについては、変更データとして）、配当金振込口座の内容を発行会社に通知する。なお、登録配当金受領口座方式は、他の方式との併用はできず、特定の銘柄について配当金の振込指定をしている株主が新たに登録配当金受領口座方式を選択した場合には、当該特定の銘柄についての振込指定は解除される。

(4)　株式数比例配分方式

(3)と同様に、株券電子化により新たに加わった配当金の支払方法である。この方式は、株主が基準日現在の口座管理機関に開設された口座に記録された株式数に応じ口座管理機関の口座において配当金を受け取る方法である。この方法では、配当金は会社ごとに口座管理機関の指定する預金口座に一括して振り込まれ、口座管理機関が個々の株主の顧客預り金口座に入金を行う。つまり、株式数比例配分方式の振込先の口座は、口座管理機関自身の口座であり、当該口座に配当金が入金されることにより、発行会社の配当金支払債務は消滅することになる。したがって、株式数比例配分方式による配当金受領方法を選択した株主については、発行会社にとって未払配当金の問題は生じない。なお、株式数比例配分方式は、その取扱いをしていない口座管理機関（たとえば、特別口座管理機関）の口座で株式が管理されている場合（一部の銘柄のみが管理されている場合を含む）には、当該方式を利用することはできない。また、(3)と同様に、株式数比例配分方式は、他の方式との併用はできない。

また、株式数比例配分方式で配当金を受領する株主については、口座管理機関が支払いの取扱者として配当に係る源泉徴収義務を負うため、会社で源泉徴収する必要はない。

図表Ⅰ－25－1　配当金の受領方法

受領方法	受領方法の概要
①　配当金領収証による受領	●振込指定がない株主への支払方法。取扱銀行もしくはゆうちょ銀行（郵便局窓口を含む）に配当金領収証を呈示し、現金を受領する方法
②　配当金振込指定書による受領（単純取次方式）	●銘柄ごとに配当金の振込先を指定するもの。銘柄ごとに当該振込指定先への振込みデータを作成し振込みを実施 ●株券電子化前と同様に銘柄ごとの振込指定が可能。株主（加入者）は口座管理機関に取次ぎの請求を行い、振替機関経由で発行会社（株主名簿管理人）に随時連携される（配当金振込指定取次データ）
③　登録配当金受領口座方式	●株主（加入者）があらかじめ指定した預金口座ですべての銘柄の配当金を受領する方式（他の方法との併用はできない） ●株主（加入者）は口座管理機関に取次ぎの請求を行い、振替機関は指定された預金口座を「総株主通知データ（株主情報）」として、発行会社（株主名簿管理人）に通知する ●振替機関は、配当基準日が到来するつど、当該加入者が新規に保有することとなった銘柄につき配当金振込指定の通知を行う
④　株式数比例配分方式	●株主（加入者）は、口座管理機関に対し、口座に記録された振替株式の数に応じた配当金の受領を委任し、発行会社（株主名簿管理人）は所有株数に基づき計算した配当金額を振替機関に提出、振替機関で按分計算した額を口座管理

	機関の指定口座に振込み（個別の株主ごとではなく、口座管理機関で一括振込み）を行う ●他の方法との併用はできず、株式数比例配分方式を採用していない口座管理機関の口座に振替株式が管理されている場合には、当該方式は選択できない

4　支払時期

配当金の支払は、株主総会または取締役会決議により剰余金の配当の効力発生日が定められるため、当該効力発生日より株主の具体的配当請求権が発生する。したがって、会社法には支払時期についての規定はないが、剰余金の配当の効力発生日をもって、株主に配当金を支払うこととなる。効力発生日の定め方についても特段の制限はないが、配当金を受領することができる株主を確定する基準日から３ヵ月以内とすることが必要となる（法124条２項）[12]。実務上は、期末配当の支払開始日は総会日の翌営業日とするのが一般的である（取締役会決議により剰余金の配当を行う場合はこの限りでない）。

配当金を銀行口座への振込みによって支払う場合、銀行口座への実際の入金は、配当金の効力発生日となるよう事前に手配している。なお、株式数比例配分方式の場合、発行会社は口座管理機関が指定した預金口座にまとめて配当金を入金することになり、それをもって配当金支払債務が履行される。

⑿　現行の配当金支払実務は、剰余金の配当議案が株主総会で決議されることを前提に、株主総会決議前から配当金支払事務を開始することによって成り立っている。このため、配当に関する株主提案が行われ、当該提案が株主総会で可決される場合には対応できない仕組みであることから、配当に関する株主提案を受領した会社は、株主総会決議に基づいて関係者が配当金支払事務を行うための期間を確保できるよう、配当金支払開始日を後ろ倒しすることが要請されている（日本証券業協会・全国株懇連合会・証券保管振替機構協定「株主から剰余金の配当に関する提案が行われた場合の標準モデル」（2016年２月８日）。以下「標準モデル」という。）。なお、会社提案の剰余金配当議案について賛否拮抗が予想される場合等に、標準モデルに準じて、配当金支払開始日を後ろ倒しすることも問題ないであろう。

5　税務関係の手続

(1)　源泉徴収および納付時期

剰余金の配当を行う場合、配当金の支払をする者である発行会社は、配当に係る所得税を源泉徴収し、その徴収の日の属する月の翌月の10日までに国に納付しなければならない（所得税法181条1項）。また、同じく住民税についても同様に、配当割の特別徴収のための特別徴収義務者として、発行会社は源泉徴収のうえ、徴収の日の属する月の翌月の10日までに支払を受けるべき日現在（実務上は基準日）の株主の居住地である各都道府県に納付しなければならない（地方税法71条の31第2項）。住民税配当割に関して、特に従業員持株会等については、株主名簿上は1名義ではあるが、法人格がなく実質的には各構成員の共有による持分を有するときは、持株会名義の所在地のある都道府県にではなく、持株会の構成員の住所地にそれぞれ持分に応じて源泉徴収したうえで納付しなければならない。

なお、口座管理機関である支払の取扱者を通じて配当金の支払を受ける場合（具体的には、株式数比例配分方式により配当金を受領する場合）には、その支払の取扱者が当該配当に係る所得税の源泉徴収義務者となり、その徴収の日の属する月の翌月の10日までに、これを国に納付しなければならない（租税特別措置法9条の3の2第1項）。これにより支払取扱者を通じて交付する上場株式等の配当金については、発行会社は源泉徴収義務が免除される（同条2項）。住民税についても同様の取扱いとなる。

(2)　支払調書の提出

剰余金の配当を行った会社は、配当金の支払を受ける者の住所、氏名および種類別の株式の数ならびに配当金額、源泉徴収される所得税額等を記載した支払調書を作成し、支払調書合計表とあわせて配当金の支払確定日から1ヵ月以内に所轄の税務署長に提出しなければならない（所得税法225条1項2号）。

なお、資本剰余金を原資とした場合、みなし配当部分があれば「配当等とみなす金額に関する支払調書」を提出しなくてはならない（所得税法施行規則83条1項3号・2項3号）。また、資本の払戻し部分については「交付金銭等の支払調書」を提出する必要があるが、「配当等とみなす金額に関する支払調書」が提出されている場合には、これを省略することができる（同規則90条の3第2項）。

(3) 支払通知書の交付

剰余金の配当を行った会社は、「上場株式配当等の支払通知書」を、支払確定日から1ヵ月以内に、その支払を受ける者に交付しなければならない（租税特別措置法8条の4第4項）。また、支払通知書の交付時期について、同一の者に対してその年中に支払った配当等の額の合計額で作成する場合には、支払確定日の属する年の翌年1月31日までに交付することができる（同条5項）。実務上は、支払のつど交付する取扱いが多いと思われる。

なお、資本剰余金を原資とした場合、発行会社は、個人株主、法人株主のそれぞれに対して、所定の事項を通知しなくてはならない（所得税法施行令114条1項・5項、法人税法施行令23条4項・119条の9第2項）。

6　未払配当金の管理

配当金領収証を交付された株主は、取扱期間中（通常1ヵ月程度）に取扱銀行や郵便局の窓口において配当金領収証を呈示することにより、配当金の支払を受けることになるが、取扱期間中に受領せず期間が経過した後は株主名簿管理人が未払配当金の管理を行い、株主からの請求があれば配当金の支払を行う。

未払配当金の管理は、本来民事上の金銭債権の時効となる10年間行う必要があるが、多くの会社では、定款において、一定期間をすぎると配当金の支払義務を免れる旨の規定（いわゆる除斥期間）を定めており、一般的には支払開始日から3年または5年を除斥期間としている。当該定款の定め（除斥期間）は合理的なものとして有効とされている[13]。当該除斥期間満了後、株主名簿管理人は会社に未払配当金の資金を返却する。会社は、営業外収益（雑益）として、会計処理するのが一般的である。

⒀　大判昭和2・8・3民集6巻484頁。

25-5

議 事 録

1　総　　説

株主総会の議事については、法務省令で定めるところに従って、議事録を作成することが必要である（法318条１項、施72条）。作成された議事録は、株主総会の日から10年間会社の本店に、その写しを５年間支店に備え置くことが義務づけられており（法318条２項・３項）(14)、株主および会社債権者は、営業時間内いつでも、閲覧または謄写を請求できる（同条４項）。親会社社員も権利行使に必要あるときに裁判所の許可を得て、閲覧または謄写を請求することができる（同条５項）。

会社法は、株主総会と同様に会議体の機関である、取締役会、監査役会および委員会についてもそれぞれ議事録の作成と備置を義務づけているが、総会議事録と取締役会等他の機関とは２つの点で違いを設けている。１つは、総会議事録で求められていない出席取締役等の署名（または記名押印）が、取締役会等他の機関の議事録では求められている点である。その理由として、他の機関の議事録については、異議をとどめない者はその決議に賛成したものと推定される（法369条５項・393条４項・399条の10第５項・412条５項）といった一定の法的責任を負わせているのに対し、総会議事録には、このような一定の法的責任を負わせる規定がなく、また、署名（または記名押印）によって、偽造や真正性の問題がどれだけ解消されるかも程度問題にすぎな

(14)　支店の備置については、議事録が電磁的記録をもって作成されており、法務省令で定める方法により表示したものの閲覧または謄写請求に応じることを可能とするための措置をとっているときは必要ない（法318条３項ただし書）。

いことが挙げられている[15]。ただし、実務においては従来どおり記名押印する会社が少なくないようである[16]。

違いの２つ目は、株主および債権者からの閲覧・謄写請求に対する取扱いである。総会議事録については、株主、債権者とも営業時間内いつでも特別な手続なしに請求を認めているのに対し、取締役会、監査役会または委員会の議事録については、株主についてはその権利を行使するため必要あるとき、会社債権者については役員等の責任を追及するため必要あるときに、それぞれ裁判所の許可を得て請求することを必要としている（法371条２項～４項・394条２項・３項・399条の11第２項・３項・413条２項・３項）。裁判所の許可を得るということは、その「必要性を疎明すること」が必要ということにほかならない。このような取扱いの違いは、昭和56年商法改正に端を発しており、その理由として、企業秘密の漏洩を防止し、権利濫用的な閲覧などの請求を抑制して、取締役会の場において実質的な討議がされ、その経過および結果がきちんと議事録に記載されることを期待したものであることが挙げられており[17]、その後立法化された監査役会、委員会にも踏襲されたものである。

総会議事録は、裁判上の挙証資料として、また商業登記申請の際の添付書類として機能している。そのため、総会議事録に記載しまたは記録すべき事項を記載もしくは記録せず、または虚偽の記載もしくは記録をしたときは、100万円以下の過料に処せられる（法976条７号）。この場合、責めを負うのは、一次的には議事録作成の職務を行った取締役ということになる。また会社法の規定に反して総会議事録を備え置かなかったり、正当な理由なしに総会議事録の閲覧・謄写請求を拒んだりした場合も、それぞれ100万円以下の過料に処せられる（法976条８号・４号。なお、株主総会と登記については**第26章**を参照されたい）。

⒂ 相澤哲編著『立案担当者による新会社法関係法務省令の解説（別冊商事300号）』（商事法務、2006）12頁〔相澤哲＝郡谷大輔〕。

⒃ 株主総会白書2022年版によると、出席取締役全員が押印した会社は回答会社全体の39.3％である（商事法務研究会編・前掲⑸白書155頁〔図表152〕）。

⒄ 稲葉威雄『改正会社法』（金融財政事情研究会、1982）242頁。

2　株主総会議事録の作成

株主総会議事録の作成義務者については、旧商法のもとでは、明文の規定を欠いたところから、議長と解すべきという考え方と代表取締役と解すべきという考え方との対立が見られた(18)が、株主総会の議長は定款の定めに基づいて代表取締役社長が行うという慣行が定着していたので、実務上はいずれでも問題が生じることはなかった。会社法は、議事録の作成義務というかたちでは規定していないが、施行規則72条３項６号は「議事録の作成に係る職務を行った取締役の氏名」を議事録の記載事項と定めているため、議長あるいは代表取締役が当然に作成義務を負うわけではないことになる。議事録の作成は、会社の業務執行にはあたらないことから、代表取締役以外の取締役が行うことは差し支えなく、実務においても、代表取締役とするケースや株主総会を分掌する総務部門の担当取締役とするケースなど対応は分かれている(19)。

議事録は書面または電磁的記録をもって作成されるが、様式等について特に定めはない。書面の場合、適宜の用紙に必要事項を記載することによって作成されるが、実務上は、Ａ４版（またはＡ３版の２つ折り）の用紙に横書きで記載し、これに表紙を付す（または１枚目が表紙を兼ねる）のが一般的スタイルとなっている。また、議事録が表紙を含めて複数枚に及ぶ場合は、これを綴じる必要があり、この場合の綴じ方も契約書等と同様に、袋綴じという方法による場合が多い。袋綴じの場合、綴じ目に契印を行うのが一般的である。旧商法は出席取締役全員に署名義務を負わせていたところから、契印も署名義務者全員が押印するのが一般的であったが、会社法のもとでは、議事録の作成に係る職務を行った取締役のみでたりるであろう。

議事録をいつまでに作成すべきか、明文の規定はない。議事録の備置を

(18)　上柳克郎ほか編代『新版注釈会社法(5)』（有斐閣、1986）257頁〔関俊彦〕。
(19)　総務担当（株式担当）取締役（回答会社全体の23.5％）を含めて「代表取締役以外の取締役」と回答した会社が32.0％であるのに対し、「代表取締役」と回答した会社は67.4％と分かれている（商事法務研究会編・前掲(5)白書154頁〔図表151〕）。

「株主総会の日から」と定めている（法318条２項・３項）ことから、総会当日に作成して備置することを義務づけたように読めなくもない。ただし、株主総会前にあらかじめ議事録の原案を作成するにしても、質問もなく株主総会が終了する会社は少数派で、質疑応答を議事録に反映する作業を考えれば、総会当日に作成を終えて押印を済ませ、備置を開始するのは困難な場合が多い。このため、議事録は「遅滞なく」作成すべきものと解するのが穏当である。

なお、取締役の選任等、変更登記をすべき事項がある場合、登記期限（法915条１項）との関係で、総会日から２週間以内には作成しなくてはならない。実務上は、総会当日に議事録の作成を完了した会社の比率は23.8％にすぎず、翌日が23.0％、３日目が16.2％などとなっている[(20)]。また、１週間程度を合理的期間の最大限とする考え方もある[(21)]。やはり、１週間以内を１つの目安とすべきであろう。

3 議事録の記載事項と記載方法

議事録には、⑴株主総会が開催された日時および場所（当該場所に存しない取締役、執行役、会計参与、監査役、会計監査人または株主が株主総会に出席をした場合における当該出席の方法を含む。施72条３項１号）、⑵株主総会の議事の経過の要領およびその結果（同項２号）、⑶監査役や会計監査人等が株主総会において述べた意見または発言があるときは、その意見または発言の内容の概要等（同項３号）、⑷株主総会に出席した取締役、執行役、会計参与、監査役または会計監査人の氏名または名称（同項４号）、⑸株主総会の議長が存するときは、議長の氏名（同項５号）、⑹議事録の作成に係る職務を行った取締役の氏名（同項６号）、を記載することが必要である。

⒇　商事法務研究会編・前掲⑸白書153頁〔図表150〕。
(21)　稲葉威雄ほか編『〔新訂版〕実務相談株式会社法２』（商事法務研究会、1992）997頁〔鳥本喜章〕。

⑴　株主総会が開催された日時および場所（施72条３項１号）

株主総会が開催された日時および場所については、表題（たとえば「第○期定時株主総会議事録」）に続けて、招集通知と同程度に記載することでよい。記載方法は、文章形式で記載する例と箇条書きで記載する例に分かれるようである。

〈記載例１〉開催日時および場所を文章形式で記載する例

> **第○期定時株主総会議事録**
>
> ○○年○月○○日（火曜日）午前10時から、東京都中央区日本橋○丁目○番○号　○○ビル○階　大ホールにおいて、当社第○期定時株主総会を開催した。

〈記載例２〉開催日時および場所を箇条書きで記載する例

> **第○期定時株主総会議事録**
>
> １．日時　　○○年○月○○日（火）午前10時
> ２．場所　　東京都中央区日本橋○丁目○番○号○○ビル○階　大ホール
> 　　　　　　（なお、取締役○○○○は、当社大阪支店会議室（大阪市中央区伏見町○丁目○番○号）において、テレビ会議システムの方法により、出席した。）

また、当該場所に存しない取締役、監査役等または株主が株主総会に出席をした場合における当該出席の方法を含むと規定されている（施72条３項１号括弧書）ことから、当該場所に存しない取締役等がテレビ会議システムを用いて株主総会に出席することは可能である。複数会場をテレビ会議システムでつないで株主総会を開催する例（単なる中継会場ではなく、いずれの会場に出席しても株主として議決権を行使できる前提）もあるが、その場合は、開催場所が複数あるのであって、「当該場所に存しない」わけではない。複数会場で開催する場合は、複数の場所を記載することになる（単なる中継会場は記載する必要がない）。

ハイブリッド出席型バーチャル株主総会については、**〈記載例３〉**を参照されたい。

〈記載例３〉ハイブリッド出席型バーチャル株主総会の記載例

第○期定時株主総会議事録

1．日時　○○年○月○○日（火）午前10時

2．場所　東京都中央区日本橋○丁目○番○号○○ビル○階　大ホール
なお、株主の一部は、当社所定のウェブサイトに所定のIDとパスワードを用いてログインし、会場の画像および音声の配信を受け、インターネットにより質問および議決権行使を行う方法により本総会に出席した。

(2)　株主総会の議事の経過の要領およびその結果（施72条３項２号）

「議事の経過」は、株主総会の開会から閉会までの会議の経過をいい、「議事の結果」は、審議により最終的に確定した決議の内容をいう。株主総会議事録に記載するのは、「議事の経過の要領」であるので、議事の経過を逐一記載する必要はない。通常は、あらかじめ作成している株主総会の議事シナリオに沿って、「議事の経過の要領」として記載する内容を組み立てることになる。

①　開会宣言

株主総会は、議長の開会宣言により、議事を開始する。会社法では必ずしも議長を置くことは義務づけられていないが、通常は、定款に「株主総会は取締役社長が招集し、議長となる」等の規定を設けている。これに従い、「定款第○条の定めに従い議長に就任する」旨の就任宣言を行ったうえで開会を宣言するのが一般的であり、議事録上にもその旨を記載している。

総会の開会に続けて、議長から議事の進め方についてその要領を簡潔に説明することが多い**〈記載例〉**。株主総会には不特定多数の株主が集まることから、議長には、株主総会の秩序維持権や議事整理権が与えられており、その議長権限を適切に行使できるよう、あらかじめ議事の進め方について出席者に説明するためである。

〈記載例〉一括審議方式による旨を説明し了承を得た旨を記載する例

定刻、取締役社長○○○○が定款第○条の定めに従い議長となり、開会を宣した。

続いて、取締役○○○○、監査役○○○○が欠席している旨を報告した後、本日の議事の進め方について、発言は監査役会の報告、報告事項の報告、決議事項の各議案の内容の説明後に、報告事項と決議事項を合わせた本日の付議事項全般について一括して質疑・審議をおこない、その後決議事項について採決のみ諮らせていただきたい旨説明し、出席株主の多数の賛成により、了承された。

②　議決権数等の報告

出席株主数およびその議決権数は、基準日現在の議決権を行使できる株主およびその議決権数とともに議長または議長の指名を受けた事務局から報告する例が多い。もちろん、出席株主数および議決権数には、書面投票や電子投票により事前に議決権を行使した株主の数およびその議決権数を含む。

議事録への記載方法は、議長または事務局が議場で報告したとおりに記載する方法**〈記載例１〉**と、株主総会の日時および場所に続けて箇条書きで記載する方法**〈記載例２〉**がある。前者の場合は、集計事務などとの関係から、最終的な出席状況ではなく一定時点での出席状況を報告し、議事録にも反映することになる。開会後の株主の入退場がほとんどないこと、仮に若干の入退場があったとしても、議決権行使書や大株主の出席により大勢は動かないことなどを前提とすれば特段の問題はないであろう。後者の場合は、議場での報告の有無や報告内容にかかわらず、最終的な出席状況を議事録に反映することになる。

〈記載例１〉事務局が報告した内容を記載する例

続いて議長は、決議事項の上程に先立ち、本日の出席株主数およびその議決権数等を事務局から報告させ、本総会の決議事項すべてについて、決議に必要な定足数を充たしている旨を報告した。

(1)　基準日現在の議決権を有する株主の総数　　××,×××名
　　同上　　総株主の議決権の数　　××,×××,×××個

(2) 本日の出席株主の数（議決権行使書提出者を含む） ×××名
出席株主の議決権数 ××,×××,×××個

〈記載例2〉日時・場所に続けて最終の出席状況を箇条書きで記載する例

第○期定時株主総会議事録

1．日時　○○年○月○○日（火）午前10時
2．場所　東京都中央区日本橋○丁目○番○号○○ビル○階　大ホール
3．出席株主数および議決権数
(1) 本総会で議決権を行使することができる株主数 ○○,○○○名
その議決権数 ○○,○○○,○○○個
(2) 本日の出席株主の状況
本日の出席株主数（代理人出席を含む） ○○○名
その議決権数 ○○○,○○○個
前日までに議決権を行使した株主の数 ○○○名
その議決権数 ○○,○○○,○○○個
以上合計出席株主数 ○,○○○名
その議決権数 ○○,○○○,○○○個

③ 監査報告

取締役が株主総会に提出しようとする議案および書類等を調査し、法令もしくは定款に違反しまたは著しく不当な事項がなければ、監査役は株主総会に対して報告を行う義務はない（法384条）。しかし、実務上は、ほとんどの会社の定時株主総会で監査役による監査報告が行われている。

報告の時期は、報告事項の報告の前に行われることが多い。報告の内容は、監査報告書の内容について簡潔に報告するものである。なお、連結計算書類作成会社において、取締役は連結計算書類の監査結果を定時株主総会に報告しなければならない（法444条7項）が、監査役の監査報告に際して、監査役会および会計監査人の連結計算書類に係る監査結果を監査役から報告し、その後、議長が監査役の監査報告のとおりである旨を報告する例が多い。

監査役の監査報告が行われた場合には、議事録にもこれを反映することになる。議事録に招集通知が添付されている限り、監査報告の内容について

は、これを引用することで簡略に記載することができる。

〈記載例〉比較的簡潔な記載例

> 次いで、議長は監査役に監査報告を求めたところ、監査役を代表して、〇〇〇〇常勤監査役より、第〇〇期事業年度の監査の方法および結果は別添の「招集ご通知」〇頁の監査役会の監査報告のとおりであり、本総会に提出される議案および書類に関してはいずれも法令および定款に適合し、不当な事項は認められない旨、また、第〇〇期事業年度の連結計算書類の監査結果は「招集ご通知」の連結計算書類に係る会計監査報告および監査役会の監査報告のとおりである旨を報告した。

④　報告事項の報告

会計監査人設置会社においては、会計監査人の監査報告が無限定適正意見であるなど所定の要件を満たすときは、事業報告に加えて、計算書類についても定時株主総会の報告事項となる（法439条）。また、連結計算書類作成会社においては、連結計算書類の内容およびその監査結果についても報告事項である（法444条７項）。

この報告事項の報告は、議場では、おおむね招集通知に添付された書類に沿ってなされるところから、議事録上は内容を逐一記載せず、報告内容は添付書類を参照させるかたちで記載する例が多い。

最近はビジュアル化の進展に伴って、報告事項の報告は、画像や映像を用いて説明する会社が増加しており、なかには、議長自ら報告せず、ビデオやナレーションを利用する会社も増加している。ビジュアル化を行う場合の特徴として、ただ単純に招集通知の添付書類に沿って報告するだけでなく、それ以外のトピックス等も加えて、会社の状況についてよりよく理解を求めるためのプレゼンテーションを行う会社が少なくない点が挙げられる。このような場合、議事録の記載も画像を用いて報告したこと等に言及することになるものと思われる**〈記載例２〉**。

〈記載例１〉添付資料参照形式の一般的な記載例

> 報告事項１．第〇期（〇〇年〇月〇日から〇〇年〇月〇〇日まで）事業報告の

内容、連結計算書類の内容ならびに会計監査人および監査役会の連結計算書類監査結果報告の件
2．第○期（○○年○月○日から○○年○月○○日まで）計算書類の内容報告の件
監査報告に続いて、議長は、事業報告、連結計算書類および計算書類の内容について、別添資料に基づき報告した。

〈記載例２〉スライドプレゼンテーションを用いて報告した場合の記載例

報告事項１．第○期（○○年○月○日から○○年○月○○日まで）事業報告の内容、連結計算書類の内容ならびに会計監査人および監査役会の連結計算書類監査結果報告の件
2．第○期（○○年○月○日から○○年○月○○日まで）計算書類の内容報告の件
監査報告に続いて、議長は、事業報告、連結計算書類および計算書類の概要について、前面スクリーンに投影した画像を用いながらナレーションによって報告する旨を述べ、画像を用いながらナレーションにより説明を行った。
続いて議長は議長席に着き、会社が対処すべき課題および今後の方針について詳細を説明した。

⑤　決議事項の上程および審議

報告事項の報告後、議長が議案を上程する旨を述べてから、議案の説明を行い、質疑応答の後に、議案の賛否について議場に諮ることとなる。議事録にもこの流れに沿って、議案の内容および審議の内容を記載する。

議案の内容については、議事録に添付された招集通知の株主総会参考書類を引用することで、簡潔に記載することができる。

議案の審議の方法としては、議案ごとに審議して採決する個別審議方式と、報告事項も含め、すべての議案を一括して審議し、審議終了後は採決のみを行う一括審議方式に分かれる。個別審議方式の場合は、報告事項の報告後、報告事項に関する審議が行われ、株主からの質問を受け付けることになる。

質疑応答が行われた場合、その内容は「議事の経過」として議事録に記載することが必要であるが、速記録と異なり、やりとりすべてを一言一句記載

することを要しないのは当然である。個別の質問をどこまで記載するかは各社の裁量に委ねられるが、議事の経過に重要な影響を及ぼしたかどうかを目安とすべきであり、取締役等の説明義務（法314条）の有無を判断基準とすることが考えられる。瑣末な質問ばかりであれば、「重要な質問はなかった」旨を記載することでも構わないと思われる。

〈記載例１〉報告事項に関する質疑応答を簡潔に記載した例

議長は、報告事項の報告に続いて、出席株主に質問を求めたところ、株主から今後の事業展開、今後の業績改善策、企業価値向上への対策、人材の確保、育成、法令遵守、新規事業の展開、株価の見通し、敵対的買収に対する対応策、株価動向についての見解について質問があり、議長および議長の指名にもとづいて担当取締役から所要の説明を行い、株主の了承を得た。

〈記載例２〉報告事項の質疑応答を別紙とし、詳細に記載した例

議長は、報告事項の報告に続いて、出席株主に質問を求めたところ、別添質疑応答要旨のとおり、質疑応答を行い、了承を得たので、質疑打ち切りを宣言し、報告事項の報告を終えた。

（別紙）

質問内容	回答内容
（株主Ａ）新製品の販売促進策について伺いたい。	（社長）……………………………………
（株主Ｂ）ブランド戦略について伺いたい。	（○○専務取締役）………………………
（株主Ｃ）コーポレートガバナンスの強化策について伺いたい	（社長）……………………………………
（以下略）	（以下略）

〈記載例３〉議案の上程および議案に対する質問がなく承認可決された旨を記載する例

議長は、以上をもって報告事項に対する質疑を終了したい旨を述べ、議場の了承を得た後、引き続き決議事項の審議に入った。

第１号議案 剰余金の配当の件
議長は、第１号議案を付議し、当期の期末配当について、別添株主総会参考書類に基づき説明し、普通株式１株につき金○円としたい旨議場に諮ったところ、特に質問もなく、賛成多数をもって原案どおり承認可決された。

〈記載例４〉一括審議方式の例

続いて、議長は、審議を行う各議案について一括して上程する旨を説明し、株主から了解を得た。引き続き、議長は次のとおり決議事項を一括して上程し、各議案の内容を説明した。
第１号議案 剰余金の処分の件
議長は、本議案について、別添「招集ご通知」に記載のとおり、普通株式１株につき金○円としたい旨を提案した。
第２号議案 取締役○名選任の件
議長は、本議案について、別添「招集ご通知」に記載のとおり、……………としたい旨を提案した。
続いて、議長は、以上で、監査役の監査報告、報告事項の報告、本日お諮りするすべての決議事項の議案の内容の説明を終了したので、ここで、本日の議題すべてについて、質問、意見、動議を含む審議に関するすべての発言を受け、その終了後は、決議事項につき採決のみを行いたい旨諮り、出席株主の多数の了承を得たので、質問を求めたところ、株主○名から、社外取締役の報酬水準、役員退職慰労金を廃止しない理由、取締役の増員の理由、今後の事業展開、今後の業績改善策、企業価値向上への対策、人材の確保、育成、法令遵守、敵対的買収に対する対応策、株価動向についての見解について質問があり、議長および議長の指名にもとづいて担当取締役から所要の説明を行った。
議長は、以上をもって十分審議を尽くしたので審議を終了し、議案の採決に移りたい旨諮ったところ、出席株主の多数の賛成があったので、質疑を打ち切り、議案の採決に入った。

次に、事前質問に対する一括回答を行う場合は、これも議事録に記載することになる。一括回答で取り上げるのは重要な質問であることが多いと思われるので、基本的には、一括回答で取り上げた質問をすべて網羅することになろう。

〈記載例５〉一括回答した事前質問について項目のみ記載する例

議長は、報告事項の報告の後、株主からあらかじめ書面にて質問があった事項について、質問を整理・統合し一括して回答する旨報告し、続いて、議長より次の事項について所要の説明を行った。
1．当社におけるコーポレートガバナンス改革への取組みについて
2．当社における環境問題への取組みについて

また、議案に関する修正動議が提出された場合、当該修正動議が会社法304条ただし書に定める除外事由に該当しない限り、これを取り上げて議場に諮ることになる。実務上は、修正動議が提出された際に、修正動議として取り上げてのちほど採決する旨を述べ、採決時には、原案を先議し、その承認をもって、修正動議は可決する余地がなくなったので採決せず、否決されたものと取り扱う対応が多い。通常の会議体の運営ルールとしては、修正動議を先に採決すべきとされているようであるが、議場に諮ってその承認を得れば、議事運営上問題ないとする裁判例がある[22]。

手続的動議に関しては、議長不信任動議、資料を調査する者の選任に関する動議（法316条１項)、会計監査人の出席に関する動議（法398条２項）は、議長の専権には属さず、議場に諮る必要がある。議場に諮った場合は議事録にも記載することになるものと思われる。ただし、議場を混乱させることを意図して行われたりするような場合には、議事録に記載するに値しないこともあると考えられる。

〈記載例６〉修正動議が出された場合の記載例

第１号議案　剰余金配当の件
議長は、第１号議案を付議し、当期の期末配当について、別添株主総会参考書類に基づき説明し、普通株式１株につき金○円としたい旨議場に諮ったところ、出席株主から、株主配当金を１株につき金○○円にしてほしい旨修正動議が提出された。これ以外に特に発言はなく、議長は、会社原案を先に採決したい旨議場に諮ったところ多数の賛成を得た。
これを受けて、議長は会社原案の賛否を議場に諮ったところ、多数の賛成を得たので、本議案は原案どおり承認可決され、株主の修正提案は否決された。

(22) 東北電力事件・仙台地判平成５・３・24資料版商事109号64頁。

〈記載例７〉議長不信任動議が否決された場合の記載例

> ここで、出席株主から議長の交代を求める動議が提出されたので、議長はその必要を認めない旨説明し、議場に支持を求めたところ、賛成多数をもって支持され、よって議長不信任動議は否決された。

⑥ 採　　決

株主総会の決議は、その議案に対する賛成の議決権数が決議に必要な数に達したことが明白になった時に成立するものと解すべきであって、必ずしも挙手・起立・投票などの手続をとることを要しないと解されている[23]。実務上は、書面投票や電子投票などの事前行使分に総会当日出席の大株主の議決権を加えれば、議案の承認可決が明らかな場合が圧倒的に多く、その場合は、拍手等の簡便な採決方法が採用される。議事録には、議事の結果を記載すればよく、特段の事情がない限り、採決の方法まで記載する必要はない。

また、議案の決議要件は、上場会社の場合、一般に普通決議（法309条１項）と特別決議（同条２項）に分かれる。普通決議については、定款で、定足数を排除または軽減（役員選任議案について「議決権を行使できる株主の３分の１以上」）しており、その定足数を満たしたうえで出席した株主の議決権の過半数で決議できるよう規定している。また、特別決議については、定款で、定足数を軽減（「議決権を行使できる株主の３分の１以上」）していることが多く、その定足数を満たしたうえで出席した株主の議決権の３分の２以上で決議できることになる。議事録への記載に際しては、決議要件が満たされていることを明確に記載しなくてはならない。普通決議であれば「賛成多数」や「大多数の賛成」などいずれでもよいが、特別決議の場合には「大多数の賛成」が「出席株主の議決権の３分の２以上の賛成」という決議要件を満たしているか明確でなく、そのような記載がなされた議事録では登記申請が受理されない[24]ので注意が必要である。

---

(23) 最三判昭和42・７・25民集21巻６号1669頁・判時492号77頁。

(24) 昭和38・10・９民甲2817号回答。

〈記載例〉一括審議方式の場合に簡潔に採決結果を記載する例

ここで、議長は、時間も相当経過し必要な審議は十分尽くしたと考えられるので、決議事項の採決に入りたい旨説明したところ、圧倒的多数の株主の賛同を得たので決議事項の採決に入った。

第1号議案 剰余金処分の件

議長は本議案について賛同を求めたところ、賛成多数をもって原案どおり承認可決された。

第2号議案 定款一部変更の件

議長は本議案について賛同を求めたところ、3分の2以上の賛成をもって原案どおり承認可決された。

＜以下、繰り返しのため省略＞

⑦ 閉会宣言

議事が終了すると、議長は閉会を宣言する。議事録には閉会宣言とともに、その終了時刻を記載するのが一般的である。

〈記載例〉

以上をもって、本総会の目的事項すべてが終了したので、午前○時○○分、議長は閉会を宣言した。

(3) 監査役や会計監査人等が株主総会において述べた意見または発言があるときは、その意見または発言の内容の概要等（施72条3項3号）

施行規則72条3項3号に列挙された規定により株主総会において述べられた意見または発言があるときは、その意見または発言の内容の概要を議事録に記載しなくてはならない。実務上、これらの規定に基づいて株主総会において意見または発言がなされるのはきわめて稀であり、これらが議事録に記載されることも少ない。

(4) 株主総会に出席した取締役、執行役、会計参与、監査役または会計監査人の氏名または名称（施72条３項４号）、株主総会の議長が存するときは、議長の氏名（同項５号）、議事録の作成に係る職務を行った取締役の氏名（同項６号）

株主総会議事録には、出席取締役、執行役、会計参与、監査役または会計監査人の記載が求められる。あわせて「議事録の作成に係る職務を行った取締役の氏名」も記載しなくてはならない。また、議長については、存するときに氏名を記載させることとしているが、上場会社では定款に株主総会の議長に関する規定を置いており、当該規定に基づいて、株主総会の議長は社長が務めるのが一般的であり、議事録にも議長について記載される。

記載の仕方については、上記の区分に応じて氏名を記載することも考えられるが**〈記載例１〉〈記載例２〉**、上場会社においては、議長および議事録の作成に関する職務を行った取締役とも、出席取締役に該当するであろうから、出席取締役にその旨を表示することも考えられる**〈記載例３〉**。

〈記載例１〉作成者について作成文言に取り込んだ例

以上の議事の経過およびその結果を明確にするため代表取締役○○○○が本議事録を作成し、記名押印する。

	代表取締役	○○○○	印
出席取締役 （議長）	代表取締役	○○○○	
	専務取締役	○○○○	
	常務取締役	○○○○	
	取締役	○○○○	
	取締役	○○○○	
出席監査役	常勤監査役	○○○○	
	常勤監査役	○○○○	
	監査役	○○○○	
	監査役	○○○○	

※ 出席取締役および出席監査役については、本欄に記載せず、議事録の冒頭部分に日時および場所に続けて記載することも考えられる。

〈記載例２〉議長と作成義務者が一致している場合

以上の議事の経過およびその結果を明確にするため本議事録を作成し、記名押印する。

議　　長	代表取締役	○○○○	印
出席取締役	代表取締役	○○○○	
	専務取締役	○○○○	
	常務取締役	○○○○	
	取締役	○○○○	
	取締役	○○○○	
出席監査役	常勤監査役	○○○○	
	常勤監査役	○○○○	
	監査役	○○○○	
	監査役	○○○○	

※　出席取締役および出席監査役については、本欄に記載せず、議事録の冒頭部分に日時および場所に続けて記載することも考えられる。

〈記載例３〉出席取締役に付記している例

以上の議事の経過およびその結果を明確にするため本議事録を作成する。

出席取締役	代表取締役	○○○○	（議長）
	専務取締役	○○○○	
	常務取締役	○○○○	
	取締役	○○○○	（議事録作成者）
	取締役	○○○○	
出席監査役	常勤監査役	○○○○	
	常勤監査役	○○○○	
	監査役	○○○○	
	監査役	○○○○	

※　出席取締役および出席監査役については、本欄に記載せず、議事録の冒頭部分に日時および場所に続けて記載することも考えられる。

25-6 書類の備置

1　株主総会議事録の備置

総会議事録は、作成した原本を総会の日から10年間本店に、その写しを５年間支店に備え置かなければならない（法318条２項・３項）。

支店に備え置かれる写しについては、記載内容が原本と同じものである必要はあるが、字体を含めて体裁まで同じである必要はないと考えられる。したがって、原本をそのままコピーしたものでも差し支えない。通常は、原本と同様のものを複数部プリントアウトし、そこに原本と相違ない旨を記載して代表取締役等が記名押印したものが用意される。なお、備え置くべき支店は、支店登記をしているかどうかにかかわらず、また、名称の如何にかかわらず、支店としての実質を備えている限りはすべて該当すると考えられているところから[25]、本社とは独立したかたちで対外取引活動を営んでいる拠点については、写しを備え置く必要があると解される。

総会議事録は、書面に代えて電磁的方法によって作成することが認められている。この場合は、通常、コンピュータ内のハードディスク内にファイルを設けて記録するか、CD-ROMなどの外部の記憶装置にファイルを設けて記録することにより作成することになる。

支店での対応は、そのコピーを支店に設置されたコンピュータのハードディスク内にファイルを設けて記録させたり、コピーを記録したCD-ROM

---

(25)　稲葉威雄ほか編『〔新訂版〕実務相談株式会社法１』（商事法務研究会、1992）490頁〔吉越満男〕。なお、支店が新設された場合の取扱いについても、実質を考慮して、新設時よりもある程度遡って備え置くことが望ましいとされている。

などを備え置いたりすることが考えられるが、本店において原本をサーバー等に記録し、これをインターネット等の電気通信回線を通じて支店のパソコンから閲覧できるようにすることも可能である。この場合は、支店において写しを備置する必要はない（法318条３項ただし書）。

一方、保存場所の省スペース化等を図る観点から、総会議事録の原本の保存に代えて当該書面に係る電磁的記録の保存を行うことができるため（施232条10号）、書面で作成した総会議事録をスキャナー等で読み取ってPDFファイル等を作成し、これを保存しておいて、閲覧等に応じることが可能である。書面による原本の作成と電磁的記録による保存、管理がうまく融合された仕組みとして利用しやすいものと思われる。

2　議決権行使書等の備置

委任状による代理権の授与、委任状または議決権行使書による議決権の行使が適正になされることを確保するため、委任状または議決権行使書は株主総会の日から３ヵ月間、会社の本店に備え置き、株主の閲覧・謄写に供すべきものとされている（法310条６項・７項・311条３項・４項）。また、委任状が電磁的方法により提供された場合は、その事項が記録された電磁的記録を、電磁的方法により議決権が行使されたときは電磁的方法により提供された事項を記録した電磁的記録を備え置き、株主の閲覧・謄写に供すべきものとされている（法310条６項・７項・312条４項・５項）。

3　備置期間

委任状および議決権行使書（以下、特段の言及がない場合は電磁的方法により提供された場合の「電磁的記録」を含むものとする）の備置期間は、総会決議取消の訴えの提訴期間にあわせて、総会の日から３ヵ月と定められている（法310条６項・311条３項・312条４項）。備置の始期については、総会の日に備え置くことまでは求められておらず、「遅滞なく」備え置くことでよいと解すべきであろう。

4　備置方法

委任状および議決権行使書については、本店において総会の日から３ヵ月備置され、株主からの閲覧・謄写に供さなければならない。株主が委任状および議決権行使書に記載すべき事項を電磁的方法により提供した場合は、当該電磁的記録に記録された事項を紙面または映像面に表示する方法によって、閲覧または謄写に対応することとなる（施226条）。

また、総会議事録と同様に、保存場所の省スペース化等を図る観点から、委任状および議決権行使書の原本の保存に代えて当該書面に係る電磁的記録の保存を行うことができる（施232条８号・９号）。委任状および議決権行使書をスキャナー等で読み取ってPDFファイル等を作成し、これを保存しておいて、閲覧等に応じることが可能である。

備え置かれた委任状、議決権行使書の閲覧・謄写を請求できる者は株主であり、代理権を証明する書面等の開示は、代理行使の際の委任状の真否の調査、記載のとおりに議決権が行使されたか否かの確認を可能とするものである。これにより、株主総会の決議の方法が法令または定款に違反していないかどうか、すなわち株主総会の取消事由に該当するかどうかを調査させることを目的としている。

そこで、会社法では、株主総会に関与できない株主については、上記目的に鑑みて調査・確認手段を与える必要性が乏しいことから、代理権を証する書面等の閲覧・謄写の権利を制限している（法310条７項）。

なお、振替株式発行会社については、議決行使書や委任状の閲覧・謄写請求は少数株主権等の行使にあたることから、まず個別株主通知（振替法154条）が必要となる。

25-7 議決権行使結果の開示（臨時報告書）

上場会社は、株主総会において決議事項が決議されたときは、遅滞なく、臨時報告書により議決権行使結果を開示しなければならない（企業内容等の開示に関する内閣府令19条2項9号の2）。「遅滞なく」とは、議決権の集計および当該集計をふまえた臨時報告書の作成に要する実務的に合理的な時間内に提出すればよいと考えられている(26)。

臨時報告書に記載すべき内容は、(1)当該株主総会が開催された年月日、(2)当該決議事項の内容、(3)当該決議事項に対する賛成、反対および棄権の意思の表示に係る議決権の数、当該決議事項が可決されるための要件ならびに当該決議の結果、(4)(3)の議決権の数に株主総会に出席した株主の議決権の数の一部を加算しなかった場合にはその理由、である。

(1) 当該株主総会が開催された年月日

決議事項を決議した当該株主総会の開催年月日を記載する。株主総会には、定時株主総会、臨時株主総会、種類株主総会のすべてが該当する。

(2) 当該決議事項の内容

決議事項の内容は、基本的には議題を記載することでよいが、他の議題と区別がつかなくなる場合には、当該他の議題と明確に区別ができる記載を行うことが必要である。たとえば、複数の候補者に係る取締役選任議案を１つの議題にまとめている場合、取締役選任の件であることに加えて候補者の氏

(26) 金融庁・企業内容等の開示に関する内閣府令（案）等に対するパブリック・コメントに関する「コメントの概要及びコメントに対する金融庁の考え方」No.15（平成22年３月31日〔http://www.fsa.go.jp/news/21/sonota/20100331-8/00.pdf〕）参照。

名を記載する必要がある[27]。

決議事項には、修正動議を含むが、手続的動議は含まない[28]。議題・議案の上程が撤回されたときは、決議事項が決議されていないので、臨時報告書への記載を要しないと考えられるが、議題・議案の上程が撤回されたので議決権数は集計していない旨を注記するのが望ましいであろう。

(3) 当該決議事項に対する賛成、反対および棄権の意思の表示に係る議決権の数、当該決議事項が可決されるための要件ならびに当該決議の結果

各決議事項に対する賛成、反対および棄権の意思表示に係る議決権数を記載する。役員選任議案等では、候補者等ごとの賛成、反対および棄権の意思表示に係る議決権数を記載しなくてはならない。

株主総会の決議は、その議案に対する賛成の議決権数がその決議に必要な数に達したことが明白になった時に成立する[29]。実務上は、書面投票や電子投票などの事前行使分を集計した時点で、あるいは事前行使分に当日出席の大株主の議決権数を加えると、各議案に対する賛成の議決権数が決議に必要な数に達したことが明白になることも往々にしてあり、この場合は、株主総会における採決は拍手等の簡便な方法で行い、総会当日の来場株主全員の賛否の個数までは集計しない。臨時報告書に記載する賛成、反対、棄権に係る議決権の数も、決議の結果が明らかになったと判断した時点での賛成等に係る議決権の数を記載することでたりる。

一方、会社提案に反対する大株主がいる場合など、議案の賛否が拮抗し、総会当日の来場株主の議案に対する賛否の意思を集計しなければ、議案の承認可決が明らかにならないときは、投票等の方法により来場株主全員の賛否の意思を確認せざるをえず、この場合には、臨時報告書にも投票等により集計された賛成等に係る議決権の数が記載されることになる。

また、「決議事項が可決されるための要件」は、定足数および議案の成立

(27) 金融庁・前掲(26) No.16参照。
(28) 金融庁・前掲(26) No.27・28参照。
(29) 前掲(23)最三判昭和42・7・25。

に必要な賛成数に関する要件を記載する必要があると考えられており、具体的には「議決権を行使することができる株主の議決権の過半数を有する株主が出席し、出席した当該株主の議決権の過半数」といった記載をすることが考えられる[30]。

「決議の結果」は、決議事項が「可決」されたのか、「否決」されたのかを記載するが、あわせて、その根拠となる賛成または反対の意思表示に係る議決権数の割合を記載しなければならない[31]。一般的には、賛成率を記載することになるが、賛成に係る議決権数を出席株主の議決権数（事前行使分＋当日出席分）で除して算出することとなる。賛成率は百分率で記載するのが一般的であるが、小数点以下どこまで記載すべきか規定されていないので、各社の裁量ということになる。少なくとも議案の「可決」または「否決」が明らかになるよう記載しなければならない。

なお、議案に対する賛成率は、経営者に対する信認の度合いを示すものともいえ、経営者としてはできるだけ高い賛成率を確保したいと考えるのが自然である。一般に株主総会に来場する株主の多くは、会社のファン株主であり、基本的には議案に対しても賛成するため、来場株主全員の議案に対する賛否を集計すると、多少なりとも賛成率を押し上げる効果があると考えられる。また、来場株主にとっても、株主総会での議決権行使の内容が会社に集計され、臨時報告書にも反映されるのは望むところであろう。こうしたこともあり、あらかじめ来場株主に確認用紙を配布し、総会終了後に、議決権行使の内容を記載してもらって回収し、回収した確認用紙をもとに来場株主全員の各議案に対する賛成、反対等の議決権数を集計して臨時報告書に反映するという会社がある。このようなかたちで来場株主全員の議案に対する賛否の意思表示を確認する方法は、一般に「出口調査」と呼ばれる。

---

(30)　金融庁・前掲(26) No.17参照。

(31)　金融庁総務企画局「企業内容等の開示に関する留意事項について（企業内容等開示ガイドライン）」（平成23年８月）基本ガイドライン24の５－30〔http://www.fsa.go.jp/common/law/kaiji/01.pdf〕。

(4)　(3)の議決権の数に株主総会に出席した株主の議決権の数の一部を加算しなかった場合にはその理由

来場株主全員の賛否の意思を確認して、賛成等の議決権個数をもれなく集計している場合は、記載不要である。実務上は、そのような会社は少数派であり、大多数の会社で当該理由が記載されている。

来場株主全員の賛否の意思を確認しないのは、それをせずとも各議案の「可決」（または「否決」）が明らかであるからであり、理由としてはその旨を記載することでよい。

25-8 公　告

1　公告の種類

法定公告にはさまざまな種類があるが、ここでは株主総会の事後手続に関する事項を取り上げる。

(1)　決算公告

株式会社は、定時株主総会の終結後、遅滞なく貸借対照表（大会社の場合は貸借対照表および損益計算書）を公告しなければならない（法440条1項）。貸借対照表（大会社は損益計算書を含む）は、単体のみが対象であり、連結貸借対照表（および連結損益計算書）の公告は、会社法上求められていない。また、公告の方法を官報または時事に関する日刊新聞紙としている会社は、公告はその要旨を行えばたりる。公告の方法を電子公告または電磁的方法により不特定多数の者が提供を受けることができる状態に置く措置をとる場合には、要旨の公告とすることはできない。会社法では、旧商法と同様に会社の規模にかかわらず、すべての株式会社に決算公告を義務づけているが、有価証券報告書を提出しなければならない会社（継続開示会社）は、決算公告を省略することができる（法440条4項）。有価証券報告書はEDINETによって電子開示されており、このなかで株式会社の財産、損益の状況はより詳細に開示されているためである。決算公告を怠った場合には、100万円以下の過料の対象となる（法976条2号）。

(2) 企業再編に伴う公告

① 債権者異議申述公告

会社法では、債権者保護手続開始日についての制限はないため、債権者保護手続のための異議申述公告は、企業再編の効力発生日の前日までに債権者保護手続が完了するように行えばたりる。このため、株主総会招集の手続や反対株主の株式買取請求手続等と同時並行的に進めることも可能である。

公告の方法を時事に関する日刊新聞紙または電子公告としている会社は、官報に加え、定款に定める公告方法により公告を行えば、知れたる債権者への個別催告（ただし、吸収分割をする場合における不法行為によって生じた吸収分割株式会社の債務の債権者に対するものは除く）を省略することができる（法789条３項・799条３項）。

② 簡易組織再編における株主に対する公告

簡易組織再編を行う場合、総会決議を省略するか否かにかかわらず、企業再編の効力発生日の20日前までに株主に対して通知を行わなければならない(法797条３項ほか)。この場合、存続株式会社等が公開会社である場合には、通知に代えて公告を行うことができる。

また、この公告または通知は、振替株式発行会社については公告によらなければならないとされている（振替法161条２項）ため、①の債権者異議申述公告とあわせて公告している事例もある。

(3) 資本金減少公告

会社法では、債権者保護手続開始日についての制限はないため、債権者保護手続のための資本金減少公告は、資本金減少の効力発生日の前日までに債権者保護手続が完了するように行えばたりる。このため、株主総会招集の手続等と同時並行的に進めることも可能である。

なお、公告の方法を時事に関する日刊新聞紙または電子公告としている会社は、官報に加え、定款に定める公告方法により公告を行えば、知れたる債権者への個別催告を省略することができる（法449条３項）。

(4)　準備金減少公告

準備金の額の減少を行う場合にも、(3)の資本金の額の減少と同様、準備金の減少の効力発生日の前日までに債権者保護手続が完了するように債権者異議申述公告を行えばたりる。ただし、準備金の減少をする場合において、以下の要件のいずれにも該当する場合には、債権者保護手続を行うことを要しない（法449条1項ただし書・1号・2号）。

①　定時株主総会において法448条1項各号に掲げる事項を定めること ②　定時株主総会の日（取締役会決議により計算書類が確定する場合には、取締役会の承認の日）における分配可能額がマイナスであって、当該マイナスの額の絶対値が、減少する準備金の額よりも大きいこと

2　公告の方法

公告の方法は、定款で定める官報または時事に関する事項を掲載する日刊新聞紙ならびに電子公告のいずれかによらなければならない（法939条1項）。公告の方法は定款の任意的記載事項であり、定款に公告の方法を規定しない場合には、公告方法は官報となる（同条4項）。したがって、日刊新聞紙や電子公告を公告方法とする場合には、定款の定めが必要である。

決算公告については、公告方法に一部例外があり、電子公告以外を公告方法としている場合には、電磁的方法により不特定多数の者が提供を受けることができる状態に置く措置をとることができる。この場合には、決算公告を掲載するURLを登記し、公示することが必要である（法440条3項・911条3項26号）。

25-9 次回会場の手配

『株主総会白書2022年版』によると、株主総会の会場として貸ホール等の借会場を利用する場合、その予約時期は、株主総会の「10ヵ月～1年前」という会社が最も多く66.1％に達する[32]。つまり、借会場を利用する多くの会社が、定時株主総会終了後早い時期に次回の定時株主総会の会場を予約していることになる。

新型コロナの影響から、近年は来場株主が大きく減少しているものの、次回の株主総会が新型コロナの影響のないアフターコロナの株主総会となる可能性も考慮すると、来場株主の増加に対応できる大きめの会場を前広に手配せざるをえないというのが実情ではないかと思われる。

---

(32)　商事法務研究会編・前掲(5)白書46頁〔図表11〕参照。

第 I 編

第26章

株主総会と登記

総　説

株主総会の決議と登記は密接に関連している。本章では、総説で商業登記の制度を概観したうえで、株主総会の決議に関連する各種登記手続について解説する。

1　商業登記の意義

商業登記制度は、個人商人や会社に関する一定の事項を商業登記簿という国家が備えた帳簿に記録して広く一般に公示し、商取引の安全と円滑に寄与するとともに、個人商人や会社の信用維持を図ることを目的としている（商登1条）。

2　商業登記に関する法令等

(1)　会 社 法

会社の商業登記に関する実体的な規律については、会社法の「第7編　雑則」の「第4章　登記」に一括して規定がなされている（法907条～938条）。

(2)　商業登記法

商業登記に関する手続的な規律については、商業登記法に規定がなされている。商業登記法は、全4章、148条から構成されている。

(3) 商業登記規則

商業登記に関する登記簿の調製、登記申請書の様式、添付書面等については、法務省令である商業登記規則に規定がなされている（商登148条）。商業登記規則は、全4章、118条と別表から構成されている。

(4) 登記先例

登記先例とは、登記官が登記事務を処理するにあたって、その運用の指針として法務省民事局長から発せられる「通達」、個々の具体的事件の処理に関する各法務局等からの照会に対して民事局長・民事局商事課長が答える「回答」、民事局長に代わり細部の取扱いなどを商事課長が通知する「依命通知」等の総称である。

登記先例は、行政内部の命令・連絡という性質から登記官を拘束するものであるが、申請人である会社等もそれに基づいて登記申請をしなければ登記が受理されないことから、登記実務において重要な役割を果たしている。

現行の実務で特に重要である登記先例を以下に示すこととする。

① 商業登記等事務取扱手続準則

法令に規定する以外の商業登記等に関する事務の取扱いについて、条文形式の編成による通達である「商業登記等事務取扱手続準則」[(1)]が発出されている。

② 会社法施行通達

会社法施行に伴い登記事務処理上留意すべき事項を明らかにした通達である「会社法の施行に伴う商業登記事務の取扱いについて」[(2)]が発出されている。なお、平成26年改正会社法（平成26年法律第90号）に関する通達として、「会社法の一部を改正する法律等の施行に伴う商業・法人登記事務の取扱い

(1) 最終改正：令和3・1・29民商9号通達。
(2) 平成18・3・31民商782号通達、平成18・4・28民商1139号通達（一部改正）。

について」[3]が、令和元年改正会社法（令和元年法律第70号）に関する通達として「会社法の一部を改正する法律等の施行に伴う商業・法人登記事務の取扱いについて」[4]が発出されている。

③　登記記録例

会社法における商業登記の登記記録例を示した依命通知である「会社法の施行に伴う商業登記記録例について」[5]が発出されている。

3　登記事項

(1)　概　　説

登記事項とは、会社法その他の法令によって登記をしなければならない事項と登記することができる事項をいう。

登記事項とされていない事項については、これを登記することができない（商登24条2号）。たとえば、会社の事業年度については登記をすることはできず、仮にそれが誤って登記されたとしても、当該登記は抹消すべき対象となる（同法134条・135条）。一方で、登記事項とされている事項については、会社の意思にかかわらず登記をしなければならない。たとえば、株式会社の代表取締役の住所について、登記による公示を欲しないとしても、それは許されない。

登記した事項について、変更や消滅が生じたときには登記申請をすることになるが（法909条）、その他、以下の場合も登記すべき事項に該当し、登記申請をしなければならない。

●支配人を置いた場合（法918条）

(3)　平成27・2・6民商13号通達。
(4)　令和3・1・29民商14号通達（令和3年3月1日施行分）、令和4・8・3民商378号通達（令和4年9月1日施行分）。
(5)　平成18・4・26民商1110号依命通知、平成20・3・27民商1074号依命通知（一部改正）、平成24・3・8民商434号依命通知（一部改正）、平成27・2・6民商14号依命通知（一部改正）。

●持分会社が種類変更をした場合（法919条）
●組織変更をした場合（法920条）
●合併をした場合（法921条・922条）
●会社分割をした場合（法923条・924条）
●株式移転をした場合（法925条）
●解散をした場合（法926条）
●会社継続をした場合（法927条）
●清算人の就任・変更をした場合（法928条）
●清算結了をした場合（法929条）
●特例有限会社の通常株式会社への移行（整備法45条・46条）

令和元年改正会社法において、支店所在地における登記は廃止され（令和元年改正前法930条〜932条、同改正前商登48条〜50条の削除）、本店所在地でのみ登記することとされた。

(2)　登記事項

①　株式会社

株式会社の登記事項は、会社法911条３項に規定されている。

②　特例有限会社

特例有限会社の登記事項は、会社法911条３項を原則としつつ、その特則として会社法施行時整備法42条に規定されている。

③　合名会社

合名会社の登記事項は、会社法912条に規定されている。

④　合資会社

合資会社の登記事項は、会社法913条に規定されている。

⑤　合同会社

合同会社の登記事項は、会社法914条に規定されている。

4　登記申請義務と登記期間

(1)　登記申請義務

会社は、会社法等の規定に基づき、登記すべき事由が発生したときには、官庁の嘱託登記（法937条等）または登記官の職権登記（商登72条等）の規定がない限り、登記申請をしなければならない（同法14条）。

(2)　登記期間

①　意　　義

登記期間とは、登記申請を行わなければならない一定の期間をいう。

②　原　　則

登記事項に変更等が生じた場合、原則として本店の所在地ではその効力が生じた日から2週間以内に当該登記申請をしなければならない（法915条1項）。なお、登記期間を徒過したことのみを理由として、登記申請が受理されないということはない。

③　特　　則

(a)　募集株式の発行

募集株式の発行に関する変更登記について、払込期日ではなく払込期間を定めた場合には、払込みをした時に株主になることから（法209条1項2号）、本来その時点で登記事項である「資本金の額」や「発行済株式の総数」に変更が生じることになる。しかしながら、株式引受人が複数いて、払込期間中に各自が任意の日に払込みをしたとすると、そのつど変更登記を行うということになり、事務的に煩雑であるとともに、公示上もわかりづらくなる。そこで払込期間の末日から2週間以内に一括して登記申請をすれば足りることとされている（法915条2項）。

(b) 新株予約権の行使等

新株予約権が行使された場合と取得請求権付株式の対価として他の種類株式等を交付する場合の変更登記についても、事務の煩雑さと公示の明瞭性を考慮して毎月末日現在から2週間以内に一括して登記申請をすれば足りることとされている（法915条3項）。

(3) 期間の計算

登記期間の始期は、登記すべき事項について効力が発生した時であり、その事実を当事会社等が知った時からではない(6)。

期間の計算については、民法の規定に従い、登記期間の初日は原則として算入されないが、その期間が午前0時から始まるときには、初日が算入される（民法140条）。また、登記期間はその末日に終了するが、その日が登記所の休日（行政機関の休日に関する法律1条）にあたるときには、その翌日をもって満了する（同法2条）。

(4) 登記懈怠

① 意　義

登記懈怠（けたい）とは、登記期間内に故意または過失により登記をしなかった場合をいう。なお、法令等の不知については過失がないことにはならない。

② 罰　則

登記を懈怠した場合、会社の代表者等は過料制裁の対象となる（法976条1号）。なお、その対象は当事会社ではなく、あくまで登記義務を負う代表取締役等の個人である。

実務上は、登記懈怠の事実を知った登記官が代表取締役等の個人の住所地を管轄する地方裁判所にその旨を通知し（商登規118条）、当該裁判所が代表者宛に過料決定の通知を行うことになる（非訟事件手続法119条以下）。

---

(6) 大決明治44・1・20民録17輯1頁。

③　コンプライアンス

登記期間については、前記②の罰則のほかコンプライアンスの観点からもそれを順守しなければならない。商業登記簿には、原則として実体上の変更等の年月日とともに登記年月日（登記申請日）が記録されることから、誰でも登記事項証明書を取得等することで登記期間が守られているか否かが一見して判明することになる。

登記をすべき事項が生じるような株主総会の決議を行う場合には、登記期間についても配慮したスケジュールを策定する必要がある。

5　登記申請の添付書類

(1)　意　　義

登記申請には、申請権限の存否や、申請内容に関する事実との合致を証するために商業登記法等の規定により、申請内容に応じた書面の添付が要求されている。

登記申請に添付すべき定款や議事録等が電磁的記録で作成されているときには、当該電磁的記録にかかる情報を添付することになる（商登19条の２）。なお、電磁的記録で作成されている場合には、会社法上の署名義務の有無にかかわらず、商業登記電子証明書等の所定の電子証明書・電子署名が必要となる（商登規36条４項・102条５項）。

(2)　原本提出の原則

添付する書面については、その原本を添付するのが原則であるが、原本を他に必要とする場合には、登記申請時に原本の還付を請求することができる（商登規49条１項）。その場合、申請人は、当該書面について原本と相違がない旨を記載した謄本を添付しなければならないが（同条２項）、株主総会等の議事録については、この謄本に代え、当該登記申請に不要な部分を省略した抄本を添付しても差し支えない(7)。

⑶　押印規定の見直し

登記申請の添付書面のうち法令に押印や印鑑証明書の添付を求める規定のない書面については、押印の有無は登記官の審査の対象から除外するものとし、押印がなくても登記手続上は許容されることとされた[8]。ただし、登記の審査上の問題にならなくなったものの、文書の真正推定（民事訴訟法228条4項）や会社の内部規定等の観点からは、別途考慮を要するものと考える。

添付書面の字句の訂正について、登記申請書の字句の訂正（商登規48条3項）のように法令上の根拠があるものを除き、いわゆる「訂正印」の有無は登記官の審査の対象外とされた。したがって、これまで軽微な誤記の訂正を目的として、いわゆる「捨印」を押印し修正対応することもあったところ、捨印等の訂正印がなく訂正がなされていても登記手続上は許容されることとされた[9]。また、複数枚にわたる添付書面における、いわゆる「契印」についても、登記申請書の契印（同規則35条3項）のように法令上の根拠のあるものを除き、契印の有無は登記官の審査の対象外とされた。したがって、契印のない書面を添付したとしても登記手続上は許容されることとされた[10]。ただし、訂正印や契印については、登記の審査上の問題にはならないにしても、本来のそれぞれの趣旨を勘案すると、一律に廃止という取扱いとすることは早計であろう。

⑷　株主総会議事録の添付

登記すべき事項について株主総会の決議を要するときには、当該登記申請に株主総会議事録を添付しなければならない（商登46条2項）。なお、法令に規定される記載事項（施72条）を欠いた株主総会議事録を登記申請に添付した場合には、必要な書面が添付されていないものとして当該登記申請は受理されない（商登24条7号）。

⑺　昭和52・11・4民四5546号回答。
⑻　令和3・1・29民商10号通達。
⑼　前掲⑻令和3・10号通達。
⑽　前掲⑻令和3・10号通達。

会社法施行前商法下においては、株主総会議事録に議長および出席取締役が署名（記名押印）しなければならなかったところ（旧商244条3項参照）、会社法においては、当該署名義務の規定が削除された。登記実務上も、署名（記名押印）のない株主総会議事録を添付することも許される。ただし、議事録の原本性を明らかにし、改ざんを防止するという観点から、議事録作成にかかる職務を行った取締役が議事録に署名（記名押印）することが望ましいと考える。

(5)　株主リストの添付

登記すべき事項について株主総会の決議を要する場合には、当該登記申請に、いわゆる「株主リスト」を添付しなければならない（商登規61条3項）。

株主リストには、決議時の議決権数上位10名または議決権割合が3分の2に達するまでの株主のいずれか少ない株主の(i)氏名または名称および住所、(ii)株式数、(iii)議決権割合記載し、代表者がそれらを証明する形式で作成する。

〈記載例〉株主リスト

証　明　書

次の対象に関する商業登記規則61条2項又は3項の株主は次のとおりであることを証明する。

対象	株主総会等又は総株主の同意等の別	株主総会
	上記の年月日	令和○年6月27日
	上記のうちの議案	全議案

	氏名又は名称	住所	株式数（株）	議決権数	議決権数の割合
1	山田　一郎	東京都千代田区九段南○丁目△番□号	240,000	240,000	30.0%
2	ＸＹＺ産業株式会社	東京都港区赤坂○丁目△番□号	160,000	160,000	20.0%
3	ＥＦＦ物流株式会社	東京都中央区京橋○丁目△番□号	120,000	120,000	15.0%
4	株式会社春秋銀行	東京都中央区日本橋○丁目△番□号	120,000	120,000	15.0%
5					
6					
7					
8					
9					
10					
			合計	640,000	80.0%
			議決権総数	800,000	

証明書作成年月日	令和○年7月1日
商号	株式会社ＡＢＣ商事
証明書作成者	代表取締役　山田一郎

6　印鑑の提出

(1)　意　義

登記申請をしようとする者は、登記申請の真実性担保と会社の印鑑証明書発行のために、あらかじめ登記所に印鑑の提出をしなければならないとされていたところ、登記申請をオンラインで行えることを踏まえ、登記所への印鑑の提出が任意とされた。これにより、今後は登記所に印鑑を提出していない会社も存在し、その場合には電子署名・電子証明書で対応することになる。

一方、登記申請を書面で行う場合には、引き続き印鑑の提出をする必要があり、登記申請書や委任状には、いわゆる会社届出印の押印が求められる（商登規35条の2）。なお、代表取締役等が複数名就任している場合、登記申請を行う者1人が印鑑の提出をすれば足り、全員が提出する必要はない。

現時点では、ほとんどの会社が印鑑の提出をしていることを踏まえ、以下では印鑑を提出することを前提に言及するものとする。

(2) 印　　鑑

提出する印鑑は、一辺の長さが1cmを超え、3cm以下の正方形に収まるもので（商登規9条3項)、照合に適するものでなければならない（同条4項)。

(3) 提出方法

株式会社の代表取締役等が印鑑の提出をする場合には、会社の本店・商号等の所定の事項を記載または記録した印鑑届書を提出することになる。

書面により印鑑の提出をする場合には、印鑑届書には届出者である代表取締役等の個人の市町村長作成の印鑑証明書で、作成後3ヵ月以内のものを添付する（商登規9条5項1号)。なお、当該印鑑証明書について、印鑑の提出を登記申請と同時に行う場合には登記申請に添付したもの（商登規61条2項～4項）を援用することができる。

オンラインにより印鑑の提出をする場合には、専用の印鑑届書を用い、届出者である代表取締役等が電子署名を行い、電子証明書を併せて送信しなければならない。

実務上、株式会社の場合、設立登記申請と同時に印鑑の提出をし、届出をしている代表取締役等の変更があったときには、新たに印鑑の提出をすることになる。

(4)　印鑑証明書

印鑑の提出をした代表取締役等は、管轄法務局等において、手数料を納付のうえ会社の印鑑証明書の交付請求をすることができる（商登12条1項）。当該交付請求に際しては、本店所在地の管轄登記所で発行される印鑑カードを提示しなければならない（商登規22条2項）。

〈記載例〉印鑑届書：書面

印鑑（改印）届書

（注１）（届出印は鮮明に押印してください。）

会社届出印

商号・名称		株式会社ＡＢＣ商事
本店・主たる事務所		東京都新宿区西新宿○丁目△番□号
印鑑提出者	資格	(代表取締役)・取締役・代表理事・理事・（　　　　）
	氏名	山田　一郎
	生年月日	大・(昭)・平・西暦　○年　３月　３日生
会社法人等番号		０１○○－０１－０１○○○○

（注２）
☑ 印鑑カードは引き継がない。
□ 印鑑カードを引き継ぐ。
印鑑カード番号
前任者

届出人（注３）　□ 印鑑提出者本人　☑ 代理人

住所	東京都千代田区麹町○丁目△番地□
フリガナ	
氏名	司法書士法人　柏木事務所　　代表社員　柏木　忠

（注３）の印　代理人印

委　任　状

私は，（住所）　東京都千代田区麹町○丁目△番地□

（氏名）　司法書士法人　柏木事務所

を代理人と定め，□印鑑（改印）の届出，□添付書面の原本還付請求及び受領の権限を委任します。

令和○年　７月　３日
住　所　　東京都千代田区九段南○丁目△番□号
氏　名　　山田　一郎

個人実印　（注３）の印［市区町村に登録した印鑑］

☑ **市区町村長作成の印鑑証明書は，登記申請書に添付のものを援用する。（注４）**

（注１）　印鑑の大きさは，辺の長さが１㎝を超え，３㎝以内の正方形の中に収まるものでなければなりません。

（注２）　印鑑カードを前任者から引き継ぐことができます。該当する□にレ印をつけ，カードを引き継いだ場合には，その印鑑カードの番号・前任者の氏名を記載してください。

（注３）　本人が届け出るときは，本人の住所・氏名を記載し，**市区町村に登録済みの印鑑**を押印してください。代理人が届け出るときは，代理人の住所・氏名を記載（押印不要）し，委任状に所要事項を記載し（該当する□にはレ点をつける），本人が市区町村に登録済みの印鑑を押印してください。なお，本人の住所・氏名が登記簿上の代表者の住所・氏名と一致しない場合には，代表者の住所又は氏名の変更の登記をする必要があります。

（注４）　この届書には作成後３か月以内の**本人の印鑑証明書**を添付してください。登記申請書に添付した印鑑証明書を援用する場合は，□にレ印をつけてください。

印鑑処理年月日				
印鑑処理番号	受付	調査	入力	校合

7　登録免許税

登記申請をする場合には、原則として登録免許税法の規定に基づき登録免許税を納付する必要があり、それを納付しないときには当該登記申請は却下される（商登24条15号）。

複数の登記すべき事項に関して１つの登記申請書で申請する場合、原則として登録免許税法別表１、24号における同一区分に属する複数の登記については、これを１件として登録免許税額を算出する[11]。たとえば、商号変更と目的変更を１つの登記申請書で申請する場合には、ともに登録免許税法別表１、24号（一）の「ツ　登記事項の変更、消滅又は廃止の登記（これらの登記のうちイからソに掲げるものを除く。）」に該当し、当該区分である３万円を納付すれば足りる。

8　登記申請の方式

申請人である当事会社等は、登記すべき事由が生じたときには当事会社等の本店所在地を管轄する登記所に対して登記申請することを要し、その申請の方式には以下のものがある。

①　出　　頭

申請人である当事会社等（もしくは、その代理人。以下に同じ）が直接管轄登記所に赴き、登記申請書を提出してすることができる。

②　郵　　送

申請人である当事会社等が管轄登記所宛に登記申請書を郵送してすることができる。

---

(11)　昭和29・４・24民甲866号通達。

③　オンライン

申請人である当事会社等がインターネットを利用して登記申請情報を送信してすることができる（情報通信技術を活用した行政の推進等に関する法律６条１項、商登規101条)。なお、添付書類となる株主総会議事録等が書面で作成されていることから、それらを登記申請情報と同時に送信できない場合には、別途管轄登記所に出頭して提出、または送付することができる（商登規102条２項)。

26-2 株主総会決議と登記

本節以降は、特別の断りがない限り、公開会社であり大会社であって、監査役会設置会社を念頭に言及することとする。

登記を要する主な株主総会の決議は、次のとおりである。

1　定款変更

定款変更には、株主総会の決議が必要である（法466条）。この決議は、原則として当該株主総会において議決権を行使することができる株主の議決権の過半数を有する株主が出席し、出席した当該株主の議決権の３分の２以上に当たる多数をもって行う（法309条２項11号。以下、本章において「特別決議」という）。なお、上場会社の多くは、特別決議の定足数について下限である３分の１に軽減する旨を定款で定めている（同項柱書の第１かっこ書）。

当該決議の効力は、原則として決議時に生じるが、合理的な範囲で条件・期限を付すこともできる。

変更された定款の定めが登記事項に該当する場合には、その変更登記をしなければならない。

詳細については、26－３を参照されたい。

図表Ⅰ－26－１　登記事項と定款記載事項

定款記載事項	法911条３項	登記事項
○	１号	目的
○	２号	商号

○	3号	本店の所在場所（定款記載事項は「所在地」）
	3号	支店の所在場所
○	4号	存続期間または解散の事由の定めがあるときは、その定め
	5号	資本金の額
○	6号	発行可能株式総数
○	7号	発行する株式の内容(種類株式発行会社の場合、発行可能種類株式総数・発行する各種類の株式の内容)
○	8号	単元株式数の定めがあるときは、その単元株式数
	9号	発行済株式の総数・種類・種類ごとの数
○	10号	株券発行会社であるときは、その旨
○	11号	株主名簿管理人を置いたときは、氏名または名称・住所・営業所（定款記載事項は「設置する旨」のみ）
	12号	新株予約権の内容等
○	12号の2	株主総会資料について電子提供措置をとる旨の定めがあるときは、その旨
	13号	取締役の氏名(監査等委員会設置会社の取締役以外)
	14号	代表取締役の氏名・住所(指名委員会等設置会社以外)
○	15号	取締役会設置会社であるときは、その旨
○	16号	会計参与設置会社であるときは、その旨・会計参与の氏名または名称・法378条1項に規定される場所(定款記載事項は「設置する旨」のみ)
○	17号	監査役設置会社であるときは、その旨・監査役の氏名（定款記載事項は「設置する旨」のみ）・会計監査限定の定めがあるときは、その旨
○	18号	監査役会設置会社であるときは、その旨・監査役のうち社外監査役であるものについては社外監査役である旨（定款記載事項は「設置する旨」のみ）
○	19号	会計監査人設置会社であるときは、その旨・会計監査人の氏名または名称（定款記載事項は「設置する旨」のみ）

	20号	一時会計監査人の職務を行うべき者を置いたときは、その氏名または名称
	21号	特別取締役による議決の定めがあるときは、次に掲げる事項 イ）特別取締役による議決の定めがある旨 ロ）特別取締役の氏名 ハ）取締役のうち社外取締役であるものについて、社外取締役である旨
○	22号	監査等委員会設置会社であるときは、その旨・次に掲げる事項（定款記載事項は「設置する旨」と「ハ）の事項」） イ）監査等委員である取締役・それ以外の取締役の氏名 ロ）取締役のうち社外取締役であるものについて、社外取締役である旨 ハ）法399条の13第6項の規定による重要な業務執行の決定を取締役に委任することについての定めがあるときは、その旨
○	23号	指名委員会等設置会社であるときは、その旨・次に掲げる事項（定款記載事項は「設置する旨」のみ） イ）取締役のうち社外取締役であるものについては社外取締役である旨 ロ）各委員会の委員・執行役の氏名 ハ）代表執行役の氏名・住所
○	24号	法426条1項の規定による取締役・会計参与・監査役・執行役・会計監査人の責任の免除についての定めがあるときは、その定め
○	25号	法427条1項の規定による非業務執行取締役等が負う責任の限度に関する契約の締結についての定めがあるときは、その定め
	26号	法440条3項の規定による措置をとることとするときは、掲載するウェブサイトのアドレス
○	27〜29号	公告方法

2　役員等の変更

(1)　選　　任

取締役・会計参与・監査役・会計監査人は、株主総会の決議によって選任される（法329条１項）。この決議は、定款に別段の定めがある場合を除き、当該株主総会において議決権を行使することができる株主の議決権の過半数を有する株主が出席し、出席した当該株主の議決権の過半数をもって行う（法309条１項。以下、本章において「普通決議」という）。なお、役員の選任決議は、定款の別段の定めをもってしても議決権を行使することができる株主の議決権の３分の１以上を有する株主の出席が必要であり（法341条）、上場会社の多くは、定足数について下限である３分の１に軽減する旨を定款で定めている。

役員等に選任された者は、被選任者が就任を承諾することにより就任することになる。

役員等については登記事項に該当し（法911条３項13号・16号・17号・19号）、その地位に就任した場合には、変更の登記をしなければならない。

(2)　解　　任

株主総会の決議によって役員等を解任することができる（法339条１項）。この決議は、定款に別段の定めがある場合を除き、取締役・会計参与・会計監査人の解任については普通決議により、累積投票をもって選任された取締役と監査役の解任については特別決議によらなければならない（法309条２項７号）。なお、役員の解任決議は、選任決議と同様に定款の別段の定めをもってしても議決権を行使することができる株主の議決権の３分の１以上を有する株主の出席が必要である（法341条）。

役員等を解任した場合には、変更の登記をしなければならない。

詳細については、**26－４**を参照されたい。

3　募集株式の発行

公開会社が募集株式の発行をする場合には、原則として株主総会の決議を経る必要はない（法201条1項）。ただし、いわゆる有利発行に該当する場合には特別決議が必要となる（法199条2項・309条2項5号）。また、公開会社が支配株主の異動を伴う募集株式の発行を行う場合で、一定の株主の反対があるときには、原則として普通決議が必要となる（法206条の2第4項・5項）。加えて、上場会社の取締役への報酬である募集株式の発行を行う場合で、当該株式の数の上限につき定款の定めがないときには、普通決議によって定める必要がある（法361条1項3号）。

募集株式の発行が行われた場合、基本的には資本金の額と発行済株式の総数が増加することになる。

資本金の額と発行済株式の総数は登記事項に該当し（法911条3項5号・9号）、その変更の登記をしなければならない。

4　募集新株予約権の発行

募集新株予約権の発行に関する規律は、おおむね募集株式の発行と同様である。したがって、募集新株予約権の発行が有利発行となる場合には特別決議が必要となる（法238条2項・309条2項6号）。また、公開会社が支配株主の異動を伴う新株予約権の割当て等を行う場合で、一定の株主の反対があるときには、原則として普通決議が必要となる（法244条の2第5項・6項）。加えて、上場会社の取締役への報酬である募集新株予約権の発行を行う場合で、当該新株予約権の数の上限につき定款の定めがないときには、普通決議によって定める必要がある（法361条1項4号）。

新株予約権の内容は登記事項に該当し（法911条3項12号）、その変更の登記をしなければならない。

5　資本金の額の減少

資本金の額の減少については、原則として特別決議が必要となる（法447条1項・309条2項9号）。

資本金の額は登記事項に該当し（法911条3項5号）、その変更の登記をしなければならない。

6　解　散

会社は特別決議により解散することができる（法471条3号・309条2項11号）。

会社を解散した場合には、解散の登記をしなければならない（法926条）。

7　組織再編

合併・会社分割・株式交換・株式移転・株式交付といった、いわゆる組織再編行為をする場合には、原則として特別決議が必要となる（法783条1項等・309条2項12号）。

合併（法921条・922条）・会社分割（法923条・924条）・株式移転（法925条）をした場合には、それらについての登記をしなければならない。一方、株式交換・株式交付をした場合には、それら自体の登記は要しないが、株式交換・株式交付により発行済株式総数や資本金の額等に変更が生じたときには、その変更の登記をしなければならない。

26-3 定款変更に関する登記手続

1　商号の変更

(1)　概　　説

①　使用文字

商号の登記において、日本文字以外にローマ字、アラビア数字や以下の符号（ただし、字句を区切る際の符号として使用する場合に限る）を使用することができる（商登規50条）[12]。なお、ローマ字を用いて複数の単語を表記する場合にはスペース（空白）によって区切ることもできる。

それらの組合せとなる、たとえば「日本BEST　home&100」という商号を登記することも可能である。

- 「&」（アンパサンド）
- 「'」（アポストロフィー）
- 「,」（コンマ）
- 「－」（ハイフン）
- 「.」（ピリオド）
- 「・」（中点）

②　類似商号登記規制の撤廃

会社法においては、同一市町村内で、同一の営業のために他人が登記をし

(12)　平成14・7・31民商1839号通達。

た商号について登記することができないという、いわゆる類似商号登記規制は廃止された。しかしながら、不正の目的をもって他の会社と誤認されるおそれのある商号を使用してはならないこと（法８条１項）や後日の紛争を回避するためにも、実務的には商号の選定および登記の前提として「登記情報提供サービス[13]」等によって既存の商号の登記に関する調査を行うべきである。

③　同一商号・同一本店所在場所の登記禁止

類似商号登記規制は廃止されたが、ある商号について他人が登記をした商号と同一であって、かつ同一本店所在場所であるときには、それを登記することはできない（商登27条）。これは、たとえば不動産登記において会社が登記名義人となるような場合、商号と本店所在場所が不動産登記簿に記録され、特定されることから、同一商号・同一本店所在場所を認めると両社を区別することができないといった不都合が生じるからである。

（同一商号の判断例）
●株式会社日本商事／日本商事株式会社………同一商号に非該当
●株式会社日本商事／株式会社にほん商事……同一商号に非該当
●株式会社日本商事／合名会社日本商事………同一商号に非該当

（同一本店所在場所の判断例）
●一丁目１番１号／一丁目１番１号101号室
………同一本店所在場所に該当
●１番１号／１番地の１………同一本店所在場所に該当

(2)　登記すべき事項

変更後の新たな商号と変更の年月日である。

---

(13)　https://www1.touki.or.jp/（2023・１・31）

(3)　添付書類

①　株主総会議事録

定款変更の決議をした株主総会議事録を添付する（商登46条２項。26－１■５(4)）。

②　株主リスト

定款変更の決議をした株主総会時における株主リストを添付する（商登規61条３項。26－１■５(5)）。

③　委 任 状

司法書士等の代理人によって登記申請をする場合には、その代理権限を証するために登記申請に関する委任状を添付する（商登18条）。当該委任状には代表取締役があらかじめ登記所に提出している印鑑と同一のものを押印する。

委任事項の記載については、登記すべき事項の内容が登記申請に添付する株主総会議事録等から明らかである場合には、たとえば「商号の変更登記申請に関する件」といったような概括的な記載で足りるが、そうでない場合には登記すべき事項をすべて記載する必要がある。

(4)　登録免許税

３万円を納付する（登録免許税法別表１、24号（一）ツ）。

■2　本店移転

(1)　概　　説

①　定款変更と本店移転

本店の所在地は、定款の絶対的記載事項である（法27条３号）。本店の所在地とは、たとえば「千葉県柏市」等の最小行政区画のことをいい、定款においては、この最小行政区画までを定めるのが一般的である。

登記事項としては、本店の所在場所を登記しなければならない（法911条3項3号）。所在場所とは、たとえば「千葉県柏市泉町△番□号」等の具体的住所をいう。

定款変更を要する本店移転とは、定款で定めた所在地（最小行政区画）を変更した場合ということになる。たとえば、「千葉県柏市」から「千葉県松戸市」に本店移転した場合には定款変更を要するが、「千葉県柏市泉町……」から「千葉県柏市高田……」に本店移転した場合には定款変更は要しないということになる。

②　本店移転登記申請の態様

本店移転登記申請には、以下の3つのパターンがある。

(a)　同一市町村内での移転

同一市町村内で本店移転をする場合には、一般的に定款変更を要さず、管轄登記所の変更もないことから当該登記所に本店移転についての登記申請をする。

(b)　同一管轄登記所内における他の市町村への移転

同一登記所の管轄区域内における他の市町村へ本店移転をする場合には、定款変更を要するが、管轄登記所の変更はないことから当該登記所に本店移転についての登記申請をする。

(c)　他の管轄登記所への移転

他の登記所の管轄区域内における市町村へ本店移転をする場合には、定款変更を要し、かつ管轄登記所も変更となる。その場合には、旧本店所在地の管轄登記所に旧本店所在地の管轄登記所宛と新本店所在地の管轄登記所宛の登記申請を同時に行い、旧本店所在地の管轄登記所から新本店所在地の管轄登記所に申請が経由される手続がとられる（商登51条）。

③　本店移転の日

本店移転の効力発生日は、具体的な所在場所決定についての決議（一般的には取締役会の決議による）と引越し等により現実に移転をした日のどちらか遅い日となるが、現実に移転をした日は、決議の範囲内でなければならない[14]。たとえば、10月１日に現実に移転し、10月３日に本店移転する旨の決議がなされたときには、10月３日を本店移転の効力発生日として登記することになる。一方、10月１日に同日付で本店移転をする旨の決議がなされ、10月３日に現実に移転をしたときには、有効な決議がなされていないという評価がなされ、10月３日を本店移転の効力発生日とする登記をすることはできない。ただし、10月１日の決議において10月３日に移転する旨または10月１日から10月10日までに移転する旨等の決議をしていれば、10月３日を本店移転の効力発生日として登記をすることができる。

(2)　登記すべき事項

①　同一管轄登記所内での移転の場合

移転後の新本店所在場所と移転の年月日である。

②　他の管轄登記所への移転の場合

旧本店所在地においては移転後の新本店所在場所と移転の年月日であり、新本店所在地においては移転前の旧本店所在場所から移転した旨と移転の年月日、あわせて現に効力を有する登記事項、会社成立年月日（商登53条）と取締役等の就任（重任）年月日（商登規65条２項）である。

(3)　添付書類

①　株主総会議事録

本店の所在地を変更した場合には、定款変更の決議をした株主総会議事録を添付する（商登46条２項。26－1■5(4)）。

②　取締役会議事録

取締役会において具体的な本店所在場所や移転日を決議した場合には、当該決議をした取締役会議事録を添付する（商登46条２項）。

---

(14)　昭和41・２・７民四75号回答。

③　株主リスト（26－1■5(5)・26－3■1(3)②）

④　委任状（■1(3)③）

他の管轄登記所へ本店移転する場合の新本店所在地の管轄登記所宛の登記申請には委任状のみを添付する（商登51条3項）。

⑤　印鑑届書等（26－1■6）

他の管轄登記所へ本店移転する場合には、印鑑届書を提出する。提出する印鑑が従前のものと同一であるときには、代表取締役の個人の市町村長が発行する印鑑証明書の添付を要しない[15]。

会社の印鑑証明書を取得するための印鑑カードは本店所在地の管轄登記所で発行されることから、旧本店所在地の管轄登記所で発行された印鑑カードを返納し[16]、新本店所在地の管轄登記所で新たに印鑑カードの交付を受けることになる。

(4)　登録免許税

(a)　同一管轄登記所内での移転の場合

3万円を納付する（登録免許税法別表1、24号（一）ヲ）。

(b)　他の管轄登記所への移転の場合

旧本店所在地分として3万円、新本店所在地分として3万円の合計6万円を納付する（登録免許税法別表1、24号（一）ヲ）。

---

(15)　平成11・4・2民四667号通達。
(16)　平成10・5・1民四876号通達。

3　公告方法の変更

(1)　概　　説

①　定款記載事項と公告方法

公告方法として、以下のいずれかを定款で定めることができる（法939条1項）。

●官報
●時事に関する事項を掲載する日刊新聞紙
●電子公告

会社法施行前商法においては、公告方法は定款の絶対的記載事項とされていたが（旧商166条1項9号参照）、会社法においては、定款の絶対的記載事項から除外され（法27条、旧商166条1項9号参照）、公告方法を定款で定めない場合には官報によるものとされる（法939条4項）。

公告方法を変更する場合には、公告方法を定款に定めているか否かにかかわらず、定款変更により行うことになる。

②　公告方法の定め方

(a)　複数方法

たとえば、「当会社の公告方法は、A新聞及びB新聞に掲載してする。」というように複数の方法を定めることができる。ただし、その場合には、常に定款で定めたすべての方法で公告をしなければならず、事例の場合、「A新聞」と「B新聞」の両方で公告をすることになる。

(b)　選択的方法

たとえば、「当会社の公告方法は、A新聞又はB新聞に掲載してする。」というように選択的な公告の方法を定めることは許されない[17]。事例のよう

---

(17)　大正5・12・19民1952号回答。

な選択的な公告方法を定めた場合、株主等はどちらの媒体に公告されるかを知ることができず、常に「A 新聞」と「B 新聞」の両方の媒体を確認しなければならないという不都合が生じるからである。

(c)　予備的方法

たとえば、「当会社の公告方法は、A 新聞に掲載してする。ただし、A 新聞による公告に不都合があるときは、B 新聞に掲載してする。」というように予備的な公告方法を定めることは許されない（ただし、電子公告の場合は除く）。事例のような予備的な公告の方法を定めた場合、株主等は予備的な公告の方法が採用されるのがどのようなときであるかが判然とせず、結果として選択的方法と同様に、常に「A 新聞」と「B 新聞」の両方の媒体を確認しなければならないという不都合が生じるからである。

③　具体的公告方法

(a)　官　　報

官報とは、法令等の公布や国の広報のほか各種の法定公告等を掲載する国が発行する機関紙であり、独立行政法人国立印刷局から行政機関の休日を除き毎日発行され、日本全国で販売されている。

(b)　日刊新聞紙

時事に関する事項を掲載する日刊新聞紙（以下、本章において「日刊新聞紙」という）とは、法律上明確な定義はないが、政治・経済・文化その他社会における出来事を幅広く報道する日刊の新聞と解されている。

時事に関する事項を掲載しているといえども、週刊や月刊の新聞は認められないが、日曜日が休刊となっているものについては認められる。また、日刊新聞紙といえども学術新聞やスポーツ新聞については、時事に関する事項を掲載する新聞とはいえず、認められない。なお、日刊新聞紙であれば、読者が一市一郡に偏在している地方紙でも差し支えない[18]。全国紙のように数ヵ所で発行されている日刊新聞紙を公告方法とする場合には、発行地を異にする同一の日刊新聞紙のすべてに公告をしなければならない。一方で地方

---

(18)　昭和36・12・18民四242号回答。

版に限定する場合には、「当会社の公告方法は、○○市において発行するA新聞に掲載してする。」という定め方となる(19)。

(c)　電子公告

電子公告とは、電磁的方法により不特定多数の者が公告すべき内容である情報の提供を受けることができる状態に置く措置をとる方法であり（法2条34号）、具体的には公告しようとする情報を自社のホームページ等に掲載し、誰もが容易に閲覧できるようにするものである。

電子公告を公告方法とする場合、定款には電子公告とする旨を定めれば足り（法939条3項）、ホームページの具体的アドレスまでは定款で定める必要はない。なお、登記事項である具体的アドレスについては、代表取締役の決定等によることになるが、登記申請に当該決定手続に関する書面の添付は要しない(20)。

電子公告については、官報または日刊新聞紙を公告方法とする場合と異なり、事故その他やむをえない事由によって電子公告による公告をすることができない場合に備え、官報または日刊新聞紙を予備的な公告方法として定めることができる（法939条3項）。実務的には不慮の事故等に備え、予備的な公告方法についても定款に定めるべきであり、現状、電子公告を採用している会社のほとんどが予備的な公告方法を定めている。

(2)　登記すべき事項

以下のとおり具体的公告方法に応じた変更後の新たな公告方法と変更の年月日である。

①　官報とした場合

「官報」と登記する。

---

(19)　昭和34・9・4民甲1974号回答。
(20)　松井信憲『商業登記ハンドブック〔第4版〕』（商事法務、2021）21頁。

②　日刊新聞紙とした場合

具体的な日刊新聞紙名を登記する。

③　電子公告とした場合

電子公告で公告を行う旨、電子公告を掲載するホームページの具体的アドレスと、予備的公告の方法を定めた場合にはその具体的方法を登記する。

(3)　添付書類

①　株主総会議事録（26－1■5(4)・26－3■1(3)①）
②　株主リスト（26－1■5(5)・26－3■1(3)②）
③　委任状（■1(3)③）

(4)　登録免許税

3万円を納付する（登録免許税法別表1、24号（一）ツ）。

■4　目的の変更

(1)　概　　説

①　使用文字

目的の登記において使用する文字は、日本文字が原則であるが、ローマ字を含む表記方法が社会的に認知されているような場合には、ローマ字が含まれている語句を用いることができる[21]。

（使用が許容される例）
●OA機器
●H型鋼材
●LPガス
●LAN工事

(21)　平成14・10・7民商2364号回答。

● NPO 活動

②　目的の登記規制の緩和

会社法において類似商号登記規制が撤廃されたことに伴い、目的の登記の具体性については登記官の審査の対象外とされた[22]。そのため、「商業」、「商取引」、「製造業」といった概括的な目的の登記の表記についても許容されることとなった。しかしながら、具体的にどのような事業を行うかについて商業登記簿上判明しないことは、一定事項を公示するという商業登記の趣旨に適合しないものであるし、許認可や商取引の場面において不都合が生じる懸念がある。

目的の登記の適格性の判断に関する「明確性」、「適法性」、「営利性」といった規制については、従来どおり維持されている。

(2)　登記すべき事項

変更後の新たな目的と変更の年月日である。

従来の目的の一部の変更・追加・削除であっても、変更のないものを含めた全部を新たな目的として登記することになる。

(3)　添付書類

①　株主総会議事録（26－1■5(4)・26－3■1(3)①）

②　株主リスト（26－1■5(5)・26－3■1(3)②）

③　委任状（■1(3)③）

(4)　登録免許税

3万円を納付する（登録免許税法別表1、24号（一）ツ）。

(22)　平成18・3・31民商782号通達、第7部、第2〔129頁〕。

5　単元株式数の設定等

(1)　概　　説

①　意　　義

株主総会において1個の議決権を行使できる一定の株式数を1単元として定款に定めることができる（法188条1項）。1単元の株式数は、1,000株以下であり、かつ発行済株式総数の200分の1以下でなければならない（法188条2項、施34条）。

②　単元株式数の設定等と定款変更手続

(a)　原　　則

単元株式数の設定・増加変更は、定款変更に関する特別決議による（法466条・309条2項11号）。

(b)　株式分割と同時設定等

株式分割と単元株式数の設定、増加変更に関する定款変更を同時に行う場合で、株式分割の割合が結果的に単元株式数の設定等の割合を下回らないときには、株主にとって不利益とはならないことから、当該定款変更について取締役会の決議によることができる（法191条）。

(c)　廃止・減少変更

単元株式数の廃止・減少変更に関する定款変更を行う場合には、株主にとって不利益とはならないことから、当該定款変更について取締役会の決議によることができる（法195条1項）。

(2)　登記すべき事項

①　単元株式数の設定

定款で定めた単元株式数と設定の年月日である。

②　単元株式数の変更

定款で定めた単元株式数と変更の年月日である。

③　単元株式数の廃止

単元株式数を廃止した旨と廃止の年月日である。

(3)　添付書類

①　株主総会議事録

単元株式数の設定等について、株主総会で定款変更決議をした場合には、株主総会議事録を添付する（商登46条2項。26－1■5(4)・26－3■1(3)①）。

②　取締役会議事録

前記(1)②(b)(c)のとおり株主総会決議を要せず、取締役会で定款変更決議をした場合には、取締役会議事録を添付する（商登46条2項）。

③　株主リスト（26－1■5(5)・26－3■1(3)②）

株主総会決議をした場合には、株主リストを添付する。

④　委任状（■1(3)③）

(4)　登録免許税

3万円を納付する（登録免許税法別表1、24号（一）ツ）。

■6　株主名簿管理人の設置

(1)　概　　説

①　意　　義

会社に代わり株主名簿の作成・備置その他株主名簿に関する事務を行う者として株主名簿管理人を設置する旨を定款で定め、当該事務を行うことを委託することができる（法123条）。

②　設置の手続

株主名簿管理人を設置する場合、一般的には定款で設置する旨のみを定め、取締役会決議で具体的な株主名簿管理人となる信託銀行等を選定する。そのうえで、株主名簿管理人となる者と事務委託契約を締結する。

③　設置の効力発生日

株主名簿管理人の設置の効力発生日は、株主名簿管理人と事務委託契約を締結した日であるが、当該契約において別途効力発生日を定めているときには、その日ということになる。

(2)　登記すべき事項

株主名簿管理人の設置に関する登記すべき事項は、株主名簿管理人の氏名（名称）・住所・営業所と設置の年月日である。

(3)　添付書類

①　定　　款

株主名簿管理人を設置する旨の記載がある定款を添付する（商登64条）。

②　取締役会議事録

取締役会決議をもって具体的な株主名簿管理人を選定した場合には、取締役会議事録を添付する（商登46条２項）。

③　株主名簿管理人との契約を証する書面

株主名簿管理人との契約を証する事務委託契約書等を添付する（商登64条）。

④　委任状（☞ 1 (3)③）

(4)　登録免許税

３万円を納付する（登録免許税法別表１、24号（一）ツ）。

7　役員等の責任免除の定めの設定等

(1)　概　説

監査役設置会社・監査等委員会設置会社・指名委員会等設置会社は、取締役会決議により役員等の会社に対する任務懈怠責任について、その一部を免除することができる旨を定款で定めることができる（法426条）。

(2)　登記すべき事項

責任免除にかかる定款の定めと設定等の年月日である。

(3)　添付書類

① 株主総会議事録（26－1 5(4)・26－3 1(3)①）
② 株主リスト（26－1 5(5)・26－3 1(3)②）
③ 委任状（1(3)③）

(4)　登録免許税

３万円を納付する（登録免許税法別表１、24号（一）ツ）。

8　非業務執行取締役等の責任制限の定めの設定等

(1)　概　説

①　意　義

社外取締役ほか非業務執行取締役等の会社に対する任務懈怠責任について、定款であらかじめ会社が定めた額と法令が規定する最低責任限度額とのいずれか高い額を限度とする責任限定契約を非業務執行取締役等と締結することができる旨を定款で定めることができる（法427条）。

②　社外取締役等の登記

非業務執行取締役等の責任制限の定めの設定の登記をする場合、責任限定契約を締結できる役員等の要件が社外取締役・社外監査役に限定されていないことから、あわせて社外取締役・社外監査役である旨の登記をすることは要しない。

③　責任限定契約等との関係

非業務執行取締役等の責任制限の定めの設定の登記は、対象者と具体的に責任限定契約が締結されている必要はなく、あくまで定款に当該定めを設けた時点で行うことになる。したがって、当該登記申請に責任限定契約書を添付することは要しない。

④　責任の限度額

非業務執行取締役等の責任限定契約における賠償責任限度額は、当該契約で定めた額または法令で規定する最低責任限度額（法425条１項）のいずれか高い額とされていることから（法427条１項）、定款で具体的な限度額について定めることなく最低責任限度額とすることでも差し支えない。

(2)　登記すべき事項

責任制限にかかる定款の定めと設定等の年月日である。

(3)　添付書類

①　株主総会議事録（26－1 ■ 5(4)・26－3 ■ 1(3)①）
②　株主リスト（26－1 ■ 5(5)・26－3 ■ 1(3)②）
③　委任状（■ 1(3)③）

(4) 登録免許税

３万円を納付する（登録免許税法別表１、24号（一）ツ）。

9　株主総会資料の電子提供措置の設定等

(1) 概　　説

① 意　　義

すべての株式会社は、株主総会資料の内容である情報を自社のホームページ等に掲載し、株主に対して当該サイトのアドレス等を株主総会の招集通知に記載等して通知した場合には、当該資料を提供したものとされる旨を定款で定めることができる（法325条の２～325条の７）。

詳細については**第12章**を参照。

② 上場会社等の特則

上場会社等の振替株式を発行している会社については、株主総会資料の電子提供措置をとることが義務付けられている（振替法159条の２）。

(2) 登記すべき事項

株主総会資料の電子提供措置をとる旨の定款の定めと設定等の年月日である。

(3) 添付書類

① 株主総会議事録（26－1 5(4)・26－3 1(3)①）
② 株主リスト（26－1 5(5)・26－3 1(3)②）
③ 委任状（1(3)③）

(4) 登録免許税

３万円を納付する（登録免許税法別表１、24号（一）ツ）。

26-4 役員等変更に関する登記手続

1　取締役

(1)　概　　説

①　欠格事由

以下に該当する者は、取締役となることができない（法331条1項各号)。なお、取締役の就任登記をする場合、欠格事由に該当していないことを証する書面の添付は要しない。

(i)　法　　人
(ii)　会社法・一般社団法人及び一般財団法人に関する法律・金融商品取引法、民事再生法・外国倒産処理手続の承認援助に関する法律・会社更生法・破産法に規定された所定の罪により刑に処せられ、その執行が終わり、または執行を受けることがなくなった日から2年を経過していない者
(iii)　前記(ii)以外の罪により禁固（改正刑法（令和4年法律第67号）施行後は拘禁刑）以上の刑に処せられ、その執行が終わるまで、または執行を受けることがなくなるまでの者（刑の執行猶予中の者を除く）

②　員　　数

取締役の員数は、公開会社の場合、取締役会の設置義務があることから3人以上でなければならない（法331条5項)。なお、特別取締役による議決の定めを設ける場合には、取締役が6人以上でそのうち1人以上が社外取締役でなければならない（法373条1項)。

定款において、最低員数（たとえば、5人以上）、最大員数（たとえば、10人以内）またはその両方（たとえば、5人以上10人以内）を定めることができる。ただし、取締役の就任登記をする場合、員数規制を明らかにするための定款の添付は要しない。

③　任　　期

取締役の任期は、原則として選任後2年以内に終了する事業年度のうち最終のものに関する定時株主総会の終結時までであるが（法332条1項）、定款の定めにより任期を短縮することは認められる。なお、定款に剰余金の配当を取締役会の決議により決定することができる旨を定める場合には、取締役の任期を選任後1年以内に終了する事業年度のうち最終のものに関する定時株主総会の終結時までとする必要がある（法459条1項）。

取締役の任期や事業年度に関する定款変更をした場合、現任取締役の任期は、その変更に応じて短縮・伸長されることがある。

④　選　　任

取締役は、普通決議（ただし、定足数の制限がある。**26－2 ■ 2(1)**）によって選任される（法329条1項・341条）。

議長や代表取締役等に選任を委任することはできないが、取締役候補者の指名を議長等に一任し、指名された者を決議のうえ選任することは差し支えない[23]。

⑤　就任承諾

取締役は、株主総会の選任決議を経て、被選任者が就任を承諾することによって就任の効力が生ずることとなる。

就任承諾については、当該株主総会の席上においてなされることでも差し支えないが、被選任者である本人以外の報告等によることは認められない。また、あらかじめ就任を承諾することも許され、その場合には、選任決議が

(23)　昭和42・7・6民甲2047号回答。

なされた時点で就任の効力が生じることになる。

⑥　重　任

取締役が任期満了によって退任するにあたり、同一人が同一資格である取締役に再選されたように退任と就任との間に時間的間隔がない場合を「重任（じゅうにん）」という。重任とは、本来は任期満了による退任登記と再任による就任登記を行うところ、登記事務の簡素化を図るための登記実務上の用語であり、他の役員等においても共通の取扱いである。

⑦　社外取締役

就任する取締役が、社外取締役の要件（法2条15号）に該当し、かつ社外取締役が前提となる以下の制度を採用する会社については、当該取締役の就任登記と同時に社外取締役である旨の登記をする必要がある。なお、社外取締役の旨の登記をする場合であっても、社外性を証する書面の添付は要しない。

- ●特別取締役による議決の定めが設けられた会社（法911条3項21号ハ）
- ●監査等委員会設置会社（法911条3項22号ロ）
- ●指名委員会等設置会社（法911条3項23号イ）

⑧　補欠取締役

取締役が法律または定款に定める員数を欠いたときに備え、補欠の取締役をあらかじめ選任しておくことができる（法329条3項）。なお、補欠取締役は登記事項ではない。

一方、退任した取締役の後任者として選任された者を補欠取締役（後任補欠取締役）という場合があるが、前記のものとは別の概念である。登記実務上、後任補欠取締役について、その該当性や任期が問題になるケースがあることから、後任補欠取締役の選任決議をした株主総会議事録には、その旨を明らかにする等の配慮をすべきである。

⑨　退　　任

取締役は、(i)任期満了、(ii)辞任（民法651条１項）、(iii)解任（法339条１項）、(iv)欠格事由該当（法331条。①）、(v)死亡（民法653条１号）、(vi)破産（同条２号）により退任する。

(2)　登記すべき事項

〈就任（重任）〉

就任（重任）の旨、当該就任（重任）取締役の氏名と就任（重任）の年月日である。

婚姻等[24]により氏を改めた取締役[25]は、申出により婚姻等前の氏名（旧姓）を併記して登記することができる（商登規81条の２）。なお、当該申出は必ずしも就任登記と同時に行う必要はなく、単独で行うことも認められる。

〈退　　任〉

当該取締役の氏名と退任の事由および年月日である。

(3)　添付書類

〈就任（重任）〉

①　株主総会議事録（26－1 5(4)・26－3 1(3)①）

取締役の選任決議をした株主総会議事録を添付する（商登46条２項）。

②　就任承諾書

被選任者が就任を承諾したことを証する書面（就任承諾書）を添付する（商登54条１項）。

後記の「④　**本人確認証明書**」との関係で、就任承諾書には、「本人確認証明書」に記載されている住所・氏名と合致した住所・氏名が記載されていなければならない。

株主総会の席上において被選任者が就任を承諾し、株主総会議事録にその

(24)　婚姻以外の離婚や養子縁組等による改氏についても旧姓の併記が認められる。
(25)　取締役のほか会計参与・監査役・会計監査人・執行役・清算人もその対象である。

旨の記載がある場合には、それを援用することで別途就任承諾書の添付を要しないが、当該議事録には該当する取締役が新任であるときには、氏名だけでなく、住所も記載するといった手当が必要となる[26]。

③　株主リスト（26－1■5(5)・26－3■1(3)②）

④　本人確認証明書

あらたに就任する取締役[27]の変更登記の申請には、その実在性を確認するために住民票の写し等の本人確認証明書[28]を添付しなければならない（商登規61条5項）。ただし、重任を含む再任された者については、申請人の負担等を考慮して、本人確認証明書の添付は不要とされている。

⑤　その他

旧姓の併記の申出に際しては婚姻前の氏が判明する戸籍謄本等を添付しなければならない（商登規81条の2）。

〈退　　任〉

退任事由に応じ、以下のとおりの退任したことを証する書面を添付する（商登54条4項）。

①　任期満了

取締役の改選の際の株主総会議事録に、当該取締役が任期満了により退任した旨等の記載があればそれを添付することで、定款やその他退任したことを証する書面の添付を要しない[29]。

---

(26)　平成27・2・20民商18号通達、第2（3頁）。
(27)　取締役のほか監査役・執行役もその対象である。
(28)　当該書面は公務員の作成した証明書であるとされ、運転免許証のコピーも認められるが、その場合には被選任者本人が、いわゆる原本証明を行う必要がある。
(29)　昭和53・9・18民四5003号回答。

② 辞　任

辞任届を添付する。なお、辞任の効力は、辞任届が会社に到達した日に生ずる[30]。

取締役本人が株主総会の席上で辞任の意思表示をし、株主総会議事録にその旨の記載がある場合には、それを援用することで別途辞任届の添付を要しない[31]。なお、当該取締役が株主総会に出席せずに議長等が辞任についての報告をしたような場合には、仮に株主総会議事録にその旨の記載があったとしても、それを援用し退任したことを証する書面として取り扱うことはできない[32]。

③ 解　任

解任決議をした株主総会議事録（26－1■5(4)・26－3■1(3)①）と株主リスト（26－1■5(5)・26－3■1(3)②）を添付する。

④ 死　亡

死亡の記載のある戸籍抄本や死亡診断書を添付する。なお、遺族からの死亡届も退任したことを証する書面に該当する。一方、株主総会で議長等が死亡についての報告をしたような場合には、仮に株主総会議事録にその旨の記載があったとしても、それを援用し退任したことを証する書面として取り扱うことはできない[33]。

〈共　通〉

委任状（26－3■1(3)③）

(4) 登録免許税

３万円（ただし、資本金の額が１億円以下の会社については１万円）を納付する（登録免許税法別表１、24号（一）カ）。なお、旧姓の併記の申出は登記申

---

(30) 昭和54・12・８民四6104号回答。
(31) 昭和36・10・12民四197号回答。
(32) 松井・前掲(20)書424頁。
(33) 松井・前掲(20)書422頁。

請ではなく、あくまで「申出」であることから登録免許税を納付することは要しない。

2　監査役

(1)　概　説

①　定款の定めと設置の登記

監査役を必ず設置しなければならない公開会社であっても（法327条2項）、定款に監査役設置会社である旨を定めなければならない（法326条2項）。

監査役設置会社である旨は、登記事項である（法911条3項17号）。

②　員　数

監査役の員数は、原則として1人以上いれば足りるが、監査役会設置会社については、監査役は3人以上でそのうち半数以上は社外監査役でなければならない（法335条3項）。

③　任　期

監査役の任期は、選任後4年以内に終了する事業年度のうち最終のものに関する定時株主総会の終結時までである（法336条1項）。

公開会社の監査役の任期は、定款の定めまたは株主総会の決議をもってしても伸長または短縮することはできないが、定款の定めによって、任期満了前に退任した監査役の補欠として選任された監査役の任期を前任者の任期満了時までとすることは認められる（法336条3項）。

④　選　任

監査役は、普通決議（ただし、定足数の制限がある。**26－2 2(1)**）によって選任される（法329条1項・341条）。

監査役の選任議案を株主総会に提出する場合、監査役会の同意を要するが（法343条1項・3項）、当該同意にかかる書面は、登記申請に添付を要しない。

⑤　社外監査役

就任する監査役が、社外監査役の要件（法２条16号）に該当し、かつ社外監査役が前提となる監査役会設置会社（法911条３項18号）である場合のみ当該監査役の就任登記と同時に社外監査役である旨の登記をすることになる。なお、社外監査役の旨の登記をする場合であっても、社外性を証する書面の添付は要しない。

⑥　常勤監査役

監査役会設置会社については、監査役の中から常勤監査役を選定しなければならない（法390条３項）。常勤監査役とは、会社の営業時間中、原則として当該会社の監査役の職務に専念する者をいう。常勤監査役の員数についての規定はないことから１人で足りるが、監査役全員を常勤監査役とすることもできる。また、常勤監査役は社外監査役でも差し支えない。なお、常勤監査役である旨は登記事項ではない。

(2)　登記すべき事項

監査役の就任（重任）、退任に関する登記すべき事項は、取締役の場合と同様である（☞１(2)）。

(3)　添付書類

監査役の就任（重任）、退任に関する添付書類は、取締役の場合と同様である（☞１(3)）。

(4)　登録免許税

監査役の就任（重任）、退任に関する登録免許税は、取締役の場合と同様である（☞１(4)）。

3　会計監査人

(1) 概　　説

①　定款の定めと設置の登記

会計監査人を必ず設置しなければならない大会社であっても（法328条1項・2項）、定款に会計監査人設置会社である旨を定めなければならない（法326条2項）。

会計監査人設置会社である旨は、登記事項である（法911条3項19号）。

②　資　　格

会計監査人は、公認会計士または監査法人でなければならない（法337条1項）。

会計監査人が監査法人である場合には、当該監査法人は具体的に職務を執行する社員を選定し、それを会社に通知しなければならないが（法337条2項）、当該社員の氏名は登記事項ではない。

③　欠格事由

以下に該当する者は、会計監査人となることができない（法337条3項）。

(i)　公認会計士法の規定により会社法435条2項に規定する計算書類について監査することができない者
(ii)　当該会社の子会社もしくはその取締役、会計参与もしくは監査役から公認会計士もしくは監査法人の業務以外の業務により継続的な報酬を受けている者またはその配偶者
(iii)　社員の半数以上が前記(ii)に掲げる者である監査法人

④　員　　数

会計監査人の員数は、定款に別段の定めがない限り1人（1法人）で足りるが、複数でも差し支えない。

⑤　任　　期

会計監査人の任期は、選任後1年以内に終了する事業年度のうち最終のものに関する定時株主総会の終結時までである（法338条1項）。

⑥　選　　任

会計監査人は、普通決議によって選任される（法329条1項）。

定時株主総会において不再任等の別段の決議がなされない限り、再任されたものとみなされる（法338条2項。以下、本章において「みなし再任」という）。

会計監査人の選任議案を株主総会に提出する場合、監査役会での決定を要するが（法344条1項・3項）、登記申請に当該決定にかかる書面の添付は要しない。

⑦　退　　任

会計監査人の退任事由は、基本的に取締役の場合と同様である（1(1)⑨）。ただし、解任については、株主総会決議による場合（法339条1項）と監査役会による場合（法340条）とがある。また、会計監査人が監査法人であるときには、監査法人の解散についても退任事由に該当する。

会計監査人の場合、取締役や監査役とは異なり、いわゆる権利義務承継規定（法346条1項）の適用がないことから法令や定款に定める員数を欠くことになる辞任や任期満了による退任の登記申請も認められる。

⑧　仮会計監査人

会計監査人が退任し、遅滞なく後任者を選任することが困難であるような場合には、監査役会は一時会計監査人の職務を行う者（仮会計監査人）を選任し（法346条4項・6項）、仮会計監査人についての登記をしなければならない（法911条3項20号）。

(2)　登記すべき事項

会計監査人の就任（重任）、退任に関する登記すべき事項は、法人の場合にはその名称が登記事項となる以外については取締役の場合と同様である

（■1(2)）。

(3) 添付書類

〈就任（重任）〉

①　**株主総会議事録**

(a)　**通常の就任の場合**

取締役の就任の場合と同様である（26－1■5(4)・26－3■1(3)①）。

(b)　**みなし再任の場合**

みなし再任となった定時株主総会議事録を添付する(34)。会計監査人に関して何らの記載のない議事録を添付することになるが、これは退任・再任の日を明らかにするとともに、別段の決議がなされていないことを立証するためである。

②　**就任承諾書**

(a)　**通常の就任の場合**

被選任者が就任を承諾したことを証する書面（就任承諾書）を添付する（商登54条2項1号）。会社と当該会計監査人間において締結された監査契約書についても、その要件を充足していれば就任を承諾したことを証する書面に該当する。

(b)　**みなし再任の場合**

みなし再任の場合、会計監査人の就任承諾書の添付を要しない(35)。

③　**株主リスト（26－1■5(5)・26－3■1(3)②）**

通常の就任の場合には株主リストを添付するが、みなし再任の場合には選任の決議がなされていないことから株主リストの添付を要しない(36)。

---

(34)　平成18・3・31民商782号通達、第2部、第3、9〔58頁〕。
(35)　平成18・3・31民商782号通達、第2部、第3、9〔58頁〕。
(36)　松井・前掲(20)書473頁。

④　資格証明書

通常の就任の場合でも、みなし再任の場合でも、その時点での実在性と資格を証する書面（資格証明書）を添付する。

(a)　個人の場合

個人である公認会計士の場合は、日本公認会計士協会が発行する資格証明書を添付する（商登54条２項３号）。当該証明書については、法令上有効期限の規定は設けられていないが、就任時における資格を証明するものであること、また法人の場合に添付する登記事項証明書に３ヵ月間の有効期限が設けられていることを考慮すると、登記申請時点で証明書発行から３ヵ月以内のものであることが望ましい。

(b)　監査法人の場合

監査法人の場合は、当該法人の作成後３ヵ月以内の登記事項証明書を添付する（商登54条２項２号）。当該登記事項証明書は、就任承諾書における代表社員の記載のある一部事項証明書でも差し支えない。なお、登記申請書に当該法人の会社法人等番号（商登規１条の２）を記載した場合には、登記事項証明書の添付を省略することができる（商登19条の３、商登規36条の３）。

〈退　　任〉

会計監査人の退任に関する添付書類は、以下の場合を除き、基本的に取締役と同様である（☞1(3)〈退任〉）。

(a)　監査役による解任の場合

監査役全員の解任に関する同意書を添付する。なお、監査役会議事録についても監査役全員が同意していることが明らかであれば、退任を証する書面に該当する。

(b)　業務停止処分により欠格事由に該当した場合

当該処分が掲載された官報を添付する。

(c)　法人の場合

法人が解散または破産した場合には、その旨が登載されている当該法人の登記事項証明書を添付する（添付省略については商登19条の３、商登規36条の３）。

〈共　　通〉

委任状（26－3■1(3)③）

(4)　登録免許税

会計監査人の就任（重任）、退任に関する登録免許税は、取締役の場合と同様である（26－4■1(4)）。

〈記載例〉登記事項証明書：公開会社・大会社（監査役会設置会社）

現　在　事　項　全　部　証　明　書

東京都新宿区西新宿○丁目△番□号
株式会社ＡＢＣ商事

会社法人等番号	０１○○－０１－０１○○○○	
商　　号	株式会社ＡＢＣ商事	
本　　店	東京都新宿区西新宿○丁目△番□号	
電子提供措置に関する規定	当会社は株主総会の招集に際し、株主総会参考書類等の内容である情報について、電子提供措置をとるものとする。	令和４年　９月　１日設定 令和４年　９月　３日登記
公告をする方法	電子公告の方法により行う。 ｈｔｔｐ：／／ｗｗｗ．○○○○．ｃｏ．ｊｐ/ｋｏｕｋｏｋｕ／ｉｎｄｅｘ．ｈｔｍｌ 当会社の公告は、電子公告による公告をすることができない事故その他のやむを得ない事由が生じた場合には、○○新聞に掲載してする。	
会社成立の年月日	昭和○年１２月１日	
目　　的	１．不動産の売買、賃貸、仲介及び管理に関する業務 ２．不動産に関するコンサルティング業務 ３．前各号に附帯関連する一切の業務	
単元株式数	１００株	
発行可能株式総数	３２０万株	
発行済株式の総数並びに種類及び数	発行済株式の総数 ８０万株	
資本金の額	金５億円	
株主名簿管理人の氏名又は名称及び住所並びに営業所	東京都中央区銀座○丁目△番□号 帝国信託銀行株式会社 東京都中央区八重洲○丁目△番□号 帝国信託銀行株式会社　証券代行部	

整理番号　○○○○○○○　＊ 下線のあるものは抹消事項であることを示す。　１／３

東京都新宿区西新宿〇丁目△番□号
株式会社ＡＢＣ商事

役員に関する事項	取締役　　山　田　　一　郎	令和〇年　６月２７日重任 令和〇年　７月　３日登記
	取締役　　佐　藤　　二　郎	令和〇年　６月２７日重任 令和〇年　７月　３日登記
	取締役　　藤　田　　三　郎	令和〇年　６月２７日重任 令和〇年　７月　３日登記
	東京都千代田区九段南〇丁目△番□号 代表取締役　　山　田　　一　郎	令和〇年　６月２７日重任 令和〇年　７月　３日登記
	監査役　　斉　藤　　花　子 （伊　藤　　花　子）	令和〇年　６月２７日重任 令和〇年　７月　３日登記
	監査役　　小　泉　　五　郎 （社外監査役）	令和〇年　６月２７日重任 令和〇年　７月　３日登記
	監査役　　内　山　　六　郎 （社外監査役）	令和〇年　６月２７日重任 令和〇年　７月　３日登記
	会計監査人　　東　西　監　査　法　人	令和〇年　６月２７日重任 令和〇年　７月　３日登記
取締役等の会社に対する責任の免除に関する規定	当会社は、会社法第４２６条の規定により、取締役会の決議によって、同法第４２３条第１項の行為に関する取締役（取締役であった者を含む。）の責任を法令の限度において免除することができる。 平成〇年　６月２７日変更　　平成〇年　７月　３日登記	
非業務執行取締役等の会社に対する責任の制限に関する規定	当会社は、会社法第４２７条の規定により、取締役（業務執行取締役等である者を除く。）との間に、同法第４２３条第１項の行為による賠償責任を限定する契約を締結することができる。ただし、当該契約に基づく賠償責任の限度額は、金〇〇〇万円以上であらかじめ定めた金額または法令が規定する額のいずれか高い額とする。 平成〇年　６月２７日変更　　平成〇年　７月　３日登記	
支　店	１ 千葉県柏市柏〇丁目△番□号	
取締役会設置会社に関する事項	取締役会設置会社 平成１７年法律第８７号第１３６条の規定により平成１８年　５月　１日登記	

整理番号　　〇〇〇〇〇〇〇　　＊ 下線のあるものは抹消事項であることを示す。　　２／３

東京都新宿区西新宿○丁目△番□号
株式会社ＡＢＣ商事

監査役設置会社に関する事項	監査役設置会社	平成１７年法律第８７号第　１３６条の規定により平成１８年　５月　１日登記
監査役会設置会社に関する事項	監査役会設置会社	平成○年　７月　３日登記
会計監査人設置会社に関する事項	会計監査人設置会社	平成○年　７月　３日登記
登記記録に関する事項	設立	昭和○年１２月　１日登記

これは登記簿に記載されている現に効力を有する事項の全部であることを証明した書面である。

令和○年　７月　５日
東京法務局　新宿出張所
登記官　法務　太郎　印

整理番号　○○○○○○○　＊ 下線のあるものは抹消事項であることを示す。　３／３

第27章

バーチャル株主総会

27-1

総　説

経済産業省は、2020年2月26日に「ハイブリッド型バーチャル株主総会の実施ガイド」（以下「バーチャル総会実施ガイド」という）を公表した。また、2021年2月3日には、その別冊として、実施事例集を公表した。これは、2019年に設置された「新時代の株主総会プロセスの在り方研究会」において、米国におけるバーチャル株主総会の活用状況等もふまえた議論が行われたことをふまえたものである。

従前より、株主総会の「場所」の存在を前提に、株主が当該「場所」に実際に赴くことなく、株主総会に「出席」することも可能であるとは解されていた(1)。とはいえ、株主総会実務における比較的先進的な取組みとして、自社のウェブサイトでリアルタイムのライブ中継を行い、または事後的にオンデマンド配信を行ったり、自社のウェブサイト経由で事前の質問募集をしたりといった対応事例が徐々にみられるようになってきていたものの、それは、会場外からの「出席」を念頭に置いたものではなく、会場外の株主の「出席」が可能な態様で株主総会を開催する例はきわめて稀であった。

そうした中、公的な指針としてバーチャル総会実施ガイドが示され、法的な論点も含めた一定の整理が試みられたことにより、上場企業においても、バーチャル株主総会が現実的な選択肢としては認識されつつも、一方で、多数の企業において採用されるに至るまでには一定の時間を要するであろうというのが大方の実務の認識であった。

(1)　株主総会議事録の記載事項を定める施行規則72条3項1号において、「株主総会が開催された……場所（当該場所に存しない……株主が株主総会に出席をした場合における当該出席の方法を含む。）」と規定されており、株主総会の「場所」に存しない株主の「出席」可能性が想定されている。

ところが、奇しくもバーチャル総会実施ガイドが公表された2020年２月以降、わが国においても新型コロナウイルス感染症の感染が拡大したことは、バーチャル株主総会の浸透を大きく後押しする結果となった。

また、2021年６月16日に公布され、同日施行された「産業競争力強化法等の一部を改正する等の法律」（令和３年法律第70号。以下、同法による改正後の産業競争力強化法を「産競法」という）により、場所の定めのない株主総会（いわゆるバーチャルオンリー型株主総会）の開催が可能となった。

足下でみると、2022年６月総会におけるバーチャル株主総会の実施社数は、404社（うち、バーチャル参加型378社、バーチャル出席型18社、バーチャルオンリー型８社）で、前年比２割強の増加となった模様である(2)。

このように、急拡大しつつあるバーチャル株主総会について、本章では、その類型と、実施に際しての論点、留意事項等を中心に述べる(3)。

---

(2)　三菱 UFJ 信託銀行株式会社の調査による。

(3)　バーチャル株主総会の実施事例については、尾崎安央＝三菱 UFJ 信託銀行法人コンサルティング部編『2022年版バーチャル株主総会の実施時例（別冊商事466号）』（商事法務、2022）参照。

27-2 バーチャル株主総会の類型

バーチャル株主総会は、株主がインターネット等の手段(4)を用いて株主総会への一定の参画をすることが可能な態様の株主総会であるが、以下の３パターンに大別される。

ハイブリッド参加型	リアル株主総会（取締役や株主等が一堂に会する物理的な場所において開催される株主総会）の開催に加え、リアル株主総会の開催場所に在所しない株主が、株主総会への法律上の「出席」を伴わずに、インターネット等の手段を用いて審議等を確認・傍聴することができる株主総会
ハイブリッド出席型	リアル株主総会の開催に加え、リアル株主総会の場所に在所しない株主が、インターネット等の手段を用いて、株主総会に会社法上の「出席」をすることができる株主総会
バーチャルオンリー型	リアル株主総会を開催することなく、取締役や株主等が、インターネット等の手段を用いて、株主総会に会社法上の「出席」をする株主総会

ハイブリッド参加型とハイブリッド出席型が、リアル株主総会の開催を前提とするものであるのに対し、バーチャルオンリー型は、リアル株主総会の開催を伴わず、株主総会の「場所」を観念しない総会である。

従来、バーチャルオンリー型については、現行の会社法下においては、解釈上、採用が難しいとの指摘がされていた(5)。そのような解釈を前提に、前

(4)　物理的に株主総会の開催場所に臨席した者以外の者に当該株主総会の状況を伝えるために用いられる、電話や、e-mail・チャット・動画配信等のIT等を活用した情報伝達手段をいう（バーチャル総会実施ガイド２頁）。

述した産競法により、一定の要件の下において、バーチャルオンリー型が許容されることとなった。

各類型の特徴と、実施に際しての論点、留意事項等については後述するが、それぞれの特徴、差異の要点をまとめると、以下のとおりである。

図表Ⅰ－27－1

	ハイブリッド参加型	ハイブリッド出席型	バーチャルオンリー型
リアル株主総会	有	有	無
バーチャル株主[(6)]の法律上の取扱い	参加（「出席」ではない）	出席	出席
バーチャル株主の議決権行使	不可（書面投票、電子投票は可）	可	可
バーチャル株主による質問	不可（コメントは受付可）	可	可
バーチャル株主による動議	不可	可（ただし、制限可）	可

---

(5) 第197回国会衆議院法務委員会第2号（平成30年11月13日）において、小野瀬厚政府参考人（法務省民事局長（当時））から、「……実際に開催する株主総会の場所がなく、バーチャル空間のみで行う方式での株主総会、いわゆるバーチャルオンリー型の株主総会を許容するかどうかにつきましては、会社法上、株主総会の招集に際しては株主総会の場所を定めなければならないとされていることなどに照らしますと、解釈上難しい面があるものと考えております」（3頁）との見解が示されている。また、弥永真生『コンメンタール会社法施行規則・電子公告規則〔第3版〕』（商事法務、2021）381頁。一方、産競法による特例が認められる前の現行の会社法の下でも、バーチャルオンリー型株主総会も可能とする見解も存した（黒沼悦郎『会社法』（商事法務、2017）79頁）。

(6) 便宜上、インターネット等を通じて参加／出席する株主（株主総会の「場所」に在所しない株主）を指す。以下同じ。

27-3 ハイブリッド参加型

1　概　説

ハイブリッド参加型バーチャル株主総会とは、リアル株主総会の開催に加え、リアル株主総会の開催場所に在所しない株主が、株主総会への法律上の「出席」を伴わずに、インターネット等の手段を用いて審議等を確認・傍聴することができる株主総会を指す。

リアル株主総会の存在を前提に、リアル株主総会の場に赴かない株主にも法律上の「出席」を伴わずインターネットを通じて審議に一定の「参加」をする手段を提供する形態である。インターネットを通じた「出席」を認めるものではない点において、法的論点、リスクは、３つの類型で比較すると最も低い。また、運営上も柔軟性が高い。

リアル株主総会の場に赴かないで「参加」する株主は、会社から通知された固有のIDやパスワードによる株主確認を経て、特設されたWEBサイト等で配信される中継動画を傍聴するようなかたちが想定される[7]。

参加型において、バーチャル参加株主は、法的には株主総会に「出席」していることとは取り扱われないため、質問権の行使（法314条参照)、動議の提出（法304条)、総会の場における議決権行使を行うことはできない。

もっとも、日本の大多数の会社では、株主総会を開催する前に、議案の賛否についての結論が事実上判明している。そのような中、従来から、株主総

(7)　株主以外も含めて広く中継動画を提供する例もあり、そうした形態も含めて「参加型」と呼称することもあるものの、バーチャル総会実施ガイドでは、株主総会は株主による会議体であることをふまえ、株主に限定したものについて整理がされている。

会に出席する株主は、質問や動議を行うよりも、経営者の声や、将来の事業戦略を直に聞くことに意味を見出している場合が多いのが実態であった。このため、ハイブリッド参加型バーチャル株主総会は、株主に対して経営者自らが情報発信するなど、株主が会社の経営を理解する有効な機会ととらえることができ、ハイブリッド参加型バーチャル株主総会を実施することにより、株主にとって参加機会が広がるとともに、会社にとっては会場の選択肢を広げる可能性があると考えられている[(8)]。

図表Ⅰ－27－2　ハイブリッド参加型バーチャル株主総会のメリットと留意事項

メリット	留意事項
・遠方株主の株主総会参加・傍聴機会の拡大。 ・複数の株主総会を傍聴することが容易になる。 ・参加方法の多様化による株主重視の姿勢をアピール。 ・株主総会の透明性の向上。 ・情報開示の充実。	・円滑なインターネット等の手段による参加に向けた環境整備が必要。 ・株主がインターネット等を活用可能であることが前提。 ・肖像権等への配慮 （ただし、株主に限定して配信した場合には、肖像権等の問題が生じにくく、より臨場感の増した配信が可能。）

（バーチャル総会実施ガイド７頁より抜粋）

2　招集決定時の論点、留意事項

ハイブリッド参加型バーチャル株主総会は、バーチャル株主に株主総会への「出席」を認めるものではなく、あくまでインターネット等を通じた審議への一定の「参加」を認めるものにとどまる。

このため、法的な意味での株主総会はリアル株主総会のみで完結しており、インターネット等を通じた審議への「参加」については、リアル株主総会の場に赴かない株主に、あくまで附随的に事実上の「参加」を認めるという位置づけとなる。

(8)　バーチャル総会実施ガイド８頁。

したがって、少なくとも、会社法上、招集決定時において、通常の株主総会の招集決定時の決定事項（法298条１項、施63条）に加えて何らか追加的な事項の決定が必要となるといったことはない(9)。

もっとも、ハイブリッド参加型バーチャル株主総会について、招集通知等においてどのようにアナウンスを行うか、当日、バーチャル株主から後述するコメントを受け付けることとするか否か等については、少なくとも、事務レベルでは、経営陣の意向をふまえて招集決定時に取扱いを決定しておく必要がある。また、そもそもハイブリッド参加型バーチャル株主総会とするか否かについても、株主との対話のあり方の一環ではあり、その意味でも、取締役会における招集決議時に、厳密な意味で決議の対象として取り扱うかはともかく、ハイブリッド参加型バーチャル株主総会とすること、招集通知等におけるアナウンスの仕方、当日、バーチャル株主からコメントを受け付けるか否か、といった事項が共有されるのが通常である。

3　招集通知等の論点、留意事項

招集通知等に関しても、ハイブリッド参加型バーチャル株主総会とすることによって、追加的な法定記載事項が生じるといったことはない。

もっとも、当然ながら、ハイブリッド参加型バーチャル株主総会とすることと、アクセス方法等については周知が必要となるため、招集通知、または招集通知に同封する文書において、配信日時、アクセス方法（ログインIDおよびパスワードを含む)、留意事項等を記載することが一般的である。

留意事項としては、以下のような事項が記載されることが多い。

- ●インターネット等を通じた参加は、会社法上の株主総会への「出席」には該当せず、質問、動議の提出、決議への参加（議決権行使）はできないこと(10)
- ●事前の行使期限までに書面またはインターネット等により、議案に対する議決権行使をお願いすること

(9)　仮に、ハイブリッド参加型バーチャル株主総会とすることによって、高額の費用負担が発生するような場合、重要な業務執行の決定（法362条４項柱書）に該当するという考え方は一応ありうるが、実務上、費用等がそこまで高額となることはないのではないかと思われる。

- （コメントを受け付ける場合）審議の過程におけるコメントの取扱い
- インターネット等を通じた参加は株主に限定し、かつ、録音、録画、二次配信はお断りすること
- ご利用頂く機器、通信環境等によっては、映像や音声に不具合が生じる場合や、議場における議事進行とのタイムラグが生じる可能性があること
- 通信障害等が発生した場合であっても、復旧を待たずに議事を進行させていただく場合があること
- インターネット等を通じた参加に要する通信料金等は、株主の負担となること

通信の安定性等を確保するため、インターネット等を通じての参加を希望する株主に対し、事前登録を促す例もみられる(11)。こうした場合も、招集通知等によりあらかじめ周知することとなる。

4　議事運営上の論点、留意事項

インターネット等を通じた参加は、会社法上の株主総会への「出席」には該当せず、質問、動議の提出、決議への参加（議決権行使）はできないことは、前述のとおりである。その他、議事運営上の論点等として、以下のような事項が挙げられる。

(1)　肖像権・個人情報

参加型に限らず、ハイブリッドバーチャル株主総会を実施する場合、議場の映像を撮影し、インターネット等を通じて配信することとなる。このため、議場に出席している株主の肖像権、個人情報には留意を要する(12)。

---

(10)　バーチャル総会実施ガイドにおいても、参加型の場合、当日、インターネット等の手段を用いて参加する株主は当日の決議に参加することはできない（ただし、解釈によっては、インターネット等により審議を傍聴した株主が、傍聴後に議決権を行使することを可能とするような工夫の余地はあり）ため、議決権行使の意思のある株主は、書面や電磁的方法による事前の議決権行使や、委任状等で代理権を授与する代理人による議決権行使を行うことが必要であり、その旨を事前に招集通知等であらかじめ株主に周知することが望ましいとされている（9頁）。

(11)　経済産業省『ハイブリッド型バーチャル株主総会の実施ガイド（別冊）実施事例集』（2021年2月3日。以下「バーチャル総会実施ガイド（別冊）実施事例集」という）12頁。

(12)　バーチャル総会実施ガイド（別冊）実施事例集14～15頁も参照。

一般的に、配信する映像は、議場後方から役員席のみが映る画角とし、議場に存する株主が極力映り込まないように工夫している。それでも、株主が立ち上がって移動したりすると、映り込んでしまう可能性も否定できないため、議長または事務局から、株主総会の冒頭、開会宣言の前後で、そうしたことを注意喚起し、株主の理解を求めることが多い。また、配信映像に映り込みにくい席を希望する株主は係員に申し出るように促し、申し出た株主については映り込みにくい席を案内するといった対応をしている例も存する。

リアル株主総会のみを実施する場合、質疑応答時、株主が発言をする際、最初に入場票番号と名前を述べてもらうこととする例が多い。もっとも、バーチャル株主総会を実施する場合、株主の個人情報がインターネット等を通じて配信されてしまうことがないよう、名前は述べず、入場票番号のみを述べてもらうこととするのが一般的である。

いずれにせよ、アクセス制限をかけずに株主以外であっても視聴できるような態様とする場合と比較すると、視聴可能な範囲を株主のみに限定する態様のほうが、肖像権、個人情報保護の観点での問題が生じる可能性は相対的に低くなる。

(2)　バーチャル株主からのコメントの受付

前述のとおり、バーチャル株主は、質問および動議の提出を行うことはできないものの、それとは別のものとして、株主総会中に、インターネット等により参加している株主から、コメント等のメッセージ（本章において、単に「コメント」という）を受け付けることは可能である。無論、受け付けないこと（あくまで視聴のみとすること）も可能である。

コメントを受け付けることとした場合の受付方法についても、特に、法的な制限はないが、特設サイト上において、審議の様子を視聴しながら、テキストによるコメントを入力できることとしておき、受け付けるケースが比較的多い。

株主から寄せられたコメントは、法的な「質問」ではないため、対処の仕方についても、特段、法的な制約はない。このため、①リアル株主総会の開催中に紹介し、回答する方法、②株主総会終了後に（閉会宣言後や、直後の株主懇談会等の場で）紹介し、回答する方法、③後日、会社のホームページで紹介し、回答する方法等が考えられる[13]。また、株主から寄せられたコメントのすべてについて、上記①～③いずれかの対処をしなければならない、というものではない。株主の関心が高いと思われるものに絞って取り上げて、紹介、回答しているケースも多い。

(3) 通信障害等のトラブル発生時の対応

インターネット等を通じた参加は、会社法上の株主総会への「出席」には該当しないため、通信障害等のトラブルによって、これらの方法により参加していた株主が参加を継続できない状況となったとしても、法的には、株主総会の決議の効力に影響が及ぶことはない。

このため、通信障害等のトラブルが発生した場合、短時間で復旧が可能と見込まれる場合には、議事を一時中断する可能性は想定しつつ、復旧まで相当の時間を要することが見込まれまたは復旧の目処が立たない場合には、復旧を待たずに議事を進行する方針とすることが一般である。その旨、■3のとおり、招集通知等によりあらかじめ周知しておくことが多い。また、それに加えて、総会当日、議長または事務局から、株主総会の冒頭、開会宣言の前後で、そうしたことをアナウンスし、株主の理解を得ておく例もある。

(4) 事前の議決権行使および委任状の効力

インターネット等を通じた参加は、会社法上の株主総会への「出席」には該当しないため、バーチャル株主が、当日、インターネット等を通じて参加したとしても、当該株主により事前に行われた事前の議決権行使（書面投票、電子投票）は、依然有効である。

バーチャル株主が他の株主に議決権行使の委任状を交付していた場合、バーチャル株主が、当日、インターネット等を通じて参加したとしても、当該委任状は、依然有効である。バーチャル株主は、総会当日にインターネット等を通じて参加したとしても、議決権の行使ができないことを前提としつ

---

(13) バーチャル総会実施ガイド９～10頁。

つ参加しているのであり、当該参加行為が、他の株主に対する委任を撤回する意図を併有するものであるとは通常考えられないためである[14]。

5　総会後の論点、留意事項

4(2)のとおり、バーチャル株主からのコメントを受け付けることとし、かつ、寄せられたコメントについて、総会後に会社のホームページで紹介し、回答することとしている場合には、総会後、当該対応を行う。

その他、ハイブリッド参加型バーチャル株主総会とすることによって、株主総会議事録に追加的な法定記載事項が生じるといったこともなく、特段、総会後に対応が必要となる事項はない。

---

(14)　若林功晃「バーチャル株主総会への参加・出席と委任状の取扱い」商事2291号（2022）57頁。

27-4
ハイブリッド出席型

1　概　説

ハイブリッド出席型バーチャル株主総会とは、リアル株主総会の開催に加え、リアル株主総会の場所に在所しない株主が、インターネット等の手段を用いて、株主総会に会社法上の「出席」（バーチャル出席）をすることができる株主総会を指す。

リアル株主総会の存在を前提に、リアル株主総会の場に赴かない株主にも法律上の「出席」をする手段を提供する形態である。インターネットを通じた「出席」を認める点において、ハイブリッド参加型と比較して法的論点、リスクは相対的に増える。また、リアル株主総会の運営と並行して行うこととなるため、運営上の負担も３つの類型の中で最も大きいが、株主からすると、リアル株主総会に物理的に「出席」する選択肢と、インターネット等を通じて「出席」する選択肢とが与えられることになる。

後述のとおり、バーチャル出席株主による質問や動議について、リアル株主総会の場所に在所する株主との間で一定の差異を設けることの可否という論点はあるものの、バーチャル出席株主にも法律上の「出席」を認める以上、一定の質問等を受け付け、リアル株主総会における議案の採決時にバーチャル出席株主にも議決権行使が可能な仕組みを設ける必要がある。

ハイブリッド出席型バーチャル株主総会は、産競法による特例（バーチャルオンリー型）が認められる前の現行の会社法の下でも開催可能と解されてきた。ただし、開催場所とバーチャル出席株主との間で情報伝達の双方向性と即時性が確保されていることが必要とされる[(15)]。

図表Ⅰ－27－3　ハイブリッド出席型バーチャル株主総会のメリットと留意事項

メリット	留意事項
・遠方株主の出席機会の拡大。 ・複数の株主総会に出席することが容易になる。 ・株主総会での質疑等を踏まえた議決権の行使が可能となる。 ・質問の形態が広がることにより、株主総会における議論（対話）が深まる。 ・個人株主の議決権行使の活性化につながる可能性。 ・株主総会の透明性の向上。 ・出席方法の多様化による株主重視の姿勢をアピール。 ・情報開示の充実。	・質問の選別による議事の恣意的な運用につながる可能性。 ・円滑なバーチャル出席に向けた関係者等との調整やシステム活用等の環境整備。 ・株主がインターネット等を活用可能であることが前提。 ・どのような場合に決議取消事由にあたるかについての経験則の不足。 ・濫用的な質問が増加する可能性。 ・事前の議決権行使に係る株主のインセンティブが低下し当日の議決権行使がなされない結果、議決権行使率が下がる可能性。

（バーチャル総会実施ガイド７頁より抜粋）

2　通信障害等のリスク

株主にインターネット等を通じた「出席」を認める以上、サイバー攻撃や大規模障害等による通信手段の不具合（通信障害等）が発生する可能性は否めず、それによりバーチャル出席株主による株主総会の審議への参加が妨げられた場合に決議の瑕疵とならないか、という論点が伴う。

この点について、上述のとおり、開催場所とバーチャル出席株主との間で情報伝達の双方向性と即時性が確保されていることが必要とされるのであり、会社としても、合理的な対策を講じ、株主にも適切な情報提供を行う必要があることは当然である。バーチャル総会実施ガイドにおいても、次の対策が必要とされている[16]。

⒂　相澤哲ほか編著『論点解説新・会社法――千問の道標』（商事法務、2006）472頁。

- 会社が経済合理的な範囲において導入可能なサイバーセキュリティ対策。
- 招集通知やログイン画面における、バーチャル出席を選択した場合に通信障害が起こりうることの告知。
- 株主が株主総会にアクセスするために必要となる環境（通信速度、OS やアプリケーション等）や、アクセスするための手順についての通知。

もっとも、ハイブリッド出席型バーチャル株主総会は、リアル株主総会の存在を前提としたものであり、株主には、常にリアル株主総会に出席するという選択肢も与えられていることをふまえ、以下のような法的考え方の整理が併せてなされている(17)。

- ハイブリッド出席型バーチャル株主総会を実施した場合において、会社側の通信障害が発生し、その結果、バーチャル出席株主が審議または決議に参加できない事態が生じた場合には、会社法831条１項所定の決議取消事由にあたるとして、決議取消の請求がなされる可能性も否定できない。
- しかし、ハイブリッド型バーチャル株主総会を実施する会社の株主は、バーチャル出席でなくリアル出席をするという選択肢があり、バーチャル出席を選んだ場合は、リアル株主総会において株主が全く出席の機会を奪われるのとは状況が異なる。会社法831条１項１号の決議取消に係る要件の充足性についても、リアル株主総会を前提にして成立した解釈とは異なった解釈が可能と考えられる。
- 従来の法解釈では、決議の方法の瑕疵が客観的に存在すれば会社法831条１項１号の要件は満たされ、会社が瑕疵の防止のため注意を払っていたといった事情は、裁量棄却の判断において考慮されるにすぎないと考える向きが多かったと思われるが、それは、もっぱらリアル株主総会を念頭に置いた議論である。ハイブリッド出席型バーチャル株主総会では、株主にはバーチャル出席でなくリアル出席をするという選択肢があり、会社から通信障害のリスクを告知されながらあえてバーチャル出席を選んだ場合は、リアル株主総会において株主が全く出席の機会を奪われるのとは状況が異なる。
- すなわち、会社が通信障害のリスクを事前に株主に告知しており、かつ、通信障害の防止のために合理的な対策をとっていた場合には、会社側の通信障害により株主が審議又は決議に参加できなかったとしても、決議取消事由にはあたらないと解することも可能である。

---

(16)　バーチャル総会実施ガイド13頁。

(17)　バーチャル総会実施ガイド13～14頁。

●上記のように解しなければ、会社が株主の出席機会を拡大するためにバーチャル出席を認めると、かえって決議の取消リスクが増大することになり、会社が株主の出席機会を拡大する動機がなくなってしまうという点も考慮すべきである。

●なお、会社側の通信障害によりバーチャル出席株主が審議又は決議に参加できなかった場合であって、会社法831条1項所定の決議取消事由に当たると判断された場合であっても、たとえば、会社は通信障害の防止のため合理的な対策を講じていた場合であって、かつ、バーチャル出席株主は審議に参加できなかっただけで決議には（その時点までに通信が回復したため）参加できたか、または、バーチャル出席株主は決議にも参加できなかったが、そのような株主が議決権を行使したとしても決議の結果は変わらなかったといえる場合は、手続違反の瑕疵は重要でなく、かつ、決議に影響がないものとして、取消の請求は裁量棄却（法831条2項）される可能性が十分あると考えられる。

通信障害の防止のための合理的な対策としてどの程度の対策を講じるべきかについては、情報技術の発展等により、その時々で求められる水準も変化していくことが想定されるが、視点としては、産競法に基づいてバーチャルオンリー総会を開催するための経済産業大臣および法務大臣の確認を受ける要件として会社が定める必要がある「通信の方法に係る障害に関する対策についての方針」（産競法66条1項、改正法附則3条1項、産業競争力強化法に基づく場所の定めのない株主総会に関する省令1条2号）に係る審査基準(18)において掲げられている以下の事項が参考になる。

①　通信の方法に係る障害に関する対策に資する措置が講じられたシステムを用いること。

②　通信の方法に係る障害が生じた場合における代替手段を用意すること。

③　通信の方法に係る障害が生じた場合に関する具体的な対処マニュアルを作成すること。

現在の実務における水準感や実例については、バーチャル総会実施ガイド

(18)　経済産業大臣＝法務大臣「産業競争力強化法第66条第1項に規定する経済産業大臣及び法務大臣の確認に係る審査基準」（令和3年6月16日。以下、本章において、単に「審査基準」という）第2。

（別冊）実施事例集でも紹介されている[19]。

実務上は、議案についての採決のタイミングで通信障害が発生し、バーチャル出席株主の議決権行使を受け付けられない事態となった場合に決議取消事由となるか、また裁量棄却の対象となりうるかという点が懸念されるところであるが、合理的な対策を講じていれば、たとえ採決のタイミングで通信障害が発生したとしても、裁量棄却の可能性がないほどの重大な瑕疵であるとはいえないとの見解も示されている[20]。

3 招集決定時の論点、留意事項

株主総会をハイブリッド出席型バーチャル株主総会の態様で招集するとした場合であっても、会社法上、招集決定に際して固有の規律は設けられていない。会社法に定められた招集決定に際しての規律（法298条１項各号、施63条）を前提に、招集決定時にいかなる事項を決定しておくべきかは解釈に委ねられるところ、論点として以下の諸点が挙げられる[21]。

要否欄が「要」の事項については（②～④については、該当する場合には）、招集決定事項に含めて決議する必要があるものと考えられる[22]。

図表Ⅰ－27－４

例	項目	要否	考え方
			●インターネット等のバーチャル出席の方法は、株主総会の「場所」（法298条１項

⑲ バーチャル総会実施ガイド（別冊）実施事例集19～23頁。

⑳ 北村雅史ほか「座談会・株主総会の現在・過去・未来――未来の株主総会へ変えるもの・変えないもの〈第三部〉これからの株主総会のあり方〔上〕」商事2287号（2022）14頁〔北村雅史発言〕。

㉑ 野澤大和「ハイブリッド出席型バーチャル株主総会の招集決定事項」商事2281号（2021）62頁以下。

㉒ 実務上は、招集決定にあたり、ハーチャル総会実施ガイドによって記載や通知が求められる事項を記載した招集通知や同封される別紙等のドラフトを取締役会資料として配付し、そのとおり株主総会を招集することを承認するといったかたちで、広めに取締役会決議を行っておくことが招集決定時に決定すべき事項の決議漏れを防ぐ保守的な対応と考えられる（野澤大和「ハイブリッド出席型バーチャル株主総会の招集決定事項」商事2281号（2021）67頁（注４）参照）。

①	バーチャル出席の方法	要	1号）に準ずるものとして、招集決定事項に含める必要がある。 ●具体的には、バーチャル出席株主の出席手段（インターネット等）、所定のウェブサイトのURL、アクセスに要するID、パスワード等が想定される。 ●通信の安定性等の確保を目的として、バーチャル出席を希望する株主に事前登録を要求する場合において、事前登録をした株主でなければバーチャル出席できない仕組みとするときは、当該事前登録制は、バーチャル出席をするために必要な手続となるため、事前登録の方法（専用サイトのURL等）も「バーチャル出席の方法」の一部として、招集決定事項に含める必要がある。
②	バーチャル出席株主の代理人による議決権行使の制限（5(2)）	要	●代理人によるバーチャル出席を認めないこととする場合（5(2)）、「その他代理人による議決権の行使に関する事項」（施63条5号）として、招集決定事項に含める必要がある。
③	バーチャル出席株主の事前の議決権行使・委任状の効力の取扱い（5(3)）	要	●株主がバーチャル出席をした場合、何時の時点で、事前の議決権行使を無効とするか（5(3)）についても、事前の議決権行使が重複行使された場合（施63条3号へまたは4号ロ）に準じて、招集決定事項に含める必要がある。 ●一方、株主がバーチャル出席をした場合、何時の時点で、委任状を無効とするか（5(3)）については、株主の意思の合理的な解釈の問題であり、招集決定事項に含めることが必須ではないとの趣旨の見解が示されている[23]。

(23)　若林・前掲(14)論文59頁。

④	バーチャル出席株主の質問や動議の提出等の制限（■5(5)、(6))	要	●バーチャル出席株主による質問や動議の提出等の権利について制限する場合（■5(5)、(6))、バーチャル出席株主がどの程度の権利制限がされた状態で株主総会に「出席」することとなるかを明らかにしたうえで出席機会を確保する必要があると考えられることから、招集決定事項に含める必要がある。
⑤	通信障害発生時の対策（■2）	不要[24]	●通信障害発生時の対策は、あくまで会社側で講じるべき措置であり、間接的にバーチャル出席株主の権利確保に資するものの、直接関連するものではないため、招集決定事項に含める必要はない。

■4　招集通知等の論点、留意事項

株主総会をハイブリッド出席型バーチャル株主総会の態様で招集する場合、通常のリアル株主総会の招集通知等に記載を要する事項に加えて、■3のとおり、追加的に招集決定事項に含める必要があると解される事項についても、記載する必要がある。

具体的には、①バーチャル出席の方法として、バーチャル出席株主の出席手段（インターネット等)、所定のウェブサイトのURL、アクセスに要するID、パスワード等である。ID、パスワード等については、議決権行使書面に記載することも可能であり（施行規則66条3項により、議決権行使書面に記載すれば、狭義の招集通知に記載する必要はない)、そのようにする例が多い。

②バーチャル出席株主の代理人による議決権行使の制限、③バーチャル出席株主の事前の議決権行使の効力の取扱い、④バーチャル出席株主の質問や動議の提出等の制限については、該当する事項を招集決定時に定めた場合、

(24) 通信障害の対策として、通信障害発生時の代替手段として他の通信の方法を定める場合は、バーチャル出席の方法（①）に含まれるため、招集決定事項に含める必要がある。

招集通知への記載も要する（法299条4項参照）。なお、③バーチャル出席株主の委任状の効力の取扱いについては、必須ではないものの、招集通知等による任意の周知が望ましいとされている(25)。

通信障害やアクセス集中により、インターネット等によるバーチャル出席に支障が生じる可能性がある旨についても、招集通知等による事前の周知が必要である（■2）(26)。

実務上は、招集通知、または招集通知に同封する文書等において、バーチャル出席の方法や留意事項等について、丁寧に説明している例が多い。

■5　議事運営上の論点、留意事項

(1)　本人確認

ハイブリッド型バーチャル株主総会においては、当日の出席者の本人確認について、リアル出席株主はもとより、バーチャル出席株主に対しても行う必要がある。バーチャル出席の場合、議決権行使に加え、審議における質問等を行うことも可能であり、なりすましの危険にも一定の配慮を要する。

バーチャル出席株主の本人確認にあたっては、事前に株主に送付する議決権行使書面等に、株主ごとに固有のIDおよびパスワード（またはQRコード）等を記載して送付し、株主がインターネット等の手段でアクセスする際に、当該IDとパスワード等を用いたログインを求める方法を採用するのが妥当とされており(27)、実務上もそのような対応例が多数派である。

なりすましの危険が相対的に高いと考えられる具体的事情がある場合等であって、比較的低コストで確実な本人確認手段が利用可能となった場合は（たとえば、二段階認証やブロックチェーンの活用等）、会社の規模やバーチャル出席株主の数等にも鑑み、そうした手段を用いることが妥当な場合も考えられるとされる(28)。

---

(25)　若林・前掲(14)論文59頁。
(26)　バーチャル総会実施ガイド13～14頁。バーチャル総会実施ガイド（別冊）実施事例集19～23頁。
(27)　バーチャル総会実施ガイド15頁。バーチャル総会実施ガイド（別冊）実施事例集24～25頁。

(2)　代理人による議決権行使の制限

バーチャル出席の場合、場所の制約がなくなり、移動に係る時間も省けることから、リアル株主総会への代理人出席に比べて、代理人のバーチャル出席の要請は少ないと考えられる。このため、バーチャル総会実施ガイドにおいて、代理人の出席はリアル株主総会に限るとすることも許容され、妥当な判断であると整理されている(29)。

■4のとおり、そのような取扱いをする場合、代理人の出席はリアル株主総会に限る旨について、あらかじめ招集通知等において株主に通知しておくことが必要である。

なお、会社が代理人のバーチャル出席を受け付けると判断した場合には、リアル株主総会への代理人出席の場合の本人確認に準じた取扱いが望まれ、株主総会当日または前日までに、委任者から郵送またはメール添付等の何らかの方法で委任状等を受領したうえで、代理人による委任者の議決権行使を可能とする必要がある(30)。

(3)　株主総会への出席と事前の議決権行使・委任状の効力の関係

リアル株主総会の受付実務においては、受付にて出席株主の株主資格の確認を行い、株主であることが確認され、入場した場合には、事前の書面投票または電子投票による議決権行使は無効化し、当日出席（議場による株主本人による議決権行使）としてカウントしている（**第19章19－2■1参照**）。

一方、バーチャル出席株主は、リアル株主総会の場には足を運べないものの、偶然空いた限られた時間において、インターネット等の手段を用いてログインしてみるといったように、急な決断による出席の可能性が、リアル出席株主に比べて相対的に高いと考えられる。また、このような予定の流動的な出席株主については、途中参加や途中退席の可能性も相対的に高いものと考えられる。かようなバーチャル出席株主が事前の議決権行使を行っていた

---

(28)　バーチャル総会実施ガイド17頁。
(29)　バーチャル総会実施ガイド16頁。
(30)　バーチャル総会実施ガイド17頁。

場合、リアル株主総会の実務と同様に、ログインをもって「出席」とカウントし、それと同時に事前の議決権行使を無効化してしまうと、無効票を増やすこととなり、株主意思を正確に反映できない可能性がある。

バーチャル総会実施ガイドにおいては、かような点を勘案し、株主意思をできる限り尊重し、無効票を減らすという観点から、以下の取扱いが考えられ、これらの取扱いについては、あらかじめ招集通知等で株主に通知することが必要であるとされている[31]。

●審議に参加するための本人確認としてのログインを行うが、その時点では事前の議決権行使の効力を取り消さずに維持し、当日の採決のタイミングで新たな議決権行使があった場合に限り、事前の議決権行使の効力を破棄する。その場合、ログインしたものの、採決に参加しなかった場合には、当然事前の議決権行使の効力が維持される。なお、そもそも事前の議決権行使判断を変更する意思のない株主のために、出席型ログイン画面の他に、参加（傍聴）型のライブ配信等を準備するといった工夫も考えられる。

万が一、通信障害等により決議の段階でバーチャル出席株主による議決権行使に支障が生じてしまった場合をも勘案すると、ログインしていたことをもってただちに事前の議決権行使を無効化してしまうことの疑問は尚更であり、株主意思の尊重という見地から、上記の取扱いには一定の妥当性を見出すことができるように思われる（もちろん、バーチャル総会実施ガイドにおいても整理されているように、会社の事務処理の便宜にも鑑み、リアル株主総会の実務に準じて、ログインの時点で「出席」とカウントし、それと同時に事前の議決権行使を無効化してしまうという取扱いも許容されるものと考えられ、会社として、実情に鑑み、招集決定時に合理的に判断すれば足りるものと考えられる)。

なお、バーチャル出席株主が他の株主宛に議決権行使に係る委任状を交付していた場合において、当該バーチャル出席株主が、当日、バーチャル出席をした場合において、どのタイミングで委任状の効力が無効になると判断するかという点も問題となる。この点は、委任状を交付した株主の合理的意思の解釈の問題ではあるが、基本的に、上述の事前の議決権行使の取扱いに準

---

(31)　バーチャル総会実施ガイド18～19頁。

じて整理できよう[32]。

(4) 配信遅延、通信障害への対応

とりわけ通信障害等に関して、法的な整理は■2のとおりであるので、ここでは当日の実務対応について検討する。

まず、配信遅延については、バーチャル総会実施ガイド（別冊）実施事例集において、以下のとおり整理されており、実例も紹介されている[33]。

- 動画配信システム等を用いた配信では、数秒から十数秒程度の軽微な配信遅延（タイムラグ）が生じることが想定される。
- 軽微な配信遅延によって、ただちに議事進行に支障が生じるものではないが、議事進行を円滑に行うためも、たとえば、①議決権行使の締切り時間をあらかじめ告知すること、②議決権行使から賛否結果表明までの間に一定の時間的余裕を持たせることといった運用方法等が考えられる。

実務上、以上のような対応のほか、当日の議事に際しても、議長または事務局より、一定の配信遅延が生じることが想定されることを周知し、それを織り込んだ対応をする（賛否の意思表示や発言の期限を告知するにあたり、「今から○分」という設定の仕方ではなく時刻をもって指定したり、締切りとして告知したタイミングより数十秒程度後まで受け付けるようにする等）例もみられる。

また、通信障害について、合理的なシステム対策を講じ、通信障害が発生した場合の対処シナリオを準備したうえで、短時間で復旧可能と見込まれる場合には議事を一時中断して復旧を試みるものの、短時間での復旧が困難と見込まれる場合には、バーチャル出席を中止したうえで、リアル会場に出席した株主のみで議事を進行することについて、開会後、早々に議長から議場に諮り、出席株主の過半数の賛成を得ておく例もみられる。

(5) 質問の取扱い

バーチャル出席株主も、法的に「出席」している以上、何らかのかたちで

(32) 若林・前掲(14)論文57～59頁参照。
(33) バーチャル総会実施ガイド（別冊）実施事例集18頁。

質問等の発言を受け付ける必要がある(34)。もっとも、バーチャル出席株主は、リアル出席株主とは出席態様に相違がある中、会議体として一体的な運営が求められる。また、質問等の受付をテキスト入力方式による場合(35)、物理的に議長と対峙しておらず、また、他の株主の視線といった点において、リアル出席株主と比較して相対的に発言に対する心理的ハードルが下がると考えられ、濫用的な質問等がされる可能性も否定できない。実際上も、ハイブリッド出席型バーチャル株主総会としたところ、事前の想定を大きく上回る質問等がバーチャル出席株主から寄せられた例もみられる。そうしたことを勘案し、バーチャル総会実施ガイドにおいて、バーチャル出席株主からの質問の受付について、以下のような整理がされている(36)。

- 1人が提出できる質問回数や文字数、送信期限（リアル株主総会の会場の質疑終了予定の時刻より一定程度早く設定）などの事務処理上の制約や、質問を取り上げる際の考え方、個人情報が含まれる場合や個人的な攻撃等につながる不適切な内容は取り上げないといった考え方について、あらかじめ運営ルールとして定め、招集通知や web 上で通知する。
- バーチャル出席株主は、あらかじめ用意されたフォームに質問内容を書き込んだうえで会社に送信する。受け取った会社側は運営ルールに従い確認し、議長の議事運営においてそれを取り上げる。

なお、「質問を取り上げる際の考え方」として、株主総会の目的事項に関する質問であり、リアル出席株主を含む他の株主からの質問と重複しないもの、といったことが例示されている。

実際に、1人が提出できる質問回数、文字数、送信期限を設定している例も存する(37)。バーチャル出席株主から提出された質問等を事務局において把握し、議長と共有し、質問を取り上げる際の考え方に照らして取捨をし、回

(34)　質問等を一切受け付けないという対応は難しいものと思われる（澤口実＝近澤諒編著『バーチャル株主総会の実務〔第2版〕』（商事法務、2021）127～128頁）。
(35)　なお、Web 会議システムを通じて質問を受け付ける方法、株主が固定電話、携帯電話から会場のオペレーターに電話し、議長の許可を得て質問を受け付ける方法等もみられる（バーチャル総会実施ガイド（別冊）実施事例集31頁）。
(36)　バーチャル総会実施ガイド21頁。
(37)　バーチャル総会実施ガイド（別冊）実施事例集29頁。

答を準備したうえで、実際に議場で回答する、といったステップが必要となる。リアル会場も含めた一体の会議体としての円滑な進行という見地からは、送信期限をたとえば質疑開始後５分経過時点までとし、その間に、リアル出席株主からの発言を受け付け、回答し、その後、バーチャル出席株主から提出された質問等に対応する、といったように、送信期限を設定したうえで、リアル出席株主からの質問等とバーチャル出席株主からの質問等を分けて対応する、といった方法も合理的と考えられる。

また、いわゆるチェリーピッキング問題（たとえば、現経営陣に対して敵対的な質問であるという理由のみで取り上げないなど、バーチャル出席株主からの質問について、恣意的な取捨が行われる可能性があるという問題）の可能性もふまえ、適正性・透明性を担保するため、バーチャル出席株主から提出されたものの、株主総会の議事の中で取り上げることができなかった質問について、後日、概要と回答をホームページ上で公表するといった例もみられる[38]。

(6)　動議の取扱い

動議についても、出席態様に相違がある中での会議体として一体的な運営の必要性、心理的ハードル、濫用的な動議が提出される可能性といった点において、質問等と同様の問題がある。また、質問と比較して審議への影響がより大きい。

そうしたことをも勘案し、動議の提出および採決について、バーチャル総会実施ガイドにおいて、以下のような整理がされている[39]。

〈動議の提出〉

株主の動議の提出にあたっては、提案株主に対し提案内容についての趣旨確認が必要になる場合や提案理由の説明を求めることが必要になる場合等が想定される。しかし、議事進行中に、バーチャル出席者に対してそれを実施することや、そのためのシステム的な体制を整えることは、会社の合理的な努力で対応可能な範囲を越えた困難が生じることが想定される。したがって、以下のような取扱いが考えられる。

(38)　バーチャル総会実施ガイド（別冊）実施事例集30頁。
(39)　バーチャル総会実施ガイド21～23頁。

●株主に対し、事前に招集通知等において、「バーチャル出席者の動議については、取り上げることが困難な場合があるため、動議を提出する可能性がある方は、リアル株主総会へご出席ください。」といった案内を記載したうえで、原則として動議についてはリアル出席株主からのものを受け付ける。

〈動議の採決〉

株主総会当日に、株主から動議が提出された場合には、そのつど個別に議場の株主の採決をとる必要が生じる可能性がある（ただし、休憩や質疑打ち切りの動議など、一部の手続的動議は議長の裁量の範囲内で処理される場合があるほか、会社提案への修正動議などの実質的動議については、原案との一括採決が可能な場合もある）。しかし、招集通知に記載のない案件について、バーチャル出席者を含めた採決を可能とするシステムを整えることについては、会社の合理的な努力で対応可能な範囲を超えた困難が生じることが想定される。したがって、事前に書面または電磁的方法により議決権を行使して当日は出席しない株主の取扱いもふまえ、以下のような取扱いが考えられる。

●株主に対し、事前に招集通知等において、「当日、会場の出席者から動議提案がなされた場合など、招集通知に記載のない件について採決が必要になった場合には、バーチャル出席者は賛否の表明ができない場合があります。その場合、バーチャル出席者は、事前に書面または電磁的方法により議決権を行使して当日出席しない株主の取扱いも踏まえ、棄権又は欠席として取扱うことになりますのであらかじめご了承ください」といった旨の案内を記載する。そのうえで、個別の処理が必要となる動議等の採決にあたっては、バーチャル出席者は、実質的動議については棄権、手続的動議については欠席として取り扱う。

現状、実務では、バーチャル出席株主については、事前に招集通知等により周知の上、動議の提出、採決への参加のいずれも受け付けないこととする例が多数派のように思われるが、一部、受け付けている例も存する[40]。

(7)　議決権行使

バーチャル出席株主も、法的に「出席」している以上、バーチャル出席株主の議決権行使については、事前の議決権行使（書面投票、電子投票）ではなく、当日の議決権行使として取り扱う必要がある。このため、バーチャル

(40)　バーチャル総会実施ガイド（別冊）実施事例集32～33頁。

出席した株主が、当日、議決権を行使できるよう、会社はそのシステムを整える必要がある[41]。

もっとも、事前の議決権行使等の状況次第では、簡便な方法を選択し、採決の結果のみを示すことでもたりるとされている[42]。ただし、事前の議決権行使をしていた株主が、当日、バーチャル出席をする可能性も当然に考えられるため、そうしたことも考慮のうえ、採決の方法を検討する必要がある。

バーチャル出席型とする事例のうち比較的多数の事例では、開会後、採決手続に入る前の段階においても、随時、議案に対するバーチャル出席株主による議決権行使を認めている。リアル会場も含めた一体の会議体としての円滑な進行という見地からは、議案ごとに、議場の進行とシンクロするかたちでバーチャル出席株主による議決権行使を締め切ることは必須ではなく、採決の手続に入った冒頭の段階で、あらかじめアナウンスしたうえで、全議案について「残り○○秒」といったかたちでバーチャル出席株主からの議決権行使を締め切り、その後、通常のシナリオに準じて、順次、議案の採決を行うといった方法も考えられる[43]。

(8)　お土産の取扱い

リアル株主総会に物理的に出席する株主に配付されるお土産については、交通費をかけて会場まで足を運び来場したことへのお礼と考えられることから、会場へ足を運ぶことなくインターネット等の手段を用いて出席した株主に対してお土産を配らないとしても、不公平ではないと考えられるとされている[44]。

---

(41)　バーチャル総会実施ガイド24頁。

(42)　バーチャル総会実施ガイド（別冊）実施事例集34頁。なお、バーチャル株主総会に限らず、事前の議決権行使により提出議案の可決要件を充足することが確実に確認できている場合、採決の具体的な手続を経ることなく、すべての提出議案が承認可決されたものと取り扱う余地もあるとする見解も存するところである（辰巳郁「株主総会における採決手続の省略」商事2288号（2022）57頁以下）。

(43)　澤口＝近澤編著・前掲(34)書153～154頁も参照。

(44)　バーチャル総会実施ガイド25頁。

6　総会後の論点、留意事項

株主総会議事録には、株主総会が開催された場所に存しない株主の出席の方法を記載しなければならない（施72条3項1号）。バーチャル出席株主について、かかる記載を要する。一方、議事の経過の要領およびその結果（同項2号）については、リアル出席株主とバーチャル出席株主とを区分することが明示的に求められるわけではないものの、進行上、たとえば、質疑の場面でこれらを区別して順次対応したような場合には、区別して記載することも考えられる。サンプルとして、以下のような例が考えられる。

第○回定時株主総会議事録

1．日時　○年○月○日（○曜日）　午前○時

2．場所　○○○○

　なお、一部の株主は、インターネットを通じて当社所定のシステム（以下「本システム」という。）にログインし、会場の画像および音声の配信を受け、本システムにより質問および議決権行使をおこなう方法により本総会に出席した。

3．出席取締役および監査役　（略）

4．株主総会の議長　代表取締役社長　○○○○

5．出席株主および議決権の状況　（略）

6．議事の経過の要領およびその結果

　定刻、代表取締役社長○○は定款第○条の規定により議長となり開会を宣した。議長は、審議に先立ち、本システムを通じて出席した株主には会場の画像および音声が即時に伝わり、また、本システムにより質問および議決権行使をおこなうことが可能になっていることが事前に確認されており、現在も本システムが特段の支障なく稼働していることを確認した。

　議長は、本総会の目的事項については招集通知に記載のとおりである旨を述べ、報告事項および決議事項に関する質問、および動議を含めた審議に関する一切の発言を、報告事項の報告、ならびに議案の説明が終了した後に一括して受け付けることとしたい旨を述べた。また、事務局より、本システムの操作方法、本システムを通じた質問および議決権行使の締切時間、審議等の状況により本システムを通じた質問のすべてに回答することができない場合があること、ならびに通信環境等の影響による遅延の可能性等について説明させた。加えて、不測の事態により通信障害その他の支障が生じた場合に

おける議事の一時中断、および本システムを通じた出席を中止した上で議事を進行するか否か等の判断については、予め議長に一任願いたい旨を述べた。

議長が、以上のとおり議事を進行することにつき、議場に諮ったところ、出席株主の過半数の賛成を得た。

（略）

議長は、報告事項および決議事項に関する質問、および動議を含めた審議に関する一切の発言を一括して受ける旨を述べたあと、まず本システムを通じた事前質問として寄せられた○○の事項に関して、大要、○○の旨、説明を行った。

続いて議長は、会場に出席する株主の発言を求めたところ、大要、別紙○のとおり、質疑応答等が行われた。

最後に議長は、本システムを通じて出席の株主からの質問に対し、大要、別紙○のとおり、説明を行った。

（略）

本システムには終始異常なく、議長は、以上をもって本総会の目的事項のすべてを終了した旨を述べ、午前○時○分閉会を宣した。

7．議事録の作成に係る職務を行った取締役　代表取締役社長　○○○○

以上

別紙○　質疑応答の要旨（略）

議決権行使結果に係る臨時報告書に記載すべき賛成・反対等の議決権の数については、前日までの事前行使分や当日出席の大株主分の集計により可決要件を満たし、会社法に則って決議が成立したことが明らかになった等の理由がある場合には、一部を加算しないこととし、その理由を付記すれば足りる（開示府令19条２項９号の２ニ）。これは、バーチャル出席型においても同様であり、リアル出席株主の一部の議決権数を集計しない場合と同様、バーチャル出席株主の議決権数を集計しないことも可能であり、その理由を開示することで足りる[(45)]。

その他、**5(5)**のとおり、バーチャル出席株主から提出されたものの、株主総会の議事の中で取り上げることができなかった質問について、後日、概要と回答をホームページ上で公表することとしている場合には、総会後、当該対応を行う。

---

(45)　バーチャル総会実施ガイド24頁。

27-5 バーチャルオンリー型

1　概　　説

バーチャルオンリー型株主総会とは、リアル株主総会を開催することなく、取締役や株主等が、インターネット等の手段を用いて、株主総会に会社法上の「出席」をする株主総会を指す。

文字どおり、リアル株主総会を伴わず、株主の出席手段がバーチャルのみとなる点が、ハイブリッド参加型、ハイブリッド出席型との大きな相違である。

従来、バーチャルオンリー型については、現行の会社法下においては、解釈上、採用が難しいとの指摘がされていた(46)。そのような解釈を前提に、「産業競争力強化法等の一部を改正する等の法律」（令和３年法律第70号）により改正された産競法により、一定の要件の下において、バーチャルオンリー型が許容されることとなった。

バーチャルオンリー型のメリットとして、遠隔地の株主や多忙な株主等を含む多くの株主が出席しやすいこと、リアル会場の確保が不要なため運営コ

(46)　第197回国会衆議院法務委員会第２号（平成30年11月13日）において、小野瀬厚政府参考人（法務省民事局長（当時））から、「……実際に開催する株主総会の場所がなく、バーチャル空間のみで行う方式での株主総会、いわゆるバーチャルオンリー型の株主総会を許容するかどうかにつきましては、会社法上、株主総会の招集に際しては株主総会の場所を定めなければならないとされていることなどに照らしますと、解釈上難しい面があるものと考えております」（３頁）との見解が示されている。また、弥永・前掲(5)書381頁。一方、産競法による特例が認められる前の現行の会社法の下でも、バーチャルオンリー型株主総会も可能とする見解も存した（黒沼・前掲(5)書79頁）。

ストの低減や臨時株主総会を含む株主総会の機動的な開催の実現を図ることができること、株主や取締役等が一堂に会する必要がないため感染症等のリスクを低減することができること等が挙げられる。また、上述のとおり、ハイブリッド出席型では、リアル出席株主とバーチャル出席株主との取扱いに、運営上、差異が生じうるが、バーチャルオンリー型の場合、すべての株主がバーチャル出席となるため、そうした差異も生じない。一方で、ハイブリッド出席型におけるリアル会場のようないわば逃げ道がない。ハイブリッド出席型と異なり、バーチャルオンリー型では、株主総会に関して会社法上株主に認められる権利（質問権、動議提出権、議決権の代理行使等）をすべてバーチャル出席株主に認める必要がある(47)。通信障害等の発生タイミングや議事に与える影響等次第では、決議不存在事由に直結するリスクも否定できない(48)。

産競法の改正によりバーチャルオンリー型が許容されることとなった背景として、新型コロナウイルス感染症の感染拡大は大きいが、それのみではない。後述のとおり、産競法上、株主総会をバーチャルオンリー型にて開催するための要件として、感染症の感染拡大等が掲げられているわけでもない。バーチャルオンリー型は、「ウィズ・コロナ」の対応策にとどまるものではなく、「ポスト・コロナ」、「アフター・コロナ」における意義をも考える必要があるとも指摘されているところである(49)。

(47) 北村雅史ほか「座談会・株主総会の現在・過去・未来――未来の株主総会へ変えるもの・変えないもの〈第三部〉これからの株主総会のあり方〔下〕」商事2288号（2022）17頁〔北村雅史発言〕。

(48) 経済産業省＝法務省「産業競争力強化法に基づく場所の定めのない株主総会に関するQ&A」（令和３年６月16日）（以下、本章において、単に「Q&A」という）のＱ８－１では、「例えば、株主側の事情（株主側の通信環境の不具合等）により通信障害が生じた場合等には、それが決議取消事由となることはないと解することも可能と考えられます。他方で、採決のタイミングで、通信障害により大多数の株主の議決権行使が妨げられたような場合等には、決議不存在事由と評価される可能性があると考えられます。」と解説されている。

(49) 尾崎安央『株主総会のIT化（別冊商事466号）』（商事法務、2022）８頁。

2　産競法に基づくバーチャルオンリー型の制度概要

(1)　特例の概要

産競法の改正により、一定要件下において「場所の定めのない株主総会」（いわゆる、バーチャルオンリー型株主総会）の開催が許容された。

これは、会社法の特例として、上場会社を対象に、場所の定めのない株主総会の開催を可能とする選択肢を与えるものであり、以下の措置が講じられている。

① 上場会社は、場所の定めのない株主総会とすることが株主の利益の確保に配慮しつつ産業競争力を強化することに資する場合として経済産業省令・法務省令で定める要件（以下、本章において「省令要件」という）に該当することについて経済産業大臣および法務大臣の確認を受けた場合には、株主総会を場所の定めのない株主総会とすることができる旨を定款で定めることができる（産競法66条１項）（以下、当該定款の定めを本章において「本定款の定め」という）

② 本定款の定めがある上場会社については、株主総会を場所の定めのない株主総会とすることができる（産競法66条１項・２項）

③ 新型コロナウイルス感染症の感染拡大の影響もふまえ、改正法の施行後２年間（2023年６月16日まで）は、経済産業大臣および法務大臣の確認を受けた上場会社については、本定款の定めがあるものとみなすことができる（産業競争力強化法等の一部を改正する等の法律（令和３年法律第70号）附則（以下、本章において、単に「附則」という）３条１項）

(2)　バーチャルオンリー型の開催を可能とする要件

産競法に定められた特例により、バーチャルオンリー型株主総会を開催するにあたっての要件は、次のとおりである。

① 上場会社であること

② （③の前提として）省令要件該当性について、経済産業大臣および法務大

臣の確認を受けること
③ 本定款の定め（株主総会を場所の定めのない株主総会とすることができる旨の定款の定め）があること
④ 招集決定時に省令要件に該当していること

① （要件①）上場会社であること

金融商品取引法２条16項に規定する金融商品取引所に上場されている株式を発行している株式会社（「上場会社」）であることが、要件とされている（産競法66条１項）。

上場会社については、類型的に株主の数が多く、場所の定めのない株主総会とすることによる株主総会の活性化・効率化、円滑化の効果が大きいと見込まれ、また、開示制度が整備されていること等により、株主総会の透明性・公正性が確保されやすいことから、上場会社に限定されている[50]。

② （要件②）（要件③の前提として）省令要件該当性について、経済産業大臣および法務大臣の確認を受けること

（要件③）である本定款の定めを設ける定款変更を行うこと（または附則３条１項の経過措置の規定により上場会社について本定款の定めがあるものとみなすこと）の前提として、経済産業大臣および法務大臣の確認を受けることが要件とされている（産競法66条１項）。これは、（要件③）の要件の前提という位置づけであり、バーチャルオンリー型株主総会の開催のつど、確認を受けることは必要でない[51]。

経済産業大臣および法務大臣の確認にあたっては、審査基準[52]が制定されている。省令要件（産業競争力強化法に基づく場所の定めのない株主総会に関する省令（以下、本章において、単に「省令」という）１条各号）と対応する審査

(50) 白岩直樹「産業競争力強化法に基づく場所の定めのない株主総会（バーチャルオンリー株主総会）に関する制度の解説」商事2269号（2021）５頁。
(51) Q&AのQ１－３。
(52) 経済産業大臣＝法務大臣「産業競争力強化法第66条第１項に規定する経済産業大臣及び法務大臣の確認に係る審査基準」（令和３年６月16日）。

基準は、以下のとおりである。

図表Ⅰ－27－5

	省令要件	審査基準
1	通信の方法に関する事務（下記2および3の方針に基づく対応に係る事務を含む）の責任者を置いていること	当該責任者は、必ずしも取締役であることを要しない。 *　当該責任者は、通信の方法の運用に係る事務や、下記2および3の方針に基づく対応に係る事務（これらの事務のうち一部を外部の事業者に委託し、当該外部の事業者との連携が必要である場合にあっては、当該連携に係る事務を含む）を網羅する責任者のことをいう(53)。
2	通信の方法に係る障害に関する対策についての方針（以下、本章において「対策方針」という）を定めていること	当該方針として定める事項としては、たとえば次のような事項が考えられるが、これらのいずれかに限られるものではない。 ①　通信の方法に係る障害に関する対策に資する措置が講じられたシステムを用いること。 ②　通信の方法に係る障害が生じた場合における代替手段を用意すること。 ③　通信の方法に係る障害が生じた場合に関する具体的な対処マニュアルを作成すること。 ④　場所の定めのない株主総会において産競法66条2項の規定により読み替えて適用する会社法317条括弧書の決議（延期・続行に関する議長一任決議）について諮ること。 等

(53)　Q&AのQ2－1。

3	通信の方法としてインターネットを使用することに支障のある株主の利益の確保に配慮することについての方針（以下、本章において「配慮方針」という）を定めていること	たとえば次のような事項が考えられるが、これらのいずれかに限られるものではない。 ①　株主に対して、議決権の行使を希望する株主のうちインターネットを使用することに支障のある株主については、書面による事前の議決権の行使を推奨する旨を通知すること。 ②　場所の定めのない株主総会の議事における情報の送受信をするために必要となる機器について貸出しを希望する株主の全部または一部にその貸出しをすること。 ③　通信の方法として出席株主の全部または一部のために電話による出席が可能であるものを用いること。 等
4	株主名簿に記載され、または記録されている株主の数が100人以上であること	－

経済産業大臣および法務大臣の確認を受けるためには申請が必要であり、申請にあたっては、所定の申請書（省令２条１項・様式第一）、および定款の写し、登記事項証明書といった添付書類（同条２項・３項）の提出が必要である。書面による申請のほか、電磁的方法による申請も可能である（同条５項）。電磁的方法による申請の場合、メールやストレージサービス等を利用して必要なファイルを送付することが想定される[54]。いずれの方法による申請に際しても、押印は不要である（省令２条・様式第一）。

---

(54)　白岩直樹「産業競争力強化法に基づく場所の定めのない株主総会（バーチャルオンリー株主総会）に関する制度の解説」商事2269号（2021）７頁。

また、当該申請前に事前相談を行うことが想定されている(55)。事前相談から正式申請までおおよそ２週間から１ヵ月程度を要しており(56)、正式な確認申請から経済産業大臣および法務大臣の確認が得られるまでの標準処理期間は、原則として１ヵ月以内とされている（省令２条７項）。

下記③にて後述のとおり、バーチャルオンリー型株主総会の招集決定の時点において、この確認が得られていることが必要と考えられる。

なお、所管は経済産業省および法務省であるが、窓口は経済産業省経済産業政策局産業組織課に一元化されている。

③　（要件③）本定款の定め（株主総会を場所の定めのない株主総会とすることができる旨の定款の定め）があること

本定款の定めがあることが、要件とされている（産競法66条１項）。

本定款の定めを設けるためには、原則として、株主総会の特別決議による定款変更が必要となる（法309条２項11号・466条）。

この要件については、新型コロナウイルス感染症の感染拡大の影響もふまえ、経過措置が設けられている（附則３条１項）。これにより、改正法の施行日から２年間（2021年６月16日～2023年６月16日）は、経済産業大臣および法務大臣の確認を受けた上場会社については、本定款の定めがあるものとみなすことができる(57)。そのため、当該２年間については、株主総会の特別決議による定款変更を経ることなく、バーチャルオンリー型株主総会の開催が可能である。ただし、これはあくまで例外的な措置であることから、この経過

(55)　経済産業省産業組織課「産業競争力強化法に基づく場所の定めのない株主総会　制度説明資料」（2022年９月）。

(56)　経済産業省の下記ウェブサイト参照（2023年２月８日時点）。
https://www.meti.go.jp/policy/economy/keiei_innovation/keizaihousei/virtual-only-shareholders-meeting.html

(57)　附則３条１項に基づき、本定款の定めがあるものとみなされる場合における本店に備え置いている定款（備置定款）の取扱いについて、代表取締役等の権限で該当条項の文言を書き換えることでも差し支えないが、改正法の施行から２年間という期限付きであることに鑑み、条項の文言自体を書き換えるのではなく、説明文を一緒に備え置く対応が考えられる（中川雅博「産業競争力強化法等の一部を改正する等の法律の施行に伴う定款モデルおよび招集通知モデルの改正の解説」商事2272号（2021）25頁）。

措置に基づくバーチャルオンリー型株主総会においては、本定款の定めを設ける定款変更の決議を行うことはできないこととされている（附則３条２項）。

なお、バーチャルオンリー型株主総会を開催するにあたり、本定款の定めは、招集決定を行う時点、および株主総会当日の時点において必要とされている[58]。そして、附則３条１項は、概略、上場会社が改正法施行日から２年を経過する日までの間において産競法66条１項に規定する「経済産業大臣及び法務大臣の確認を受けた場合には」本定款の定めがあるものとみなすことができる旨を定めている。文理上、経済産業大臣および法務大臣の確認を受けることが、附則３条１項に基づき、特例的に本定款の定めがあるとみなすことの要件であるところ、上記本定款の定めの必要時点の解釈に照らすと、附則３条１項の特例を用いてバーチャルオンリー型株主総会を開催するためには、遅くとも、招集決定前に経済産業大臣および法務大臣の確認を受ける必要があると考えられる点に留意を要する。

この経過措置を利用する場合の経済産業大臣および法務大臣の確認は、経過措置を利用せずに定款変更決議により本定款の定めを設けるにあたっての確認と何ら区別されておらず、たとえば、経済産業大臣および法務大臣の確認を受けて経過措置に基づいてバーチャルオンリー型株主総会を開催した後、別途、リアル株主総会において本定款の定めを設ける定款変更を行うこととした場合、あらためて経済産業大臣および法務大臣の確認を受けることは要しない[59]。

本定款の定めを設けるための定款変更議案を株主総会に付議した会社も、一定数みられる[60]。また、実例として、開催条件を限定しないパターンと限定するパターンがみられる。

---

(58)　Q&AのQ３－２。
(59)　Q&AのQ１－11。

図表Ⅰ－27－6

〈開催条件を限定しない例〉

現行定款	変更案
（招集） 第○条　当会社の定時株主総会は、毎年○月にこれを招集し、臨時株主総会は、必要あるときに随時これを招集する。 （新設）	（招集） 第○条　当会社の定時株主総会は、毎年○月にこれを招集し、臨時株主総会は、必要あるときに随時これを招集する。 2　当会社は、株主総会を場所の定めのない株主総会とすることができる。

〈開催条件を限定する例〉

現行定款	変更案
（招集） 第○条　当会社の定時株主総会は、毎年○月にこれを招集し、臨時株主総会は、必要あるときに随時これを招集する。 （新設）	（招集） 第○条　当会社の定時株主総会は、毎年○月にこれを招集し、臨時株主総会は、必要あるときに随時これを招集する。 2　当会社は、感染症拡大または天災地変の発生等により、場所の定めのある株主総会を開催することが、株主の利益にも照らして適切でないと取締役会が決定したときは、株主総会を場所の定めのない株主総会とすることができる。

---

(60)　三菱 UFJ 信託銀行株式会社の調査によると、本定款の定めを設ける定款変更議案を付議した会社数は、2021年６月総会では10社であったのが、2022年６月総会では143社（６月総会の上場会社2,359社に占める割合で6.1％）であった。また、日経225採用銘柄に限定すると、2021年６月総会では６社であったのが、2022年６月総会では25社（６月総会の日経225採用銘柄187社に占める割合で13.4％）であった。

2021年６月総会で本定款の定めを設けた実例に立脚して解説したものとして、髙橋一誠「三井住友 FG におけるバーチャルオンリー総会に向けた対応」商事2279号（2021）36頁以下参照。

開催条件を限定する例がみられるのは、そもそものバーチャルオンリー型株主総会の位置づけの考え方（感染症拡大時等の緊急避難的な位置づけとするか否か等）ももちろんであるが、本定款の定めを設ける定款変更議案について、会社と株主との対話が妨げられる可能性があるとして、議決権行使助言機関等から一部否定的な評価を受ける可能性があること(61)をも勘案した会社も少なからずあるものと考えられる。開催条件を感染症拡大や天災地変の発生に限定することは、当然ながら将来的なバーチャルオンリー型株主総会を選択しうる範囲を狭めてしまうことにはなるため、自社における（将来も見据えた）バーチャルオンリー型株主総会選択の位置づけ、可能性、株主構成、機関投資家との対話の状況等を総合的に考慮のうえ、付議のタイミングも含め、判断することとなろう。

④　（要件④）招集決定時に省令要件に該当していること

省令要件に該当することについては、（要件②）のとおり、経済産業大臣および法務大臣の確認を受ける際に必要となるが、それに加えて、実際にバーチャルオンリー型株主総会の招集を決定する時点においても必要とされる（産競法66条２項）。

この招集決定時の省令要件該当性については、あらためて経済産業大臣および法務大臣の確認を受ける必要はなく、招集決定者自身において確認することとされている(62)。

3　招集決定時の論点、留意事項

バーチャルオンリー型株主総会を開催する場合、招集決定時に、概要、以下の事項を定めることとなる（産競法66条２項による読替後の法298条１項、省

(61)　たとえば、ISSは、次のとおりの基準を掲げている（2022年版　日本向け議決権行使助言基準）。

「バーチャルオンリー型株主総会の開催を目的に『場所の定めのない株主総会』の開催を可能とする定款変更は、下記に該当する場合を除き、原則として反対を推奨する。

・バーチャルオンリー型株主総会の開催を感染症拡大や天災地変の発生に限定する場合」

(62)　Q&AのQ４－１。

令３条)。

図表Ⅰ－27－７

	決定事項	備考
①	株主総会を場所の定めのない株主総会とする旨	－
②	(上記①以外の）会社法298条１項各号、施行規則63条各号に掲げられた事項	－
③	書面による事前の議決権行使を認めること（ただし、全株主に金商法に基づく委任状勧誘をする場合を除く）	インターネットを使用することに支障のある株主への配慮の観点から、書面による議決権行使の機会を確保するものである。
④	通信の方法	たとえば、インターネットや電話等のように定めることが想定される(63)。
⑤	事前の議決権行使をした株主が通信の方法（上記④）を使用した場合における事前の議決権行使の効力の取扱いの内容	具体的には、(a)事前の議決権行使をした株主がバーチャルオンリー型株主総会のシステムにアクセス（ログイン等）をした時点で、事前の議決権行使の効力を失わせるという取扱いや、(b)事前の議決権行使をした株主がバーチャルオンリー型株主総会の中で議決権行使をした時点で、事前の議決権行使の効力を失わせるという取扱い等を定めることが考えられる(64)。

招集決定時点において、本定款の定めがあること（附則３条１項により、

(63)　Q&AのQ４－５。

(64)　Q&AのQ４－６。なお、(b)につき、より踏み込んで、当日、一部の議案について議決権行使をした時点で、事前の行使分をすべて無効化する方法と、それとも、議案ごとに分けて考える（たとえば、第１号議案については当日行使あり、第２号議案については当日行使なし、という場合に、第１号議案については当日行使分を採用し、第２号議案については事前行使分を採用する）方法とがありうるとの実務家の指摘も存する（倉橋雄作「バーチャルオンリー総会の実務対応――実施企業へのヒアリングを踏まえて〔上〕」商事2285号（2022）37頁において紹介されている三菱UFJ信託銀行中川雅博氏の指摘）。

本定款の定めがあるとみなすことができる場合を含む)、ならびにその前提として経済産業大臣および法務大臣の確認が得られていることが必要であり、また、招集決定者において省令要件に該当していることの確認が必要であることは、前述のとおりである。

なお、バーチャルオンリー型株主総会を開催した上場会社では、招集決定時に、通信障害等により、当初の日時にバーチャルオンリー型株主総会を開催することができなかった場合に備え、予備日を設定し、招集通知にも明記しておくという対応が多数派となっている。予備日の設定は、法的には、通信障害等により、当初の日時にバーチャルオンリー型株主総会を開催することができないことを停止条件として、予備的に別途の株主総会を招集しておくものと整理される[65]。

4 招集通知の論点、留意事項

バーチャルオンリー型株主総会を招集する場合、招集通知に、以下の事項を記載・記録することとなる(産競法66条2項による読替後の法299条4項、省令4条)。

図表Ⅰ－27－8

	記載事項	備考
①	3①～⑤の事項	予備日を設定する場合、予備日も記載する。
②	株主がバーチャルオンリー型株主総会の議事における情報の送受信をするために必要な事項	たとえば、バーチャルオンリー型株主総会に係るウェブサイトのURL、ID、パスワード等。 株主による質問や動議の提出、議決権行使等にあたって、株主が使用する機器においてマイク機能やカメラ機能を備えていること等が必要である場合には、そうした事項も含まれる。

(65) 北村ほか・前掲(47)座談会20頁〔北村雅史発言、倉橋雄作発言〕。

		なお、事前登録制（出席に先立って、所定の事前登録を求める制度）を採用する場合、事前登録の方法や、事前登録をした株主に通知されるべき事項（URL、ID、パスワード等）の通知方法等も想定される(66)。 * ID、パスワード等各株主固有の事項を議決権行使書面に記載している場合には、当該事項について、招集通知に記載・記録する必要はない（施66条3項）(67)。
③	招集決定時における「対策方針」および「配慮方針」の内容の概要	各方針自体に関しては、■2(2)②参照。その概要(68)を記載・記録することとなる。

全国株懇連合会は、2021年7月26日に「招集通知モデル」を改正しており、バーチャルオンリー型株主総会に係る招集通知記載例が追加されている(69)。

なお、株主総会資料の電子提供措置に関する制度に係る規定（法325条の2～325条の7）が2022年9月1日に施行されたことに伴い、産競法に基づきバーチャルオンリー型株主総会を開催する上場会社が電子提供措置に関する制度を利用する場合において、電子提供措置事項の内容および電子提供措置に係る株主招集通知の記載・記録事項の内容を定めるため、産競争力強化法施行令および省令が改正されている。

これらの改正により、バーチャルオンリー型株主総会を開催する上場会社が電子提供措置に関する制度を利用する場合における、電子提供措置事項および招集通知の記載事項は、下表のとおりとなる（産競法66条2項・産業競争力強化法施行令23条による読替後の法325条の3第1項1号・298条1項各号、省

(66) Q&AのQ5－1。
(67) Q&AのQ5－2。
(68) 「概要」の程度に関しては、Q&AのQ5－3も参照。
(69) 中川・前掲(57)論文25頁以下も参照。

令９条１項、法325条の４第２項本文・298条１項１号～４号、省令９条２項）。

図表Ⅰ－27－９

場所の定めのない株主総会に係る招集通知（書面）の記載事項	場所の定めのない株主総会に係る電子提供措置事項の内容	場所の定めのない株主総会に係る電子提供措置を取る場合の招集通知の記載事項
(1)書面行使の旨	○	○
(2)通信の方法	○	○
(3)事前行使の効力の内容	○	×
(4)情報の送受信のために必要な事項	×	○
(5)①対策方針内容の概要	○	×
(5)②配慮方針内容の概要	○	○

5　議事運営上の論点、留意事項

(1)　本人確認

この点については、ハイブリッド出席型における考え方（27－4 5(1)）が、おおむねそのまま妥当すると考えられる。

(2)　代理人による議決権行使

バーチャルオンリー型株主総会においては、代理人による出席を認める必要がある（法310条）[70]。リアル株主総会の存在を前提としたハイブリッド出席型における整理（27－4 5(2)）とは異なる。

代理人が出席する場合、リアル株主総会であれば、当日、受付において、委任状等により代理人資格の確認を行う（第16章16－4 1参照）。一方、

(70)　Q&AのQ６－１。

バーチャルオンリー型株主総会では、もとより当日、物理的な受付が存在しないため、別途の方法で、代理人資格の確認が必要となる。

基本的には、事前に書面、または電磁的方法により、委任状および本人確認書類等の提出を求めることになる。また、当日、システム上の対応として、定款上、代理人資格を株主に限定していることを前提に、①代理人Ｂも株主であることから、代理人Ｂ自身のIDおよびパスワードでバーチャル出席をしてもらう、②本人Ａの株主権が重複行使されないよう、本人Ａのアカウント記録にて、バーチャル出席の権限をシステム上停止し、ログインできないようにする、③同時に代理人Ｂのアカウント記録にて、本人Ａの保有議決権数を加算することで、代理人Ｂが当日に議決権を行使すれば、本人Ａの議決権も行使されたことになるよう対応する、といった方法が考えられる。なお、実務上は、代理出席を希望する株主がごく一部と想定される場合、代理行使を希望する株主には事前に問合せ窓口への連絡を求め、個別対応をする前提で、招集決定時に代理行使に関する事項（施63条５号参照）を詳細に決定したうえで招集通知に記載する対応は行わない例もみられる[71]。

(3)　配信遅延、通信障害への対応

配信遅延に関しては、ハイブリッド出席型における考え方（27－４■５(4)）が、おおむねそのまま妥当すると考えられる。

一方、通信障害との関係について、バーチャルオンリー型株主総会においては、「通信障害により議事に著しい支障が生じる場合には議長が延期・続行を決定することができる」旨の議長一任決議があるときには、実際にそうした支障が生じた場合、あらためて株主総会決議（法317条参照）を経ることなく、議長の決定により延期・続行をすることができることとされている（産競法66条２項による読替後の法317条）。Q&Aにおいても、バーチャルオンリー型株主総会の冒頭において、議長から、当該議長一任決議について説明をしたうえで、議場に諮り、当該決議を行うことが考えられるとされてい

(71)　倉橋雄作「バーチャルオンリー総会の実務対応――実施企業へのヒアリングを踏まえて〔下〕」商事2286号（2022）51～52頁。

る[72]。当該議長一任決議については、バーチャルオンリー型で開催する場合、通例化しているものと考えられ、開会後（当該議長一任決議後）の通信障害の際には、当該議長一任決議に基づき、議長において、短時間での復旧可否等との兼ね合いで、延期・続行とするか否かを判断することとなる。延期・続行とする場合、株主に対して当該延期・続行の決定について、適切に周知することが重要である（通信障害発生時には、バーチャルオンリー型株主総会の議事の中で周知できないことも十分考えられる）。具体的には、会社のウェブサイトに掲載する方法等が考えられ、かかる周知の方法についても、あらかじめ招集通知等において周知しておくことが望ましい[73]。

一方、大規模な通信障害により、そもそも当初の予定日時に開会すること自体ままならず、また、短時間での復旧の目処も立たない場合、招集時に予備日を設定し、招集通知により周知してあるのであれば、当初の予定日時に開催できず、予備日に開催する旨を適切に株主に周知したうえで、あらためて予備日に開催すればよい[74]。一方、予備日を設定していない場合、再度、招集決定からやり直さざるをえない。

(4) 質問等の取扱い

バーチャルオンリー型株主総会においては、会社法の原則どおり、株主からの質問、意見等を受け付ける必要がある[75]。

当然ながら、たとえば、現経営陣に対して敵対的な質問であるという理由のみで取り上げないなど、株主が発した複数の質問について、合理的な理由のない恣意的な取捨（いわゆるチェリーピッキング）は許容されない。

一方、バーチャルオンリー型においても、議長や取締役等と株主との間の情報伝達の双方向性、即時性が確保される必要はあるとされるものの、それを具体的にどのような手段により確保するかについては、議長の権限（法315条）に属する事項として、議長の合理的な裁量に委ねられると考えられ、

---

(72) Q&AのQ７－５。
(73) Q&AのQ７－６。
(74) 北村ほか・前掲(47)座談会20頁・21頁〔北村雅史発言〕。
(75) Q&AのQ６－４。

株主からの質問や動議をテキストメッセージで受け付けることとしても、そのことをもって双方向性や即時性が失われるものではないと考えられている[76]。これまで、バーチャルオンリー型で実施された実例や、提供されているプラットフォームの仕様に鑑みると、テキストメッセージで質問等を受け付ける対応が主流となっていくものと思われる。

テキストメッセージで質問等を受け付けるとした場合、それをいつから受け付けるかという点が考慮要素となる。具体的には、開会直後から受け付けるのか、質疑の時間内にのみ受け付けるのかである。法的には、いずれも可能であると考えられるが、多数寄せられる可能性のある質問等の中から、優先的に回答すべき質問（たとえば、議案との関連性が強い質問や、多くの株主が感心を有しているであろう質問）を抽出し、回答の準備を行う時間を確保し、円滑かつ効率的に議事を進行するためには、開始直後から受け付けることが望ましい。

いわゆるチェリーピッキング問題の可能性もふまえ、適正性・透明性を担保するため、株主から提出されたものの、株主総会の議事の中で取り上げることができなかった質問について、後日、概要と回答をホームページ上で公表するといった対応が考えられることは、ハイブリッド出席型と同様である（27－4■5(5)）[77]。

(5)　動議の取扱い

バーチャルオンリー型株主総会においては、質問同様、動議についても、会社法の原則どおり、受け付ける必要がある[78]。ハイブリッド出席型のような制限（27－4■5(6)）は認められない。

動議の受付方法についても、質問同様であり、テキストメッセージにより受け付けることでも差支えない。テキストメッセージにより受け付けるとした場合、質問同様、それをいつから受け付けるかという点が考慮要素となるが、質問等を開始直後から受け付けるのであれば、動議についても同様とす

(76)　Q&AのQ６－２。
(77)　その他、当日の質疑応答について、倉橋・前掲(71)論文44頁以下も参照。
(78)　Q&AのQ６－４。

るのが自然であろう。もっとも、たとえ開始直後から受け付けるとしても、その処理のタイミングについては、特段の事情がない限り、動議が提出された直後の処理は必須ではなく、質疑応答前に提出された動議については質疑応答の段階に至った後に、質疑応答中に提出された動議については質疑応答中の適宜のタイミングで、それぞれ処理すれば足りるものと考えられる[79]。無論、そのような対応をする場合、当日の議事の冒頭の段階で説明しておくべきである。

動議の処理につき、基本的な考え方は、通常のリアル株主総会と同様であり（**第21章21－4**参照）、これをシステム上の投票を通じて行うこととなる。

(6) 議決権行使

バーチャルオンリー型の場合、すべての株主がバーチャル出席であり、システムを通じて議決権を行使することとなる。自ずと、議決権行使に対応したシステムである必要がある。

もっとも、事前の議決権行使等の状況次第では、簡便な方法を選択し、採決の結果のみを示すことでも足りると考えられること、ただし、事前の議決権行使をしていた株主が、当日、バーチャル出席をする可能性も当然に考えられるため、そうしたことも考慮のうえ、採決の方法を検討する必要があることは、ハイブリッド出席型と同様である（**27－4■5(7)**）。

バーチャルオンリー型であっても、決議の成立についての考え方は、通常のリアル株主総会の場合と相違ない。すなわち、株主総会の決議は、定款に別段の定めがない限り、賛成の議決権数が決議に必要な数に達したことが明白になった時点で成立するものと考えられる[80]。したがって、事前の議決権行使の状況等をも勘案して、決議に必要な賛成が得られたことが確認できている限りにおいて、当日出席株主の賛成・反対・棄権といった投票結果をリアルタイムで集計したり、それを議事の中で報告したりといったことは、必須ではない。

---

(79) 倉橋・前掲(71)論文50～51頁。
(80) 最三判昭和42・7・25民集21巻6号1669頁。

6　総会後の論点、留意事項

バーチャルオンリー型株主総会の議事録記載事項については、省令５条の定めに従うこととなる。リアル株主総会の場合との具体的な相違点としては、議事録の法定記載事項のうち、「株主総会が開催された日時及び場所」(施72条３項１号）に代えて、「株主総会が開催された日時、株主総会を場所の定めのない株主総会とした旨及びその議事における情報の送受信に用いた通信の方法（第１条第２号及び第３号の方針に基づく対応の概要を含む。)」が記載事項となる点（省令５条３項１号）である。

すなわち、①株主総会が開催された日時、②株主総会を場所の定めのない株主総会とした旨、③その議事における情報の送受信に用いた通信の方法(対策方針および配慮方針に基づく対応の概要(81)を含む）の記載が必要となる。

サンプルとして、以下のような例が考えられる。

第〇回定時株主総会議事録

１．日時　〇年〇月〇日（〇曜日）　午前〇時

２．開催方法および議事における情報の送受信に用いた通信の方法

本株主総会は、場所の定めのない株主総会とし、株主は、インターネットを通じて当社所定のシステム（以下「本システム」という。）にログインし、会場の画像および音声の配信を受け、本システムにより質問、動議の提出その他の発言および議決権行使をおこなう方法により本総会に出席した。

なお、場所の定めのない株主総会の議事における情報の送受信に用いる通信の方法に係る障害に関する対策についての方針、および場所の定めのない株主総会の議事における情報の送受信に用いる通信の方法としてインターネットを使用することに支障のある株主の利益の確保に配慮することについての方針に基づく対応の概要は、別紙〇のとおりである。

---

(81)　この概要については、「当該方針に基づいて行われた対応（や行われなかった対応）について、第三者がそのうち重要な点を理解するために必要な事項を記載・記録することが求められます。

例えば、省令第１条第２号の『方針に基づく対応の概要』については、通信の方法に係る障害が生じた場合に関する具体的な対処マニュアルを作成したこと等、同条第３号の『方針に基づく対応の概要』については、産業競争力強化法第66条第２項の規定により読み替えて適用する会社法第317条括弧書の決議について議場に諮り、出席株主の議決権の過半数の賛成をもって可決され、当該決議が行われたこと等が考えられます。」とされている（Q&AのＱ９－１)。

3．出席取締役および監査役　(略)
4．株主総会の議長　代表取締役社長　○○○○
5．出席株主および議決権の状況　(略)
6．議事の経過の要領およびその結果

定刻、代表取締役社長○○は定款第○条の規定により議長となり開会を宣した。議長は、審議に先立ち、本システムを通じて出席した株主に会場の画像および音声が即時に伝わり、また、本システムにより質問、動議の提出その他の発言および議決権行使をおこなうことが可能になっていることが事前に確認されており、現在も本システムが特段の支障なく稼働していることを確認した。

議長は、本総会の目的事項については招集通知に記載のとおりである旨を述べ、報告事項および決議事項に関する質問、および動議を含めた審議に関する一切の発言は、当該時点から本システムを通じて受け付けることとし、それらに対する説明、および動議への対応は、報告事項の報告、ならびに議案の説明が終了した後に一括して行うこととしたい旨を述べた。また、事務局より、本システムの操作方法、本システムを通じた質問、動議の提出その他の発言および議決権行使の締切時間、審議等の状況により本システムを通じた質問等のすべてに回答することができない場合があること、ならびに通信環境等の影響による遅延の可能性等について説明させた。

次いで、議長は、本株主総会の議事における情報の送受信に用いる通信の方法に係る障害により、議事に著しい支障が生じる場合には、議長が本株主総会の延期または続行を決定することができることとしたい旨を説明した。

議長が、以上のとおり議事を進行することにつき、議場に諮ったところ、出席株主の過半数の賛成を得た。

(略)

議長は、報告事項および決議事項に関し、本システムを通じて出席の株主からの質問に対し、大要、別紙○のとおり、説明を行った。

(略)

本システムには終始異常なく、議長は、以上をもって本総会の目的事項のすべてを終了した旨を述べ、午前○時○分閉会を宣した。

7．議事録の作成に係る職務を行った取締役　代表取締役社長　○○○○

以上

別紙○　各方針に基づく対応の概要 (略)
別紙○　質疑応答の要旨 (略)

議決権行使結果に係る臨時報告書に記載すべき賛成・反対等の議決権の数については、前日までの事前行使分や当日出席の大株主分の集計により可決要件を満たし、会社法に則って決議が成立したことが明らかになった等の理由がある場合には、一部を加算しないこととし、その理由を付記すれば足りる（開示府令19条2項9号の2ニ）。これは、バーチャルオンリー型においても同様で、バーチャル出席株主の議決権数を集計しないことも可能であり、その理由を開示することでたりる。もっとも、バーチャルオンリー型の場合、議事の最中のリアルタイム集計はともかく、総会後にバーチャル出席株主の議決権行使結果を集計し、事前行使分と統合することは、さほど難しいことではないと思われ、臨時報告書においては、一部不加算といったことはせず、当日出席株主分も含めた賛成・反対等の数を記載することが望ましいであろう[82]。

その他、5(4)のとおり、株主から提出されたものの、株主総会の議事の中で取り上げることができなかった質問について、後日、概要と回答をホームページ上で公表することとしている場合には、総会後、当該対応を行う。

(82)　2022年6月総会においてバーチャルオンリー型とした8社の議決権行使結果に係る臨時報告書を参照する限り、一部不可算としているのは半数にとどまる。

第Ⅱ編

例外的手続

第Ⅱ編

第1章

書類の閲覧謄写請求

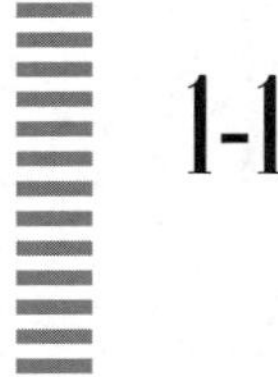

1-1 総　説

株主総会の日までの間に株主から株主名簿等の閲覧請求が行われることがある。委任状勧誘を行う株主にとって株主名簿の閲覧謄写により勧誘先を把握することは不可欠である。株主総会議事録や計算書類の閲覧謄写請求、会計帳簿閲覧謄写請求、取締役会議事録閲覧謄写請求が行われることもある。株主に認められる閲覧等請求権の概要は、**図表Ⅱ－1－1**のとおりである。

会社は、これらに対応するため、あらかじめ法定書類閲覧謄写等規程を定めておき（**図表Ⅱ－1－2**）、株主から請求を受けた場合には、株主に所定の「備置書類閲覧・謄写・謄本交付・抄本交付申込書」に記入のうえ、提出することを求める（**図表Ⅱ－1－3**）。上場会社の場合、株主は直近の口座振替機関に個別株主通知の申出を行ったうえで個別通知後2週間以内に上記書面を提出することが必要である。

理由を示して閲覧・謄写等請求を行う書類については、①第三者に提供しない、②目的外使用をしないなどを誓約させる誓約文言を承諾させるなどすることもある。

図表Ⅱ－1－1

書　類	備置期間等	閲覧請求権	謄写請求権	謄・抄本 交付請求権	備　考
事業報告 貸借対照表 損益計算書 株主資本等変動計算書 付属明細書	定時株主総会の2週間前から 本店：5年間 支店：謄本	○ （法442条3項1号）	－	○ （法442条3項2号）	附属明細書を除き、 ・株主総会の日3週間前に電子提供

監査役会の監査報告書会計監査報告	3年間（法442条1項・2項）				・招集に際して交付
定款	本支店に常時備置（法31条1項）	○（法31条2項1号）	−	○（法31条2項2号）	
株主名簿	本店（株主名簿管理人営業所）に常時備置（法125条1項）	○（法125条2項1号）		−	拒否事由が定められている
株主総会議事録	本店：10年間 支店：謄本3年間（法318条2項・3項）	○（法318条4項1号）		−	写しも可
取締役会議事録	本店：10年間（法371条1項）	株主がその権利行使のため必要があるときは、裁判所の許可を得て、○（法371条2項・3項）		−	監査役設置会社・監査等委員会設置会社・指名委員会等設置会社以外は営業時間内いつでも
監査役会議事録	本店：10年間（法394条1項）	同上（法394条2項）		−	
議決権行使書面	総会終結の日から本店	○（法311条4項）		−	

	３ヵ月間（法311条３項）				
会計帳簿および書類	−	総議決権または発行済株式総数の３％以上の株主は○		−	理由を明らかにして請求する
有価証券報告書等	本店・主要支店に５年から１年（金商法25条２項）	−	−	−	公衆縦覧（金商法25条１項）

1-2 株主名簿の閲覧謄写請求

1　会社法の規定

株主[(1)]は、株式会社の営業時間内は、いつでも、株主名簿が書面で作成されているときはその閲覧または謄写の請求、電磁的記録をもって作成されているときは当該電磁的記録に記録された事項を法務省令で定める方法により表示したものの閲覧または謄写の請求ができる（法125条2項）。この場合において請求者は請求の理由を明らかにしなければならない（同項）。上場会社の株主は直近の口座振替機関に個別株主通知の申出を行い、個別通知後2週間以内に所定の「備置書類閲覧・謄写・謄本交付・抄本交付申込書」に記入のうえ、提出することが必要である。

会社は、次のいずれかに該当する場合を除き、この請求を拒むことはできない（法125条3項）。

① 請求者がその権利の確保または行使に関する調査以外の目的で請求を行ったとき
② 請求者が当該株式会社の業務の遂行を妨げ、または株主の共同の利益を害する目的で請求を行った場合
③ 請求者が株主名簿の閲覧または謄写によって知りえた事実を利益を得て第三者に通報するため請求を行ったとき
④ 請求者が過去2年以内において株主名簿の閲覧または謄写によって知りえた事実を利益を得て第三者に通報したことがあるものであるとき

(1) 親会社の株主も裁判所の許可を得て閲覧または謄写の請求をすることができる（法125条4項）。この場合も請求の理由を明らかにして行わなければならない。裁判所は①～④の拒否事由があるときは許可をすることができない（同条5項）。

なお、平成26年改正会社法の前は、「実質的に競争事業を営む者」に対する拒否事由が規定されていたが、会計帳簿等の閲覧謄写請求と異なり競争事業者が株主名簿の閲覧等をしても会社が不利益を被る事態は通常考えられないため削除されている。

2　会社の対応

株主は「理由を明らかにして」閲覧等の請求を行うことが必要であるが、その理由を精査する必要がある。

拒否事由のうち①②は権利濫用の一般規定である。①の「株主の権利の確保または行使に関する調査の目的」について、フタバ産業事件高裁決定(2)は、金融商品取引法上の損害賠償請求を行う原告を募る目的で株主名簿の閲覧・謄写を求めた事案において、同法上の損害賠償請求権は「株主として有する権利」の範疇に入らないとして、同請求権を行使するための調査はこれに該当しないとする(3)。また、東京地決平成24・12・21(4)は、公開買付けを開始した株主が、(i)公開買付けに応募することを勧誘するため、および、(ii)会社が対抗策を取るため臨時株主総会を開催した場合に備えて株主に議決権の代理行使を勧誘するため、株主の氏名・住所を把握することを目的として株主名簿の閲覧謄写を求めた事案において、両者の目的はいずれも株主の権利の確保または行使に関する調査の目的に該当するとする。

③④は、従来から裁判例を通じて確立していた、権利濫用に該当する場合には閲覧謄写請求を拒否できる事由を明文化したものである(5)。

こうした裁判例をふまえれば、株主名簿閲覧拒否の正当性が認められるのは、かなり例外的な場合に限定されるが(6)、株主名簿には個人情報（氏名・住所・個人資産を構成する株式数など）が含まれることに鑑み、会社は、株主

(2)　名古屋高決平成22・６・17資料版商事316号198頁。最三決平成22・９・14資料版商事321号60頁は、この決定に対する特別抗告・許可抗告審決定（棄却）である。

(3)　松井智予「フタバ産業株主名簿謄写仮処分命令申立事件と会社法・金商法の課題」商事1925号（2011）９～10頁参照。

(4)　東京地決平成24・12・21金判1408号52頁。

は請求に際して明らかにする理由をよく精査のうえ、請求の許諾を決定する必要がある[7]。また、株主に、(i)目的に照らし正当な理由なく第三者に提供しないこと、あるいは、(ii)目的外使用をしないことなどを誓約させることが望ましい。

(5)　平成26年会社法改正に関する「会社法制の現代化に関する要綱案」では、拒絶事由として、(i)株主の権利または行使のための請求ではないとき、(ii)株主が書類の閲覧謄写によって知りえた事実を利益を得て他人に通報するため、請求の日の前２年内においてその会社または他の会社の書類の閲覧謄写によって知りえた事実を利益を得て他人に通報した者が請求したときを拒否事由として掲げていた。会社法の立案担当者も立法趣旨として名簿屋の弊害やプライバシー保護を掲げている（相澤哲編著『立案担当者による新・会社法の解説（別冊商事295号）』（商事法務、2006）31頁）。

(6)　東京地判平成29・10・31平成29年(ワ)9634号（公刊判例集未登載）は、会社の債権者が株主名簿閲覧請求をした事案（有価証券報告書との記載齟齬があるとして）であるが、その理由中で、債権者と異なり株主は自己が有する自益権や共益権を行使するにあたって株主名簿の正確性等を確認する必要性が高いと指摘する。

(7)　全国株懇連合会決定「株主名簿を中心とした株主等個人情報に関する個人情報保護法対応のガイドライン」（2022年４月８日）参照。同決定は、株主名簿に記録された個人データについて、個人情報保護法の趣旨から、「保有個人データ」として取り扱うこととしてガイドラインを示す。個人株主が直接株式を保有する割合が高いことに起因する株主の権利保護と個人情報保護の緊張関係については、個人の株式保有についての制度的見直し、あるいは立法措置に関する議論の開始に期待することになるが、現状、法定記載事項以外の情報開示が行われないように注意するとともに、開示理由を精査する必要がある。

株主総会議事録の閲覧謄写請求

1　会社法の規定

株主は、株式会社の営業時間内は、いつでも、株主総会議事録が書面で作成されているときはその閲覧または謄写の請求、電磁的記録をもって作成されているときは当該電磁的記録に記録された事項を法務省令で定める方法により表示したものの閲覧または謄写の請求ができる（法318条４項）[8]。上場会社の株主は直近の口座振替機関に個別株主通知の申出を行い、個別通知後２週間以内に所定の「備置書類閲覧・謄写・謄本交付・抄本交付申込書」に記入のうえ、提出することが必要である。

2　会社の対応

株主総会議事録の閲覧謄写請求については、拒否事由が定められていない。会社は、悪意ある株主から閲覧謄写請求されることを想定し、株主総会議事録の記載内容の正確性・過不足について精査のうえ、作成しておくことが必要である。

(8)　親会社の株主も裁判所の許可を得て閲覧または謄写の請求をすることができる（318条５項）。

1-4 計算書類等の閲覧謄写等請求

1　会社法の規定

株主は、株式会社の営業時間内は、いつでも、費用を支払って、計算書類、事業報告およびこれらの附属明細書、ならびに監査報告または会計監査報告を、書面で作成されているときはその閲覧、謄本または抄本の交付の請求、電磁的記録をもって作成されているときは当該電磁的記録に記録された事項を法務省令で定める方法により表示したものの閲覧、謄本または抄本の交付の請求ができる（法442条３項）。親会社の株主も裁判所の許可を得て費用を支払って請求することができる（同条４項）。

2　会社の対応

計算書類等の閲覧、謄本・抄本交付請求については、拒否事由が定められていない。連結計算書類等については対象とされていないが、これは有価証券報告書等でたりるからである。この有価証券報告書、四半期報告書、決算短信は、会社のホームページに掲載しているのが通例であり、また、取引所のインフォメーション・テラスや金融庁のEDINETなどにより閲覧、コピーが可能である。

1-5 取締役会議事録の閲覧謄写請求

1　会社法の規定

株主は、その権利を行使するために必要があるときは、裁判所の許可を得て（監査役設置会社[9]、監査等委員会設置会社、指名委員会等設置会社以外の会社では裁判所の許可は不要である。法371条1項）、取締役会議事録[10]が書面で作成されているときはその閲覧または謄写の請求、電磁的記録をもって作成されているときは当該電磁的記録に記録された事項を法務省令で定める方法により表示したものの閲覧または謄写の請求ができる（同条2項・3項）。

裁判所は当該会社またはその親会社もしくは子会社に著しい損害を及ぼすおそれがあるときは許可をすることができない（法371条6項）。

2　会社の対応

取締役会議事録については、さまざまな営業上の秘密を含んでいることが多く、株主共同の利益を害するおそれがあることから、閲覧謄写請求に対しては慎重な対応が必要である。裁判所の許可を必要とするゆえんである。

---

(9)　監査役を置いていてもその監査役の監査の範囲を会計に関する者に限定する旨の定款の定めがある」場合は、監査役設置会社にはあたらず（法2条9号）、裁判所の許可を要しない。東京地判平成22・12・3判タ1373号231頁。

(10)　取締役会の日から法定備置期間である10年を超えて保存されている取締役会議事録は、会社法371条1項の規定により本店に備え置いている議事録とは言えないから、閲覧・謄写の許可の対象とはならない（松田亨＝山下知樹編・大阪商事研究会『実務ガイド新・会社非訟〔増補改訂版〕』（金融財政事情研究会、2016）342頁）。

3　裁判所の審理

裁判所は、株主からの許可申立てについて、次の３点を許可要件として審理する⑾。

(a)　閲覧または謄写の対象となる取締役会議事録が特定されていること

(b)　閲覧または謄写の必要性があること

(c)　会社・子会社・親会社に著しい損害が生ずるおそれがあるとはいえないこと

株主は、審理において、閲覧・謄写を求めている部分(a)との関係で権利を行使するためにその閲覧・謄写が必要であること(b)を客観的に明らかにする必要がある。

この点、大阪高決平成25・11・8⑿は、株主（大阪市）が電力会社に対し、取締役会議事録のうち原子力発電所の再稼働について協議または決定した部分ならびに原子力事業を全廃・減少させることの可否および方法について協議した部分の閲覧・謄写を求めた事案において大阪高裁は、原発に関する事項について株主提案やその理由説明、事前質問を行うことは、株主としての権利行使の必要性に基づくものであり、閲覧・謄写を求める議事録各部分は株主提案に係る原発関連部分に限定されているから、謄写・閲覧する必要性があると(a)(b)についての判断を示すとともに、(c)について閲覧・謄写の対象が権利行使に必要な部分に限定されており、原告代理人が正当な理由なく外部に公表しない旨の誓約書を提出していることから目的外使用するとは認められず、会社に著しい損害を及ぼすおそれがあるとは認められないとしている。

他方、福岡高決平成21・6・1は、経営コンサルタントＸがM&Aに関

⑾　会社は、裁判所から期日呼出状および申立書の写しと書証の送付を受けるが（法870条２項）、当事者同様の裁判活動（証拠の申出等、事実の調査の通知を受ける）を行うためには、「裁判の結果により直接影響を受ける者」として利害関係参加許可申立を行う必要がある（非訟21条２項）（松田＝山下編・大阪商事研究会・前掲⑽書348頁）。

⑿　大阪高決平成25・11・８判時2214号105頁。

する情報提供先であったＹ銀行におけるM&Aに関する取締役会議事録の閲覧謄写を求めた事案において、「株主の地位に仮託して、個人的な利益を図るため本件M&Aを巡る訴訟の証拠収集目的で本件申請をしたものと認めるのが相当である」とその目的を認定し、「M&Aを進めるべきか否かのＹ取締役会の審議の内容が企業秘密たる事項であることは明らかであるところ、これらの記載部分が閲覧・謄写されることになれば、Ｙの将来の事業実施等についても重大な打撃が生じるおそれがあるのであって、このことはＹの全株主にとっても著しい不利益を招くおそれがある」として、申請を許可しなかった[13]。

株主において閲覧・謄写の範囲を特定することは容易ではなく、審理の過程で対象を限定する、和解ないし和解的解決により事件が解決することも少なくないとされる[14]。取締役会議事録には企業秘密などが含まれていることから、会社は、裁判所の許可審理において、最低限、(i)目的に照らし正当な理由なく第三者に提供しないこと、あるいは、(ii)目的外使用をしないことなどを誓約する誓約書の差入れを求めることが望ましい。

---

(13)　福岡高決平成21・6・1金法1332号54頁。原決定（佐賀地決平成20・12・26金判1312号61頁）は、「個人的利益を図る目的が併存している場合に、株主権の行使を認めないとなると、株主の権利という重要な権利を著しく制約することになりかねず、個人的利益を図る目的が併存していても株主権の行使は妨げられないと考えられる」として、一部認容の判断をしていた。

(14)　松田＝山下編・大阪商事研究会・前掲(10)349～350頁。

1-6
退職慰労金支給内規の閲覧請求

1　会社法の規定

施行規則82条２項は、退職慰労金支給議案について、一定の基準に従い退職慰労金の額を決定することを取締役会、監査役その他第三者に一任するものであるときは、株主総会参考書類に当該一定の基準の内容を記載しなければならないとしつつ、各株主が当該基準を知ることができるようにするための適切な措置を講じている場合はこの限りではないと規定する。

旧商法施行規則13条４項は、上記の場合につき、株主総会参考書類に当該一定の基準の内容を記載するか、または、その基準を本店に備え置いて株主の閲覧に供することを要するものとしており、上記「適切な措置」としては旧商法施行規則と同様に、その基準を本店に備え置いて株主の閲覧に供することもこれに該当すると解されている。

2　会社の対応

上記「適切な措置」として、基準を本店に備え置いて株主の閲覧に供するものである以上、閲覧に応じることが求められる。

1-7 会計帳簿の閲覧謄写請求

1　会社法の規定

議決権の3％以上の議決権を有する株主、または、発行済株式総数の3％以上の株式を有する株主は、株式会社の営業時間内は、いつでも、会計帳簿またはこれに関する資料が書面で作成されているときはその閲覧または謄写の請求、電磁的記録をもって作成されているときは当該電磁的記録に記録された事項を法務省令で定める方法により表示したものの閲覧または謄写の請求ができる（法433条1項）。この場合において請求者は請求の理由を明らかにしなければならない。上場会社の株主は直近の口座振替機関に個別株主通知の申出を行い、個別通知後2週間以内に所定の「備置書類閲覧・謄写・謄本交付・抄本交付申込書」に記入のうえ、提出することが必要である。会計帳簿は多数の企業秘密が含まれていることから、最低限、株主に、(i)目的に照らし正当な理由なく第三者に提供しないこと、あるいは、(ii)目的外使用をしないことなどを誓約させることが望ましい。

この会計帳簿の範囲については、会社計算規則59条3項の「会計帳簿」を意味するという限定説と広く会社の経理の状況を示す一切の帳簿・資料を意味するという非限定説（この立場では法人税確定申告書なども含まれることになる）に分かれるが、裁判例は、限定説をとる[(15)]。名古屋地決平成24・8・13も、法人税確定申告書への添付が義務づけられている勘定科目内訳明細書は会計帳簿等にあたらないとしてこの立場を踏襲する。

会社は、次のいずれかに該当する場合を除き、この請求を拒むことはできない[(16)]（法443条2項）。

① 請求者がその権利の確保または行使に関する調査以外の目的で請求を行ったとき
② 請求者が当該株式会社の業務の遂行を妨げ、または株主の共同の利益を害する目的で請求を行った場合
③ 請求者が当該株式会社の業務と実質的に競争関係にある事業を営み、またはこれに従事するものであるとき
④ 請求者が閲覧または謄写によって知り得た事実を利益を得て第三者に通報するため請求を行ったとき
⑤ 請求者が過去２年以内において閲覧または謄写によって知りえた事実を利益を得て第三者に通報したことがあるものであるとき

2　会社の対応

会計帳簿閲覧謄写請求が行われるのは紛争性が高い状況である。会社は、株主に請求の理由を明らかにさせるとともに閲覧謄写の対象を特定させる。そのうえで、①～⑤に該当しないかを検討し、対応を決定する。原価計算などの営業秘密が含まれる可能性が高いことから、以下に示す裁判例を参考に、慎重な対応が求められる。

名古屋高判平成19・８・23は、「請求の理由」について、株主が(i)「第39期から第41期まで売上金がないのに経費のみ費消されている」、(ii)「特許権等の資産が散逸するなど資産が大幅に減少している」、(iii)「唯一の不動産である土地が第三者に処分されている」ことから取締役の任務懈怠が強く推認されるので「その有無を調査するため」を理由として閲覧・謄写を求めたのに対し、(i)の単に経費を費消しているというだけでは特定のいかなる行為を

(15) 東京地決平成元・６・22判時1315号３頁、横浜地決平成３・４・19判時1397号114頁、大阪高判平成17・12・15（公刊判例集未登載）、名古屋地決平成24・８・13判時2176号65頁。なお、前掲大阪高判平成17・12・15は、総勘定元帳、現金出納帳、手形小切手帳、売上明細補助票は会計帳簿に該当し、会計用伝票、給料台帳、当座預金照会表は会計資料（「これに関する資料」）に該当するとする。

(16) 親会社の株主も裁判所の許可を得て閲覧または謄写の請求をすることができる（法433条３項）。この場合も請求の理由を明らかにして行わなければならない。裁判所は①～⑤の拒否事由があるときは許可をすることができない（同条４項）。

違法・不当と指摘するか明らかではなく、(ii)については特許権の具体的指摘すらないのであるから要するに資産が大幅に減少しているとの抽象的な事項を指摘するにとどまると解するしかなく、(iii)についても売薬行為の具体的な違法、不当を指摘するものではなく、取締役の業務執行全体における任務懈怠という抽象的、一般的な行為の違法性を指摘するにとどまるものであり、その理由を明らかにして行ったものとはいえないとする(17)。

また、③の「実質的に競争関係にある事業を営む者」の範囲について、最一決平成21・１・15(18)は、請求株主が会社と競業をなす者であるとの客観的事実が認められれば足り、当該株主に会計帳簿等の閲覧謄写によって知りうる情報を自己の競業に利用するなどの主観的意図があることを要しないとする。また、東京高決平成19・６・27(19)は、同様に主観的意図が不要であると判示するとともに、競業関係の範囲について、請求者のみならず、その親会社や子会社が請求者と一体的に事業を営んでいると評価できるような場合も含まれるとし、競争関係とは現に競争関係にある場合のほか近い将来において競争関係に立つ蓋然性が高い場合も含まれるとする。

(17)　平成19年(ネ)450号（裁判所ウェブサイト）。
(18)　最一決平成21・１・15民集63巻１号１頁、判時2031号159頁。
(19)　東京高決平成19・６・27資料版商事280号200頁。

図表Ⅱ－１－２　法定書類閲覧謄写等規程の例

法定書類閲覧謄写規程

（目的）

第１条　当会社における法定備置書類の閲覧もしくは謄写または謄本もしくは抄本の交付を求めようとするときは、この規程に定めるところによる。

（閲覧手続）

第２条

［上場会社の場合］

閲覧もしくは謄写を行いまたは謄本もしくは抄本の交付を受けようとする株主は、予め直近の口座振替機関に個別通知の申出を行い、個別通知後２週間以内に、債権者は債権者であることを証明する書類その他必要な書類を提示の上、所定の「書類閲覧、謄写、謄本・抄本交付申込書」（以下「申込書」という。）に記入して請求しなければならない。

［上場会社以外の会社の場合］

閲覧もしくは謄写を行いまたは謄本もしくは抄本の交付を受けようとする株主または債権者は、株主または債権者であることを証明する書類その他必要な書類を提示の上、所定の「書類閲覧、謄写、謄本・抄本交付申込書」（以下「申込書」という。）に記入して請求しなければならない。

（手数料）

第３条　謄写または謄本もしくは抄本の交付に要した費用について定められた費用または実費および消費税を申し受けるものとする。

2　消費税額は請求書ごとの合計費用に消費税率を乗じて円未満を切り捨てたものとする。

（閲覧・謄写書類）

第４条　当会社の株主または債権者は、会社法に定める閲覧謄写の期間内に限り営業時間内いつでも所定の手続を経て下記書類を閲覧または謄写することができる。

ただし、その請求の目的が正当の事由に該当しない場合または法定の拒否事由に該当する場合は会社は拒否することができる。

⑴　株主総会議事録

⑵　株主名簿

⑶　定款

⑷　株主総会委任状または議決権行使書面

2　当会社の株主または債権者は会社法の定める要件を満たした場合に限り裁判所の許可を得て下記書類を閲覧または謄写することができる。

(1)　取締役会議事録
(2)　監査役会議事録

（計算書類の閲覧）

第5条　当会社の株主または債権者は会社法442条第3項の定めに従い下記書類の閲覧を求めまたは有料にて謄本もしくは抄本の交付を求めることができる。

(1)　貸借対照表
(2)　損益計算書
(3)　事業報告
(4)　株主資本等変動計算書
(5)　附属明細書
(6)　監査役会の監査報告書
(7)　会計監査人の監査報告書
(8)　個別・連結注記表

2　前項の交付料金は1枚につき金30円（消費税別）とする。また郵送料を必要とするときはその実費を別途に要する。

（役員退職慰労金内規の閲覧）

第6条　取締役または監査役の退職慰労金に関する株主総会の議案が一定の基準に従い退職慰労金の額を決定することを取締役および監査役その他の第三者に一任するものであるときは役員退職慰労金内規を閲覧することができる。

（その他）

第7条　この規程に定めない事項については会社法その他の法令または当社の株式取扱規則等の当社規則による。

図表Ⅱ－1－3　備置書類の閲覧等申込書の例

備置書類　閲覧・謄写・謄本交付・抄本交付　申込書

年　月　日

○○○○株式会社　御中

－お願い－

1．最上段の謄写・閲覧・謄本交付・抄本交付のうち申し込まれる項目を丸で囲みください。
2．お申込者は本人と確認できる書類（本人確認書類）の提示または提出をお願いします。
3．株主様は、あらかじめ個別通知を行った上で、個別通知後2週間以内に請求をお願いします。

<table>
<tr><td rowspan="3">お申込者</td><td>（ふりがな）
氏　名</td><td colspan="2">印</td><td rowspan="3">申込資格</td><td rowspan="3">1. 株主ご本人
2. 債権者ご本人
3. 1又は2の代理人</td></tr>
<tr><td>住　所</td><td colspan="2">〒</td></tr>
<tr><td>株主
番号</td><td colspan="2"></td></tr>
<tr><td colspan="2" rowspan="3">資格明細</td><td>1. 所有株式数</td><td colspan="3">株</td></tr>
<tr><td>2. 債権種別及び金額</td><td colspan="3">円</td></tr>
<tr><td colspan="4">3. 代理人であることを証明する書類</td></tr>
<tr><td colspan="2">申込書類名</td><td colspan="3"></td><td>一枚　30円</td></tr>
<tr><td colspan="2">目　　的</td><td colspan="3">申込者は、申込みに係る書類及びそこに記載された情報を記載した目的の範囲内で使用すること、正当な理由なく第三者に提供または開示しないことを誓約します。</td><td>円
（消費税額＝
合計額×消費税率
円未満切り捨て）</td></tr>
<tr><td colspan="2">閲覧等の
希望日時</td><td colspan="4">平成　年　月　日（午前/後　時　分から午前/後　時　分まで）</td></tr>
</table>

－ご注意－

1．閲覧、謄写は指定された場所において行い、指定場所以外に書類を持ち出さないでください。
2．閲覧、謄写は当社の営業時間内（午後5時）に終了してください。

手続事項

<table>
<tr><td>受　付</td><td colspan="3">年　月　日（午前
後　時　分）</td><td>申込資格
証明書類</td><td></td></tr>
<tr><td rowspan="2">承　認
処　理</td><td></td><td></td><td>担当者</td><td colspan="2" rowspan="2">（特記事項）</td></tr>
<tr><td></td><td></td><td></td></tr>
</table>

第2章

株主提案権

2-1

総 説

取締役会設置会社においては、取締役会が株主総会の招集を決定し、(代表)取締役が招集するのが原則である(法298条4項・1項・296条3項。**第Ⅰ編第5章5－2**)。この原則の例外として、少数株主の総会招集請求権(法297条。**第3章**参照)があるが、これとは別に、①会社が招集する総会に会議の目的事項(議題)を追加すること(法303条)、②総会において、会議の目的事項(議題)につき、議案(原案に対する修正案等)を提出すること(法304条)、③総会の会議の目的事項(議題)につき、株主が提出しようとする議案の要領を株主に通知すること(法305条)が認められている。①は議題提案権、②は議案提案権、③は議案の通知請求権であり、これらをあわせて「株主提案権」と呼ばれている。これらのうち、②は、総会当日に、いわゆる修正動議というかたちで行使される。修正動議については、**第Ⅰ編第21章21－4■2**にて詳論済みであるため、本章では、①および③について解説する。本章で「株主提案権」という場合、特段の断りがない限り①および③を指す。直近で見ると、おおむね年間70件前後の株主提案権の行使が確認されている[(1)]。

(1) 2017年7月総会から2018年6月総会までに行使された株主提案権は56社62件(商事法務研究会編『株主総会白書2018年版(商事2184号)』(商事法務研究会、2018)17頁)、2018年7月総会から2019年6月総会までに行使された株主提案権は65社70件(同『株主総会白書2019年版(商事2216号)』(同、2019)21頁)、2019年7月総会から2020年6月総会までに行使された株主提案権は64社71件(同『株主総会白書2020年版(商事2256号)』(同、2021)25頁)、2020年7月総会から2021年6月総会までに行使された株主提案権は65社72件(同『株主総会白書2021年版(商事2280号)』(同、2021)26頁)。近時の株主提案の動向等について、牧野達也「株主提案権の事例分析――2020年7月総会～2021年6月総会⑴・⑵」資料版商事449号(2021)59頁、同450号(2021)105頁、水嶋創「本年6月総会における株主提案の内容とこれに対する株主の賛否判断――東証一部上場企業を対象に」商事2278号(2021)34頁、「NEWS・2022年6月総会をめぐる動向」商事2300号(2022)63～65頁等。

株主提案権の行使手続

1　行使要件

⑴　持株要件

株主提案権を行使するためには、総株主の議決権の１％以上または300個以上の議決権を有することが必要である（法303条２項・３項・305条１項・２項）。それぞれ定款の定めによる引下げが認められる。持株要件を算定する際、当該請求に係る目的事項について議決権を行使することができない株主が有する議決権の数は、総株主の議決権の数に算入されない（法303条４項・305条３項）。１名の株主で持株要件を充足する必要はなく、複数の株主の有する株式に係る議決権を合算し、それらの株主が共同して株主提案権を行使することができる。

なお、取締役会設置会社以外の会社においては、株主提案権が単独株主権となるため、当該株主が議決権を行使することができる事項である限り、有する議決権数にかかわらず、株主提案権を行使することができる（法303条１項・305条１項）。

⑵　保有期間要件

公開会社においては、６ヵ月前から継続して持株要件を満たしていなければならない（法303条２項・305条１項）。この６ヵ月という期間については、定款の定めによる短縮が認められる。この６ヵ月とは、請求の日から遡って株式取得日までの間に丸６ヵ月間存することを意味すると解されている[(2)]。

計算にあたって、株式を取得した日は算入しない（民法140条参照）[(3)]。

株主提案権の行使後、いつまで持株要件が維持される必要があるかについては、見解が分かれている。①総会終結時までと解する見解[(4)]、②株主名簿の基準日までと解する見解[(5)]、③株主提案権の行使日と基準日とのいずれか遅い日までとする見解[(6)]などがある。招集通知の印刷・発送といった総会の開催に要する手続を勘案すると総会終結時まで持株要件が維持されることの確認を要するとするのは会社側の負担が過大であること、株主提案権は当該株主が議決権を行使することができる事項に限り認められるものであることから少なくとも基準日時点では株主である必要があると解されること等から、実務上は、③の見解のもとに運用されている[(7)]。なお、非公開会社等において基準日を設定せずに株主総会が開催される場合、③の見解を前提にしても、総会日までと解することになるものと考えられる。

2　行使期限

株主提案権は、株主総会の日の8週間前までに、取締役に対して行使しなければならない（法303条2項・305条1項）。この8週間という期間についても、定款の定めによる短縮が認められる。この8週間についても、1(2)の保有期間要件同様、会日と請求日との間に丸8週間を要すると解される[(8)]。

会日と請求日との間の期間が8週間に満たない場合、当該株主提案権の行使は不適法であり、会社は取り上げる必要がない。

この点、ここにいう「株主総会の日」については、株主側で正確な開催日

---

(2)　東京地判昭和60・10・29金判734号23頁、東京高判昭和61・5・15判タ607号95頁。

(3)　前掲(2)東京高判昭和61・5・15。

(4)　森本滋『会社法〔第2版〕』（有信堂高文社、1995）199頁注1、江頭憲治郎『株式会社法〔第8版〕』（有斐閣、2021）342頁注(2)。なお、元木伸『改正商法逐条解説〔改訂増補版〕』（商事法務研究会、1983）89頁は、当該提案に係る株主総会決議がなされた時点まで保有される必要があるとしている。

(5)　前田庸『会社法入門〔第13版〕』（有斐閣、2018）383頁。

(6)　相澤哲ほか編著『論点解説　新・会社法』（商事法務、2006）126頁。

(7)　久保利英明＝中西敏和『新しい株主総会のすべて〔改訂2版〕』（商事法務、2010）99頁、松山遙『敵対的株主提案とプロキシーファイト〔第3版〕』（商事法務、2021）12～13頁。

を知りえないことも多く、会社側が例年と比較して会日を前倒しすることによって株主提案権の行使を不適法とすることもできることになってしまうことから、客観的に会日と予想される日を基準として、８週間前に行使されていれば適法とすべきとの見解も存するところではある。しかしながら、８週間前という行使期限はそれほど会日からかけ離れておらず、提案株主としては、例年と比較して多少の前倒しがあったとしても十分間に合うように提案をすることも不可能ではないため、文言どおり、実際の会日と請求日との間に丸８週間を要すると解するのが通説(9)である。

なお、期限に遅れて行使された株主提案権については、原則として、次の総会についての提案として取り扱う必要があるとの見解(10)も少なくない。もっとも、そのように取り扱う場合、次の総会との関係で行使要件を満たしている必要がある（■１(2)において述べた③の見解を前提にすると、少なくとも、次の総会の基準日までの間、持株要件が維持される必要がある）。このような場合、実務的には、会社が、元の提案をそのまま次の総会への提案として維持するのか、あらためて株主提案権を行使するのか、一切取り上げないことでよいのか、提案株主の意向を確認のうえ、対応することになろう。

(8)　行使期限となる日が日曜日その他の休日である場合において、翌営業日まで期限が延長される（繰り下がる）か否かについては、前田雅弘＝北村雅史・大阪株式懇談会編『会社法実務問答集Ⅱ』（商事法務、2018）40～41頁〔北村雅史〕は、両論ありうるも、行使期限となる日が休日であったとしても、その日に期限が満了し、株主平等原則の観点から、任意の判断による期限の延長（繰り下げ）も行うべきでないとする。前田雅弘＝北村雅史・大阪株式懇談会編『会社法実務問答集Ⅰ（上）』（商事法務、2017）65～66頁〔前田雅弘〕も同旨。

(9)　上柳克郎ほか編代『新版注釈会社法(5)』（有斐閣、1986）81頁〔前田重行〕、江頭・前掲(4)書342頁注(2)等。

(10)　元木・前掲(4)書93頁等。前田雅弘＝北村雅史・大阪株式懇談会編『会社法実務問答集Ⅲ』（商事法務、2019）177～178頁〔北村雅史〕は、当該提案の趣旨・内容からして、次回の株主総会でも意味を持つものであれば、次回株主総会の有効な議案として受理しなければならないとする。

3　株主提案権の行使

(1)　提案方式

株主提案権は、取締役に対して行使する。会社法上、特段、書面によることは要求されておらず、別段の定めがない限り、口頭など適宜の方法によることも可能である。もっとも、実務上、口頭などの方法による株主提案権の行使を認めると、行使要件の確認や本人性の確認に困難が生じうるうえ、提案内容をめぐって提案株主と会社との間に認識の齟齬が生じる可能性もある。会社法の規定は、権利行使の方法について制限をかけないということを強行的に要求するものではないとされており(11)、定款または株式取扱規程等により、書面によることを義務づけている例も多い（２－７参照）。定款または株式取扱規程等により権利行使の方法が定められている場合、提案株主も、これに従って行使することとなる。

(2)　代理人による権利行使

株主から委任を受けた代理人により株主提案権を行使することも可能である。定款に「株主は、当会社の議決権を有する他の株主１名を代理人として、その議決権を行使することができる。」といった規定を設けている会社も多いが、株主提案権の代理行使に関しては、当該規定の適用はない(12)。

外国人株主による株主提案権の行使に際しては、しばしば代理行使に関する問題が生じる。一般に、国外の機関投資家は、有価証券の管理を委託したグローバルカストディアンの名義で株式を保有する。そして株式の名義人であるグローバルカストディアンは、日本国内に拠点を有するサブカストディアンに常任代理人業務を委託し、当該サブカストディアンが常任代理人として会社に届け出られている。常任代理人選任届には、「株主の権利義務に関

(11)　相澤ほか編著・前掲(6)書127頁。
(12)　中西敏和「株主提案権行使への実務的対応〔上〕」商事1146号（1988）23頁。

する一切の件」を常任代理人に委任するとしていることが多く、そのような場合において、実質的な株式保有者である機関投資家が株主提案権を行使するには、どのような方法による必要があるかということである。この点、常任代理人が選任された場合、株主の権利のすべてを行使しうる者は常任代理人であり株主ではなくなり、会社は常任代理人以外の者による権利行使を拒絶できるとの見解[13]もある一方、株主提案権のような個別性の強いものは常任代理人への委任に馴染まないとする見解[14]もある。機関投資家自身が株主提案権を行使しようとする場合、前者の見解によれば常任代理人からの委任状（および、場合によってはこれに加えてグローバルカストディアンからの委任状）を取得し、復代理人として行使するといった方法になろう。他方、後者の見解によれば株式の名義人であるグローバルカストディアンからの委任状のみを取得し、代理人として行使しうることになろう。実務的には、グローバルカストディアン名義の委任状の提出があれば、株主提案権の行使を認めるケースが多いようである[15]。このほか、常任代理人名義で株主提案権が行使されるようなケースでは、上記のように包括的な文言による選任届が提出されている以上、会社としては権利行使を認めることになるものと思われる。

(3)　個別株主通知

振替株式の株主が株主提案権を行使する場合、証券会社等の口座管理機関に対して個別株主通知の申出を行い、会社に対して個別株主通知がなされた後、４週間以内に行う必要がある（振替法154条２項、振替法施行令40条）。株主の申出から、会社への個別株主通知まで、原則として４営業日を要する。遅くとも、会社法所定の権利行使期間（会日の８週間前まで）に、会社への個別株主通知が完了している必要があるものと考えられる[16]。

---

(13)　株主総会実務研究会編集『Q&A 株主総会の法律実務』（新日本法規出版、2006）1918～1919頁〔今中利昭＝市川裕子〕。

(14)　中西・前掲(12)論文25～26頁。

(15)　松山・前掲(7)書23～24頁参照。

(16)　大阪地判平成24・２・８判時2146号135頁。

2-3 初期対応・提案株主との協議

1　初期対応

株主提案権の行使を受けた会社は、まず、適法な権利行使か否かを確認する。後述のとおり、適法な株主提案権の行使があった場合には、招集決定、招集通知・参考書類への記載といった対応が必要となるため、かかる確認は、行使後すみやかに行う必要がある。

⑴　形式的確認

具体的には、まず、形式事項として、当該提案が、①行使要件を満たしているか（２－２■１）、②行使期限までに行われているか（２－２■２）、③提案方式を遵守しているか（２－２■３⑴、方式を制限している場合のみ）、④代理権の有無（２－２■３⑵、代理行使の場合のみ）、⑤個別株主通知を受領しているか（２－２■３⑶）、⑥株主または代理人本人による行使か[17]を確認する。⑤に関しては、個別株主通知の受付票が添付されていれば、提案の時点で個別株主通知を受領していなかったとしても、受け付ける余地はあるものと考えられるが、２－２■３⑶のとおり、遅くとも会社法所定の権利行使期間（会日の８週間前まで）に会社への個別株主通知が完了しない場合、会社は、適法な株主提案権の行使として取り扱う必要がない。個別株主通知から権利行使までに間がある場合や、株主であることに疑義がある場合には、権

⒄　全国株懇連合会理事会決定に係る「株式取扱規程モデル」（2022年４月８日）10条。全国株懇連合会理事会決定に係る「株主本人確認指針」（2020年10月16日）参照。

利行使時点で株式を保有しているか否かについて、情報提供請求（振替法277条）により確認することも考えられる[18]。

(2)　実質的確認

①　議案の有無

書面投票制度の採用を義務づけられる会社においては、参考書類の記載事項に議案が含まれる（施73条1項1号）ことから、議題のみの提案は許されず、常に議案の提案も伴わなければならないと解されている[19]。もっとも、「取締役Ａ氏解任の件」、「会社解散の件」といった議題であれば、性質上、それ以上の詳細な議案は不要である[20]。

他方、株主から議案のみが提案され、議題が明記されていないような場合については、当該議案の内容から合理的に類推される議題が提案されたものと解することが可能である[21]。

②　株主総会決議事項か否か

取締役会設置会社では、株主総会で決議できる事項は、会社法に規定された事項および定款で定めた事項に限定されている（法295条2項）。したがって、これらに該当しない議題の提案は不適法である。

もっとも、同時になされた定款変更の提案とあいまって、適法となることはありうる。たとえば、定款の定めにより剰余金の配当の決定を株主総会の決議によらないこととされている会社（法460条1項・459条1項4号参照）において、上記定款の規定を削除する定款変更を提案し、かかる提案が承認されることを条件として剰余金の配当の提案を同時に行うようなケースであ

---

(18)　もっとも、個別株主通知の有効期間内での権利行使であれば、特段の事情がない限り、情報提供請求権を行使せず、後になってから当該権利行使者が権利行使要件を満たしていないことが明らかになったとしても取締役が善管注意義務違反に問われる可能性は低いと考えられる（平成23年4月8日全国株懇連合会理事会決定に係る「少数株主権等行使対応指針」（全国株懇連合会編『全株懇株式実務総覧〔第2版〕』（商事法務、2022）62頁以下）参照）。

(19)　上柳ほか編代・前掲(9)書67頁〔前田〕。

(20)　元木・前掲(4)書88頁。

(21)　上柳ほか編代・前掲(9)書66頁〔前田〕。

る。自己株式の消却を株主総会において決議することができる旨の定款変更とともに、自己株式の消却が提案された実例もある。

また、合併や、第三者割当による有利発行増資など、事柄の性格上、会社側の提案によって付議されることが適切と考えられる事項も存する。この点、旧商法下においては、(a)このような事項についての提案も許されるとの考え方、(b)合併契約や募集株式の募集について取締役会決議がない以上無意味であるとする考え方、(c)決議されたとしても取締役会に対する拘束力を持たない勧告的提案としてのみなしうるとの考え方等が主張されていた(22)。また、合併等の組織再編については、会社法下において、承認の対象が「吸収合併契約等」、「新設合併契約等」と明記されている（法783条1項・795条1項・804条1項）ことから、合併契約等が締結されていない場合、株主提案権の対象となりえないとの見解(23)も存する。実務上は、勧告的決議を求める株主提案権の行使という整理で受理することも考えられる一方(24)、不適法として拒絶することも考えられる(25)。

近時の裁判例として、買収防衛策の廃止に係る株主提案権の行使を否定したもの(26)、子会社のスピンオフを求める株主提案権の行使について、結論として保全の必要性が認められないとして仮処分命令の申立てを却下しているものの、当該株主提案はそれが可決されたとしても勧告的な意味しか有しない面があることは否定できないとしつつ、被保全権利の存在は肯定したもの(27)がみられる。

③　議案の法令・定款違反の有無

株主は、法令または定款に違反する議案を提案することはできない（議案

(22)　上柳ほか編代・前掲(9)書71～78頁〔前田〕。
(23)　森本滋ほか「〈座談会〉会社法への実務対応に伴う問題点の検討」商事1807号（2007）28頁〔相澤哲発言〕。
(24)　森本ほか・前掲(23)座談会28～29頁〔森本滋発言、岩原紳作発言〕。
(25)　邉英基「株主提案と組織再編・自己株式取得」商事2272号（2021）56頁以下。
(26)　ヨロズ株主提案議題等記載仮処分命令申立事件・東京高決令和元・5・27資料版商事424号118頁。
(27)　フェイス株主提案権侵害排除請求仮処分命令申立事件・京都地決令和3・6・7資料版商事449号90頁。

の通知請求権につき法305条４項)。もっとも、上記②同様、同時になされた他の提案とあいまって、適法となることはありうる。たとえば、そのままでは分配可能額を超える増配の提案を、それに先立つ別途積立金の取崩し等の剰余金の処分とともに提案するようなケースである。

また、定款変更議案の提案の適法性について、裁判例において、具体的な判断が示されている(28)。まず、①「『ストック・オプションや株式を保有する取締役や執行役が、プットオプションを保有しコールを売却することなどの手段によるヘッジを行うことを原則として禁止する。報酬委員会は、そのためのガイドラインを作成し、株主に開示しなければならない。』という条項を、定款に記載する。」との提案について、当該議案は、すでに付与されたストックオプション、今後付与されるであろうストックオプション、ストックオプションにかかる新株予約権を行使した結果取得した株式およびストックオプションにかかる新株予約権の行使以外の方法により取得した株式といった複数の性質の異なるものを対象としているところ、少なくともすでに付与されたストックオプションを対象とする部分は効力を生じないというべきであり、かつ、その禁止すべき行為も「プットオプションを保有しコールを売却することなどの手段によるヘッジを行うこと」というあいまいなものであることからすると、無効である部分を多く含むうえに、内容としても明確性を欠き、適法な株主提案権の行使とは評価できないとした。また、②「『取締役及び執行役並びにその第一親等内の親族及び姻族による株式売却は、最低30日以内の事前予告を必要とし、株主に開示されなくてはならない。』という条項を、定款に規定する。」との提案について、会社の役員に対し、定款においてその保有する自社株の売却に一定の制約を加えることは、株主の属性ではなく、役員の会社の機関としての側面に着目した規制であって、これをただちに株主平等の原則や株式自由譲渡の原則に反するものと断定することはできない一方、会社の機関としての側面を有しない役員の親族についてもその株式の譲渡に上記のような制約を課すことは、株主平等の原則や株式自由譲渡の原則に反するものであり、このように、議案の一部に法

(28)　HOYA 事件・東京地決平成25・５・10資料版商事352号36頁。

令に違反する内容が含まれる議案については、株主提案の対象となりえないとした。

④　権利濫用の有無

株主提案が具体的な法令違反または定款違反に明確に該当しないとしても、なお権利濫用法理により制約を受けることは考えうる(29)。もっとも、一般条項たる権利濫用に該当して株主提案権の行使が制約を受ける場面は、一般的には相当限定的に解されるように思われる。

株主提案が権利濫用として制約を受けるか否かに関し、近時の裁判例において、具体的な判断が示されている(30)。株主から提案された58個の議案について、会社が、すべての議題、提出議案ならびにこれらの要領および提案理由を招集通知等に記載することを拒絶して紛争となった事案において、裁判所は、「株主提案権といえども、これを濫用することが許されないことは当然であって、その行使が、主として、当該株主の私怨を晴らし、あるいは特定の個人や会社を困惑させるなど、正当な株主提案権の行使とは認められないような目的に出たものである場合には、株主提案権の行使が権利の濫用として許されない場合がある」とし、一般論として、株主提案権の行使が権利濫用として制約を受ける可能性を肯定した。もっとも、限られた時間的制約の中での断行の仮処分の判断という事情もあり、権利濫用該当性のあてはめにおいて慎重な姿勢がみられる(31)。会社側の、提案にかかる議案のほとんどが不適法である旨の主張に対し、裁判所が権利濫用と認めたのは、相手方会

---

(29)　松井秀征「株主提案権の動向」ジュリ1452号（2013）46頁。当該論稿においては、取締役等の説明義務における説明拒絶事由を参考に、株主提案権の行使が権利濫用に該当するか否かを判断するにあたっての考慮要素として、①提案権の行使により株主の共同の利益を著しく害する場合、②提案権の行使により株式会社その他の者（当該株主を除く）の権利を侵害する場合、③提案権の行使を拒絶することにつき正当な事由がある場合が挙げられている。そのほか、武井一浩「株主提案権の重要性と適正行使」商事1973号（2012）52頁等。

(30)　HOYA 事件・東京高決平成24・5・31資料版商事340号30頁。なお、髙橋真弓「株主総会の議題等を招集通知・株主総会参考書類に記載するよう求める仮処分命令の申立てに対して株主提案権の濫用が争われた事例」金判1426号（2013）2頁も参照。

(31)　決定文においても、「今後の立証によっては、本件株主提案が全体として権利の濫用と認められる余地があ」ると言及されている。

社の特定の従業員を困惑させることを目的としているとしか考えられない議案１個のみであり、議案の数が58個におよび、提案理由が長文であったことのみをもって、提案が全体として権利濫用にあたるとはいえないとした[32]。

また、株主提案権の侵害を理由とした株主の会社に対する損害賠償請求訴訟において、その提案が株主提案権を濫用するものであったため、請求に理由がないとした裁判例がある[33]。当該裁判例においては、①初めて株主提案権を行使した前回定時株主総会における提案内容、②当該株主総会における提案内容が提案株主の実父に対する不満や疑念の矛先を実父の実兄であった会社の相談役に向けていたところ、思うような進展がなかったことから、株主提案権の行使という形を利用してこれを追及しようとする意図が含まれていたと認められること、③提案件数の数を競うように114個もの提案をしたこと、④会社の要請に従い、提案を20個まで削減したにもかかわらず、その中にはなお倫理規定条項議案および特別調査委員会設置条項議案が含まれているところ、これらは提案株主の実父およびその実兄を直接対象とするものであって、提案株主が最後までこれらに固執したことからすると、提案は、個人的な目的のため、あるいは会社を困惑させる目的のためにされたものと認められること等に照らし、提案の全体が権利の濫用に該当すると判示されている。

株主提案権の行使を受けた会社としては、まずは濫用の可能性があるものにつき合理的な数（なお、会社法305条４項に基づく提出議案数の制限については、⑤参照）および内容に修正するよう提案株主を説得し、そのうえで、明らかに濫用的なものに限って拒絶するといった対応が基本になるように思われる[34]。

---

(32)　なお、会社提案に対する反対提案の性質を有する株主提案議案につき、反対の下となる会社提案が提出されないものについては不適法であり、また、他の議案と明らかに重複する議案については、提出の利益はないと判示した一方、当該提案がなされた定時株主総会終結時をもって任期満了予定の取締役に対する解任議案や、会社提案の取締役候補者の選任に関する反対議案については、不適法とはしなかった。

(33)　HOYA 事件・東京高判平成27・５・19金判1473号26頁。なお、当該判決に対しては、上告および上告受理の申立てがされている。また、当該事案における権利濫用該当性に関して消極的な判断をした原審である東京地判平成26・９・30金判1455号８頁、および当該東京高判に係る評釈として、小林史治「株主提案権とその権利の濫用」商事2079号（2015）43頁も参照。

⑤　提出議案数の制限

取締役会設置会社の株主が議案の通知請求権（法305条1項）を行使する場合において、当該株主が提出しようとする議案の数が10を超えるときは、10を超える数に相当することとなる数の議案についてはその行使が認められない（同条4項）。

かかる規律は株主単位で適用される。このため、複数株主が共同して株主提案権を行使しようとする場合、各株主が提出する議案の数がそれぞれ上限の範囲内であることが必要となる[35]。

この10という議案の数については、何を内容としているかという実質面に着目して数えることとされている。もっとも、役員等の選解任等、および定款の変更に関する議案については、かかる原則どおりに数えると不都合が生じる場面が考えられるため、特に規定が置かれている。まず、役員の選解任等に関する議案に関しては、当該議案の数にかかわらず、これを1つの議案とみなすこととされている（法305条4項1号～3号）。これは、役員等の選任に関する議案については、通常、各候補者につき1議案を構成すると解されるところ、そのままの数え方により提出議案数の制限を適用すると、たとえば「取締役11名選任の件」として11名の候補者を提案した場合、それのみをもって上限をオーバーしてしまうこととなるが、それは妥当性を欠くと考えられたためである。次に、定款の変更に関する議案に関しては、当該2以上の議案について異なる議決がされたとすれば当該議決の内容が相互に矛盾する可能性がある場合には、これらを1の議案とみなすこととされている（同項4号）。具体的には、相互にまったく関連性を有しない複数の事項の変更（たとえば、商号変更、目的事項の変更、事業年度の変更）が形式的に1議題の下にまとめられ「定款一部変更の件」として提案された場合、それぞれについて異なる議決がされたとしても相互矛盾は生じないため、上記みなしは

---

(34)　松井・前掲(29)論文44頁。なお、前掲(33) HOYA 事件・東京高判平成27・5・19においても、「控訴人会社の側からみれば、被控訴人に対し、その提案を招集通知に記載可能であり、株主総会の運営として対応可能な程度に絞り込むことを求めることには合理性があるといえる」と判示されている。

(35)　竹林俊憲編著『一問一答・令和元年改正会社法』（商事法務、2020）52頁。

生じない（上記例示の場合、3議案として数えられることとなる）。一方、相互に関連性を有する複数の事項の変更（たとえば、監査等委員会設置会社への移行を目的とした、監査役に係る事項の削除、監査役会に係る事項の削除、監査等委員会に係る事項の追加）が提案された場合、それぞれについて異なる議決がされたとすると相互矛盾が生じる（上記例示の場合、監査役に係る事項の削除と監査役会に係る事項の削除が否決された一方、監査等委員会に係る事項の追加が可決されると、会社法327条4項違反の状態が生じてしまう）。このように相互矛盾が生じる可能性がある場合、1の議案とみなされることとなる(36)。

株主が提出しようとする議案の数が10を超える場合、10を超える部分の提出が制限される。この場合に、どの部分が「10を超える数に相当することとなる数の議案」として制限されるかについては、株主が議案相互間の優先順位を定めている場合にはそれに従うこととなり、定めていない場合には、取締役がこれを定めることとなる（法305条5項）。取締役が優先順位を定めることとなる場合、株主平等原則の見地より、提案株主ごとに合理的な理由なく異なる取扱いをすることは許されない。たとえば、ある株主についてのみ、違法になりそうなものだけをピックアップして10個残すような対応は認められない(37)。会社としては、取締役による「10を超える数に相当することとなる数の議案」の決定方法を、あらかじめ株式取扱規程等で定めておくことも考えられる。たとえば、合理的な決定方法として、(ア)原則として株主が記載している順序に従い、横書きの場合は上から（縦書きの場合は右から）数えて定めるものとし、(イ)議案が秩序立って記載されていないなど、その順序を判断することが困難である場合には、取締役が任意に定めるものとする方法などが考えられる(38)。

⑥　同一議案の連続提案の制限

議案の通知請求権（法305条1項）を行使した結果、株主総会において総株主（当該議案について議決権を行使することができない株主を除く）の議決権の

(36)　神田秀樹ほか「座談会・令和元年改正会社法の考え方」商事2230号（2020）18頁以下も参照。
(37)　神田ほか・前掲(36)座談会19頁〔竹林俊憲発言〕。
(38)　竹林・前掲(35)書63頁。

10％以上の賛成を得られなかった場合、３年間は、実質的に同一の議案を内容とする通知請求権を行使することができない（法305条６項）。

したがって、議案の通知請求権の行使を受けた会社としては、実質的に同一の議案についての過去の提案の有無および得票数を確認することとなる。なお、「実質的に同一」といえるか否かについて、たとえば、剰余金の配当については、仮に同一金額であっても、背景となる決算の内容が同一でない場合には、議案の同一性は存しないと解されている[39]。

2　提案株主との協議

株主提案権の行使があった場合に、会社と提案株主との間で協議が行われることもある。会社から働きかけて、提案の趣旨を明確化させたり、不適法とまでは言えない不備を是正させたりすることは差し支えない。また、招集通知や参考書類の記載事項を決定するに際して、提案の内容では不足する場合には、指摘のうえ、可能な限り補充させることが望ましい。

また、実務上、上記のような協議に加え、提案株主の理解を得るために、会社側の考え方を直接提案株主に説明して説得したり、場合によっては、正式な株主提案権の行使前に提案をしようとする株主から意向の連絡があってそのような機会が持たれるケースもある。こうした説明の結果、株主提案が取り下げられたり、株主提案権の行使に至らないこともあり、IR の一貫として行われる限り、特に問題はない。もっとも、利益供与が許されないことは言うまでもなく、また、インサイダー取引規制との関係で未公表の重要事実を不用意に伝達することがないよう、留意を要する。

---

(39)　元木・前掲(4)書91頁。

2-4 招集決定・参考書類の記載等への影響

1　招集決定への影響

株主から適法な株主提案権の行使を受けた場合、取締役会は、株主総会の招集決定（法298条）に際して、当該提案内容を反映させる必要がある。具体的には、提案された議題を会議の目的事項に含め（同条１項２号）、参考書類を作成する必要がある会社では、提案された議案に係る事項を参考書類記載事項に含める（同項５号、施63条３号イ・93条）[40]。

招集通知には、通常、会社側が提案する議案を先に掲げ、その後に株主提案に係る議案を掲げる[41]。もっとも、議案の内容によって、特に付議するべき順番が決まるような場合（たとえば、会社提案として「買収防衛策導入の件」が付議されるのに対し、提案株主から「定款一部変更の件」として買収防衛策導入には株主総会の特別決議を要する旨の議案が提案された場合）には、株主提案に係る議案を先に掲げることが適切なこともありうる[42]。

招集通知の記載上、「会社提案」、「株主提案」という見出しで区分して会議の目的事項を記載することが通例である。「会社提案」という用語は慣行的に使用されており、裁判例上も是認されている[43]。

---

(40)　その他、招集決定全般に関する影響につき、山田和彦編著『株主提案権の行使と総会対策』（商事法務、2013）75頁以下〔中川雅博〕。

(41)　招集通知の記載例については、プロネクサスディスクロージャー研究部編『招集通知・議案の記載事例 平成27年版（別冊商事392号）』（商事法務、2015）604頁以下、山田編著・前掲(40)書81頁以下〔中川〕等参照。

(42)　松山・前掲(7)書46頁。

2 参考書類等の記載等への影響

議案の通知請求権（法305条1項）が適法に行使された場合に、会社が株主に通知することとなる「議案の要領」とは、議案そのものではなく、その要約を指すものと解されており(44)、株主総会の議題に関し、会社および一般株主が理解できる程度の記載をいうとされる(45)。

なお、電子提供措置をとる旨の定款の定めがある会社において株主が議案の通知請求権を行使する場合、当該議案の要領について電子提供措置をとることを請求することとされている（法325条の4第4項）。このため、電子提供措置をとる旨の定款の定めがある会社において議案の通知請求権が適法に行使された場合、会社は、当該議案の要領について電子提供措置をとることとなる。

参考書類の作成が必要な会社において、株主提案に係る議案については、参考書類に以下の事項を記載しなければならない（施93条1項）(46)。

① 議案が株主の提出に係るものである旨
② 議案に対する取締役（取締役会設置会社である場合にあっては、取締役会）の意見があるときは、その意見の内容
③ 株主が議案の通知請求に際して提案の理由を会社に対して通知したときは、その理由（通知された提案の理由が明らかに虚偽である場合またはもっぱら人の名誉を侵害し、もしくは侮辱する目的によるものと認められる場合における当該提案の理由を除く）
④ 議案が取締役、会計参与、監査役または会計監査人の選任に関するもので

---

(43) つうけん事件・札幌高判平成9・1・28資料版商事155号107頁、札幌高判平成9・6・26資料版商事163号262頁。

(44) 岩原紳作編『会社法コンメンタール(7)機関(1)』（商事法務、2013）112頁〔青竹正一〕。

(45) 東京地判平成19・6・13判時1993号140頁。なお、東京地判令和2・11・11金判1613号48頁は、原告のメールアドレスおよびファックス番号を明示のうえ、会社の内部内部通報窓口担当者とすることを定款に記載する旨の株主提案につき、会社が、招集通知に原告のメールアドレスおよびファックス番号の一部を伏せて記載したことは、株主提案権の侵害に該当しないと判示した。

(46) 参考書類の記載例については、プロネクサスディスクロージャー研究部編・前掲(41)書604頁以下、牧野達也「株主提案権の事例分析」資料版商事366号（2014）40頁以下、山田編著・前掲(40)書93頁以下〔中川〕等参照。

ある場合において、株主が議案の通知請求に際して施行規則74条から77条までに定める事項（これらの者の選任議案における参考書類記載事項）を会社に対して通知したときは、その内容（通知された事項が明らかに虚偽である場合における当該事項を除く）

⑤　議案が全部取得条項付種類株式の取得または株式併合に関するものである場合において、株主が議案の通知請求に際して施行規則85条の２または85条の３に定める事項（これらの議案における参考書類記載事項）を会社に対して通知したときは、その内容（通知された内容が明らかに虚偽である場合における当該事項を除く）

２以上の株主から同一の趣旨の議案が提出されている場合には、参考書類には、その議案およびこれに対する取締役（取締役会設置会社である場合にあっては、取締役会）の意見の内容は、各別に記載する必要はないが、２以上の株主から同一の趣旨の提案があった旨を記載する必要がある（施93条２項）。提案の理由についても、２以上の株主から同一の趣旨の提案の理由が提出されている場合には、各別に記載せず、まとめて記載することができる（同条３項）。

上記の記載事項のうち、③（議案の提案理由）および④（役員等選任議案における参考書類記載事項）については、株主から通知された内容が参考書類にその全部を記載することが適切でない程度の多数の分量(47)に及ぶ場合、その概要を記載することでたりる。また、会社がその全部を記載することが適切であるものとして定めた分量がある場合において、株主から通知された内容が当該分量を超える場合にも、同様に、概要の記載でたりる（施93条１項柱書）。後者のように、会社が記載分量の上限を定める場合、定款による委任を受けた株式取扱規程等において定めておくことが考えられる（**2－7**参照）。実務上、概要を記載することとする場合には、提案株主にその作成を求めるのが賢明であるが、提案株主が応じない場合には、会社において概要を作成し、参考書類に記載することとなる(48)。会社側で概要を作成した場合には、提案株主に知らせたうえで最終案を確定することも考えられる(49)。

(47)　平成17年改正前商法下の旧商法施行規則17条１項１号に規定されていた400字を意味するのではなく、会社が、参考書類の他の記載事項の量との関係を考慮しつつ、適切に判断すべきとされている（相澤ほか編著・前掲(6)書481～482頁）。

WEB 開示を採用している会社では、これらの事項も WEB 開示の対象となる（施94条）。WEB 開示による場合も、施行規則の規定上、上記のとおりの字数制限を課すことは可能と解されるが、WEB 開示の場合は、書面のような印刷コストの問題は生じないため、提案理由の正確性をめぐって後日紛争が生ずることを回避するため、提出された提案理由をそのまま掲載することも考えられる。

上記の記載事項のうち②（株主提案に係る議案に対する取締役・取締役会の意見）については、意見がない場合には記載を要しないが、通常は、何らかの取締役会の意見を記載することが多い。とりわけ、会社と提案株主との間での委任状争奪戦となるような場合には、当該提案に対する経営陣の意見を明確に記載することが適切である。この意見の記載に関しては、上記③および④と異なり、分量の制限がない。したがって、株主提案に係る議案の提案理由等の記載分量よりも取締役会の意見の分量が多かったとしても、合理的な範囲内であれば問題はない。

3　議決権行使書面への影響

株主提案権の行使がなされた場合、株主に送付する議決権行使書面には、株主提案に係る議案についても、賛否の欄を設ける必要がある[(50)]。

この場合、議決権行使書面において、「議案に対し賛否の表示をされないときは、会社提出原案につき賛成、株主提出原案につき反対の表示があったものとして取り扱う」旨を決定し（法298条1項5号、施63条3号ニ・66条1項2号）、その旨を議決権行使書面に記載することが多い。

また、株主提案に係る議案が、会社提案に係る議案と両立しない関係に立つことがある。両立しない関係にある2つの議案について、両方に「賛成」する旨の議決権行使書面については、当該両議案については無効として取り

---

(48)　弥永真生『コンメンタール会社法施行規則・電子公告規則〔第3版〕』（商事法務、2021）498頁。
(49)　森本ほか・前掲(23)座談会17～18頁〔森本発言〕。
(50)　議決権行使書面の記載例については、山田編著・前掲(40)書102頁以下〔中川〕等参照。

扱わざるをえない。したがって、このような場合には、極力無効票を減らすため、たとえば、「第○号議案と第×号議案は両立しませんので、賛成の表示をされる場合はいずれか一つのみとしてください」といった注記をしておくべきである[51]。

もっとも、両議案が両立するか否かが必ずしも明らかでない場合もありうる。たとえば、会社法下では、剰余金の配当が独立した株主総会の決議事項とされているため、複数の配当議案が両立しうる。したがって、ある事業年度に係る期末配当として、会社が1株当たり10円、株主側が1株当たり20円を提案する場合、①会社の提案する10円に追加して別途20円（双方が可決されれば1株当たり合計30円）の配当を求める趣旨であるケース（追加提案）と、②会社の提案する10円に代えて20円を提案する趣旨であるケース（代替提案）が考えうる。追加提案の趣旨であれば両議案は両立するが、代替提案の趣旨であれば両議案は両立しない。当初の株主提案からこの点が明らかでない場合は、いずれの趣旨であるかを提案株主に確認し、代替提案の趣旨である場合には、招集通知・参考書類等において代替提案である旨がわかるように表記するとともに、上記のように、議決権行使書面において「第○号議案と第×号議案は両立しませんので、賛成の表示をされる場合はいずれか一つのみとしてください」といった注記をしておくべきものと考えられる[52]。

また、会社・株主双方から取締役選任議案が提出される場合にも、両議案の関係が問題となることが多い。問題が生じやすいのは、両議案の候補者の合計数が定款所定の取締役の員数の上限を超過する場合である。たとえば、定款所定の取締役の員数の上限が10名である会社において、会社側から6名、株主側から5名（重複がないものとする）の候補者の提案がなされるケースである[53]。取締役選任議案においては、1人の取締役の選任が1議案を構成すると解されている[54]ため、会社提案に係る議案と株主提案に係る議案が

---

(51)　田中亘「委任状勧誘戦に関する法律問題」金判1300号（2008）13頁注60は、両立しない議案の双方には株主が賛成できないという解釈は自明ではないため、そのような扱いをすることを株主に対して周知することが望まれるとし、実務上、両立しない一方の議案にしか賛成してはならないことを招集通知や参考書類で明示しないまま双方に賛成した議決権行使書面を無効とする処理がなされることに疑問を呈している。

二者択一の関係には立たず、全候補者のなかから、最大10名が選任されうる。このような場合においては、総会当日にどのような方法で採決を行うかも見越して、議決権行使書面の記載を検討する必要がある。議決権行使書面との関係では、各株主が賛成できる候補者の上限を、①候補者の数（上記設例では11名）までとするのか、②選任できる取締役の数（上記設例では10名）までとするのかを決定する必要がある。総会当日、議場に出席した株主が投じることのできる賛成票についても、これにあわせる必要がある。これらは、法令上も、理論上も、どちらか一方でなければならないというものではなく、いずれの方法を採用することも可能であると解されている[55]が、②の方法を採用する場合は、招集通知・参考書類等において賛成票を投じることができる候補者の数を制限する旨を表記するとともに、議決権行使書面において「第○号議案および第×号議案については合計10名に限り賛成の表示をしてください」といった注記をしておくべきものと考えられる。

4　その他

会社が剰余金の配当に関する議案を提出予定であったところ、株主から増

---

(52)　なお、株主提案に係る議案が代替提案の趣旨である場合であっても、議決権を行使する株主が「できれば株主が提案する20円が欲しいので株主提案に係る議案に賛成だが、もしそれが否決された場合には少なくとも会社が提案する10円が欲しいので会社提案に係る議案にも予備的に賛成する。」という意思を有するケースが考えうる。この場合、両議案に賛成の意思表示をすることが、必ずしも論理的に矛盾したものとは言いえない場合もある（三浦亮太ほか『株主提案と委任状勧誘〔第2版〕』（商事法務、2015）99頁）。もっとも、双方の議案に賛成する議決権行使を有効とすると、両方の議案がともに可決要件を満たす可能性があり、総会においていずれの議案を先に付議するかによって結論が異なる可能性が生じうる。どちらか一方のみに賛成可能とすればこのような事態を回避することができるし、株主提案に係る議案が代替提案であり、会社提案に係る議案と二者択一の関係にある以上、株主に対してあらかじめ周知したうえで、一方にのみ賛成しうるとの制約を課すことも不合理ではないと考えられる（石井裕介＝浜口厚子「会社提案と対立する株主提案に係る実務上の諸問題」商事1890号（2010）24頁等）。

(53)　この場合にも、理論的には追加提案の趣旨である場合と、代替提案の趣旨である場合が考えうるが、株主提案権の行使期限である総会の会日の8週間前の時点において、通常、株主側では会社提案の内容は不明であり、株主提案は、会社提案とは別の議題を提出する趣旨である可能性が高いため、ここでは追加提案であることを前提に検討する。

(54)　江頭・前掲(4)書408頁注(3)、モリテックス事件・東京地判平成19・12・6判タ1258号69頁。

(55)　松山・前掲(7)書119頁、石井＝浜口・前掲(52)論文26頁等。

配の株主提案を受けたとして、招集決定の時点で会社提案が可決されるか株主提案が可決されるか不確かな場合、定款に定められた期末配当の基準日と、剰余金の配当の効力発生日および実際の支払日との関係につき、配当事務とも関連して、やや複雑な問題が生じる場合がある。

①配当基準日が効力を有する期間（3ヵ月間）内に行われるべき行為の範囲、②具体的な剰余金配当請求権の発生時期、および③剰余金配当請求権の弁済期といった論点[56]について、整理のうえ、配当事務も含めた総会日程、剰余金の配当議案における効力発生日の設定、参考書類の記載等について検討する必要がある。

---

(56)　これらの論点について詳細に検討した論稿として、辰巳郁「剰余金配当に関する株主提案への実務対応と会社法上の論点」商事2087号（2015）26頁。

2-5
議決権行使の促進等

株主提案権が行使されると、当該提案に係る議案を可決するため、提案株主側により委任状勧誘（**第５章**参照）が行われることも珍しくない。株主提案権の行使があったり、とりわけこれに加えて株主側が委任状勧誘を行う場合、会社側では、株主提案に係る議案の可決を阻止し、会社提案を可決するため、書面投票制度による議決権行使の促進等が行われることが多い（具体的な促進策等につき、**第Ⅰ編第18章18－２**参照）。

1　書面投票制度による議決権行使の促進

(1)　委任状勧誘規制との関係

会社側が、株主による議決権行使を促すため、招集通知とは別途、書面投票制度による議決権行使を促す書面を送付したり、さらに進んで、会社提案に賛成するよう大株主に対して要請するといった手段が用いられることがある。

このような行為が、委任状勧誘規制（金商法194条、金商法施行令36条の２以下）に服するかという点が問題となる。この点については、金融商品取引法上の委任状勧誘規制は、議決権の行使を代理させることを勧誘する行為に対する規制であるところ、書面投票制度による議決権行使の促進は代理の勧誘ではないから形式的にこれに該当せず、また、実質的にも書面投票制度には参考書類や議決権行使書面に係る規制があるためほぼ問題はないと解されている。もっとも、会社が送付した勧誘文書のなかに虚偽記載があるとか、意図的に重要な事項を記載せずに誤解を与えるような表現がある場合には、金融商品取引法を類推適用して違法性があると議論される可能性が指摘されている[57]。

実務上は、念のため、議決権行使を要請する文書のなかで、当該文書は、委任状の提出を勧誘する趣旨ではないことを明記しておくことが望ましい。

(2)　議決権行使株主への優待品の交付

株主総会における議決権行使の促進を目的として、会社が議決権を行使した株主に対し優待品を贈呈する行為については、利益供与禁止規制（法120条１項）に抵触しないかが問題となる。

この点、議決権行使を促すために優待品を交付する行為は、形式的には株主の権利の行使に関する財産上の利益の供与に該当しうるが、社会通念上相当な範囲内のものであれば、正当行為として、原則として適法と解する見解が多数である[58]。株主優待や、株主総会出席者へのお土産の交付と同様である。

もっとも、株主提案権が行使され、提案株主との間で委任状争奪戦が展開されているような状況下では、別異の考慮を要する。かような状況下においては、たとえ、会社提案に賛成した株主のみならず、株主提案に賛成した株主に対しても同一の優待品が交付される仕組みになっていたとしても、会社提案への賛成票の獲得をも目的とするものとの疑いが否定できず、違法な利益供与と認定されるリスクがある[59]。株主提案権の行使の有無にかかわらず平年から議決権を行使した株主に対し優待品を交付してきた会社が、ことさらに会社提案への賛成を呼びかけることなく、例年と全く同様に優待品の交付を続けるといったケースであれば格別、特段の事情のない限り、委任状争奪戦が展開されている状況下における優待品の交付は控えるべきである。

---

(57)　森本ほか・前掲(23)座談会22～23頁〔岩原発言〕。もっとも、刑事責任の規定の類推適用については、罪刑法定主義の観点から妥当でないとの反対説（神谷光弘＝熊木明「敵対的買収における委任状勧誘への問題と対応」商事1827号（2008）19頁）もある。

(58)　河本一郎＝今井宏『鑑定意見　会社法・証券取引法』（商事法務、2005）66頁以下、中村直人「モリテックス事件判決と実務の対応」商事1823号（2008）29頁等。

(59)　前掲(54)モリテックス事件・東京地判平成19・12・６。

2　包括委任状の取得

書面投票制度を採用している会社においても、議長不信任動議その他の手続的動議（**第Ⅰ編第21章21－４参照**）に対抗するため、大株主からの包括委任状の取得が広く行われている⑽。

実務上、かかる包括委任状の取得は、委任状勧誘規制が適用されない範囲内で行うべく、①大株主から自発的な提出を受ける、②元社員であって現株主である者が勧誘を行う、③総務部長等の社員であって現株主である者が勧誘を行うといった態様により、10名以下の大株主から提出を受けることが通例である（金商法施行令36条の６第１項１号参照）。実務的には定着した手法となっており、株主提案権の行使がなされた場合にも、例年と同様に対応することが多い。この点、なお、手続的動議に備えるための包括委任状の取得であれば、そもそも委任状勧誘規制の射程外であるとの考え方も提唱されているところではある⑾。もっとも、①～③のいずれに関しても、実態としては、会社側の意図に基づいた勧誘の結果として包括委任状が提出されているものと評価される可能性が皆無とはいえないため、株主提案権の行使がなされるなど、後日、紛争の可能性がある場合には、大株主から取得する包括委任状に、議案に対する賛否の欄を設けておくなど、委任状勧誘規制の実質的な要件を充足できるよう配慮しておくことも考えうる⑿。

3　一般株主に対する委任状勧誘

株主提案権を行使した株主側による委任状勧誘への対策として、会社側において委任状勧誘を行うことも考えられる。具体的に考えられる態様として

⑽　商事法務研究会編『株主総会白書2022年版（商事2312号）』（商事法務研究会、2022）103～105頁。

⑾　証券取引法研究会編『証券取引法研究会研究記録第10号　委任状勧誘に関する実務上の諸問題―委任状争奪戦（proxy fight）の文脈を中心に―』（日本証券経済研究所、2005）38～39頁〔森本滋発言〕。

⑿　三浦ほか・前掲⒀書131頁。

は、①書面投票制度を採用せず、全株主に対して委任状勧誘規制に則った委任状勧誘を実施すること、②書面投票制度を採用しつつ、一部の株主に対してのみ、委任状勧誘規制に則った委任状勧誘を実施すること、および③全株主に関して、書面投票制度と委任状勧誘規制に則った委任状勧誘を併用することが挙げられる。

このうち、①については、法的には特段の問題なく採用可能な方法である（法298条2項ただし書、施64条により、書面投票制度が義務づけられる会社においても採用可能である）。委任状勧誘を実施している株主側に相当数の委任状が集まることが予測されるような場合において、■2の包括委任状の取得のみでは手続的動議に不安がある場合等には、選択肢となりうる。

次に、②については、株主平等原則との関係で、一部の株主に対してのみ委任状勧誘を実施することの適否が問題となるが、この点については一般に適法と解されている[63]。書面投票制度を採用している場合、株主総会参考書類に記載した事項は、委任状勧誘規制との関係で被勧誘者に提供する参考書類に重ねて記載する必要がなく（委任状勧誘府令1条2項）、また、金融庁長官への委任状用紙・参考書類の写しの提出も不要となる（同府令44条）。■2の末尾において述べたとおり、後日の紛争に備えて委任状勧誘規制に則って大株主から包括委任状を取得する場合や、票読みの結果、10名以上の大株主から包括委任状を取得する必要があるような場合に選択肢となりうる方法である。

最後に、③については、株主を混乱させることになることを理由に併用は許されないとの見解[64]も存する。もっとも、②について述べたとおり、内閣府令には、書面投票制度と委任状勧誘規制に則った委任状勧誘が行われる場面を前提にしていると解される規定が複数存在するうえ、株主の混乱は会社側が両者の関係を明示的に説明して行えば回避可能であることから、③についても適法に行いうると考えられる[65]。一般株主にとっては、慣れ親しんだ書面投票制度を用いるか委任状を用いるかを自由に選択できる点でメリット

---

(63)　稲葉威雄『改正会社法』（金融財政事情研究会、1982）170頁。
(64)　稲葉・前掲(63)書170頁。
(65)　太田洋「株主提案と委任状勧誘に関する実務上の諸問題」商事1801号（2007）34頁。

があり、会社側としても、一般株主からも委任状を取得しうる点でメリットがある。他方で、会社にとってはコスト増が避けられない選択肢であり、会社側の説明次第ではあるものの、一定の混乱は生じうる（実務的には、招集通知発送後の株主からの多くの質問に答えられる体制を講じておく必要があろう）。また、会社側の委任状勧誘により一般株主に交付された委任状が提案株主の手に渡ってしまうリスクにも留意する必要がある。

2-6
議事運営への影響

株主提案権が行使された場合、総会当日の議事進行シナリオを見直す必要がある。株主提案権の行使はあったものの、株主側による委任状勧誘までは行われていないという場合には、総会開始前の段階で、株主提案に係る議案が可決されるか否決されるかの結論が判明しているケースが多い。したがって、本項では、株主提案に係る議案が①否決される場合と②可決される場合に分けて、主な留意点を述べる（委任状争奪戦となり、勝敗が当日まで決しない場合については、**第５章５－５**参照）。なお、総会後、上場会社に義務づけられている臨時報告書による議決権行使結果の開示（**第Ⅰ編第25章25－７**参照）に際して、株主提案に係る議案に関する記載も要する点にも留意を要する[(66)]。

1　株主提案に係る議案が否決されることが判明している場合

書面投票の状況および大株主からの包括委任状等により、あらかじめ、株主提案に係る議案が否決される（会社提案が可決される）ことが判明している場合であっても、提案株主が撤回する場合を除き、総会に付議することが必要となる。審議に際しては、会社提案・株主提案を一括審議することも可能であるし、個別審議することも可能である。議案を上程し、審議する順序についても、招集通知の記載順どおりにする必要もない。

---

(66)　記載例等については、みずほ信託銀行株式戦略企画部・日本投資環境研究所編『臨時報告書における議案別議決権行使結果とその分析（別冊商事386号）』（商事法務、2014）80頁以下参照。

審議に際しては、議長は適切な範囲で、提案株主に提案理由等の説明の機会を与えるべきであると解されている[67]。言うまでもなく、議長は、議事整理権（法315条1項）に基づき、提案株主の発言の機会や時間を制限すること等が可能である。提案株主には株主総会への出席義務はなく、提案株主が欠席した場合であっても、取締役は、株主提案に係る議案を上程し、審議の対象とする必要がある[68]。

取締役は、株主提案に係る議案については提案者ではないから、提案者としての説明義務は負わない。提案者が回答すべき質問については、議長は、適切な範囲で提案株主を指名し、回答の機会を与えることが考えられる。もっとも、取締役に対し、株主提案に係る議案に対する取締役会の意見や、議案の審議に必要な会社情報について質問がなされた場合、取締役から回答する必要がある。

会社提案に係る議案を先に採決し、可決された結果、株主提案に係る議案が成立する余地がなくなるケースが考えうる（たとえば、取締役の報酬額を年額2億円以内とする旨の会社提案と、年額1億円以内とする旨の株主提案）。このようなケースでは、あらかじめ株主提案に係る議案が否決されることが判明している以上、株主提案に係る議案を先議し、否決を明らかにしたうえで、会社提案に係る議案の審議・採決を行うことも考えられる[69]。

会社と株主の双方から取締役選任議案が提出されていて、候補者の合計が定款所定の取締役の員数の上限を超える場合、採決の方法に工夫を要するケースがありうる[70]。いくつかの考え方が提唱されているところであり、①

---

(67)　山形交通事件・山形地判平成元・4・18判時1330号124頁。なお、新型コロナウイルス感染症の感染が拡大している状況下における株主総会の開催に際し、会社が感染拡大防止の観点から、出席株主を抑制するべく事前登録制（事前登録の希望者が座席数を超える場合には抽選）を採用したところ、株主提案を行った株主が株主の総会参与権に基づく妨害排除請求権等に基づき、株主総会の開催差止めを求め、予備的に株主総会に出席して株主権を行使することの妨害禁止を求めて提起した仮処分命令申立て事件において、「株主総会開催にあたっては会場の規模や時間的制約等により出席株主数を無制限とすることはできず、株主が総会参与権を有するとしても、希望すれば必ず株主総会に出席できる権利であると認めることはできない」などとして申立てを却下した裁判例が存する（スルガ銀行株主権妨害禁止仮処分命令申立事件・静岡地沼津支決令和4・6・27資料版商事461号137頁）。

(68)　元木・前掲(4)書93頁。

(69)　森本ほか・前掲(23)座談会21～22頁〔森本発言、相澤発言〕。

候補者を１人ずつ採決していき、定款の員数を満たした時点で採決を終え、残りの候補者については採決をしないこととする考え方、②株主が賛成票を投じることができる候補者の数を定款所定の取締役の員数の上限に限定し、その結果過半数を獲得した候補者が選任されることとする考え方、③株主が賛成票を投じることができる候補者の数を候補者の全数としたうえで、過半数を獲得した候補者が定款の員数を超えた場合には、相対的に多くの賛成を得た候補者から順に定款の員数枠を満たすまで選任されることとする考え方、④採決に際して、特段他の決議事項と異別に解することなく、過半数の賛成を得た候補者はそのまま選任されるが、定款の員数枠を超えた場合には、決議取消事由があることになるとする考え方などがある[(71)]。どの考え方に従って採決を行うかについては、その取扱いが社会通念に照らして不合理でない限り会社においてあらかじめ決めることができると解する余地もあるものの、実務的には、株主総会の議場に諮り、採決の方法として承認を受けておくべきである[(72)]。また、後日の紛争を予防するため、事前に提案株主との間で協議し、了承を得ておくことも考えられる。

議案の通知請求権については、同一議案の連続提案の制限がある（2－3 ■1(2)⑤）ことから、株主提案に係る議案が否決されるにしても、10％以上の賛成を得たか否かを確認することも考えうる。

■2　株主提案に係る議案が可決されることが判明している場合

株主提案に係る議案が可決されることが判明している場合についても、基本的な考え方は、■1とおおむね同様であり、会社提案・株主提案をそれぞれ上程し、審議のうえ、採決を行う。

株主提案に係る議案が可決され、会社提案に係る議案が否決されることが

(70)　議決権行使書面等の集計の結果、可決要件を充足する候補者の員数が定款の員数の範囲内に収まることが確認できるようであれば、どの採決方法によるとしても問題は生じない。

(71)　各考え方については、中村・前掲(58)論文26～28頁等参照。

(72)　森本ほか・前掲(23)座談会21頁〔岩原発言〕、松山・前掲(7)書147～150頁。

事前に判明している場合、会社提案に係る議案を撤回するという方法も考えられる。議案の撤回については、株主総会の承認が必要であるとする考え方が有力である。この承認は、議場に出席した株主の議決権の過半数によることになるから、議場において撤回の動議を提出し、過半数の同意が得られれば撤回が認められる。撤回の理由については、説明義務の対象となると考えられているため、撤回に関して株主から質問が出た場合は、回答を要する。

2-7 株主提案に備えた規程整備

2－2■3(1)のとおり、株主提案権は、会社法上、特段、書面によることは要求されていないが、権利行使の方法をあらかじめ社内規程において定めておくことが考えられる。具体的には、下記のような定め(73)を、株式取扱規程に設けておくことが考えられる。

〈規定例〉

（少数株主権等）
第●条　振替法第147条第４項に規定された少数株主権等を当会社に対して直接行使するときは、個別株主通知の申出をしたうえ、署名または記名押印した書面により行うものとする。

また、2－4■2のとおり、株主提案に係る議案についての参考書類記載事項のうち、議案の提案理由および役員等選任議案における参考書類記載事項についても、会社がその全部を記載することが適切であるものとして定めた分量をあらかじめ社内規程において定めておくことが考えられる。具体的には、下記のような定め(74)を、株式取扱規程に設けておくことが考えられる。

〈規定例〉

第●条　株主総会の議案が株主の提出によるものである場合、会社法施行規則第93条第１項により当会社が定める分量は以下のとおりとする。
一　提案の理由
各議案ごとに●●字

(73)　全国株懇連合会理事会決定に係る「株式取扱規程モデル」（2022年４月８日）12条参照。
(74)　全国株懇連合会理事会決定に係る「株式取扱規程モデル」（2022年４月８日）追加規定案〔12条〕参照。

二　提案する議案が役員選任議案の場合における株主総会参考書類に記載すべき事項
　各候補者ごとに●●字

さらに、株主権行使の手続についての定めを株式取扱規程に委任していることを明確化するため、定款の授権規定に次のようなかたちで明記することも考えられる。

〈規定例〉

（株式取扱規程）
第●条　当会社の株主権行使の手続きその他株式に関する取扱いは、法令または本定款のほか、取締役会において定める株式取扱規程による。

2-8

株主提案を無視した場合の効果

株主から適法に株主提案権の行使がなされたにもかかわらず、会社がこれを無視した場合、取締役等について過料事由となる（法976条２号・18号の２）。

適法な議題提案権の行使が無視された場合、当該議題に係る決議がなされていない以上、取消しの対象となる決議が存在しないため、決議取消の問題は生じえない(75)。

他方、適法な議案の通知請求権の行使が無視された場合、同一議題に係る会社が提案した議案についての決議取消事由となる(76)。

株主提案権行使に対する妨害を理由とする決議取消に関し、裁判例において、具体的な判断が示されている(77)。株主総会において可決された会社提案の議案の決議（「本件各可決」）と、株主総会において否決された株主提案の議案の決議（「本件各否決」）について、株主提案権行使に対する妨害等を理由として提案株主から提起された決議取消訴訟において、裁判所は、まず、決議取消の訴えの対象となる株主総会等の決議とは、第三者に対してもその効力を有するものを指すところ、議案が否決された場合には、当該議案が第三者に対してその効力を有する余地はないから、本件各否決は、会社法831条所定の株主総会等の決議にはあたらないとして、否決された議案の決議（本件各否決）の取消しを求める訴えを却下した。また、株主提案権行使に対する妨害(78)を理由に本件各可決の取消しを求める部分について、可決された

---

(75)　東京地判昭和60・10・29金判1734号23頁。

(76)　東京地方裁判所商事研究会編『類型別会社訴訟Ⅰ〔第３版〕』（判例タイムズ社、2011）418頁、江頭・前掲(4)書345頁。

(77)　HOYA 事件・東京高判平成23・９・27資料版商事333号41頁。

議案とは別に、株主が適法に行った株主提案をしたが株主総会において取り上げられなかったものがあっても、そのことは、原則として当該決議の取消事由にはあたらず、例外的に、①当該事項が株主総会の目的である事項と密接な関連性があり、株主総会の目的である事項に関し可決された議案を審議する上で株主が請求した事項についても株主総会において検討、考慮することが必要、かつ、有益であったと認められるときであって、②上記の関連性のある事項を株主総会の目的として取り上げると現経営陣に不都合なため、会社が現経営陣に都合のいいように議事を進行させることを企図して当該事項を株主総会において取り上げなかったときにあたるなど、特段の事情が存する場合に限り、会社法831条1項1号に掲げる場合に該当すると解するのが相当であるとした。

なお、株主提案権の侵害を理由とした会社および取締役に対する損害賠償請求権の当否が争われた事例がある[79]（**2－3** ▰ **1**(2)④）。

---

(78) 具体的には、①提案した59個の議案を会社担当者の恫喝または威嚇により20個に減らさざるをえなくされたこと、②提案した20個の議案のうち5個について提案株主の同意なく招集通知に記載しなかったこと、③招集通知の提案の要領等の記載に関し、提案株主の修正要望を無視したばかりか、一方的に提案理由を修正・削除したことが主張されている。

(79) 前掲(33) HOYA事件・東京高判平成27・5・19、東京地判平成26・9・30。

第Ⅱ編

第3章

少数株主による招集

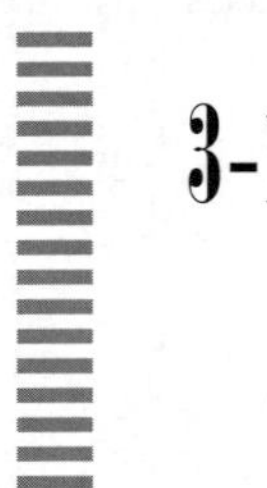

3-1 総　説

総株主の議決権の３％以上の議決権を６ヵ月前から引き続き有する株主は、取締役に対し、株主総会の目的である事項と招集の理由を示して、株主総会の招集を請求することができる（法297条１項）。行使要件（持株要件と保有期間要件）については、定款の定めによる緩和が認められる。また、公開会社でない会社においては、保有期間要件が不要となる。かかる招集請求の後、遅滞なく招集の手続が行われない場合または請求日から８週間以内の日を会日とする株主総会の招集の通知が発せられない場合、請求株主は、裁判所の許可を得て、自ら株主総会を招集することができる（同条４項）。

近年、上場会社においても、かかる請求が行われるケースが散見されるようになっている(1)。

(1)　磯野真宇「少数株主による臨時株主総会招集請求がなされた事例——2021年４月～2022年３月」資料版商事459号（2022）75頁、伊藤広樹ほか「株主の招集による上場会社の株主総会の実務対応」商事2239号（2020）30頁、生方紀裕「少数株主の株主総会招集請求を受けた上場会社の対応に関する実務的論点——請求増加の理由分析を踏まえて」商事2270号（2021）63頁、森本滋「上場会社の少数株主による総会招集請求と会社法316条２項〔上〕・〔下〕」商事2281号（2021）４頁、2282号（2021）47頁。

3-2
行使要件

1　持株要件

総株主の議決権の３％以上を有することが必要となる(2)（法297条１項）。定款の定めにより、これを下回る割合とすることも可能である。持株要件を算定する際、当該請求に係る目的事項について議決権を行使することができない株主が有する議決権の数は、総株主の議決権の数に算入されない（同条３項）。１名の株主で持株要件を充足する必要はなく、複数の株主の有する株式に係る議決権を合算して３％以上となれば、それらの株主が共同して招集請求を行うことができる。

持株要件については、当該招集請求に係る株主総会の終結時まで継続する必要がある(3)。裁判所への株主総会招集許可申立事件の審理中に要件を満たさなくなった場合、申立適格を欠くこととなる(4)。また、許可決定の後、招集株主が招集した株主総会の終結時までの間に要件が欠けた場合、招集権限を有しない者による株主総会として、決議不存在事由になると解されている(5)。

---

(2) なお、特例有限会社では、総株主の議決権の10％以上を有することが要件となる（整備法14条１項本文）が、定款の定めにより行使要件を変更することが可能とされている（同項ただし書）。定款の定めにより、請求権自体を排除することも可能と解されている（江頭憲治郎『株式会社法〔第８版〕』（有斐閣、2021）326頁注(6)）。

(3) 上柳克郎ほか編代『新版注釈会社法(5)』（有斐閣、1986）111頁〔河本一郎〕、大竹昭彦ほか編『新・類型別会社非訟』（判例タイムズ社、2020）23頁〔葛西功洋〕。

(4) 会社による募集株式の発行によって持株要件を満たさなくなったとしても、当該募集株式の発行が、株主による申請を妨害する目的で行われたなどの特段の事情のない限り、申立適格を欠くこととなるものと解される（旧商法294条に基づく検査役選任申立事件に係る、最一決平成18・９・28民集60巻７号2634頁・判時1950号163頁参照）。

2　保有期間要件

公開会社においては、6ヵ月前から継続して持株要件を満たしていなければならない（法297条1項）。定款の定めにより、これを下回る期間とすることも可能である。これは、請求時から遡って6ヵ月間という意味であるから、株式を取得し会社に対する対抗要件を備えた時点と請求時との間に中6ヵ月を要する。

(5)　大竹ほか編・前掲(3)書24頁〔葛西〕等。ただし、決議取消事由と解する見解（上柳ほか編代・前掲(3)書111頁〔河本〕）もある。

3-3 少数株主による招集請求

行使要件を充足する株主は、会社に対して、株主総会の目的である事項および招集の理由を示して、株主総会の招集を請求[(6)]する（法297条１項）。法令上、この請求に書面性は要求されていないが、上場会社では、株式取扱規程により署名または記名押印した書面によることを義務づけていることも多い[(7)]。

法文上、請求は「取締役に対し」行うこととされているが、取締役会設置会社においては、特段の事情がない限り、代表取締役に対して請求することが妥当とされる。

振替株式の株主が招集請求を行う場合、証券会社等の口座管理機関に対して個別株主通知の申出を行い、会社に対して個別株主通知がなされた後、４週間以内に行う必要がある（振替法154条２項、振替法施行令40条）。株主の申出から、会社への個別株主通知まで、原則として４営業日を要する。招集請求を受けた会社側では、個別株主通知を確認したうえで、本人確認[(8)]を行い、行使要件の充足を確認した後に、手続に入る。個別株主通知から権利行使までに間がある場合や、株主であることに疑義がある場合には、権利行使時点で株式を保有しているか否かについて、情報提供請求（振替法277条）により確認することも考えられる[(9)]。

条文上、招集請求において株主総会の目的として記載することのできる事

---

(6)　東京地方裁判所のホームページ〔https://www.courts.go.jp/tokyo/vc-files/tokyo/2021/min8/01-2_kabunusisoukaisyosyu_hikoukai.pdf〕に、株主総会招集請求書の記載例が掲載されている。

(7)　2022年４月８日全国株懇連合会理事会決定に係る「株式取扱規程モデル」12条参照。

(8)　2022年４月８日全国株懇連合会理事会決定に係る「株式取扱規程モデル」10条。2020年10月16日全国株懇連合会理事会決定に係る「株主本人確認指針」参照。

項に制限はないが、①計算書類の承認、②役員改選、③役員解任を議題とする場合については、一定の問題がある[10]。

(9)　もっとも、個別株主通知の有効期間内での権利行使であれば、特段の事情がない限り、情報提供請求権を行使せず、後になってから当該権利行使者が権利行使要件を満たしていないことが明らかになったとしても取締役が善管注意義務違反に問われる可能性は低いと考えられる（平成23年４月８日全国株懇連合会理事会決定に係る「少数株主権等行使対応指針」（全国株懇連合会編『全株懇株式実務総覧〔第２版〕』（商事法務、2022）62頁以下）参照）。

(10)　上柳ほか編代・前掲(3)書107～109頁〔河本〕、佐賀義史「少数株主による株主総会招集許可の申請」山口和男編『会社訴訟・会社非訟・会社整理・特別清算〈裁判実務大系21〉』（青林書院、1992）191～193頁、大竹ほか編・前掲(3)書25～26頁〔葛西〕。

3-4 請求に基づく取締役会による招集

株主から招集請求を受けた会社が、これを適法と判断すれば、株主総会の招集の手続を開始する。招集に際しては、株主総会の目的事項として、招集請求において示された目的事項を決定することになるが、その際、会社が必要と認める他の目的事項を追加することは差し支えない。

請求株主側から、議案の内容など参考書類に記載すべき事項が提示されている場合、その内容を取締役会にて決定する（法298条1項5号、施63条3号イ）。請求株主に対して協力を求めても、記載すべき内容に不備がある場合、判明した限りにおいて決定のうえ、参考書類に記載することとせざるをえない。不備が重大であれば、決議取消事由となる可能性はあるが、もっぱら請求株主の非協力に起因するものである場合には、取締役が任務懈怠責任を負うことはないと解される[(11)]。

(11)　大隅健一郎＝今井宏『会社法論中巻〔第3版〕』（有斐閣、1992）20頁。

3-5 裁判所の許可に基づく招集

①招集請求後遅滞なく招集の手続が行われない場合、または②請求のあった日から8週間以内の日を会日とする株主総会の招集通知が発せられない場合には、請求株主は、裁判所の許可を得て、自ら株主総会を招集することができる（法297条4項）。①については、株主総会の招集を決定する取締役会の開催、基準日の設定・公告、招集通知の発送等の株主総会の開催に必要な手続のいずれかの段階で遅滞があれば、要件を充足すると解される。

裁判所への許可の申立て(12)は、会社の本店所在地を管轄する地方裁判所の管轄に属する（法868条1項）。招集許可の申立てをする場合、申立人は、その原因となる事実(13)を疎明しなければならない（法869条）。裁判所は、職権で事実の調査をし、かつ申立てによりまたは職権で必要と認める証拠調べをしなければならない（非訟事件手続法49条1項）。当事者は、事実の調査および証拠調べに協力することとされている（同条2項）。陳述の聴取は義務づけられていない（法870条参照）が、裁判所の運用上、会社の意見を聴取する機会が設けられている(14)。裁判は決定をもってなされ、許可決定に対する不服申立ては許されない（法874条4号）。許可決定に際しては、6週間程度の招集期間が定められることが多い(15)。却下決定に対しては、申立人のみが即時抗告をすることができる（非訟事件手続法66条2項）。

裁判所は、請求が形式的要件を充足している場合、権利濫用であると認め

(12)　東京地方裁判所のホームページ〔https://www.courts.go.jp/tokyo/vc-files/tokyo/2021/min8/01-1_kabunusisoukaisyosyu.pdf〕に、株主総会招集許可申立書の記載例が掲載されている。

(13)　行使要件を満たす事実、招集請求を実施した事実、会社が招集を怠っている事実を疎明する必要がある。

(14)　大竹ほか編・前掲(3)書29頁〔葛西〕。

(15)　大竹ほか編・前掲(3)書32頁〔葛西〕。

られる場合を除き、招集を許可しなければならない。権利濫用と認められるのは、①株主総会を招集することに実益がなく、かえって有害であり、かつ②申立人に害意がある場合であるとされている[16]。実益がない場合として、取締役側が株式の過半数を有していることから、決議成立の可能性がないことを理由として、権利濫用に該当するとした裁判例がある[17]。もっとも、少数株主の招集による株主総会において当該少数株主の期待する決議がされるかは、招集許可申立ての当否を判断するにあたって考慮する必要のない事項であるとされる[18]。

株主の許可申立て後、許可決定がなされる前に、会社が株主総会を招集した場合、その会日が法定期限前である場合または株主が実際に株主総会を開催できる日より前である場合には、裁判所は許可決定をすることができない[19]。裁判所の許可決定がなされた場合、会社は、同一議題に関する招集権限を喪失する[20]。

許可決定を得た株主は、自ら、株主総会を招集する（法298条１項括弧書参照）。明文の規定はないが、総会の開催に当然に附随する事項（基準日の設定・公告等）を行う権限を有すると解される[21]。また、総会招集権に基づき、総会に招集すべき株主を覚知するために必要な書類を閲覧・謄写できる[22]。

少数株主により招集された総会では、総会の議長に関する定款の規定は効力を有さず、議場であらためて議長を選任する[23]。取締役等の説明義務の規定（法314条）の適用はあるが、会社側から議案を提案した場合でない限り、提案者としての説明義務は負わない。決議をすることができるのは、裁判所が許可した目的事項に限定され（ただし、法316条２項に基づく調査者の選任は可能）、許可の範囲を超える決議には瑕疵がある[24]。

---

(16)　佐賀・前掲(10)論文198頁、大竹ほか編・前掲(3)書30頁〔葛西〕。
(17)　神戸地尼崎支決昭和61・７・７判タ620号168頁。
(18)　東京地決昭和63・11・２判時1294号133頁。
(19)　横浜地決昭和54・11・27金判606号34頁、前掲(18)東京地決昭和63・11・２。
(20)　佐賀・前掲(10)論文199～200頁、大竹ほか編・前掲(3)書30頁〔葛西〕。
(21)　大隅＝今井・前掲(11)書22頁参照。
(22)　東京地決昭和63・11・14判時1296号146頁。
(23)　広島高岡山支決昭和35・10・31下民集11巻10号2329頁、横浜地決昭和38・７・４下民集14巻７号1313頁・判時375号78頁。

総会の招集および開催に要する費用は少数株主の負担であるが、決議が成立した場合等、会社にとって有益であったと認められる場合には、事務管理の規定（民法702条）により、会社に対する費用償還請求が認められる[25]。

少数株主が招集した総会の議事録を誰が作成するのか、必ずしも会社法上は明確でないが、施行規則では議事録の記載事項として「議事録の作成に係る職務を行った取締役の氏名」が規定されている（施72条3項6号）ことから、取締役が作成することが想定されているものと解される。議事録の備置は会社が行う（法318条2項）。

また、上場会社に義務づけられている臨時報告書による議決権行使結果の開示（**第Ⅰ編第25章25－7**参照）についても、金融商品取引法24条の5第4項、企業内容等の開示に関する内閣府令19条2項9号の2の規定に照らすと、少数株主が招集した総会において決議事項が決議された場合であっても会社が提出する必要があるものと考えられる。

なお、裁判所の許可に基づき、少数株主が総会を招集するにあたり、議決権行使の促進策および委任状提出の促進策として、議案への賛否にかかわらず一律に粗品（QUOカード）を贈呈することとした事案において申し立てられた総会開催禁止の仮処分命令申立事件において、保全の必要性を否定した裁判例が存する[26]。

---

(24)　取消事由とする見解（金沢地判昭和34・9・23下民集10巻9号1984頁、江頭・前掲(2)書327頁注(8)）と、決議不存在事由とする見解（大竹ほか編・前掲(3)書34頁〔葛西〕）とがある。

(25)　江頭・前掲(2)書327頁注(8)。

(26)　プラコー事件・東京高決令和２・11・２金判1607号38頁。なお、原審のさいたま地決令和２・10・29金判1607号45頁は、結論として被保全権利の存在を否定し、申立てを却下しているものの、以下のとおり、裁判所による株主総会招集許可に基づいて株主総会を招集した少数株主により株主の意思を歪めるような利益供与が行われた場合における差止めの余地を認めている。

「法120条１項は、株式会社は、何人に対しても、株主の権利等の行使に関する財産上の利益の供与をしてはならない旨を規定している。同項の趣旨は、取締役は会社の所有者たる株主の信任に基づいてその運営にあたる執行機関であるところ、その取締役が、会社の負担において、株主の権利行使に影響を及ぼす趣旨で利益供与を行うことを許容することは、会社法の基本的な仕組みに反し、会社財産の浪費をもたらすおそれがあるため、これを防止することにあり、会社財産の浪費を防ぐとともに、取締役が株主の意思を歪めることを防ぐことを目的とするものと解される。

上記のような同項の文言と趣旨に照らせば、裁判所による株主総会招集許可に基づいて株主総会を招集した少数株主について、同項を類推適用又は準用することは困難である。

もっとも、法120条１項の上記の趣旨のうち、株主の意思を歪めるような利益供与が禁止されるべきであるという点は、少数株主により招集される株主総会における株主の権利行使についても等しく妥当するといえる。そうすると、招集株主が、他の株主に対して、株主総会における権利行使に先立って、財物の贈与を行うことを表明し、又はそれを実行した場合において、贈与の目的、その条件、その財産的価値、議決権行使に係る議案の内容等に照らし、それが株主の権利行使に不当な影響を及ぼすと認められるときは、当該株主総会における決議の方法が著しく不公正なものとなるというべきである。

そして、当該株主総会が開催される以前の段階であっても、株主の権利行使に不当な影響を及ぼすおそれがあると認められるときは、当該株主総会における決議が取消原因に該当する瑕疵を帯びることのないように株主総会を開催することに関して招集株主が負担している善管注意義務に違反するおそれがあるものとして、差止めの理由となると解される。」

第Ⅱ編

第4章

株主総会検査役

4-1 総　説

会社または総株主の議決権の1％以上の議決権を有する株主は、株主総会に係る招集の手続および決議の方法を調査させるため、当該株主総会に先立ち、裁判所に対し、検査役の選任の申立てをすることができる（法306条1項）。

株主総会検査役の制度は、あくまでも検査役が総会の招集手続および決議の方法を調査し、報告をすることを内容とする。検査役が違法行為を発見して是正させたり、一方関係者に助力するものではない。事後に、訴訟手続のなかで招集手続または決議の方法が問題となる場合、検査役の報告が重要な証拠となって、公正かつ迅速な解決に寄与することが期待されている（証拠保全目的）。また、第三者たる検査役の存在によって法令が遵守され、違法・不適正な行為が抑止されるという効果も期待されている（違法抑止目的）[1]。報告の内容によっては、再度株主総会が開催され、決議の瑕疵を治癒するなどの是正措置が行われることもありうる。

⑴　上柳克郎ほか編代『新版注釈会社法⑸』（有斐閣、1986）121頁〔森本滋〕。

4-2
株主総会検査役の選任請求権

1　会　社

会社法においては、会社自身にも選任請求権が与えられている（法306条1項）。会社自身から自発的に総会の手続の適法性を立証したいというニーズに応えて認められたものである。

2　少数株主

(1)　持株要件

総株主の議決権の1％以上を有することが必要となる(2)（法306条1項）。定款の定めにより、これを下回る割合とすることも可能である。持株要件を算定する際、株主総会において決議をすることができる事項の全部（取締役会設置会社の場合は、会議の目的事項の全部）について議決権を行使することができない株主が有する議決権の数は、総株主の議決権の数に算入されない（同条1項・2項）。1名の株主で持株要件を充足する必要はなく、複数の株主の有する株式に係る議決権を合算して1％以上となれば、それらの株主が共同して招集請求を行うことができる。

持株要件については、裁判所の選任決定時までの間、継続する必要がある(3)。裁判所への株主総会招集許可申立事件の審理中に要件を満たさなく

(2)　なお、特例有限会社には、株主総会検査役の規定の適用がない（整備法14条5項）。

なった場合、申立適格を欠くこととなる[4]。検査役選任後に持株要件を欠くに至っても、選任の効力に影響はない。

⑵　保有期間要件

公開会社においては、6ヵ月前から継続して持株要件を満たしていなければならない（法306条2項）。定款の定めにより、これを下回る期間とすることも可能である。これは、申立時から遡って6ヵ月間という意味であるから、株式を取得し会社に対する対抗要件を備えた時点と申立時との間に中6ヵ月を要する。

⑶　大竹昭彦ほか編『新・類型別会社非訟』（判例タイムズ社、2020）260〜261頁〔村尾和泰〕。

⑷　平成17年改正前の商法294条に基づく検査役選任申立事件に係る、最一決平成18・9・28民集60巻7号2634頁・判時1950号163頁参照。

4-3
選任申請手続

検査役の選任申立て[5]は、会社の本店所在地を管轄する地方裁判所の管轄に属する（法868条１項）。陳述の聴取は義務づけられていない（法870条参照）が、（主として、申立人の**4－2■2**の形式要件に関して）会社に対し反論の機会を与え、また、検査役への理解・協力を求めるため、裁判所の運用上、事実の調査（非訟事件手続法49条１項）の一環として、迅速性を損なわない範囲で審問の機会が設けられることが通常である[6]。裁判は決定をもってなされ、選任の決定に対する不服申立ては許されない（法874条１号）。却下決定に対しては、申立人のみが即時抗告をすることができる（非訟事件手続法66条２項）。

振替株式の株主が検査役の選任申立てを行う場合、個別株主通知を行う必要がある。この個別株主通知は、遅くとも、裁判所における審理の終結までの間に行われることを要する[7]。

選任の申立てを受けた裁判所は、これを不適法として却下する場合を除き、検査役を選任しなければならない（法306条３項）。検査役選任の申立てにあたって、実質的要件は必要とされない。したがって、検査役の選任を必要とする事由の存在も不要である。裁判所は、検査役を必要とする事由の有無を考慮することなく、（申立人が株主である場合には、**4－2■2**の形式要件を充足する限り）検査役を選任する必要がある[8]。

例外的に、検査役の選任申請が権利濫用に該当する場合には、申立ては却

(5)　申立書の記載例は、大竹ほか編・前掲(3)書274～275頁〔村尾〕参照。
(6)　大竹ほか編・前掲(3)書263頁〔村尾〕。
(7)　メディアエクスチェンジ事件・最三決平成22・12・７判時2102号147頁参照。
(8)　東京高決昭和59・７・20判タ540号317頁、岡山地決昭和59・３・７商事1003号52頁。

下される[9]。しかしながら、検査役の選任は、中立的な検査役に総会の手続等を調査させるだけのものであるから、それにより会社に大きな損害が生じるということも考えにくく、権利濫用に該当することはきわめて少ないものと解される[10]。

検査役の選任申立ては、対象となる総会の前に行う必要がある。選任申立ての審理中に総会が終了した場合、申立ての利益を喪失し、申立ては却下されることとなる[11]。

実務上、会社との間に特別の関係のない弁護士を検査役に選任する取扱いとなっている。申立人から検査役候補者の推薦があったとしても、その者が選任されることはない[12]。

---

(9)　前掲(8)岡山地決昭和59・3・7参照。

(10)　上柳ほか編代・前掲(1)書124頁〔森本〕、垣内正「総会検査役選任申請」山口和男編『会社訴訟・会社非訟・会社整理・特別清算〈裁判実務大系21〉』(青林書院、1992) 259頁。

(11)　前掲(8)東京高決昭和59・7・20。

(12)　大竹ほか編・前掲(3)書263頁〔村尾〕。

4-4 検査役による調査

検査役は、株式会社の臨時の機関であり、会社と準委任関係にあると解されている[13]。検査役が検査のために要する費用は会社の負担となる（民法656条・649条・650条）。また、検査役の報酬は、裁判所が定めて、会社が負担する（法306条4項）。もっとも、実務上は、費用・報酬のいずれについても、申立人が検査役選任前に予納する予納金から支弁され、申立人が株主の場合、事後に申立人から会社に求償する取扱いとされている[14]。

検査役は、総会の招集の手続と決議の方法について、必要な調査を行い、その結果を、裁判所に報告する。具体的には、①招集の手続については、招集を決定する取締役会の状況、招集通知の記載内容および発送状況、株主提案権の行使がある場合の対応状況、②決議の方法については、出席株主の資格確認の状況、委任状・議決権行使書の状況、議事の運営状況、採決の状況といった事項が調査対象となる[15]。検査役は、調査のため、必要な書類を閲覧したり、会社関係者に質問したり、総会に立ち会うなどすることができる。速記者等の補助者を使用することもできる。検査役の調査は、あくまで事実の調査であって、法的判断は要求されない[16]。取締役または監査役が検査役の調査を妨げたときは、過料の制裁がある（法976条5号）。

裁判所に対する報告は、書面または電磁的記録により行う（法306条5項）。

---

(13) 上柳ほか編代・前掲(1)書126頁〔森本〕。

(14) 大竹ほか編・前掲(3)書269頁〔村尾〕。

(15) 総会検査役の調査の実態等については、川村英二「総会検査役に期待される役割」商事1812号（2007）70頁、阿部信一郎「総会検査役の任務と実務対応」商事1973号（2012）59頁、清水祐介「株主総会検査役の実務」資料版商事366号（2014）16頁、飯田直樹ほか「株主総会検査役対応の実務」同33頁等参照。

(16) 大竹ほか編・前掲(3)書270頁〔村尾〕。

裁判所は、報告の内容を明瞭にし、またはその根拠を確認するために必要があると認めるときは、さらに報告を求めることができる（同条６項）。検査役は、裁判所に報告をしたときは、申立人および会社に対して、その写しを提供する（同条７項）。

4-5
裁判所による総会の招集

裁判所は、検査役の報告があった場合において、必要があると認めるときは、取締役に対し、①一定の期間内に株主総会を招集すること、②検査役の調査の結果を株主に通知することの双方または一方を命じなければならない（法307条１項）。「必要があると認めるとき」とは、調査の対象とされた総会の決議に瑕疵があり、会社をしてその是正措置を講じさせることが妥当な場合である[17]。このうち、②については、会社法制定時に追加された。株主は、通知された検査結果を参照して、決議取消訴訟等を提起することも可能となる。かかる裁判は決定によって行われ、この決定に対しては取締役から即時抗告ができると解される[18]（非訟事件手続法66条１項）。

取締役は、裁判所から株主総会の招集を命じられた場合、裁判所が定めた期間内に株主総会を招集しなければならない。かかる招集命令に従って株主総会を招集する場合、取締役会設置会社であっても、取締役会の決議（法298条４項・１項）を経ることなく行うことができると解されている[19]。取締役は、この株主総会において、検査役の報告の内容を開示しなければならない（法307条２項）。また、取締役（監査役設置会社の場合は、取締役および監査役）は、検査役の報告の内容を調査し、その結果を株主総会に報告しなければならない（同条３項）。裁判所の招集命令に違反して株主総会を招集しない場合、過料の制裁がある（法976条18号）。

⒄　河本一郎「総会検査役」法学セミナー363号（1985）69頁。

⒅　大竹ほか編・前掲⑶書272頁〔村尾〕参照。

⒆　前田庸『会社法入門〔第13版〕』（有斐閣、2018）374頁、大竹ほか編・前掲⑶書272頁〔村尾〕。

第Ⅱ編

第5章

株主による委任状勧誘

5-1 総　説

株主提案権が行使された場合や、株主が会社提案に係る議案に積極的に反対する場合、株主提案に係る議案を可決し、会社提案に係る議案を否決することを目指して、株主側が一般株主から株主総会の議決権行使に係る委任状を集め、会社に対抗することがある。このように、議決権行使に係る委任状を自己に提出するよう勧誘する行為を委任状勧誘という[(1)]。

本章では、株主側により委任状勧誘が行われ、会社との間で委任状争奪戦となった場合を念頭に、法規制等について解説する。

---

(1)　なお、会社が委任状勧誘を行うことももちろん可能である（**第Ⅰ編第16章16－４■２**）。書面投票制度を義務づけられる会社であっても、株主全部に対して委任状勧誘規制に従った委任状勧誘を実施するのであれば、書面投票制度を採用しなくてよい（法298条２項ただし書、施64条）。もっとも、書面投票制度が広く普及しており、委任状勧誘制度の利用率を大きく上回っている（商事法務研究会編『株主総会白書2022年版（商事2312号）』（商事法務研究会、2022）によると、書面投票制度を利用していると回答した会社が1,895社（全体の98.9％）であるのに対して、委任状を利用しているとした会社が19社（全体の1.0％）である（同白書93頁〔図表64〕））。

5-2
委任状勧誘規制

1　総　　説

委任状とは、委任者が受任者に代理権を授与し、法律行為を委任したことを証する書面である。委任状勧誘により委任状を取得した者は、委任状を提出した株主の代理人として総会に出席し、議決権を行使する。したがって、かかる議決権行使については、議決権の代理行使に関する会社法上の規制も問題となる。この点については、**第Ⅰ編第16章16－4 1**を参照されたい。

本項では、委任状「勧誘」に特有の金融商品取引法に基づく規制について解説する。

2　委任状勧誘規制の意義

上場会社の株式について、自己または第三者に議決権の行使を代理させることを勧誘しようとする場合、金融商品取引法に基づく規制の対象となる。具体的には、同法194条、金融商品取引法施行令36条の2～36条の6、委任状勧誘府令により規制がなされている（これらの法令に基づく規制を「委任状勧誘規制」という）。

委任状勧誘規制は、勧誘者に対し、被勧誘者が勧誘に応じて委任状を交付するか否かを判断するために必要な情報を提供させるとともに、所定の様式の委任状用紙を交付させること等を義務づける（**4**参照）。委任状勧誘規制の趣旨は、株主が議案の内容を知ることなく議決権の行使を委任することをなくす点、勧誘者が多数の白紙委任を受けて思うがままに決議を行い、もって株価に影響をなさしめようとすることを防ぐ点、勧誘者の企図する経営策を市場関係者に周知し評価可能とする点等にあると解されている。

3　委任状勧誘規制の適用対象

(1)　適用対象

金融商品取引法194条は、「何人も、政令で定めるところに違反して、金融商品取引所に上場されている株式の発行会社の株式につき、自己又は第三者に議決権の行使を代理させることを勧誘してはならない。」と規定している。

まず、「何人も」とされていることから、会社側が委任状勧誘を行う場合はもちろん、会社以外の者が行う委任状勧誘であっても、規制の対象となりうる。

次に、「金融商品取引所に上場されている株式の発行会社の株式につ」いての委任状勧誘が規制の対象とされているため、非上場会社の株式に関する委任状勧誘は規制対象外である。

「勧誘」については、金融商品取引法上、特段の定義がなされていないため、解釈に委ねられている。あくまで、議決権行使を代理させることの勧誘が規制対象であるから、たとえば、株主が自身への委任状の交付を求めるのではなく、自身の意向に沿った書面投票を行うよう働きかける行為は、規制対象外である(2)。

(2)　適用除外

委任状勧誘規制は、次に掲げる場合には適用されない（金商法施行令36条の６第１項）。

①　当該株式の発行会社またはその役員のいずれでもない者が行う議決権の代理行使の勧誘であって、被勧誘者が10人未満である場合

(2)　江頭憲治郎『株式会社法〔第８版〕』（有斐閣、2021）356頁注(8)等。なお、反対説として、神谷光弘＝熊木明「敵対的買収における委任状勧誘への問題と対応」商事1827号（2008）19頁。

② 時事に関する事項を掲載する日刊新聞紙による広告を通じて行う議決権の代理行使の勧誘であって、当該広告が発行会社の名称、広告の理由、株主総会の目的たる事項および委任状の用紙等を提供する場所のみを表示する場合
③ 他人の名義により株式を有する者が、その他人に対し当該株式の議決権について、議決権の代理行使の勧誘を行う場合

なお、①の被勧誘者の人数の計算については、③に該当する場合における当該被勧誘者を除くものとされている（金商法施行令36条の6第2項）。

4　委任状勧誘規制の内容

(1)　委任状用紙および参考書類の交付

議決権の代理行使の勧誘を行おうとする者は、勧誘の相手方に対し、委任状用紙および参考書類を交付しなければならない（金商法施行令36条の2第1項）（書面投票制度を義務づけられる会社において作成される会社法に基づく参考書類と区別するため、委任状勧誘規制に基づき作成される参考書類を、本章において、以下「委任状参考書類」という）。

①　委任状用紙

委任状用紙については委任状勧誘府令により、様式が定められている（金商法施行令36条の2第5項、委任状勧誘府令43条）。具体的には、議案ごとに被勧誘者が賛否を記載する欄を設けなければならない（棄権の欄を設けることは差し支えない）。賛否の欄を設けずに白紙委任を勧誘することは、違法となる。もっとも、賛否の欄が設けられているにもかかわらず賛否の表示がない場合には、賛否の判断を含めて代理人に委任したものと解される。実務上は、賛否の表示がない場合には、白紙委任する旨を注記しておくことが多い。

会社が、株主に対し、委任状勧誘を行うに際して、受任者欄空欄の委任状用紙とともに「委任状冒頭の代理人名の記載は空欄にてお願いいたします」と記載された書面を送付して勧誘することがあるところ、受任者欄空欄のま

ま返送された白紙委任状の効力につき、実務上、有効と解されており、裁判例も有効性を肯定している(3)。

また、実務上、(i)株主総会の運営に関する手続的事項、および(ii)原案に対する修正案が提出された場合について、いずれも受任者に白紙委任する旨の記載がなされることも多い。まず、(i)については、結論において有効と解する見解が多い(4)。他方、(ii)については、原案に対する修正提案さえなされれば、その賛否が受任者に一任されるとするのは委任の限界を超えるとして、私法上無効と解する見解も存する（この見解は、そのような委任状用紙を用いて行われる委任状勧誘行為についても、違法の瑕疵を帯びるとする）(5)。しかしながら、民法の原則によれば白紙委任も可能であるし、会社法上も、白紙委任を禁止する規定はない。また、修正案は原案と両立しない関係に立つことがほとんどであって、その場合、原案に賛成の委任状は、理論的に、修正案に反対として取り扱わなければならないから、不当な結果が生じることはあまり考えられない(6)。したがって、被勧誘者は委任状の文面に従って勧誘者に議決権の代理行使を委任している以上、一律に無効と解する必要はない。なお、受任者が委任者の合理的意思に反して議決権の代理行使をした場合に、善管注意義務違反（民法644条）が問題となりうる。

委任状勧誘を行うに際し、当該株主総会に上程されるすべての議案についてではなく、一部の議案についてのみ議決権の代理行使の勧誘を行うことが許されるであろうか。まず、書面投票制度が義務づけられる上場会社が、書面投票制度に代えて委任状勧誘を行う場合（法298条2項ただし書、施64条参照）には、株主提案に係る議案も含む全議案について、委任状勧誘を実施する必要がある。他方、会社以外の者が、自己の提案する議案への賛成、または会社の提案する議案への反対等を目的として委任状勧誘を行う場合、一部の議案についてのみ勧誘を行うことも許されると解されており、実務上も一

---

(3)　乾汽船事件・東京高判令和3・12・16資料版商事455号112頁。

(4)　大隅健一郎＝今井宏『会社法論中巻〔第3版〕』（有斐閣、1992）67頁、太田洋「株主提案と委任状勧誘に関する実務上の諸問題」商事1801号（2007）35頁等。

(5)　太田・前掲(4)論文36頁。

(6)　松山遙『敵対的株主提案とプロキシーファイト〔第3版〕』（商事法務、2021）67～70頁。

般的に行われている。

さらに、会社側が勧誘する場合においても、議案に関する委任はせず、手続的動議に委任事項を限定した委任状や、一部議案についてのみの委任状が用いられるケースも存する。こうしたことも許容されると解されており、その場合、併せて書面投票または電子投票がされれば、委任事項以外の議案等に関しては、株主総会に「出席」しないものとして、書面投票または電子投票の効力を認めることができると解されている(7)。

賛否の拮抗が予想される場合、委任状用紙その他の委任状勧誘に係る資料を招集通知に同封するか否か、同封する場合、委任状の書式として議決権行使書と委任状を同一の用紙にまとめることとするか等の実務上の考慮要素がある(8)。

②　委任状参考書類

委任状参考書類についても、委任状勧誘府令により、記載事項が定められている（金商法施行令36条の２第１項、委任状勧誘府令１条～41条）。

委任状勧誘を実施する主体は、会社である場合もあればそうでない場合もある。会社が勧誘者となる場合、言うまでもなく会社は自身の内部情報に精通しており、被勧誘者に対して十分な情報開示がなされるべきとの見地から、基本的に、会社が書面投票制度を採用した際に作成が義務づけられる会社法上の株主総会参考書類と同一の内容が記載事項とされている。

他方、株主側が勧誘者となる場合、株主側が入手しうる会社情報は限定されているうえ、会社が株主総会に付議する議案を正確に知りうるのは招集通知受領日（通常会日の２～３週間前）となるから、記載事項が簡略化されている。

委任状勧誘府令上、委任状参考書類の記載事項は次のように区分されている。

---

(7)　前田雅弘＝北村雅史・大阪株式懇談会編『会社法実務問答集Ⅱ』（商事法務、2018）96～98頁〔北村雅史〕、内田修平「手続的動議のみに関する包括委任状を提出した株主の書面による議決権行使の効力」商事2267号（2021）49頁。

(8)　磯野真宇「賛否拮抗総会の実務・Ⅱ　賛否拮抗総会において生じる諸論点に関する近時の実務上の取扱い」商事2294号（2022）44頁以下。

	会社により、または会社のために委任状勧誘が行われる場合	左記以外の場合
一般的記載事項	1条	
会社提案	2条～20条	21条～38条
株主提案	39条	40条

委任状参考書類の記載事項のうち、以下の事項については、記載の省略が認められる。

① 同一の株主総会に関する株主総会参考書類、議決権行使書面、およびその他当該株主総会に関する書面に記載している事項、ならびに電磁的方法により提供する事項(9)（委任状勧誘府令1条2項）
② 会社が公告している事項(10)（委任状勧誘府令1条3項）
③ WEB開示が行われている事項(11)（委任状勧誘府令1条4項）

勧誘者は、被勧誘者の承諾を得たうえで、委任状用紙または委任状参考書類の交付に代えて、電磁的方法によってこれらを提供することも可能である（金商法施行令36条の2第2項・3項）。

(2) 委任状用紙および委任状参考書類の写しの金融庁長官への提出

勧誘者は、被勧誘者に対して、委任状用紙および委任状参考書類を交付したときは、ただちに、これらの書類の写しを金融庁長官に提出しなければならない(12)（金商法施行令36条の3）。ただし、同一の株主総会に関して発行会社

(9) 委任状参考書類において、株主総会参考書類または議決権行使書面に記載している事項、または電磁的方法により提供する事項があることを明らかにしなければならない。

(10) 委任状参考書類において、当該公告が掲載された官報の日付、日刊新聞紙の名称および日付、決算公告について官報・日刊新聞紙への掲載による公告に代えて定時株主総会終結の後5年間、貸借対照表（大会社にあっては貸借対照表および損益計算書）の内容である情報を、不特定多数の者が提供を受けることができる状態に置く措置をとるときは、その情報を受けるために必要な事項（インターネットサイトのURL）、または電子公告によりその情報の提供を受けるために必要な事項（インターネットサイトのURL）を記載しなければならない。

(11) 委任状参考書類において、WEB開示を行うインターネットサイトのURLを記載しなければならない。

(12) これらの書類の受理の権限は、金融庁長官から財務局長に委任されている（金商法施行令43条の11）。

の株主（当該総会において議決権を行使することができる者に限る）のすべてに対し株主総会参考書類および議決権行使書面が交付されている場合には提出を要しない（委任状勧誘府令44条）[13]。

会社が委任状勧誘を行う場合、招集通知が発送され、株主に到達したと認められる時間が経過した後に勧誘を行う限り、上記例外に該当するものとして、財務局長等への提出を行っていないこともあるようである。一方、招集通知発送前や、発送と同時に委任状勧誘を行う場合には、当該時点ではすべての株主に対して株主総会参考書類および議決権行使書面が交付されているとはいえないため、財務局長等に提出を行う必要があるものと考えられる[14]。

実務上、財務局長等への書類の提出を行う場合は、委任状用紙および委任状参考書類の写しのみならず、勧誘者が被勧誘者に交付したすべての書類の写しの提出を求められることが多い。

(3)　虚偽記載の禁止

勧誘者は、重要な事項について虚偽の記載もしくは記録があり、または記載もしくは記録すべき重要な事項もしくは誤解を生じさせないために必要な重要な事実の記載もしくは記録が欠けている委任状用紙、委任状参考書類その他の書類または電磁的記録を利用して、議決権の代理行使の勧誘を行ってはならない（金商法施行令36条の４）。

(4)　委任状参考書類の交付請求

会社により、または会社のために委任状勧誘が行われる場合においては、株主は、会社に対し、会社の定める費用を支払って、委任状参考書類の交付を請求することができる（金商法施行令36条の５）。

---

(13)　勧誘者が用いる参考書類が、株主総会参考書類と実質的に同一でない場合には、その写しを財務局長等に提出する必要があると解されている（松尾直彦『金融商品取引法〔第６版〕』（商事法務、2021）752頁）。

(14)　磯野・前掲(8)論文45頁以下。

5　違反の効果

委任状勧誘規制に違反した場合、30万円以下の罰金に処せられる（金商法205条の2の3第2号・194条）。

委任状勧誘規制の違反が決議の瑕疵となるか否かについては、考え方が分かれている。この点、東京地判平成17・7・7[15]は、委任状勧誘規制が勧誘に際して守るべき方式を定めた規定であるとしたうえで、議決権の代理行使の勧誘は、株主総会の決議の前段階の事実行為であって、株主総会の決議の方法ということはできないから、勧誘府令の規定をもって株主総会の決議の方法を規定する法令ということはできないとし、決議方法の法令違反（法831条1項1号参照）はなく、また、当該事案において、議決権の代理行使が必ずしも議案ごとの株主の意思に基づいていたということができないのは株主のうち合計約0.513％にすぎず、決議の成否に影響を及ぼすものでないから決議方法が著しく不公正なとき（同号参照）にも該当しないとした[16]。もっとも、この判決に対しては批判も多く[17]、たとえば、上場会社が書面投票制度の採用に代えて行った委任状勧誘が委任状勧誘規制に違反した場合であれば結論は異なってしかるべきである[18]。

⒂　東京地判平成17・7・7判時1915号150頁。

⒃　東京地方裁判所商事研究会編『類型別会社訴訟Ⅰ〔第3版〕』（判例タイムズ社、2011）411頁参照。

⒄　森本滋ほか「〈座談会〉会社法への実務対応に伴う問題点の検討」商事1807号（2007）26頁〔岩原紳作発言〕等。

⒅　江頭・前掲⑵書359頁注⑿、田中亘「委任状勧誘戦に関する法律問題」金判1300号（2008）7頁。

5-3
株主総会前日までの会社側の対応

1　会社側関係者との打合せ

株主による委任状勧誘が行われると、会社側としての対抗策、事前に必要となる諸手続、当日の議事運営など、例年の総会運営から変更を要する事項が少なくない。また、提案株主と会社との間で対立構造が先鋭化し、場合によっては、訴訟等の紛争に至る可能性もある。会社側としては、適法かつ適正に株主総会を開催するため、弁護士、証券代行等の関係者と相談し、対策を検討する必要がある。FA（ファイナンシャル・アドバイザー）や、IR ファームが提供するサービスを利用することもある。実際に、株主による委任状勧誘が開始されるまでの間には、株主名簿の閲覧謄写請求（**第1章1－2**）、株主提案権の行使に至らない事実上の提案・質問行為、株主提案権の行使といった、複数の端緒がある。委任状勧誘がなされる端緒があった際には、極力早期に、関係者に周知して、その時その時に講じるべき対策を検討することが肝要である。

2　会社提案可決のための議決権行使の促進等

会社が株主による委任状勧誘に対抗し、会社提案に係る議案を可決するため、議決権行使の促進といった方策を講じることも多い。この場合の留意点については、**第2章2－5**を参照されたい。

3　株主総会検査役の活用

委任状勧誘が行われた場合、委任状の有効性や、議決権の計算方法等をめぐって、事後的に紛争が生じる可能性もあることから、あらかじめ株主総会検査役の制度（**第４章参照**）を活用することも一案である。株主総会検査役は、招集手続および決議の方法についての調査結果を裁判所に報告する主体であり、一方当事者の有利になるものでもなければ法的判断を示す主体でもないが、客観的な立場からの事実関係の調査結果は、会社が事後的に手続の適法性を立証する過程で役立つことも多い。また、後述の委任状勧誘者との打合せに際しても、第三者的な立場にある株主総会検査役が存在することによって、円滑に進行しやすくなるという事実上の利点もある。

4　委任状勧誘者との打合せ

実務上、会社側関係者と委任状勧誘者との間で事前に打合せが行われることも多い。委任状の有効性・入場の許否の基準や、当日の議事運営等について、あらかじめ確認しておくことは双方にとって利点がある。株主総会検査役が選任されている場合には、極力同席してもらうことが望ましい。

5　事前集計

(1)　事前集計の必要性

委任状争奪戦となった場合、会社側の提案と株主側の提案のいずれが可決されるかが総会前に判明しているか否かによって、当日の議事運営が大幅に異なる。事前に判明していれば、当日の運営シナリオをあらかじめ準備することが容易であり、淡々と議事を進行することが可能である（**第２章２－６参照**）。これに対して、勝敗が事前に判明していない場合は、総会当日に、議場に出席した株主による投票を行う必要があり、採決の方法を決定したうえで、投票・集計の準備が必要となる。このため、会社としては、前日までに、書面投票結果・電子投票結果・委任状を集計しておくことが必要である。

加えて、委任状の有効性の判断を誤ると決議の瑕疵の問題が生じるため、とりわけ株主が収集した委任状の有効性については慎重な審査が必要となる。そうであるにもかかわらず、総会当日に大量の委任状が持参されると、開会予定時刻までの間にすべての委任状の有効性審査を終えることができないことも想定される。この観点からも、前日までに株主側が収集した委任状については、あらかじめ提出を受け、有効性審査を終えておくことが必要である。

■4の、会社側関係者と委任状勧誘者との打合せにおいて、会社側から委任状勧誘者に対し、総会前日までに収集した委任状を提出するよう要請することが通常である。

(2)　書面投票（電子投票）結果の集計

委任状勧誘が行われた場合に、書面投票および電子投票の結果の集計に際して問題となる場面として、委任状との重複提出が挙げられる。この点、書面投票・電子投票に関しては、重複行使の場合にどちらを優先するかを会社が定めることができる（施63条３号へ・４号ロ）が、書面投票・電子投票と委任状とが重複提出された場合における取扱いについては、法令上規定がない。この点については、そもそも書面投票および電子投票は総会に出席しない株主が議決権を行使する制度である（法298条１項３号・４号）から、同一株主が作成した有効な委任状を有する代理人が総会に出席した場合には、原則として、委任状に基づく代理人の議決権行使が優先する[19]。

また、株主提案に係る議案と会社提案に係る議案とが両立しない関係に立

(19)　稲葉威雄ほか編『〔新訂版〕実務相談株式会社法２』（商事法務研究会、1992）685頁〔元木伸〕、太田・前掲(4)論文39～40頁等。なお、委任状が提出された後に議決権行使書面が提出された場合、後の議決権行使書面の提出により委任状による委任を撤回したものと解する余地を指摘する見解もある（三浦亮太ほか『株主提案と委任状勧誘〔第２版〕』（商事法務、2015）189～191頁）。また、一部の議案について委任状で、それ以外の議案について議決権行使書面で議決権行使を行うことも可能であることについては、５－２■４参照。

つ場合等における議決権行使書面の取扱いについては、**第2章2－4■3**において述べたとおり、会社の定めた取扱いを招集通知・参考書類・議決権行使書面等において明記しておくべきである。かかる取扱いに反して投じられた書面投票・電子投票は、当該議案に関しては原則として無効と取り扱うこととなる。

その他、書面投票・電子投票の結果の集計に関しては、**第Ⅰ編第16章16－2■4**および**16－3■4**も参照されたい。

(3)　委任状の集計

委任状の集計に際しては、何より、委任状の有効性の確認が重要である[20]。この点、会社は、定款または招集決定に際して、「代理権（代理人の資格を含む。）を証明する方法……その他代理人による議決権の行使に関する事項」を定めることができる（法298条1項5号、施63条5号）。この定めがなされた場合、基本的に、当該定めに沿って委任状の審査を行う。たとえば、代理権を証明する方法として、議決権行使書面を提出すべきこととする等の付加的手続を定めることができると解されている[21]。株主による委任状勧誘が行われている場合には、会社は、代理権を証明する方法として十分な方法が定款または株式取扱規程において定められているか否かを確認し、不十分であれば招集決定において合理的な方法を定めておくべきである[22]。とりわけ、賛否の拮抗が予想される総会においては、委任状の本人確認資料について、比較的厳格に要求することが多いところ、これを上記招集時の決定事項（法

---

(20)　委任状の集計、有効性審査等の実務につき、山田和彦編著『株主提案権の行使と総会対策』（商事法務、2013）156～178頁〔牧野達也〕。

(21)　相澤哲編著『立案担当者による新会社法関係法務省令の解説（別冊商事300号）』（商事法務、2006）10頁〔相澤哲＝郡谷大輔〕。もっとも、招集決定に際してこれらの制限を設ける場合、委任状勧誘を行う株主は招集通知によって当該内容を知ることになるものと考えられるところ、あまり厳格な要件を定めると、それまでに勧誘者が収集した委任状の大半を事実上無効にすることとなりかねず、事後に争われる原因となることから、厳格な要件を定めるのであれば、事前に周知するために定款または株式取扱規程において定めるべきとの指摘がなされている（別冊商事法務編集部編『株券電子化に対応した全株懇モデル・事務取扱指針（別冊商事331号）』（商事法務、2009）31頁〔宇佐美雅彦発言〕）。いずれにしても、議決権行使書面には株主の押印すら不要と解されていること等に鑑みると、あまりに厳格な制約を設けた場合、委任状勧誘を不当に制限するものとして無効な制約と判断されるリスクがあるものと考えられる。

298条1項5号、施63条5号）として定め、招集通知にも記載している例もある一方、必ずしもそのような扱いとはせず事実上要求している例もあるようである(23)。

会社側がすべての株主に対して委任状勧誘を実施した場合、会社側の意向に合致しない賛否の意思を表示した委任状が提出されることも少なからず存する。そうした場合に、委任状の表示どおりに賛否の集計を行う事例も存する。一方、近時の実務では、勧誘時に、勧誘の趣旨に反する委任状については議決権行使を行わないことを明示したうえで、集計時に、勧誘の趣旨に合致しない（たとえば、会社提案に反対の旨の）委任状については集計対象外とする事例もみられる(24)。

---

(22)　なお、2022年4月8日全国株懇連合会理事会決定に係る「株式取扱規程モデル」10条では、代理人により株主権行使をする場合には、原則として、株主本人による権利行使であることを証するもののほか委任状を添付する旨が定められている。裁判例においても、かかる「株式取扱規程モデル」10条を参考とした株式取扱規程の定めに基づき、議決権行使書用紙またはこれに匹敵する代理権授与の証明資料を欠いた委任状を無効とした会社側の取扱いについて、違法性がなく、決議取消事由に該当しないとしたものがある（大盛工業事件・東京高判平成22・11・24資料版商事322号182頁）。

(23)　磯野・前掲(8)論文45頁以下。

(24)　磯野・前掲(8)論文46頁以下。LIXILグループ事件・東京高決令和元・6・21金法2129号78頁も参照。

5-4 株主総会当日の受付事務への影響

株主総会の受付一般については、**第Ⅰ編第19章**において前述のとおりである。株主による委任状勧誘が行われている場合には、代理人として出席する者の出席権限（代理人資格）を慎重に確認する必要がある。代理人として来場した者が委任状により委任を受けた者本人であることの確認はもとより、定款で代理人資格を株主に限定している会社では、代理人自身が株主であることの確認も必要となる。

近時の裁判例(25)をふまえると、あらかじめ委任状を提出し、または事前に書面投票もしくは電子投票をした大株主（法人株主の役職員等）が来場した場合に、当日「出席」の扱いとするのか、「傍聴」の扱いとするかは、受付でのアナウンスや議場内の座席配置（傍聴席を株主席と明示的に区分すること等）を含め、当該株主の意思と齟齬が生じないように留意すべきである(26)。

５－３のとおり、委任状勧誘者が総会前日までに収集した委任状については、事前に提出を受けて確認するケースが多いが、当日にも多くの委任状が持参されることが予想される場合には、委任状の確認により受付事務が滞ることのないよう、開会時刻までに十分余裕を持って来場するよう、あらかじめ勧誘者と打ち合わせておくことが適切である。

前日までの集計によっても議案の可決・否決の結果が明らかにならない場合は、当日出席した株主による投票が必要となる。この場合、各議案の決議（投票）が行われる各時点で議場に出席している株主とその議決権数を正確

---

(25)　アドバネクス事件・東京高判令和元・10・17金判1582号30頁、関西スーパーマーケット事件・大阪高決令和３・12・７資料版商事454号115頁。

(26)　伊藤広樹ほか「〈賛否拮抗総会の実務〉Ⅰ　賛否拮抗総会に関する近時の裁判例からの実務上の示唆」商事2294号（2022）36頁。

に把握する必要がある。投票が行われる総会は長時間を要することが通常であるから、いったん入場した後に途中退場・再入場する株主を正確に把握できるような受付体制を準備するとともに、出席票を工夫するなどの対応も考えられる(27)。投票を行う場合は、受付においてあらかじめ投票用紙を配布しておくことも考えられる(28)。

受付の設営に際しては、通常の総会にも増して、証券代行の助力が必要となる場面が多くなることから、事前に十分に打合せのうえ、効率的な体制を調えることが肝要である。

(27) 松山・前掲(6)書127頁。
(28) バーコード付の投票用紙を受付で交付しておき、投票されたバーコードの読取りによって集計を行うシステムもある。

5-5 議事運営への影響

1　議案の可決・否決が判明している場合（投票を行わない場合）

事前の集計により、全議案について可決・否決が判明している場合、当日出席の株主による投票を行う必要はない。

この場合の議事運営の留意点については、**第２章２－６**において述べた内容と基本的に相違ない。委任状勧誘が行われた場合、当日持参される委任状の数によっては、総会の開会時刻までの間に、集計作業が終了しないことも考えられる。その場合、出席株主数・議決権数の報告については、集計作業が終了した後の、たとえば、議案の採決に入る前の段階等で適宜行えばたりる（なお、出席株主数・議決権数の報告は、会社法上行う必要のある手続ではない）。

2　議案の可決・否決が判明していない場合（投票を行う場合）

事前の集計によっても、可決・否決が判明しない議案がある場合、当該議案については、当日出席の株主による投票を行ったうえで、事前集計分に合算して、可決・否決を明らかにしなければならない。

投票を行う場合についても、議案の審議の方法、提案株主に提案理由等の説明の機会を与えるべきこと、および説明義務の範囲等については、**第２章２－６**において述べた内容と基本的に相違ない。

議長は、議案の説明・審議が終了した後に、投票の方法・手順を説明したうえで、株主に投票を促す。投票に先立って、出席株主の議決権数が変動することがないよう、議場を閉鎖することも必要となる[29]。

会社提案に係る議案と株主提案に係る議案が完全に両立しない場合、それぞれについての賛否の投票は行わない。一方に対する賛成は、必然的に他方に対する反対となるためである。したがって、投票に際しても、いずれか一方の議案についてのみ賛成票を投じるように促す[30]。

会社と株主の双方から取締役選任議案が提出されていて、候補者の合計が定款所定の取締役の員数の上限を超える場合の留意点についても、**第２章２－６**において述べたとおりである。

なお、近時の裁判例をふまえると、事前に委任状を提出し、または書面投票もしくは電子投票をした株主であっても、議場に出席している場合には、これらは無効となり、あらためて議場において賛否の意思を明示した投票を行う必要があるといった投票ルールを、投票時に丁寧に説明すべきである[31]。

投票・集計に際して、総会検査役が選任されていれば、検査役も立ち会うことが通常である。また、委任状勧誘を行った株主を立ち会わせることも考えられる。

---

(29)　具体的な投票の実務については、中西敏和『株主総会と投票の実務』（商事法務、2009）、山田編著・前掲(20)書206～220頁〔牧野〕、磯野・前掲(8)論文51頁以下等参照。

(30)　なお、**第２章２－４■３**で前述のとおり、会社が提案する１株当たり10円の剰余金の配当議案に対して、代替提案として、株主から１株当たり20円が提案されている場合、株主が「できれば株主が提案する20円が欲しいので株主提案に係る議案に賛成だが、もしそれが否決された場合には少なくとも会社が提案する10円が欲しいので会社提案に係る議案にも予備的に賛成する。」という意思を有するケースも考えうる。この場合、両議案に賛成の意思表示をすることが、必ずしも論理的に矛盾したものとは言いえない場合もある（三浦ほか・前掲(19)書99頁）。もっとも、双方の議案に賛成する議決権行使を有効とすると、両方の議案がともに可決要件を満たす可能性があり、総会においていずれの議案を先に付議するかによって結論が異なる可能性が生じうる。どちらか一方のみに賛成可能とすればこのような事態を回避することができるし、株主提案に係る議案が代替提案であり、会社提案に係る議案と二者択一の関係にある以上、株主に対してあらかじめ周知したうえで、一方にのみ賛成しうるとの制約を課すことも不合理ではないと考えられる（石井裕介＝浜口厚子「会社提案と対立する株主提案に係る実務上の諸問題」商事1890号（2010）24頁等）。このような取扱いをする場合、議場の株主にもその旨をわかりやすく説明のうえ、当該取扱いについて、議場の株主の承認を得ておくことが考えられる。

(31)　前掲(25)関西スーパーマーケット事件・大阪高決令和３・12・７。伊藤ほか・前掲(26)論文35頁以下。

集計には一定の時間を要することが見込まれるため、その間、議事を休憩とすることも考えられる。その場合、議長が、休憩を宣言したうえで、再開時刻を指定する。

集計が終了し、各議案の可決・否決が明らかになった後、議長から集計結果を公表し、議案の可決・否決を宣言する。

第6章

種類株主総会

6-1

総　　説

1　意　　義

種類株主総会とは、種類株主の総会をいう（法2条14号）。種類株主とは、種類株式発行会社におけるある種類の株式の株主をいう（同号かっこ書）。種類株式発行会社とは、剰余金の配当その他の会社法108条1項各号に掲げる事項について内容の異なる2以上の種類の株式を発行する株式会社をいう（同条13号）[(1)]。

会社法上の「株主総会」とは、議決権を有するすべての株主によって構成される株式会社の機関である。種類株式発行会社であるか否か、2以上の種類株式を発行しているか否かにかかわらず、常に1つしか存在しない。これに対して、種類株主総会は、種類株主のみによって構成される総会であり、株式の種類ごとに総会が存在する。たとえば、普通株式とA種優先株式という2つの種類の株式を発行している株式会社には、普通株式の株主を構成員とする種類株主総会と、A種優先株式の株主を構成員とする種類株主総会の2つの種類株主総会が存在する。

2　種類株式

株式会社は、下記の事項について、内容の異なる種類の株式を発行するこ

(1)　定款に、内容の異なる2以上の種類の「株式を発行する」旨の定めがあれば種類株式発行会社に該当することとなり、実際に2以上の株式を発行していることは要しない（相澤哲ほか編著『論点解説　新・会社法――千問の道標』（商事法務、2006）50頁）。

とができる（法108条1項本文）(2)。もっとも、指名委員会等設置会社および公開会社は、下記⑨に掲げる事項についての定めのある種類株式を発行することができない（同項ただし書）。

① 剰余金の配当
② 残余財産の分配
③ 株主総会において議決権を行使することができる事項
④ 譲渡による当該種類の株式の取得について当該株式会社の承認を要すること
⑤ 当該種類の株式について、株主が会社に対してその取得を請求することができること
⑥ 当該種類の株式について、会社が一定の事由が生じたことを条件としてこれを取得することができること
⑦ 当該種類の株式について、会社が株主総会の決議によってその全部を取得すること
⑧ 株主総会、取締役会または清算人会において決議すべき事項のうち、当該決議のほか、当該種類の株式の種類株主を構成員とする種類株主総会の決議があることを必要とするもの
⑨ 当該種類の株式の種類株主を構成員とする種類株主総会において取締役または監査役を選任すること

定款の定めによっても、会社法108条1項各号に列挙された事項以外の事項について、内容の異なる株式を発行することはできない(3)。したがって、ある種類の株式について株主総会における議決権が一切ないものとすること（完全無議決権株式）はできる（同項3号）が、ある種類株式1株に複数議決

(2) 各種類株式の詳細については、江頭憲治郎『株式会社法〔第8版〕』（有斐閣、2021）141～169頁、山下友信編『会社法コンメンタール(3)株式(1)』（商事法務、2013）59頁以下〔山下友信〕、棚橋元「会社法の下における種類株式の実務〔上〕〔下〕」商事1765号（2006）25頁以下、同1766号（2006）89頁以下等参照。種類株式等の規制の変遷等については、高田晴仁「種類株式と属人的定め」商事2207号（2019）7頁以下参照。また、近時の種類株式に係る実務につき、宮下央＝松尾和廣「上場制度と種類株式」商事2123号（2017）24頁以下、宮下央＝谷口達哉「金融商品取引法における種類株式の取扱い」商事2124号（2017）24頁以下、宮下央＝谷口達哉「公開買付規制における種類株式の取扱い」商事2125号（2017）41頁以下、保坂雄＝小川周哉「種類株式を利用したスタートアップ・ファイナンス」商事2126号（2017）48頁以下、中川浩輔＝中村謙太「事業再生局面での種類株式の活用」商事2127号（2017）33頁以下、竹内信紀＝小川周哉「米国における種類株式の実務動向」商事2128号（2017）44頁以下等参照。

(3) 相澤ほか編著・前掲(1)書55頁。

権を付与するといったことはできない[(4)]。

また、種類株式は、その内容が異なるごとに株式の「種類」を構成する。

したがって、優先配当額の上限が異なれば、それぞれ別個の種類株式となる。会社法においては、定款で種類株式の内容の要綱を定め、実際に発行する種類株式の内容の詳細の決定を株主総会や取締役会の決議に委ねることも可能とされている（法108条3項）が、授権された株主総会、取締役会または清算人会が具体的内容を決定すると、その内容が種類株式の内容として確定するため、同一の種類の株式としてそれと異なる内容の株式を発行することはできない[(5)]。

3　属人的定め

公開会社でない株式会社は、会社法105条1項各号に掲げる権利に関する事項について、株主ごとに異なる取扱いを行う旨を定款で定めることができる（法109条2項）。この定めを、属人的定めという。会社法105条1項各号に掲げる権利とは、①剰余金の配当を受ける権利、②残余財産の分配を受ける権利、③株主総会における議決権である[(6)]。

たとえば、持株数にかかわらず配当金の額を全株主同額とすること、配当や残余財産分配に関し原始株主（創業者）等特定の株主を持株数以上の割合で優遇すること、持株数にかかわらず全株主の議決権数を同一にすること、特定の株主の所有株式につき1株複数議決権を認めることなどが可能である[(7)]。

---

(4)　江頭・前掲(2)書148頁。もっとも、種類株式相互の単元株式数に差異を設けることによって、実質的に1株当たりの議決権数を変じることは可能と解されている（旧商法下の文献であるが、鈴木隆元「種類株式の多様化」ジュリ1220号（2002）18頁注13、神田秀樹＝武井一浩編著『新しい株式制度――実務・解釈上の論点を中心に』（有斐閣、2002）154頁〔中山龍太郎〕）。また、属人的定め（3）によって、複数議決権を実現することは可能である。

(5)　相澤哲編著『立案担当者による新・会社法の解説（別冊商事295号）』（商事法務、2006）26頁〔相澤哲＝岩崎友彦〕。

(6)　議決権の属人的定めをしたとしても、当該定めは、種類株主総会については適用されない。その点について、属人的定めがあると、同一の種類の株式でなくなるからと説明される（江頭・前掲(2)書351頁注(6)）。

定款に属人的定めが存在する場合、当該株主が有する株式を当該権利に関する事項について内容の異なる種類の株式とみなして、種類株主総会に係る規定が適用される（法109条３項)。属人的な権利内容として同じ取扱いが定められた株主が複数存在する場合には、当該複数の株主が１つの種類株主総会を構成し、１人ずつ異なる取扱いが定められた株主の場合には、１人で種類株主総会を構成する(8)。

(7) 江頭・前掲(2)書170～172頁。定款の定めの具体例については、金丸和弘ほか編著『ジョイント・ベンチャー契約の実務と理論〔新訂版〕』(金融財政事情研究会、2017) 89～96頁。

(8) 江頭・前掲(2)書172頁注(5)。

6-2
種類株主総会の権限

1　総　　説

種類株主総会は、会社法に規定する事項および定款で定めた事項に限り、決議をすることができる（法321条）。

会社法に規定された種類株主総会の決議事項は次のとおりである。

① ある種類の種類株主に損害を及ぼすおそれがある場合に係るもの（法322条）
② 拒否権付種類株式が発行された会社における当該拒否権の対象事項（法323条・108条1項8号）
③ 種類株主総会において取締役・監査役を選解任できる株式が発行された会社における取締役・監査役の選解任（法347条・108条1項9号）
④ ある種類の株式の内容として譲渡制限または全部取得条項を付す場合における定款変更（法111条2項）
⑤ 種類株式発行会社における譲渡制限株式の募集事項の決定またはその委任（譲渡制限株式を目的とする新株予約権の発行の場合も同様）（法199条4項・200条4項・238条4項・239条4項）
⑥ 組織再編の対価として譲渡制限株式等が割り当てられる場合における組織再編契約の承認（法783条3項・795条4項・804条3項・816条の3第3項）

これらは、(a)種類株式の権利内容を実現するためのもの（②および③）と、(b)種類株式の株主に不利益が生じるおそれがある場合における当該株主の保護を目的とするもの（①、④～⑥）に区別することができる。

会社法上、種類株主総会の決議が必要とされている事項について、代表取締役や取締役会などが決定できる旨を定款で定めたとしても、そのような定めは無効である（法325条・295条3項）。

また、会社法に規定された事項のほか、定款で定めることにより、種類株主総会の決議事項を拡張することが可能である（もっとも、後述のとおり、一定の限界があると解されている）。

なお、種類株主総会の決議ではないが、次の場合には、種類株主全員の同意が必要とされる。

① 既発行の株式について取得条項を付しまたは当該条項について変更するための定款変更をする場合（法111条1項）
② ある種類の株主に、組織再編の対価として持分等（法783条2項、施185条）が交付される場合（法783条4項）

もっとも、①については、すべての株式についていったん株主総会および種類株主総会の特別決議により全部取得条項（法108条1項7号）を付し、さらに、その全部取得条項付種類株式の取得のための株主総会の特別決議を行い、そこで取得の対価として取得条項付株式を交付する旨を定めれば（法171条1項）、種類株主全員の同意を得ずに、すべての株式を取得条項付株式に変更することが可能とされている(9)。

2　種類株式の権利内容を実現するための種類株主総会

(1)　拒否権付株式

株主総会、取締役会、清算人会において決議すべき事項のうち、当該決議のほか、当該種類の株式の種類株主を構成員とする種類株主総会の決議があることを必要とすることを内容とする種類株式（法108条1項8号）を、拒否権付株式という。

種類株式に、特定の事項に係る拒否権を付すことは、平成13年法律第128

(9)　相澤ほか編著・前掲(1)書80頁。

号による商法改正時に認められた（旧商222条9項）。旧商法下においては、拒否権は種類株式に付加できる属性の1つであり、単体で株式の種類を構成するものではなかったが、会社法制定時に株式の内容の1つとして整理された(10)。これにより、拒否権の有無・内容のみが異なる種類株式を発行可能となった。

会社法上は、たとえば、代表取締役の選定、定款変更、募集株式の発行、一定額以上の取引等、さまざまな事項を拒否権の対象とすることが可能である。取締役の選任等について拒否権を設けた種類株式（いわゆる「黄金株」）を、敵対的買収防衛策として利用することも理論的には可能であるが、上場会社においては、株式を上場している金融商品取引所の規則による制約がありうる(11)。

拒否権付株式の拒否権の対象とされている事項については、本来、決定権限を有する機関の決定に加えて、拒否権付株式の株主を構成員とする種類株主総会の決議がなければ、効力を生じない（法323条本文）。ただし、当該種類株主総会において議決権を行使することができる種類株主が存しない場合は、この限りではない（同条ただし書）。同条ただし書に該当するのは、定款に拒否権付株式に係る定めはあるものの実際に発行されていない場合、拒否権付株式の全数が自己株式である場合、拒否権付株式の全数が相互保有株式（法308条1項括弧書）に該当する場合などである。

なお、拒否権付株式の株主を構成員とする種類株主総会の決議を要するにもかかわらず、かかる決議を欠いて行われた代表取締役による業務執行行為の無効を善意の第三者に対抗することはできない（法349条5項）。

この種類株主総会の決議は、定款に別段の定めがある場合を除き、いわゆる普通決議によって行う（法324条1項）。複数の種類の拒否権付株式の株主が共同して拒否権の対象事項を決議するような定め方をすることも許容される(12)。

---

(10)　会社法施行前に発行されていた拒否権が付された種類株式の取扱いにつき、整備法113条5項・87条参照。

(11)　上場制度との関係および実例等につき、宮下＝松尾・前掲(2)論文24頁以下。

(2) 取締役等選解任権付株式

指名委員会等設置会社でなく、かつ、公開会社でない株式会社では、当該種類の種類株主を構成員とする種類株主総会において取締役（監査等委員会設置会社にあっては、監査等委員である取締役またはそれ以外の取締役）または監査役を選任することを内容とする種類株式を発行することができる（法108条1項9号）。同号は「選任」としか規定していないが、同号の内容の定めのある種類株式が発行された株式会社においては、会社法347条による339条1項の読替えにより、種類株主総会が取締役・監査役の解任権を有することとなる(13)。

この種類株式を発行した場合、取締役・監査役の選任は、原則として、種類株主総会のみによって行われ、通常の株主総会によって行われることはなくなる(14)。

取締役・監査役を選任する種類株主総会の決議は、定款に別段の定めがある場合を除き、いわゆる普通決議によって行う（法324条1項。ただし、通常の株主総会における選任時と同様、定款による定足数の緩和は3分の1までである（法347条・341条））。取締役の解任についても同様であるが、監査役の解任についてはいわゆる特別決議による必要がある（法324条2項5号・347条2

---

(12) 江頭・前掲(2)書167頁。たとえば、代表取締役の選定を拒否権の対象とするA種類株式とB種類株式が存在する場合、定款の定め方次第で、A種類株式の株主とB種類株式の株主双方を構成員とする1つの種類株主総会で許否を決議することも可能である。

(13) 取締役・監査役の解任の訴えに関しては、職務執行について不正の行為、あるいは法令・定款に違反する重大な事実があったにもかかわらず、当該取締役・監査役の選任権を有する種類株主総会において解任決議が否決されたことまたはその決議がないことを条件として、議決権総数または発行済株式総数の3％以上を6ヵ月前から引き続き有する株主による解任請求ができる（取締役については法854条3項による同条1項の読替え、監査役については同条4項による同条1項の読替え）。もっとも、解任について、通常の株主総会に権限を留保する旨を定款に定めることは可能と解され、このような定めがなされた場合は、通常の株主総会において解任決議が否決されたことをもって解任の訴えの要件が充足される（証券取引法研究会編『新会社法の検討――ファイナンス関係の改正』別冊商事298号（商事法務、2006）39頁〔前田雅弘発言〕）。

(14) 相澤ほか編著・前掲(1)書286～287頁。たとえば、取締役3名を選任するとして、取締役選解任権付株式であるA種類株式の内容として2名の取締役を選任することと定められている場合、A種類株式の株主を構成員とする種類株主総会において取締役2名を選任し、その他の種類の株主を構成員とする種類株主総会において残りの1名を選任することとなる。

項・339条1項)。

他の種類株主と共同して取締役・監査役を選任する旨の定め（法108条2項9号ロ参照）がなされている場合、双方の種類株式の株主を構成員とする1つの種類株主総会において決議を行うことになるものと考えられる。

種類株主総会における取締役の選任については、定款の定めの有無にかかわらず、累積投票によることができない（法347条が342条を読替え適用の対象としていないため)。

3　種類株式の株主を不利益から保護するための種類株主総会

(1)　譲渡制限または全部取得条項を付す定款変更をする場合

種類株式発行会社が、ある種類の株式の内容として、譲渡制限（法108条1項4号参照）または全部取得条項[15]（同項7号参照）に係る事項についての定款の定めを設ける場合には、定款変更について、通常の株主総会の決議に加えて、次の種類株主を構成員とする種類株主総会の決議が必要となる（法111条2項)。

① 当該種類の株式の種類株主
② 譲渡制限または全部取得条項が付されることとなる種類株式を取得の対価とする旨が定められている取得請求権付株式[16]の種類株主
③ 譲渡制限または全部取得条項が付されることとなる種類株式を取得の対価とする旨が定められている取得条項付株式[17]の種類株主

当該種類株主に係る株式の種類が2以上ある場合、それぞれの種類別に区

(15) 全部取得条項が付された種類株式は全部取得条項付種類株式と呼ばれる。全部取得条項付種類株式は、会社が株主総会の決議によってその全部を取得することができる（法108条1項7号・171条1項)。

(16) 取得請求権付株式とは、当該種類の株式について、株主が会社に対してその取得を請求することができる株式（法108条1項5号）をいう。

(17) 取得条項付株式とは、当該種類の株式について、会社が一定の事由が生じたことを条件としてこれを取得することができる株式（法108条1項6号）をいう。

分された種類株主を構成員とする各種類株主総会の決議が必要となる（法111条２項柱書括弧書）。

譲渡制限を付す定款変更に係る種類株主総会の決議は、定款に別段の定めがない限り、当該種類株主総会において議決権を行使することができる株主の半数以上であって、当該株主の議決権の３分の２以上の多数により行う（法324条３項１号。いわゆる特殊決議）。他方、全部取得条項を付す定款変更に係る種類株主総会の決議は、いわゆる特別決議により行う（同条２項１号）。

これらの定款変更に際しては、会社法上、反対株主の株式買取請求権が規定されている（法116条１項２号）。

(2)　種類株式発行会社における譲渡制限株式の募集等

種類株式発行会社において、譲渡制限株式を募集株式として、株式を引き受ける者の募集をする場合、募集事項の決定は、通常の株主総会の決議に加え、原則として、種類株主総会の決議が必要となる（法199条４項）。譲渡制限株式の募集事項の決定を取締役（取締役会）に委任する場合（法200条４項）、譲渡制限株式を目的とする新株予約権を発行する場合（法238条４項）、譲渡制限株式を目的とする新株予約権の募集事項の決定を取締役（取締役会）に委任する場合（法239条４項）も同様である。

これらの決議は、特別決議により行う（法324条２項２号・３号）。

(3)　組織再編の対価として譲渡制限株式等が割り当てられる場合

①　消滅株式会社等における手続

種類株式発行会社における譲渡制限株式でない株式の株主に対して、吸収合併、株式交換、新設合併または株式移転に際して、対価の全部または一部として譲渡制限株式等（施186条）が交付される場合、譲渡制限株式の割当てを受けることとなる、譲渡制限株式でない種類株式の株主を構成員とする種類株主総会の決議がなければ、吸収合併等の効力が生じない（法783条３項・804条３項）。

かかる決議は、特殊決議により行う（法324条３項２号）。

②　存続株式会社等における手続

存続株式会社等が、吸収合併、吸収分割、株式交換または株式交付に際して、対価として譲渡制限株式を交付する場合、対価として交付される種類の株式の種類株主を構成員とする種類株主総会の決議がなければ、吸収合併等の効力が生じない（法795条4項・816条の3第3項）。もっとも、定款に、当該種類の株式を引き受ける者の募集について、当該種類の株式の種類株主を構成員とする種類株主総会の決議を要しない旨の定め（法199条4項参照）がある場合、当該種類の株式に関しては、種類株主総会の決議が不要となる（法795条4項括弧書・816条の3第3項括弧書）。

かかる決議は、特別決議により行う（法324条2項6号・7号）。

(4)　種類株主に損害を及ぼすおそれがある場合

種類株式発行会社が、定款変更その他の会社法322条1項各号に規定された行為（下表）をする場合において、ある種類の株式の種類株主に損害を及ぼすおそれがあるときは、当該行為は、当該種類の株式の種類株主を構成員とする種類株主総会の決議がなければその効力を生じない（同項）。

①　定款変更（イ～ハに掲げるもので、法111条1項または2項に規定されたもの以外）
　イ　株式の種類の追加
　ロ　株式の内容の変更
　ハ　発行可能株式総数または発行可能種類株式総数の増加
②　株式等売渡請求にかかる承認
③　株式併合または株式分割
④　株式無償割当て
⑤　募集株式の株主割当て
⑥　募集新株予約権の株主割当て
⑦　新株予約権無償割当て
⑧　合併
⑨　吸収分割
⑩　吸収分割による権利義務の承継
⑪　新設分割
⑫　株式交換

⑬　株式交換による他の株式会社の発行済株式全部の取得
⑭　株式移転
⑮　株式交付

かかる決議は、特別決議により行う（法324条２項４号）。

会社法322条１項に基づく種類株主総会の決議が必要となる行為について、同項各号の規定は例示列挙であるとする有力な見解もあるが、会社法の立案担当者は、限定列挙と解している[18]。

同項の「種類株主に損害を及ぼすおそれがあるとき」とは、その行為が外形的・客観的に種類株主に損害を及ぼすおそれがある場合のみをいうと解されている[19]。もっとも、具体的事例においては、かかる要件に該当するか否かの判断に困難を伴うことも少なくない[20]。

4　種類株主総会の決議を要しない旨の定款の定め

種類株式発行会社は、ある種類の株式の内容として、会社法322条１項の規定による種類株主総会の決議を要しない旨を定款で定めることができる（同条２項）。かかる定めを設けることにより、単元株式数についての定款変更および同条１項２号から14号までに規定された事項については、種類株主総会の決議を経る必要がなくなる。上場会社によるかかる定款の定めの記載例として、第一生命ホールディングス株式会社の例がある。

---

(18)　相澤編著・前掲(5)書88～89頁〔相澤哲＝細川充〕。もっとも、立案担当者は、例示列挙との解釈の余地を否定はしないようである（同書89頁〔相澤＝細川〕）。

(19)　江頭・前掲(2)書173頁注(2)。たとえば、すでに拒否権付種類株式Ａが発行されているとき、他の事項につき拒否権がある拒否権付種類株式Ｂを追加する定款変更は、事実上Ａ種類株主の会社支配に対する影響力を低下させることがあるとしても、外形的・客観的にそれが明白ではないので、種類株主総会の決議を要しないと解すべきとされている。なお、山下友信「種類株式間の利害調整　序論」新堂幸司＝山下友信編『会社法と商事法務』（商事法務、2008）106～108頁は、「損害を及ぼすおそれ」の有無の判断は、種類株式間の割合的な権利を不利益に変更するものかどうかという点から出発すべきであるが、組織再編（法322条１項７号以下）については、株式価値の増減に従って判断すべきとする。

(20)　岩原紳作編『会社法コンメンタール(7)機関(1)』（商事法務、2013）337頁以下〔山下友信〕。

〈記載例〉第一生命ホールディングス株式会社

(種類株主総会)
第23条　(1項～3項　略)
4．当会社が、会社法第322条第1項各号に掲げる行為をする場合については、法令に別段の定めがある場合を除き、甲種類株主を構成員とする種類株主総会の決議を要しない。

かかる定款の定めについて、会社法322条1項各号に列記されている事項の一部についてだけ定めることができるか否かについては争いがある。種類株主総会決議を不要とする定めは、同項各号に列記されている事項ごとに定めることができるという肯定説[21]もある一方、同条2項の文言解釈として、かかる定款の定めがなされた場合は、単元株式数についての定款変更および同条1項2号から14号までに規定された事項すべてについて、同項の規定が適用されないこととなるとする否定説もある[22]。否定説は、もしこれらの事項の一部について種類株主総会の決議を要するものとしたければ、別途定款で拒否権(法108条1項8号)を定める方法により対処できるので問題がないとしている。

既発行の種類株式について、定款を変更して、会社法322条1項の規定による種類株主総会の決議を要しない旨を定める場合、当該種類の種類株主全員の同意が必要となる(同条4項)。

また、かかる定款の定めを設けた場合において、種類株主総会の決議が不要となる会社の行為が当該種類株主に損害を及ぼすおそれがあるときは、反対株主の株式買取請求権が認められる(法116条1項3号。なお、合併等の組織再編に関しては、組織再編の手続に係る規定により株式買取請求権が認められる)。

その他、個別の規定に基づき、種類株主総会の決議を不要とする旨の定款の定めが許容される場合がある(法199条4項・200条4項等)。

---

(21)　相澤ほか編著・前掲(1)書104頁。
(22)　相澤編著・前掲(5)書89頁〔相澤＝細川〕、江頭・前掲(2)書174頁注(5)。

5　定款で定めた決議事項

種類株主総会は、法定の決議事項に加え、定款で定めた事項についても決議をすることができる（法321条）。たとえば、譲渡制限株式に関する譲渡等の承認、取得条項付種類株式に関する取得の日等の決定、トラッキング・ストックに関するその連動対象である子会社の役員等の選解任権等が考えられる[23]。

もっとも、定款自治とはいえ、株主総会・取締役会といった会社全体の利益を代表する機関の権限を排して一部の種類の株式の株主から構成される種類株主総会に会社の意思決定を委ねてよい事項には、「当該種類株主の利害に密接な関係がある事項」という法律上の限定が存在するとの見解[24]が有力に主張されている。

---

(23)　江頭・前掲(2)書324頁。

(24)　江頭・前掲(2)書324頁。

6-3 種類株主総会の手続

1　総　　説

種類株主総会には、株主総会に関する規定の多くが準用される（法325条、施95条）。また、種類株式発行会社の定款では、株主総会の章において、議長、議決権の代理行使、電子提供措置、基準日、決議方法といった規定について、通常の株主総会に係る定めを種類株主総会に準用する旨の規定が置かれることが多い（下記**〈記載例〉**参照）。

〈記載例〉筑波銀行の定款

第3章　株主総会
（招　　集）
第13条　当銀行の定時株主総会は、毎年6月に招集し、臨時株主総会は、必要に応じて招集する。
（定時株主総会の基準日）
第14条　当銀行の定時株主総会の議決権の基準日は、毎年3月31日とする。
（招集権者及び議長）
第15条　株主総会は、取締役頭取が招集し、議長となる。
2．取締役頭取に事故があるときは、あらかじめ取締役会の定める順序により、他の取締役が株主総会を招集し、議長となる。
（電子提供措置等）
第16条　当銀行は、株主総会の招集に際し、株主総会参考書類等の内容である情報について、電子提供措置をとるものとする。
2．当銀行は、電子提供措置をとる事項のうち法務省令で定めるものの全部または一部について、議決権の基準日までに書面交付請求した株主に対して交付する書面に記載しないことができる。

（決議の方法）
第17条　株主総会の決議は、法令または本定款に別段の定めがある場合を除き、出席した議決権を行使することができる株主の議決権の過半数をもって行う。
2．会社法第309条第２項に定める決議は、議決権を行使することができる株主の議決権の３分の１以上を有する株主が出席し、その議決権の３分の２以上をもって行う。
（議決権の代理行使）
第18条　株主は、当該株主総会において議決権を有する他の株主１名を代理人として、その議決権を行使することができる。
（議事録）
第19条　株主総会における議事の経過の要領およびその結果ならびにその他法令に定める事項については、これを議事録に記載または記録する。
（種類株主総会）
第20条　当銀行の種類株主総会は、必要に応じて招集する。
2．第15条、第16条、第18条および第19条の規定は、種類株主総会についてこれを準用する。
3．第14条の規定は、定時株主総会と同日または前日に種類株主総会を開催する場合に準用する。
4．会社法第324条第２項に定める種類株主総会の決議は、議決権を行使することができる株主の議決権の３分の１以上を有する株主が出席し、その議決権の３分の２以上をもって行う。

以下、時系列に沿って、種類株主総会の手続に関し、特有の事項について概説する。

2　基 準 日

種類株主の数が多く、かつ株主の異動が頻繁に起こる場合、種類株主総会についても、議決権の基準日が必要となる。種類株主総会の基準日についても、会社法124条に基づき、通常、取締役会で決議のうえ、公告を行う。

1のとおり、定款において、定時株主総会の基準日に係る規定を準用している例も多く、たとえば、1の〈**記載例**〉の会社において、定時株主総会と同日に種類株主総会を開催する場合、新たに基準日を設定する必要はない。

なお、種類株式発行会社となる定款変更決議を定時株主総会において行う場合において、当該定款変更に伴い必要となる種類株主総会を当該定時株主総会と同日に開催するとした場合の種類株主総会にかかる基準日設定公告を、当該定時株主総会における定款変更により定時株主総会の基準日にかかる定款規定を定時株主総会と同日に開催される種類株主総会に準用する旨の規定（1の〈**記載例**〉20条3項参照）を置くことにより代替することの可否につき、否定的に解した裁判例がある[25]。当該裁判例の解釈に従い、このようなケースで種類株主総会にかかる基準日設定公告が必要であるとすると、種類株式発行会社となる前の段階で基準日設定および基準日設定公告を行うこととなるが、種類株式発行会社となることを停止条件としてこれらを行う実務が定着している[26]。

3　種類株主総会の招集

種類株主総会の招集は、通常の株主総会と同様、取締役（取締役会設置会社においては取締役会）が決定し（法325条・298条1項・4項）、代表取締役により招集されるのが通常である。種類株主総会の性質上、定時・臨時の区別はなく（法296条1項・2項が法325条による準用の対象外[27]）、開催の必要が生じた場合に、つど招集される。

種類株主総会の招集通知と、通常の株主総会の招集通知とを、1通の書面で兼ねることは、双方の招集通知の記載事項が漏れなく記載されているのであれば、格別問題はない。通常の株主総会と種類株主総会とで、その構成員が一致しており、同日に開催する場合、実務上、1通にまとめることが多い。

---

(25)　アムスク事件・東京高判平成27・3・12金判1469号58頁。基準日設定公告制度の趣旨等に照らすと、このような定款規定により基準日設定公告を省略するためには、当該定款規定が基準日の2週間前までに存在することが必要と判示した。

(26)　渡辺邦広「全部取得条項付種類株式を用いた完全子会社化の手続」商事1896号（2010）29頁。

(27)　加えて、施行規則63条1号が同規則95条1号による準用の対象外であるから、招集の決定に際して同規則63条1号に関する決議の必要はなく、同号に関する事項を招集通知に記載する必要もない。

なお、通常の株主総会と種類株主総会とで、その構成員が完全に一致している場合であっても、通常の株主総会の決議のみをもって、種類株主総会の決議があったものとみなすことはできないため、招集手続を含めて、種類株主総会に関する手続であることを明示して行う必要がある[28]（もっとも、同時開催が可能であることにつき、■4参照）。

種類株主全員の同意があれば、招集手続を省略して種類株主総会を開催することができる（法325条・300条本文）。また、決議事項について種類株主全員の同意が得られる場合であれば、書面または電磁的記録による同意により、種類株主総会の開催自体を省略することも可能である（法325条・319条）。

株主による招集の請求（法297条）、株主提案権（法303条・305条）についても、通常の株主総会に係る規定が準用されている（法325条）。行使要件を種類株主のみを基準に計算する点を除いて、これらの手続については、通常の株主総会と同様である（**第2章、第3章**参照）。

4　種類株主総会の議事

種類株主総会の議事についても、基本的には、通常の株主総会と同様である（**第Ⅰ編第20章**参照）。

種類株主総会の議事に関して特有の問題として挙げられるのは、通常の株主総会の決議に加えて、種類株主総会の決議を要する場合における、両者の議事の運営方法である。このような場合における開催の方法としては、①株主総会と種類株主総会とを別個独立に開催する方法（分離方式）と、②両者を同時に開催し、並行して議事を進行する方法（並列方式）とが考えられる。

一般に、総会を運営する会社側としては、審議の対象が共通する以上、並列方式によるほうが簡便である。この点、株主総会の構成員と、種類株主総会の構成員が完全に一致する場合であれば、後述の、他の種類株主から不当な影響を受けるおそれという点を考慮する必要がなく、並列方式によることに格別の支障はないものと考えられる。実務上も、株主総会の構成員と、種

(28)　東京控判昭和2・2・28新聞2688号4頁参照。

類株主総会の構成員が完全に一致する場合には、並列方式によっている事例が多い(29)。

他方、株主総会の構成員と種類株主総会の構成員が一致しない場合に並列方式を採用すると、議場には、株主総会・種類株主総会のそれぞれに関し、議決権を有する株主と議決権を有しない株主が混在しうることとなる。一般に、株主総会に無権利者が出席した場合、その者が議決権を行使しなかったとしても、その者の出席自体によって他の株主の質問・発言等が不当な影響を受けるおそれがあることから、決議取消事由になりうるとする見解が有力である。この見地から、並列方式を採用することの当否が問題となる。

この点、種類株主総会の議事運営は株主総会と切り離す必要があり、単に議決（表決）を分離するだけでは足りないとされている(30)。もっとも、採決の際に手続を分離し、種類株主のみが自由に質問発言をし、その意見を述べうるように工夫をすれば足りるとする見解もある(31)。前者の見解も、株主総会と種類株主総会を同時並行して開催し議事を進行させるが、表決の際に種類株主総会の構成員以外の株主を退席させ、すでに行われた議案の説明内容等に異議がないかどうかを確認し、異議がなければただちに表決し、異議があればその事項について再審議するという方法であれば許容する。また、株主総会で議決権を行使しうる株主と種類株主総会で議決権を行使しうる株主が全部重なるような場合は、議案の説明や質疑応答などを一体として行い、

---

(29)　たとえば、スクイーズアウト目的で全部取得条項付種類株式を用いる事例では、①種類株式発行会社となるための定款変更、②普通株式に全部取得条項を付すための定款変更、③全部取得条項付普通株式の取得の３点について株主総会の決議が必要となり、②に関しては、会社法111条２項１号に基づき、種類株主総会の決議が必要となる。

このような事例においては、株主総会と種類株主総会を同時に開催し、まず、①の議案についての審議・決議を行って種類株式発行会社となったうえで、②についての通常の株主総会の議案および種類株主総会の議案ならびに③の議案について一括審議をし、順次決議を行うという方法がとられることが多かった（①についてのみ、一括審議の対象から外し、先に決議を行うのは、種類株主総会の議案についての審議・決議に先立ち、種類株式発行会社となっていることを要するためである）。

会議の冒頭で、念のため、同時開催について、出席株主の過半数の賛成による承認を得ておくことも多い。

(30)　上柳克郎ほか編代『新版注釈会社法⑿株式会社の定款変更・資本減少・整理』（有斐閣、1990）35～36頁〔山下友信〕等。

(31)　河本一郎＝今井宏『鑑定意見　会社法・証券取引法』（商事法務、2005）78頁。

議決も一体として行う方法も許容する[32]。

5　種類株主総会の決議

種類株主総会の決議についても、通常の株主総会と同様、①普通決議（法324条１項）、②特別決議（同条２項）、③特殊決議（同条３項）の３種類が存する。**1の〈記載例〉**のように、定款上、定足数の緩和について、通常の株主総会の決議要件に係る定めを準用することも多い（定款による決議要件の加重軽減等については、**第Ⅰ編第24章24－３2**参照）。

種類株主総会の主な決議事項を決議要件別に区分すると**図表Ⅱ－６－１**のとおりである。

図表Ⅱ－６－１　種類株主総会の主な決議事項

決議要件	決議事項
普通決議	①　拒否権付株式の拒否権の対象事項（法108条１項８号・323条） ②　取締役等選解任権付株式の株主による取締役・監査役の選任および取締役の解任（法108条１項９号・347条）[33]
特別決議	①　ある種類の株式に全部取得条項を付加する定款変更（法111条２項） ②　譲渡制限株式に係る募集事項の決定および募集事項の決定の取締役（取締役会）への委任（法199条４項・200条４項） ③　譲渡制限株式を目的とする募集新株予約権に係る募集事項の決定および募集事項の決定の取締役（取締役会）への委任（法238条４項・239条４項） ④　会社法322条１項各号に掲げる行為をする場合において、ある種類の種類株主に損害を及ぼすおそれがあるとき ⑤　取締役等選解任権付株式の株主により選任された監査役の解任（法347条２項・339条１項） ⑥　譲渡制限株式が対価として交付される吸収合併、吸収分割、株式交換、株式交付（法795条４項・816条の３第３項）

---

(32)　岩原編・前掲(20)書378頁〔山下〕。

(33)　定款の定めによっても、定足数を議決権を行使することができる株主の議決権の３分の１未満とすることができない点で、通常の普通決議とは異なる（法347条・341条）。

特殊決議	①　ある種類の株式に譲渡制限を付加する定款変更（法111条2項） ②　譲渡制限のない株式の株主に対し、合併、株式交換、株式移転の対価として譲渡制限株式等が交付される場合（法783条3項・804条3項）

6　種類株主総会の議事録

種類株主総会の議事録の作成に関しても、通常の株主総会の議事録に係る規定が準用されている（法325条・318条1項、施95条9号・72条）。この議事録については、当該種類株主総会の構成員たる種類株主のみならず、全株主による閲覧謄写の対象となる（法325条が、318条4項を読み替えずに準用しているため）。

実務上、並列方式（4参照）により、通常の株主総会と種類株主総会を同時開催した場合に、議事録を物理的に1通にまとめて作成することの可否が問題となる。この点、学説上、並列方式による場合であっても、法律上は、種類株主総会ごとにその開催および決議の成立が認められるため、議事録はそれぞれについて作成するのが適当であるとする見解(34)もある。もっとも、通常の株主総会の議案と種類株主総会の議案を一括して審議するような場合、株主の発言がどちらの総会に関してなされたものか、必ずしも明確に区分できない場合も考えられる(35)。このような場合には、通常の株主総会と種類株主総会の双方についての記載事項が満たされている限り、審理の実態に即して、通常の株主総会の議事録と種類株主総会の議事録を1通にまとめて作成することも認められるものと解する(36)。

---

(34)　河本＝今井・前掲(31)書79～80頁。

(35)　とりわけ、通常の株主総会と種類株主総会の構成員が完全に一致するケースで、同一内容の議案が株主総会および種類株主総会の双方に付議される場合、このような事態が生じやすいと思われる。

(36)　少なくとも、東京法務局および大阪法務局の本庁では、通常の株主総会の議事録と種類株主総会の議事録を1通にまとめた議事録が、登記申請の添付書類として、特段問題なく受理されているようである。

〈記載例〉臨時株主総会・種類株主総会議事録（並列方式）[37]

株式会社○○○○
臨時株主総会議事録
普通株主による種類株主総会議事録

1．日　　時　令和○年○月○日　午前○時○分
2．場　　所　東京都○○区○○○丁目○番○号
　　　　　　○○ホテル　○階　○○の間
3．出席取締役および監査役
　取締役　○名中　○名出席
　（出席者）　A、B、C、D、E、F、G
　監査役　○名中　○名出席
　（出席者）　H、I、J、K
4．株主総会の議長
　代表取締役社長　A
5．出席株主および議決権の状況

＜臨時株主総会＞

株主総数	○○○○名
発行済株式総数	○○○○株
議決権を行使することができる株主数	○○○○名
議決権を行使することができる株主の議決権の総数	○○○○個
本日の出席株主数	○○○○名
書面および電磁的方法により議決権を行使した株主数	○○○○名
本日の出席株主の議決権数	○○○○個
書面および電磁的方法により行使された議決権数	○○○○個

＜普通株主による種類株主総会＞

種類株主総数	○○○○名
発行済種類株式総数	○○○○株
議決権を行使することができる株主数	○○○○名
議決権を行使することができる株主の議決権の総数	○○○○個
本日の出席株主数	○○○○名
書面および電磁的方法により議決権を行使した株主数	○○○○名
本日の出席株主の議決権数	○○○○個
書面および電磁的方法により行使された議決権数	○○○○個

---

(37)　前掲(29)のスクイーズアウト目的で全部取得条項付種類株式を用いる事例を念頭に、臨時株主総会および種類株主総会を並列方式により開催した場合に、議事録を１通にまとめて作成するとした場合の記載例である。

6．議事の経過の要領およびその結果

(1)　定刻、代表取締役社長Aが議長席に着き、定款○条の定めにより、臨時株主総会の議長を務める旨を述べ、臨時株主総会と普通株主による種類株主総会（以下「種類株主総会」という。）とを同時に開催することを議場に諮ったところ、出席株主の過半数の賛同を得た。

次いで、代表取締役社長Aが、種類株主総会についても、同人が議長を務めることにつき議場に諮ったところ、出席株主の過半数の同意を得た。

(2)　議長は、定刻午前○時に、臨時株主総会および種類株主総会の開会を宣した。

(3)　議長は、議事の秩序を保つため、株主の発言は、決議事項の議案の内容説明が終了した後に受け付ける旨を説明した。

(4)　議長は、出席株主数および議決権数等につき、事務局より報告させ、臨時株主総会および種類株主総会双方について、定足数の定めのある議案の決議に必要な定足数を満たしていることを報告した。

(5)　議長は、審議および採決の方法について、①まず臨時株主総会の第1号議案（種類株式発行に係る定款一部変更の件）について上程の上、その内容を説明し、審議・採決を行い、次いで、②臨時株主総会の第2号議案（全部取得条項に係る定款一部変更の件）、種類株主総会の議案（全部取得条項に係る定款一部変更の件）、および臨時株主総会の第3号議案（全部取得条項付普通株式の取得の件）について、上程の上、その内容を説明し、一括して審議を行い、審議の終了後に、③これらの議案について順次採決のみを行うこととしたい旨を述べ、議場に諮ったところ、出席株主の過半数の同意を得た。

(6)　議長は、臨時株主総会の第1号議案を上程し、招集通知に記載のとおり、その内容を説明した。

続いて、議長は、臨時株主総会の第1号議案について、株主から、質問、意見、動議を含めた審議に関する一切の発言を受け付ける旨を述べたところ、株主○名より、……等に関する質問がなされ、それぞれについて議長（および取締役○○）より説明がなされた。

発言希望者がなくなったため、議長が臨時株主総会の第1号議案の原案を議場に諮ったところ、書面および電磁的方法により行使された議決権を含め、出席株主の議決権の3分の2以上の賛同を得たため、原案通り承認可決された。

(7)　議長は、臨時株主総会の第2号議案、種類株主総会の議案、および臨時株主総会の第3号議案を上程し、招集通知に記載のとおり、その内容を説明した。

続いて、議長は、これらの各議案について、株主から、質問、意見、動議を含めた審議に関する一切の発言を受け付ける旨を述べたところ、株主○名より、……等に関する質問がなされ、それぞれについて議長（および取締役○○）より説明がなされた。

発言希望者がなくなったため、議長が臨時株主総会の第２号議案の原案を議場に諮ったところ、書面および電磁的方法により行使された議決権を含め、出席株主の議決権の３分の２以上の賛同を得たため、原案通り承認可決された。

次いで、議長が種類株主総会の議案の原案を議場に諮ったところ、書面および電磁的方法により行使された議決権を含め、出席した普通株主の議決権の３分の２以上の賛同を得たため、原案通り承認可決された。

次いで、議長が臨時株主総会の第３号議案の原案を議場に諮ったところ、書面および電磁的方法により行使された議決権を含め、出席株主の議決権の３分の２以上の賛同を得たため、原案通り承認可決された。

(8)　最後に、議長が、臨時株主総会の第２号議案、種類株主総会の議案、および臨時株主総会の第３号議案について、これらの議案に反対した株主を確認したい旨を述べ、この場で反対の表明がない場合、議案に反対したものとして取り扱うことができない可能性があることを説明した上で挙手を求めたところ、出席株主○名が挙手をしたため、議長の指示に基づき、会場の係員が、所定の事項を記録した。

以上をもって、臨時株主総会および種類株主総会の議事をすべて終了し、議長は、午前○時○分、閉会を宣した。

以上、議事の経過の要領およびその結果を明確にするため、本議事録を作成した。

平成○年○月○日

議事録作成者　代表取締役　A　㊞

添付資料：臨時株主総会および普通株主様による種類株主総会招集ご通知

7　種類株主総会の決議の瑕疵

種類株主総会の決議に瑕疵がある場合、①決議取消の訴え、②決議無効確認の訴え、および③決議不存在確認の訴えの各方法により、争うことが認められる。これらについては、格別、種類株主総会特有の論点はないため、株主総会の決議の瑕疵についての解説（**第Ⅲ編第２章**）を参照されたい。

第Ⅲ編

株主総会をめぐる紛争

第Ⅲ編

株主総会と仮処分

1-1 総 説

株主総会に関係する仮処分の類型としては、①株主総会の開催禁止（停止）の仮処分、②議決権行使禁止または許容の仮処分[1]、③決議の効力停止または執行差止めの仮処分、④招集通知および株主総会参考書類に株主提案に係る提案議題、議案の要領、提案理由を記載することを求める仮処分[2]、⑤その他総会運営に関する取締役の行為の差止めを求める仮処分などがある。

これらの仮処分は、会社内部の紛争に伴って生じることが多く、仮処分の結論は紛争の帰趨に重大な影響を与える。仮処分申請事件の審理は短期間に行わなければならないことが多く[3]、上訴の時間的余裕もないことが多い。

取締役会を設置していない会社の場合（書面投票制度を採用しない）、株主総会の招集通知の発出に際して会議の目的事項を記載・通知する必要はなく（法299条2項・4項・298条1項3号）、株主総会で招集者が会議の目的事項と定めたもの以外の事項を決議することもできることから、会議の目的事項を招集通知に記載しないことが招集手続の違反にはならないため招集手続の違法が生じにくいうえ、株主は事前に会議の目的事項を知ることもできないため株主総会の開催禁止仮処分や決議禁止仮処分などの申立てを行いにくく、招集通知の期間も1週間またはそれ以下になるから（法299条1項）、実際に仮処分を申し立てる時間的余裕がない場合が多い。

---

(1) 株主間契約に規定されたとおりの議決権行使を求める、あるいは、これに反する議決権行使の禁止を求める仮処分もある。

(2) 東京地決平成25・5・10資料版商事352号34頁。

(3) 東京高決平成24・5・31資料版商事340号30頁。

1-2
株主総会開催禁止の仮処分

1　意　　義

株主総会開催禁止の仮処分とは、特定の株主総会に先立ち、その開催を禁止する旨の仮処分である。この仮処分は、仮の地位を定める仮処分であり(民事保全法23条２項)、満足的仮処分といわれるものである。

特定することなく漠然と株主総会の開催を禁止する仮処分は、そのような被保全権利も考えにくく、また、保全の必要性もないことから、認められない(4)。特定の決議事項に違法等の問題がある場合には、当該議案の決議の差止めを求めればたり、総会の開催自体を禁止する必要性は認められない(5)。

株主総会が開催されて決議がなされた後は、決議の効力停止等の仮処分を申し立てることになる(6)。

2　被保全権利および本案訴訟

株主総会開催禁止仮処分の被保全権利は、①取締役の違法行為の差止請求権もしくはその類推適用または②本来の招集権限を有する者の妨害排除請求権と考えられている(7)。株主総会決議取消訴訟、無効確認訴訟、不存在確認

---

(4)　宮脇幸彦「株主総会開催禁止の仮処分」村松裁判官還暦記念論文集刊行会編・村松俊夫裁判官還暦記念論文集『仮処分の研究 下巻』（日本評論社、1966）185頁、米津稜威雄「株主総会開催停止仮処分」竹下守夫＝藤田耕三編『会社訴訟・会社更生法〔改訂版〕〈裁判実務大系３〉』（青林書院、1994）123頁、田中亘『会社法〔第３版〕』（東京大学出版会、2021）201頁。

(5)　米津・前掲(4)論文113頁。

(6)　山口和男編『会社訴訟・非訟の実務〔改訂版〕』（新日本法規出版、2004）316頁。

訴訟は仮処分が認められれば株主総会決議がなされず提起が不可能となることから本案訴訟とはなりえないとされる(8)。

(1)　招集権限のある者が招集手続に瑕疵がある株主総会を開催しようとしている場合

株主、監査役、監査等委員、監査委員は、違法行為差止請求権（法360条・385条・399条の6・407条）を被保全権利として、この手続の続行（株主総会の開催）を差し止めることを申し立てることができる(9)。

株主総会の決議の瑕疵には、招集手続の瑕疵のほかに、(i)議案の内容の違法(10)、(ii)決議の方法の違法(11)、(iii)特別利害関係人の議決権行使による著しい不当決議がある（法830条・831条）。(i)は当該議案についての違法であるから、当該議案の決議の禁止を求めればたり、総会の開催禁止までの必要性はなく、(ii)は基本的に総会当日の議事運営の方法の問題であるから、事前にその違法が確定することはなく、総会開催禁止の仮処分の事由にはなりがたく、(iii)は特定の株主の議決権行使という行為によるものであるから、会社・取締役に対して総会の開催禁止を求める事由とはならない。

招集手続の瑕疵、すなわち招集手続に法令・定款違反または著しい不公正がある場合として、(i)招集通知を一部の株主にしか発出していない場合、(ii)法定期間内に招集通知が発出されていない場合、(iii)招集通知に株主総会の目的事項の記載がなされていない場合、(iv)招集通知に株主提案が記載されていない場合などがあげられる。株主総会参考書類の記載の不備などはほかに会

---

(7)　山口編・前掲(6)書318頁は招集する者が取締役か否かによって、それぞれ違法行為差止請求権、その類推適用（取締役以外が招集する場合）が被保全権利になるとし、新堂幸司「仮処分」石井照久ほか編『経営法学全集(19)経営訴訟』（ダイヤモンド社、1966）153～155頁は、招集権限の有無で分け、ある場合は違法行為差止請求権が、ない場合は招集権限のある者の妨害排除請求権が被保全権利になるとする。

(8)　大隅健一郎「株主総会と仮処分」同編『株主総会』（商事法務研究会、1969）530頁・531頁、山口編・前掲(6)書317頁。東京高判昭和62・12・23判タ685号253頁も、決議取消請求権から株主総会の開催をしないことを求める請求権を認める余地はないと判示する。

(9)　東京高決令和2・11・2金判1607号38頁は少数株主による株主総会招集も監査役の違法行為差止請求権の対象となりうることを前提とする。

(10)　剰余金分配可能利益を超えた剰余金配当議案が付議される場合など。

(11)　適法な累積投票の要求に対し会社がこれを行わないと述べている場合など。

議の目的事項がある場合は決議禁止仮処分でたりる。

⑵　招集権限がない者が株主総会を招集しようとする場合

招集権限を有する者は妨害排除請求権を被保全権利として招集の中止を求めることができる[12]。また、株主、監査役、監査等委員、監査委員は、そうした招集は、招集手続に瑕疵ある招集であることから、取締役に対する違法行為差止請求権の類推適用によって、この中止を求めることができる[13]。両者は、互いに排斥し合うものではなく、いずれも権利も被保全権利とできるものとされる[14]。招集権限がない者が招集するというのは、第１に、少数株主が裁判所の許可を得て株主総会の招集を行うときに（法297条）、会社（取締役）が同一事項につき別途株主総会の招集手続を行う場合である。この場合、少数株主が当該許可を得た事項についての総会の招集権を有するのであり、少数株主は、招集権のない取締役が招集をしようとするのに対して、妨害排除請求権としてその招集の差止めを求めることができる[15]。ただし、少数株主が許可を得た事項以外の目的事項がある場合、許可を得た事項の決議のみを禁止すればたり、総会の開催を禁止することはできない[16]。第２に、取締役会設置会社において、代表取締役が取締役会の決議を経ないで招集する場合である[17]。

招集権限を有しない株主は、妨害排除請求権を被保全権利として仮処分申立をすることはできず[18]、違法行為差止請求権を被保全権利とすることになる。

⑿　山口編・前掲⑹書318頁。
⒀　大隅・前掲⑻論文531頁、新堂・前掲⑺論文62頁。
⒁　東京地方裁判所商事研究会編『類型別会社訴訟Ⅱ〔第３版〕』（判例タイムズ社、2011）899頁。
⒂　大隅・前掲⑻論文530頁、宮脇・前掲⑷論文188頁。
⒃　伊東秀郎「株主総会開催禁止の仮処分」判タ197号（1966）90頁。
⒄　宮脇・前掲⑷論文189頁。
⒅　新堂幸司『権利実行法の基礎』（有斐閣、2001）61頁、長谷部幸弥「株主総会をめぐる仮処分――開催・決議・議決権行使禁止」門口正人編『会社訴訟・商事仮処分・商事非訟〈新・裁判実務大系11〉』（青林書院、2001）230頁。

3　保全の必要性

裁判所は、保全の必要性の判断にあたって、慎重に「開催されようとしている株主総会における決議事項の重要性（決議が会社または株主に与える影響の大きさ）と緊急性（予定された決議を行わなければ時機を失し会社が重大な損害を被るおそれがあるか）」を考慮する(19)。

監査役設置会社、指名委員会等設置会社または監査等委員会設置会社の場合、会社法360条・385条・399条の6・407条による違法行為差止請求権を被保全権利とする仮処分申立では、会社に「回復することができない損害」が生ずるおそれがあることを疎明しなければならないが、これについて、東京高決平成17・6・28は、「株主総会の開催を許すと、決議の成否を左右し得る議決権を有する株主が決議から違法に排除されることになるなどのために、違法若しくは著しく不公正な方法で決議がされること等の高度の蓋然性があって、その結果、会社に回復困難な重大な損害を被らせ、これを回避するために開催を禁止する緊急の必要性があることが要求されるものと解するのが相当」であるとする(20)。

4　仮処分の手続

株主総会開催禁止の仮処分の当事者は、妨害排除請求権に基づく場合は招

(19)　東京地方裁判所商事研究会編・前掲(14)書901～902頁。同書は、株主総会が会社の最高機関であること、仮処分が認められると他の株主の株主権行使の機会を一方的に奪う結果をもたらすこと、株主総会決議取消訴訟等により事後的救済が可能であること、そもそも会社の意思は多数決で決せられるべきものであって少数株主は多数の株主の意見を受け入れざるをえないことといった事情を考慮する必要があると説明する。

(20)　コクド1次事件・東京高決平成17・6・28判時1911号163頁。前掲(9)東京高決令和2・11・2も株主総会の開催を禁止することは少数株主をはじめ株主の議決権行使の機会を奪うことになる一方、招集または決議の瑕疵が生ずるのであれば株主総会決議取消訴訟を提起するとともに選任された取締役の職務執行を停止しその職務を代行する者の選任を求めるなどの仮処分命令を求めるなどの方法も可能であって救済手段に欠けるところがないと事後救済の方法があることを示したうえで同様の判断を示す。

集権者が債権者となる。違法行為差止請求権を被保全権利とするときは、持株要件を満たす株主、監査役、監査等委員または監査委員が申し立てることも可能である（法360条・385条・399条の６・407条）。

債務者は、招集を行っている者である。違法行為差止請求権の債務者は取締役であるが、会社もまた債務者（被申立人）に加えるべきものとされている。判例上、必ずしも被保全権利の債務者以外の者を債務者とすることは否定されていない[21]。

審理に際しては、当事者の審尋が行われる（民事保全法23条４項本文）。株主総会開催禁止仮処分は総会の直前に行われ双方審尋の手続を経る余裕がないことが多いが、その場合でも債務者審尋を経ない場合は疎明不十分となって認容決定がなされることは実際上ほとんどないとされる[22]。

担保は、株主総会をあらためて招集する費用、延期に伴う損害額等を考慮した金額となる。ただし、会社法385条１項もしくは407条１項またはその類推適用による違法行為差止請求権を被保全権利とする仮処分申立を認容する場合は担保を立てさせないものとされる（法385条２項・407条２項）。

5　仮処分決定の効力

株主総会の開催禁止を命ずる仮処分決定の効力は、債務者以外の者との関係においても画一的に生じる（対世的効力[23]）[24]。

この仮処分に違反して株主総会が開催され、決議がなされた場合の決議の効力については、不存在であるとする説[25]、効力に影響しないとする説[26]、

---

(21)　大判大正13・９・26民集３巻470頁。

(22)　東京地方裁判所商事研究会編・前掲(14)書903頁。

(23)　長谷部・前掲(18)論文232頁、山口編・前掲(6)書319頁。

(24)　これに対して、竹下守夫「株主総会の停止を命ずる仮処分に対し株主総会の終了後にした異議申立の適否」ジュリ201号（1960）70頁は一般の不作為命令と同様の効力とする。

(25)　宮脇・前掲(4)論文197頁、大隅・前掲(8)論文533頁、東京地方裁判所商事研究会編『類型別会社訴訟Ⅰ〔第３版〕』（判例タイムズ社、2011）441頁。坂倉充信「判批」『平成元年度主要民事判例解説（判タ735号）』（判例タイムズ社、1990）259頁は、有効説が有力とする。浦和地判平成11・８・６判タ1032号238頁。なお無効説は東京地判昭和36・11・17下民集12巻11号2754頁、東京地判大正15・７・15評論17巻商法176頁。

決議取消事由になるとする説[27]に分かれるが、仮処分命令を無視して株主総会を強行し決議をしたことはそれ自体招集手続が法令・定款に違反しまたは著しく不公正であるとして決議取消事由にあたるものとして扱われるべきである[28]。

---

(26) 竹下・前掲(24)論文70頁、新堂・前掲(18)書64頁。山田敏彦「取締役の違法行為差止を求める訴え」山口和男編『会社訴訟・会社非訟・会社整理・特別清算〈裁判実務大系21〉』(青林書院、1992) 122頁。東京高判昭和62・12・23判タ685号253頁。

(27) 中島弘雅「株主総会をめぐる仮処分」中野貞一郎ほか編『民事保全講座(3)仮処分の諸類型』(法律文化社、1996) 305頁以下。東京地方裁判所商事研究会編・前掲(25)書441頁はこの見解が最も問題が少ないとする。

(28) 東京地方裁判所商事研究会編・前掲(25)書441頁。

1-3
株主総会決議禁止の仮処分

株主総会の決議禁止の仮処分は、開催禁止の仮処分と同様、招集権者の妨害排除請求権または取締役に対する違法行為差止請求権を被保全権利として認められる。

総会の開催手続全体に関わる違法がある場合でなく、特定の決議事項について違法がある場合になされる。

その手続や仮処分決定の効力などは、株主総会開催禁止仮処分のそれと同様である[(29)]（1－2■4）。

(29)　米津・前掲(4)論文121頁。

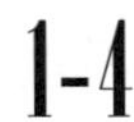

株主総会決議効力停止の仮処分

株主総会決議の効力停止の仮処分は、株主総会決議に瑕疵がある場合に、決議取消訴訟等を本案訴訟としてその決議の効力の停止を求める仮処分である。

決議が執行を要するものであれば当該執行行為を差し止める仮処分となる。取締役等の選任決議である場合には、職務執行停止、代行者選任仮処分となる。当該決議が取締役の解任決議であれば任期満了までの解任決議の効力停止の仮処分となる[30]。組織再編議案については効力発生前に差止請求権が認められており（法796条の２・784条の２・805条の２・816条の５）、これを被保全権利として組織再編の差止を求めることとなる[31]。

(30)　名古屋高決平成25・６・10判時2216号117頁。

(31)　関西スーパー事件・大阪高決令和３・12・７資料版商事454号115頁。なお菊井維大ほか『仮差押・仮処分〔３訂版〕』（青林書院新社、1982）341頁、甲府地判昭和35・６・28判時237号30頁。

1-5
議決権行使禁止・許容の仮処分

⑴ 類　型

議決権行使禁止・許容の仮処分も、仮の地位を定める仮処分であり、いわゆる満足的仮処分である（民事保全法23条２項）。債権者に生じる著しい損害または急迫の危険を避けるために必要があるときに発令される。

実務において実際に争いとなる類型としては、①株式の帰属に争いがある場合、②株式の効力に争いがある場合（たとえば新株発行を無効と主張する場合など）[32]、③議決権行使が権利濫用であるとの主張に基づく場合、④株主間契約に違反するなどの主張に基づく場合がある[33]。

仮処分は特定の株主総会についてなされるのが通例である。

⑵ 株式の帰属に争いがある場合

株式の帰属に争いがある場合には、(i)株主間で争いがある場合と(ii)会社と株主の間で争いがある場合（たとえば会社が名義書換を拒否している場合など）がある。

いずれの場合も被保全権利は、株主権（議決権）に基づく妨害排除請求権である。

債権者は株主名簿上の株主ではない状況で自ら議決権を行使できる立場にあると主張するのであるから、株式の実質的権利者であることを疎明するのではたりず（株式譲渡契約の譲渡人の単純な債務不履行により名義書換がなされ

⑶2　東京地方裁判所商事研究会編・前掲⒁書888頁、名古屋地判昭和59・６・22判タ533号246頁。

⑶3　東京地方裁判所商事研究会編・前掲⒁書889頁は①②のほかに株主の議決権の有無に争いがある場合を挙げる。

ていないのであればそもそも妨害排除請求の根拠となる株主権を獲得していない)、会社が不当に株主名簿書換を拒絶している、正当な理由なく書換を怠っている、理由なく株主名簿の記載を抹消したといった場合、株券が窃取され偽造の申請で株主名簿書換がなされたといった事実を疎明する必要がある(34)。

審理においては、保全の必要性について、債権者は本案訴訟を待っていたのでは非株主の議決権行使・自己の非行使によって回復しがたい損害が発生することを疎明する必要がある。経営権の所在に変動を生じさせるおそれがある取締役の選解任議案、会社の経営に重要な影響を与える組織再編議案、解散議案など帰趨に影響を与えうる場合は原則として回復しがたい損害があるものと考えられる(35)(36)。

株主名簿上の株主だけを債務者として仮処分決定を得た場合、債務者である名義上の株主に不作為義務を課すにとどまり、会社を拘束しないとする見解(37)、反射的効力ないし対世効が生ずるとする見解(38)、会社は第三債務者と同様の立場になるとする見解(39)などがある(40)。会社が不当な名義書換などをしているといった場合には債務者に会社を加えるのが実際的である(41)。会社においては議決権行使を禁止された株式も定足数に算入することになる(42)。

---

(34)　最一判昭和42・9・28民集21巻7号1970頁・判時498号61頁、最一判昭和41・7・28民集20巻6号1251頁・判時456号72頁。

(35)　東京地方裁判所商事研究会編・前掲(14)書891頁、長谷部・前掲(18)論文234頁。

(36)　最一判昭和45・1・22民集24巻1号1頁・判時584号62頁は「社員として有する権利の行使の停止またはかかる権利行使許容の仮処分決定においては、裁判所が右仮処分によりみだりに会社の経営権争奪に介入することがないよう厳に戒しむべきものである」とする。東京地方裁判所商事研究会編・前掲(14)書891頁は、特に行使許容の仮処分は積極的な現状変更の効果を生ずることがあることから、より高度の保全の必要性が要求されるとし、名義上の株主が債権者の議決権行使を実力をもって妨害しようとしているような場合に限定されるとする。

(37)　菊井ほか・前掲(31)書334頁。

(38)　竹中邦夫「議決権の行使を禁止する仮処分」竹下＝藤田編・前掲(4)書130頁。ただし、横浜地決昭和38・7・4下民集14巻7号1313頁・判時375号78頁は否定する。

(39)　新堂・前掲(18)書46頁。大隅・前掲(8)論文527頁は、債権と株主権を同一視することには無理があるとする。

(40)　東京地方裁判所商事研究会編・前掲(14)書892頁。

(41)　山口編・前掲(6)書197・198頁、竹中・前掲(38)論文139頁、菊井ほか・前掲(31)書334頁。

(42)　新堂・前掲(18)書49頁、東京地判昭和35・3・18下民集11巻3号555頁。

議決権行使を停止された株主が株主総会に出席して議決権を行使した場合、その株主総会決議には決議取消事由の瑕疵が生じるものと解される(43)。逆に仮処分によって議決権を停止された後、本案訴訟でその仮処分が取り消されたり、本案訴訟などで敗訴するなどした場合の決議の効力であるが、仮処分の取消しの効力は遡及しないことから、株主総会の決議に瑕疵があったことにはならないとするのが多数説である(44)。

(3)　株式の効力に争いがある場合

新株発行無効等、株式の効力に争いがある場合は、会社を債務者として議決権行使停止の仮処分がなされる(45)。本案訴訟は新株発行無効請求権または新株発行不存在確認請求権である。自己株式の処分も無効確認訴訟により（法828条１項３号）無効とされた場合には当該自己株式処分の効力が失効すると解されており(46)（法839条）、株式の効力に関する争いに含まれる。

新株発行無効を本案訴訟とする場合は新株発行無効原因が限定されることから仮処分命令が発令される場合も限定される(47)。

債務者に株主を加えることについては、新株発行無効訴訟が本案訴訟であるため、新株発行無効訴訟の効力が対世的効力であることを根拠に仮処分の効力も会社のみを債務者としている場合でもすべての新株式の名義人に及ぶので不要とする見解(48)と、当該新株の名義人も債務者とすることができると

---

(43)　大隅・前掲(8)論文524頁。

(44)　大隅・前掲(8)論文525頁、東京地方裁判所商事研究会編・前掲(25)書443頁。

(45)　従来、新株発行無効判決に遡及効はないことから本案訴訟が確定するまでの間は例外的な場合を除き議決権行使を禁止することはできないとの見解が有力であった。東京地裁商事研究会編・前掲(40)書270頁は仮処分が認められる例外的な場合として、①授権株式数を超過した発行、定款に定めのない種類株式の発行、新株発行禁止仮処分に違反してなされた発行、通知・公告を欠いた発行で、かつ、②新株主による議決権行使が権利濫用と見られる場合を挙げる。しかし、東京地方裁判所商事研究会編・前掲(14)書889頁は、議決権行使禁止の仮処分は新株発行無効の状態を作り出すのではなく議決権を行使できない状態を暫定的に作り出すにすぎないから仮処分を認めてよいとしており、東京地決平成24・１・17金判1389号60頁などはこれによっている。

(46)　相澤哲ほか編著『論点解説　新・会社法――千問の道標』（商事法務、2006）218頁。

(47)　東京地方裁判所商事研究会編・前掲(14)書889頁。

(48)　新堂・前掲(18)書48頁、長谷部・前掲(18)論文233頁。

の見解がある[49]。実務的には両者を債務者とする場合が多いとされる。議決権行使禁止の仮処分命令が出された場合、株主総会の定足数の算定に当該新株式は算入されないとするのが多数説である[50]。

議決権行使を停止された株主が株主総会に出席して議決権を行使した場合、その株主総会決議には決議取消事由の瑕疵が生じること、および仮処分によって議決権を停止された後に本案訴訟でその仮処分が取消等された場合の株主総会決議に瑕疵があったことにはならないことについては、(2)と同様である[51]。

(4)　その他の場合

①　議決権行使が権利の濫用になる場合

会社が株主の議決権行使が権利の濫用に該当すると主張して議決権行使を禁止する仮処分を申し立てることがある[52]。

国際航業事件では、会社が債権者となって、株主に対して議決権の行使の禁止を命じた仮処分命令がなされた[53]。議決権の行使が権利の濫用に該当すると判断されたものと推測される（同決定に理由の記載はない[54]）。この事案の被保全権利および本案訴訟は明確とはいえない。会社から株主に対して議決権行使の差止めを求める権利というものは、会社法上想定されていない[55]。決議取消訴訟等についても、会社自身はその原告適格がない。また、株主総会において議決権を行使させるかどうかは第一義的には議長（会社）が判断することを考えた場合、ことさらこうした仮処分を認める必要性に疑問を示す見解もある[56]。

---

(49)　竹中・前掲(38)論文129頁、江頭憲治郎『株式会社法〔第8版〕』（有斐閣、2021）348頁。名古屋地判昭和59・6・22判タ533号246頁は債務者適格を認める。

(50)　新堂・前掲(18)書49頁、神戸地判昭和31・2・1下民集7巻2号185頁・判時72号20頁。

(51)　大隅・前掲(8)論文525頁。

(52)　国際航業事件・東京地決昭和63・6・28判時1277号106頁ほか。

(53)　前掲(52)国際航業事件・東京地決昭和63・6・28。

(54)　古部山龍弥「会社が申請した議決権行使禁止の仮処分が認容された事例」『昭和63年度主要民事判例解説（判タ706号）』（判例タイムズ社、1989）216頁。

(55)　古部山・前掲(54)論文216頁。

(56)　新谷勝「株主の議決権行使に関する仮処分と議決権の濫用」判タ771号（1992）4頁。

議決権の濫用を理由にその行使の停止を命じられた場合、その議決権数を定足数の算定に算入するかについては、株式の効力自体は認められるから算入するということも考えられるが、当該株式については他に誰も行使できる者はいないから、それでよいかという問題もある。

他方、東京三菱銀行事件・京都地決平成12・6・23では、株主総会の議事運営を妨害するおそれのある株主に対して、会社が株主総会への出席禁止を命じた仮処分が認容された(57)。この事案は、銀行に抗議する集団が過去の総会において集団で出席して議題と無関係な事項について不規則発言やヤジなどを行い、総会の運営を妨害した事例であり、当期の株主総会においても混乱させることを宣言しているケースである。被保全権利は、株主総会を正常に進行することを通じて株主の利益を維持する権利とされる。

②　株主間契約に基づく議決権行使禁止ないし特定の議決権行使を求める仮処分

名古屋地決平成19・11・12金判1319号50頁は、共同出資する対象会社の「株式の譲渡」を禁止する条項を持つ株主間契約に基づき、対象会社の株式交換契約承認議案に賛成する議決権行使を禁止する差止仮処分が申し立てられた事案である。同決定は、株式の譲渡に株式交換は含まれないとし、賛成してはならないとの不作為義務を否定したが、傍論として、議決権拘束契約の効力について、「原則として、本件議決権行使の差止請求は認められないが、①株主全員が当事者である議決権拘束契約であること、②契約内容が明確に本件議決権を行使しないことを求めるものといえることの2つの要件を充たす場合には例外的に差止請求が認められる余地がある」と判示した。

株主全員を当事者としない株主間契約において契約当事者である特定の個人株主を取締役および代表取締役社長に選任することを定めた株主間契約に基づき当該個人株主（代表取締役社長）と対立関係にある他の当事者株主に対して、自らを取締役に選任する議案に賛成することを求める仮処分を申し

(57)　東京三菱銀行事件・京都地決平成12・6・23判時1739号138頁、京都地決平成12・6・28（仮処分認可決定）判時1739号147頁。なお、岡山地決平成20・6・10金法1843号50頁。

立てるといったことも行われている（認容）。

③　株主が権利を有しない場合（独占禁止法違反等）

白木屋事件・東京地判昭和28・４・22[58]では、会社の申立てにより、私的独占の禁止及び公正取引の確保に関する法律（独占禁止法）に違反して取得された株式の議決権の行使を禁止する仮処分がなされた。

これは国際航業事件と異なり、株式の取得自体が有効になされなかったという事案である。したがって、被保全権利は非株主による株主総会への介入を拒否する妨害排除請求権である。他方、株式の取得が独占禁止法違反にはならないとして議決権行使禁止の仮処分申請が却下された事案もある[59]。

(58)　白木屋事件・東京地判昭和28・４・22下民集４巻４号582頁・判時３号11頁。
(59)　札幌地決平成５・８・16判タ843号253頁。

1-6 議題追加・株主参考書類・議決権行使書記載を求める仮処分

株主が株主提案権を行使した場合に会社がその提案を議題として取り上げず、招集通知の会議の目的に記載せず、株主参考書類に議案を記載せず、議決権行使書に当該議案に対する賛否欄を設けない、または設けないおそれがある状況において、提案株主が会社を債務者として、提案議題、提出議案およびその要領を招集通知、株主参考書類に記載するとともに議決権行使書に賛否欄の記載を行うことを求める仮処分であり、議題および議案が有効であることを仮に定めることを併せ求めることもある。

被保全権利は株主提案権である。被保全権利の有無の審理にあたって、株主提案権が法的に認められるかどうかが大きな争点となる。①東京高決平成24・5・31では、株主提案権の行使が権利濫用となるかが争点とされ、②東京高決令和元・5・27資料版商事424号118頁では、定款に「株主総会においては、法令または本定款に別段の定めがある事項を決議するほか、当会社の株券等……の大規模買付け行為への対応方針を決議することができる。」との定めがある会社において買収防衛策を廃止することが株主提案の対象となるかが争点とされ、③京都地決令和3・6・7資料版商事449号90頁では、子会社株式をスピンオフすることを求める提案（具体的には産業競争力強化法に基づく事業再編計画の認定を受けること、子会社株式につき上場承認を受けることを効力発生条件に子会社株式を現物配当する決議を行うというものであり、裁判所も株主総会で承認されても勧告的意味しか有しないことは否定できないとする）が株主提案の対象となるかが争点とされた。これらの争点については**第Ⅱ編第2章**参照。

招集通知および株主総会参考書類の印刷を求めるものであることから、物理的にこれを実行する時間的な制約が大きく、前掲(3)東京高決平成24・5・

31は、①認容した場合には招集通知の再印刷などが必要となることから株主総会を開催できない事態が予想されること、他方で、②株主提案された議案は、可決される可能性がきわめて乏しく、株主総会に必ず上程しなければならない緊急性または必要性が疎明されていないとの原審の認定を前提に、株主総会が開催できなくなる不利益と株主総会決議が事後的に取り消される危険性を比較し、前者が後者よりもはるかに大きいとして保全の必要性を否定する。前掲・京都地決令和３・６・７も同様の判断を示す。

1-7 その他取締役・執行役に対する違法行為差止請求権に基づき特定行為の差止めを求める仮処分

株主総会に関わるさまざまな運営行為について、取締役・執行役の違法行為差止請求権（法360条１項・422条１項）を被保全権利とする差止めの仮処分が申し立てられる。同一株主が議決権行使書面と委任状を提出した場合に会社提案賛成の委任状であるか否かによってその委任状の受任者を委嘱するか否かを区別する行為や同一株主が株主提案賛成の委任状と賛否の表示のない議決権行使書面の両方を提出した場合に会社提案に賛成の議決権行使があったものとして取り扱う行為が違法であるとしてその行為の差止めを求める仮処分申立てなどがこれにあたる[60]。

(60)　東京高決令和元・６・21金法2129号78頁。詳細は**第Ⅰ編第24章**参照。

第Ⅲ編

第2章

本　訴

総　説

株主総会決議に瑕疵がある場合、決議取消、決議無効、決議不存在確認の訴えにより決議の効力を争うことができる。株主総会決議の効力は多数の株主や債権者等に及んで集団的法律関係を形成するものであることから、その瑕疵を争う方法も、私法上の無効の一般原則に任せて個別に無効を主張できるものとはせずに、決議の効力をないものとする判決には対世効を認めるのが適当である。

こうした観点から、会社法は、①一定の瑕疵について決議取消訴訟という形成訴訟によってのみ主張できるものとし（法831条・834条17号・835条～838条・846条）、②その他の重大な瑕疵については誰もが主張できるものとしつつ瑕疵を確認する判決（決議無効確認・決議不存在確認判決）に対世効を認める（法830条・834条16号・835条～838条・846条）。

株主総会決議が不存在とは、総会そのものが開催されていない場合、決議が存在しない場合、一応決議がなされているが瑕疵が著しく法律上決議があったとは評価できない場合などをいう（法830条1項）。代表取締役でない取締役が取締役会の決議もなしに株主総会を招集して決議を行い、議事録が作成されていたり、登記がなされているような場合、決議不存在確認の訴えが提起できる。公開会社ではない会社ではこうした紛争がしばしば発生している。

株主総会決議の無効は、決議の内容が法令に違反する場合である。株主平等原則に違反する決議、剰余金分配財源規制違反の剰余金配当の決議などである（法830条2項）。

株主総会決議の取消しは、①招集の手続または決議の方法が法令もしくは定款に違反し、または著しく不公正であるとき、②決議の内容が定款違反であるとき、③特別利害関係人の議決権行使により著しく不当な決議がなされたときに形成訴訟を提起することによって主張できる（法831条）。この場合の瑕疵とは、招集の手続、決議の方法、決議の内容についての瑕疵である。

2-2 各訴訟類型に共通の事項

2－3以下で、訴訟類型ごとに詳述するが、いずれの裁判にも共通することをはじめに述べる。

1 裁判管轄

被告となる会社の本店の所在地を管轄する地方裁判所の専属管轄に服する(法835条1項)。対世効を与える関係で同一の理由に基づく複数の訴訟の弁論・裁判を併合するためである。したがって、「本店の所在地」は、株式会社の全体を統括する場所的中心である営業所の所在地（実質的意味における本店の所在地）ではなく、定款で定められ、登記された本店の所在地を意味する。

本店所在地を移転する内容の定款変更決議を争う場合、決議取消訴訟であれば形成訴訟であって取消判決が確定するまでは一応有効に存在すると認められることから、定款変更に基づく変更後の登記簿上の本店所在地に管轄があるものとしてよいが、決議無効確認訴訟、決議不存在確認訴訟の場合は原告が定款変更決議を無効あるいは不存在であるとして争っており、原告の主張に立って変更前の本店所在地を裁判管轄とするのか、画一的に登記簿上の本店所在地を裁判管轄とするのかが問題となるが(1)、形式的に定められるよう、決議の存否、有効無効の結論にかかわらず、登記簿上の本店所在地に管轄があるとするのが相当とされる(2)。

---

(1) 東京地判昭和37・11・13判タ139号118頁、東京高決平成10・9・11判タ1047号289頁、東京高決平成11・3・24判タ1047号292頁は前者の見解をとる。

(2) 東京地方裁判所商事研究会編『類型別会社訴訟Ⅰ〔第3版〕』(判例タイムズ社、2011) 356頁。

2　訴訟進行

数個の訴えが同時に係属する場合、弁論・裁判の併合（法837条）が行われるが、訴えの提訴期間を経過してから口頭弁論を開始することは行われていない。迅速な裁判を阻害するからである。

3　担保提供命令

「原告の訴えの提起が悪意によるものである」との疎明があった場合、担保提供命令が出される（法836条）。

この悪意とは、原告が株主の権利の正当な行使ではなく、いわゆる会社荒しのように株主の権利を濫用して、ことさらに被告会社を困らせるため訴えを提起したような場合をいう[3]。

裁判例としては、①合併契約書承認決議後２回にわたり被告会社を訪れ、第三者に評価してもらった適正価格と認められる価格よりもはるかに高額な価格で株式の買取りを２度にわたり求めた合併契約書承認決議取消訴訟の原告に悪意を認定した決定[4]、②合併により消滅する被告会社の貸借対照表を参考資料として株主に交付しなかったことを理由とする合併に関する株主総会決議無効確認請求訴訟について、原告が主張する瑕疵は決議無効事由には当たらないこと等を理由に悪意を認定した決定[5]、③いわゆる１株株主について、当該株主が過去に会社に対して株主総会決議取消の訴えを提起して棄却されているだけでなく、他の会社にも決議取消の訴えを提起していることや、主張する決議取消事由である株主総会で発言の機会を与えられなかったことだが、その発言も株主としての利益を守るためのものだとは認められないとして悪意を認定した決定[6]、④被告会社から商品を買った際のクレーム

---

(3)　東京高決昭和51・８・２判時833号108頁参照。
(4)　名古屋高決昭和46・８・９下民集22巻７・８号847頁。
(5)　福岡高決昭和47・11・７判タ289号219頁。
(6)　東京地決昭和53・７・14判時913号112頁。

の発言を拒絶されたことを理由として訴訟提起した原告に悪意を認定した決定[(7)]、⑤転勤命令を不服として被告会社を退職した後に被告会社に土地を買わせようとしていた元従業員株主について、株主の正当な利益を保護するための権利行使ではなく、会社を困惑させて在職中の処遇に対する不満や土地取引をめぐる被告会社の態度に対する不満をはらすためであるとして悪意を認定した決定[(8)]、⑥株主総会前に被告会社の総務部長から質問しないように執拗に強制されたと主張する原告について、原告が主張するような事実があるとしてもそれによって原告が質問ができなくなったとは認められないし、それまでも原告は被告会社に対し、父親の見舞いを要求し、それを拒絶されると会社に執拗に電話をかける等の行動があったことから、原告の訴訟提起の目的は被告会社に対する理不尽な要求が拒絶されたことに関連して被告会社を困惑させることにあったと推認できるとして悪意を認定した決定[(9)]などがある。

敗訴原告に訴訟提起につき悪意・重過失が認められる場合、会社に対する損害賠償責任が生ずる（法846条）[(10)]。

4　否決の決議

株主総会において議案が否決された場合に、その否決の決議の取消しを求めることの可否について、最高裁[(11)]は「一般に、ある議案を否決する株主総会等の決議によって新たな法律関係が生ずることはないし、当該決議を取り消すことによって新たな法律関係が生ずるものでもないから、ある議案を否

---

(7)　東京地決昭和62・11・27判時1268号137頁。

(8)　仙台地決平成３・12・16判時1433号136頁。

(9)　東京地決平成５・３・24判時1473号135頁。

(10)　旧商法下では、訴えの提起があれば遅滞なく会社はその旨を公告すべきとの規定があったが、意義が乏しいことから会社法では廃止されている（旧商268条４項）。

(11)　最二判平成28・３・４民集70巻３号827頁。同判決前に同結論を示すものとして東京高判平成23・９・27資料版商事333号39頁（原判決は東京地判平成23・４・14資料版商事328号64頁）。これに対して否決という内容の決議の存在を認める裁判例もあった。山形地判平成元・４・18判タ701号231頁、東京地判平成14・２・21判時1789号157頁、東京地判平成21・12・15公刊物未登載（弥永真生「否決決議と総会決議取消し――平成23・４・14」ジュリ1426号（2011）60頁で紹介）。

決する株主総会等の決議の取消しを請求する訴えは不適法であると解するのが相当である」とする。

否決の決議が何らかの法律効果の発生の要件とされている場合（たとえば法304条ただし書。株主提案が総議決権の10分の１以上の賛成を得られなかった場合の３年以内の再提案の禁止）について、同判例の補足意見（千葉勝美裁判官）は、決議取消事由がある決議はかかる法的効果の発生要件にならない、あるいは要件適用にあたって否決されたとみないといった対応が可能であり、否決の決議の訴えの利益を認める必要はない[12]とする。

5 法令・定款に基づかない決議

法令・定款に基づかない決議（買収防衛策に係る勧告的決議など）については、訴えの利益や確認の利益があるかが問題になりうる。この点、東京地判平成26・11・20資料版商事370号148頁は、総論として、会社法295条２項所定の事項に関するものか否かにかかわりなく、決議の法的効力に関して疑義があり、これが前提となって、当該決議から派生した法律上の紛争が現に存在する場合、当該法的決議の効力を確定することが、当該紛争を解決し、当事者の法律上の地位・利益が害される危険を除去するために必要かつ適切であるときは、確認の利益があると判示する。ただし、具体的事案（会社が敵対的株主に対して買増し継続の中止を要請することについて株主の意思確認（承認）を求めた決議に対する無効確認訴訟）について、株主が株主総会で買増し中止の要請を承認する決議をすることをもって原告に対する対抗措置の発動が容易になるわけではなく（仮に容易になることがあるとしてもそれは多数の株主が株主意思を表明したという客観的事実に基づくものであって、かかる客観的事実は決議が無効か否かに左右されない）、法令上も被告会社が採用する大規模買付けルール上も中止要請を承認する株主総会決議を必要とするものではないので決議に法的効力がないことを確定しても対抗措置発動の可能性を消滅ないし減少することはないから、本件決議の法的効力を確定することは紛

(12) 前掲(11)最二判平成28・３・４補足意見（千葉勝美裁判官）。

争解決のために必要かつ適切とはいえないから確認の利益はないと判示している[13]。

前記の最高裁判決（新たな法律関係が生ずることを前提とする）に照らして、こうした勧告的決議が取消訴訟の対象となるかについては議論がある[14]。

⒀　前掲東京地判平成26・11・20。

⒁　松尾健一「議案を否決する株主総会等の決議の取消しを請求する訴えの利益の適否――最高裁平成28年3月4日判決の検討」商事2106号（2016）4頁、吉本健一「議案を否決する株主総会決議の取消請求訴訟の可否――最高裁平成28年3月4日判決を契機として」神戸学院法学46巻3・4号（2017）103頁。

2-3
決議の取消しの訴え

1　決議取消事由

「決議取消事由」として規定される瑕疵は、決議の取消しの訴え（形成訴訟）によらなければ、決議の無効を主張できない（法831条１項）。株主総会決議の瑕疵は、決議ごとに判断することになるため、たとえば手続的な瑕疵が１つの決議にだけ存在する場合、他の決議の効力には影響を及ぼさない。株主提案にもかかわらず、それを議題として付議しなかった場合、株主総会でなされた決議全体の取消原因となるとする見解もあるが、裁判例・多数説は招集手続全体の瑕疵ではないため、その株主総会における他の決議の瑕疵にはならないとする[15]。

(1)　招集の手続・決議の方法の法令・定款違反または著しい不公正（法831条１項１号）

株主総会の決議が会社の意思決定としての効力を有するのは、その決議が適法な手続に基づいてなされたものであることを要する。決議の瑕疵のうち手続上の瑕疵については、瑕疵として比較的軽微であることが多く、その判定は時の経過とともに困難になるのが通例であるから、法的確実性の要請から、当然無効とせずに、一定の者が一定の期間内に訴えを提起することによってのみこれを無効とすることができるものとした。

---

(15)　東京地判昭60・10・29金判734号23頁、東京高判昭61・５・15判タ607号95頁。株主提案が会社提案に対応しない内容である場合、決議そのものがなされていないので、そもそも取り消すべき決議が存在しない。

①　招集の手続の法令・定款違反

取締役会設置会社において取締役会決議に基づかず代表取締役が株主総会を招集した場合[16]、招集の権限の行使につき、まず社長、次に専務取締役という定款の規定がある場合にこれに違反して招集がなされたとき、株主の一部に招集通知もれがあった場合[17]、招集の通知期間が不足した場合[18]、招集通知に添付すべき書類が欠け法定備置書類が備置されなかった場合[19]、招集通知・株主総会参考書類に記載不備があった場合（招集通知に目的事項を記載しない場合[20]、株主総会参考書類に記載すべき事項を記載しなかった場合[21]など）などである。

②　招集の手続の著しい不公正

取締役会設置会社以外の会社において招集者が総会の目的事項をことさら一部株主にのみ隠して教えない[22]などである。

---

⑯　最一判昭和46・3・18民集25巻2号183頁・判時630号90頁、大阪地判平成30・9・25金判1553号59頁。

⑰　招集通知がすべての株主に発送されなかった場合（東京地判令和元・5・20金判1571号47頁）、多数の株主に招集通知が発出されなかった場合は株主総会決議不存在となる。この多数の割合について裁判例は、排除された株式数が95％、9割、5割、約47％、4割、25％の事例で不存在であるとし（それぞれ東京高判昭和63・3・23判時1281号145頁、東京高判昭和30・7・19下民集6巻7号1488頁、東京高判平成2・11・29判時1374号112頁、大阪高判昭和58・6・14判タ509号226頁、東京高決平成4・1・17東高民時報43巻1～12号2頁、名古屋地判平成5・1・22判タ839号252頁）、排除された株式数が85％、27％、約25％、2割弱、11％の事例で取消事由にあたるとした（それぞれ東京高判昭和59・4・17判時1126号120頁、最二判昭和55・6・16判タ423号82頁、松山地判昭和26・7・9下民集2巻7号862頁、京都地判平成元・4・20判タ701号226頁、千葉地判昭和61・7・25判時1217号134頁）。東京地方裁判所商事研究会編・前掲⑵書398頁は、招集通知が出されず出席しなかった株主が4割を超えれば決議不存在、2割程度であれば決議取消事由とする。

⑱　東京地判昭和54・7・23判時964号115頁。

⑲　東京地判平成27・10・28判時2313号109頁。

⑳　名古屋地判昭和46・12・27判タ274号212頁。名古屋高決平成25・6・10判時2216号117頁は、招集通知の目的事項として「取締役解任の件」とのみ記載し解任対象者を特定していることをもって決議取消原因とする。

㉑　大阪地堺支判昭和63・9・28判時1295号137頁。

㉒　江頭憲治郎『株式会社法〔第8版〕』（有斐閣、2021）379頁。

③　決議の方法の法令違反

株主や代理人でない者が決議に加わった場合、株主または代理人による議決権行使を不当に拒んだ場合(23)、定款の定めに反して株主でない者が決議に加わった場合、説明義務の違反がある場合(24)、定足数に達していないにもかかわらず決議をした場合(25)、賛否の認定を誤って決議成立を宣言した場合(26)、取締役会設置会社において招集通知に記載のない事項を決議した場合(27)、議案修正動議を無視した場合(28)、監査役・会計監査人の監査を経ない計算書類を承認した場合(29)、種類株主に対する議決権行使の基準日公告を懈怠した場合(30)などである。会社提案と株主提案が両立しない関係にある場合に提案株主に対して提出した株主提案に賛成の委任状は会社提案に賛成しない趣旨であるとして、これを会社提案の採決に際して出席議決権に算入しなかったことは決議の方法の法令違反にあたるとする(31)。議決権行使を条件に株主１名

(23)　大盛工業事件・東京高判平成22・11・24資料版商事322号180頁は、窓口の混乱防止等の観点からも代理人を株主に限るとする定款の規定に合理性があるとする。反対：札幌高判令和元・７・12金判1598号30頁、神戸地尼崎支判平成12・３・28判タ1028号288頁)。髙橋陽一「令和元年度・令和２年度会社法関係重要判例の分析［Ⅲ］」商事2274号（2021）53頁は前掲札幌高判令和元・７・12が代理人が弁護士である場合はただちに「株主総会攪乱のおそれがない」と評価している点に疑問を呈する。この点については**第Ⅰ編第19章**参照。

(24)　東京地判昭和63・１・28判タ658号52頁。最近のものとして、東京地判平成24・７・19判時2171号123頁（否定)。

(25)　神戸地判昭和31・２・１下民集７巻２号185頁、最三判昭和35・３・15判時218号28頁。

(26)　名古屋高判昭和38・４・26下民集14巻４号854頁、大阪地判平成16・２・４金判1191号38頁。アドバネクス事件・東京高判令和元・10・17金判1582号30頁は事前に議決権行使書面を提出した金融機関の従業員が株主総会場に入場した場合の賛否認定（傍聴か棄権か）が争点となった事案である。

(27)　最一判昭和31・11・15民集10巻11号1423頁。なお、最一判平成10・11・26金判1066号18頁は、「取締役全員任期満了につき改選の件」と記載された招集通知がなされた場合、特段の事情がない限り、株主としては従前の取締役と同数の取締役を選任する旨の記載があると解することができるとし、株主から累積投票の請求もなく、従前の取締役の数よりも１名少ない取締役を選任しても株主に格別の不利益を与えないような場合には招集通知が不適法であるとはいえないとした。

(28)　なお九州電力事件・福岡地判平成３・５・14判時1392号126頁参照。動議を提案した株主が議長の注意を無視し、過激な行動に出ているようなときには、株主総会の会議体としての本則を放擲し、株主としての利益を放棄するものだから、動議の提出として受理されなかったとしてもやむをえず、当該決議に瑕疵はない。

(29)　最二判昭和54・11・16民集33巻７号709頁、東京地判昭和60・３・26金判732号26頁。

(30)　東京地判平成26・４・17金判1444号44頁。

にプリペイドカード（500円分）を交付することは、株主の権利行使に関する利益供与に該当し、例外的に個々の株主に対して供与された利益が社会通念上許される範囲内のものであり、株主全体に供与された総額が会社の財産的基礎に影響を及ぼすものでないときに許容される(32)。なお、東京地判平成17・7・7は、委任状勧誘府令1条1項および10条（現43条）に違反した議決権の代理行使の勧誘をすることは決議の方法の法令違反にはならないとする(33)。

④　決議の方法の著しい不公正

決議の方法の著しい不公正とは、出席困難な時間または場所に総会を招集した場合(34)、暴行脅迫をもって株主の発言または議決権の行使を妨げて決議を成立させた場合、議長が横暴な議事運営を行い決議を成立させた場合などである。

(2)　決議の内容の定款違反（法831条1項2号）

決議の内容が定款に違反する場合とは、たとえば、定款所定の員数を超える取締役を選任する決議などである。決議の内容の法令違反が無効事由となるのと異なり、決議の内容の定款違反を決議取消事由としているのは、定款違反は法令違反と異なり内部規律の違反にすぎないから内部規律に服する株

---

(31)　モリテックス事件・東京地判平成19・12・6判タ1258号69頁。なお、株主総会を裁判所の許可を得て招集する少数株主によるクオカード交付について東京高決令和2・11・2金判1607号38頁参照。

(32)　前掲(31)モリテックス事件・東京地判平成19・12・6。同判決は、議決権行使勧誘の形態から、会社提案に賛成する議決権行使の獲得をも目的としたものと推認できるとして、株主の権利行使に影響を及ぼすおそれのない正当な目的によるものではないから、決議の方法が法令に反したものとした。

(33)　東京地判平成17・7・7判時1915号150頁。議決権の代理行使の勧誘は株主総会の決議の前段階の事実行為であって株主総会の決議の方法ではないから、同府令は決議の方法の法令とはいえないとする。ただし、田中亘『会社法〔第3版〕』（東京大学出版会、2021）189頁は、違法性が著しく、被勧誘者の議案に対する賛否の判断が歪められるおそれが強いときは決議方法は著しく不公正であるとして決議は取り消されるべきとする。

(34)　大阪高判昭和30・2・24下民集6巻2号333頁。なお期日変更につき大阪高判昭和54・9・27判時945号23頁、開催時刻の繰下げにつき水戸地下妻支判昭和35・9・30判時238号29頁。

主、取締役、監査役の請求によって決議を無効にすればたりるとの趣旨による。なお、決議の内容が法令・定款に違反せず、決議をなすにいたる動機や目的に公序良俗違反の不法がある場合には、決議は当然無効ではなく、議決権行使の濫用として取消事由になるとした下級審判例がある[35]。

(3)　特別利害関係人の議決権行使による著しく不当な決議（法831条1項3号）

決議事項につき特別利害関係を有する株主の利益相反的な議決権行使により不当な決議がなされた場合である。資本多数決の濫用の典型例である。親会社が議決権を行使し子会社に著しく不利な合併条件を内容とする親子会社間の合併契約の承認決議を成立させた場合が典型である。MBO（マネジメント・バイアウト）および上場子会社の完全子会社化の場合に問題とされることが多い[36]。大株主でもある取締役が明白な善管注意義務違反を追及されて自らの議決権を行使して責任の一部免除決議を成立させた場合も同様である。昭和56年改正前は、特別利害関係を有する株主は議決権を行使できない旨規定されていたが、昭和56年改正以降、原則として特別利害関係人の議決権行使を許容し、裁判所が決議内容を著しく不当と判断した場合に決議を取り消すこととしている。

2　訴訟当事者

決議の取消しの訴えを提起しうる者は、株主、取締役（清算人）、執行役または監査役（監査の範囲が会計監査に限定された者を除く）である（法831条1項柱書・828条2項1号）。それ以外の者は訴えることができない。会社債権者等には決議取消事由を争う実質的利害がないからである。

---

(35)　宮崎地判平成21・9・11判時2060号145頁（信用金庫において、会員代表訴訟を提起している会員の原告適格喪失をもっぱら目的として当該会員に対してなされた軽微な除名事由を理由とする除名決議について決議取消が認められた事案）。

(36)　経済産業省「企業価値の向上及び公正な手続確保のための経営者による企業買収（MBO）に関する指針」（2007年9月4日公表）、同「公正なM&Aの在り方に関する指針－企業価値の向上と株主利益の確保に向けて－」（2019年6月28日公表）参照。

株主は、訴え提起時に株主名簿上の株主であることを要するが、決議の当時株主であったことを要しない。株主は訴え提起時から口頭弁論終結時まで引き続き株主たる資格を有していることを要する。継続している限り、同一の株式を有していることを要しない。原告が株式譲渡により株主の地位を失うときは、訴訟は終了し、株式譲受人はその地位を引き継ぐことはできない。相続のような一般承継の場合には、原告株主の相続人等は、決議の取消しの訴えの原告たる地位を承継する。株主総会決議により保有する普通株式を全部取得条項付種類株式に転換させられたうえで、これを会社に取得されたために株主の地位を喪失した元株主に同株主総会決議の取消しを求める原告適格および訴えの利益を原則論として認めた判例がある(37)。

議決権のない株主（無議決権株主、単元未満株主等）は、議決権があることを前提として認められる決議取消の提訴資格を持たないとするのが通説である。他の株主に対する招集の手続に瑕疵がある場合にも、これを理由に訴えを提起することができるというのが通説である。法令・定款を遵守した会社運営を求める訴訟であることを理由とする。この提訴権は定款をもってしても奪うことができない権利であり、株主も包括的にこの権利を放棄することは許されない。

取締役は、会社機関の構成員として会社の利益のために提訴する権限を認

(37)　東京高判平成22・7・7資料版商事318号170頁。同判決は、解任決議により地位を失った取締役の原告適格を認める会社法831条1項柱書後段は限定列挙ではないとして、合併消滅会社株主に合併決議取消の原告適格を認める会社法828条2項7号もこれと同様であるとする（原審である東京地判平成21・10・23資料版商事318号164頁はこれと結論を異にする）。ただし、同事案はA社により全部取得が行われた後に、A社を消滅会社とするB社との吸収合併が行われ、B社はその後Y社に吸収合併されており、同高裁判決は、吸収合併について法定期間内に合併無効の訴えを提起しておらず、対世効をもって確定した以上、原告は全部取得にかかる株主総会決議を取り消しても回復すべき地位がないとして、訴えの利益がなくなったとの判断を示した。大阪地判平成24・6・29金判1399号52頁は、この東京高裁判決を踏まえ、MBOの一環として、①種類株式発行のための定款変更決議、②既発行の株式に全部取得条項を付すための定款変更決議、③全部取得決議を行い、その後、吸収合併消滅会社となる無対価合併を行った会社の元株主が存続会社に対し、①から③までの決議の無効・取消しを求めた事案で、法定期間内に合併無効の訴えが提起されずに確定し対世効をもって確定しているのであるから①から③までの決議が無効・取消しとなっても吸収合併の効力を否定できず、しかも、無対価合併であるから吸収合併存続会社に合併対価請求権を有するものではないから、対世的に確認されるべき権利、地位がないとして訴えの利益を否定した。

められている。任期満了もしくは辞任後なお取締役としての権利義務を有する取締役も訴えの提起権限がある。逆に、総会決議で再任されなかった取締役がその決議が取り消された場合、任期満了後もなお取締役の権利義務を有することになるから、取締役選任決議の取消しを求めることができる。取締役解任決議により解任された取締役もその決議が取り消されることによりその地位を回復できるから、解任決議の取消しを求めることができる（法831条１項柱書後段）。監査役も業務監査の一環として提訴権限が認められる。

取締役（清算人）、執行役または監査役は、職務として訴えを提起するものであることから、訴えの提起の悪意の疎明による担保提供命令の制度（2－2■3）の適用はない。なお、設立総会の決議の取消しについては、設立時株主、設立時取締役および設立時監査役にも原告適格が認められる（法831条１項柱書）。

被告は会社である（法834条17号）。たとえ取締役選任決議の取消しの訴えであっても、取締役が被告側に共同訴訟参加することはできない[(38)]。共同訴訟的補助参加ができるだけである[(39)]。

訴えにおいて会社を代表するのは通常代表取締役であるが、監査役設置会社では、取締役が提訴した場合、その者が株主であってもその訴えについては監査役が会社を代表する（法386条１項）。

■3　訴えの手続

決議取消の訴えは、決議の日から３ヵ月以内に提起しなければならない。除斥期間である。期間の計算は民法の計算の一般原則である民法140条により決議の日である初日を算入せずに期間の末日が日曜日その他の休日である場合にはその翌日で満了する。取消事由の追加主張もこの期間内にしなければならないというのが判例・通説である[(40)]。決議の取消しの訴えの提訴権者が決議無効確認訴訟を提起した場合で決議に重大な法律違反がないものの決

(38)　最二判昭和36・11・24民集15巻10号2583頁。
(39)　最一判昭和45・１・22民集24巻１号１頁・判時584号62頁。
(40)　最二判昭和51・12・24民集30巻11号1076頁・判時841号96頁。

議取消事由に該当するというときは、出訴期間内に提訴されたものであれば、決議の取消しの主張が出訴期間経過後になされても、最初から決議の取消しの訴えが提起されていたものとして取り扱われる(41)。

4　訴えの利益

法定の要件が満たされる限り、形成訴訟である決議の取消しの訴えには訴えの利益が認められるのが原則である。

しかし、この原則に対しては、２つの例外がある。第１に、先行決議に決議取消事由があり（説明義務違反があったなど）、①後行の株主総会で再度、同じ内容の決議を適法にやり直した場合、②先行決議が成立してもそれが内部的意思決定の段階にとどまり対外的な法律関係を形成していない場合は、後行決議は先行決議の撤回であり、先行決議に対する取消しの利益は失われる。具体的な法律関係が形成されている場合でも後行決議においてその決議の効力は先行決議が取り消された場合にその決議の時点に遡って生ずると明示している場合は、先行決議を取り消しても同内容の後行決議の効力がこれに代わるだけであり、結局、会社の現在の法律関係に変化が生じる余地はないので、訴えの利益は失われたものと解される(42)。

第２に、決議後の事情の変化により形成判決をする実益がなくなる場合である。①株式の発行に関する株主総会特別決議の取消しの訴えの係属中に株式の発行が行われてしまった場合(43)、②取締役等役員選任の決議の取消しの

---

(41)　前掲(29)最二判昭和54・11・16。

(42)　ブリヂストン事件・最一判平成４・10・29民集46巻７号2580頁（原審：東京高判昭和63・12・14判時1297号126頁）。事案は、後行決議（先行決議である退職慰労金贈呈議案と同内容の議案）の際の参考書類に、先行決議の取消しが確定した場合にその決議時点に遡って効力が生じるものとし、先行決議の決議時点で退職慰労金を支給する旨を記載して、退職慰労金支給議案を再度決議したというものである。東京地判平成23・１・26判タ1361号218頁は第三者の法律関係を害さない等の特段の事情がない限り遡及効は認められないとして、取締役の解任決議の追認決議の遡及効を否定し（遡及効を認めると追認決議までの報酬請求権を一方的に奪う）、名古屋地判平成28・９・30判時2329号77頁は定款変更や取締役・監査役選任のようにこれを前提として諸般の社団的および取引的行為が行われるものについてこれらを遡及的に否定すれば著しく法的安定性が害されるとして再決議の遡及効は認められないとする。ただし、選任決議を取り消された取締役の行った取引行為は表見法理等により保護される（江頭・前掲(22)書383頁注(5)）。

訴えの係属中にその決議に基づき選任された役員が任期満了により退任し、その後の総会決議により新役員が選任された場合[44]など、「特別の事情」がない限り、決議の取消しの訴えは実益を失い、訴えの利益を欠き、訴えが却下されることになる[45]。

この「特別の事情」であるが、先行する株主総会の決議が存在しなければ後行の株主総会の決議が不存在になるとの関係にある場合がある（いわゆる「瑕疵連鎖」）。計算書類承認決議が取り消された場合、遡って無効となり、計算書類の内容の違法性の有無にかかわらず、それを前提として作成されたそれ以降の計算書類の内容も不確定となりあらためて承認決議を要する[46]。また、不存在である先行する株主総会決議で選任された取締役のみで構成される取締役会が招集した後行の株主総会における決議は、全員出席総会で決議されるといった事情がない限り[47]、法律上不存在となる[48]。そこで、最一判平成11・3・25民集53巻3号580頁は、先行する株主総会決議の不存在確認と後行決議の不存在確認を求める訴えが併合されている場合、先行決議が不存在であれば後行の株主総会の招集手続に瑕疵があることになるため確認の利益は失われないとし、最三判平成13・7・10金法1638号42頁は後行の決議不存在が確認された以上、先行決議の不存在確認の確認の利益は欠けるものではないとする。先行決議に取消事由がある場合も決議取消が確定すれば瑕疵連鎖について同様の関係にある。最一判令和2・9・3民集74巻6号1557頁は、先行決議の取消訴訟と後行決議の不存在確認訴訟が併合されている場合に訴えの利益、確認の利益を認める[49]。これら一連の裁判例をふまえ

---

(43)　最二判昭和37・1・19民集16巻1号76頁。

(44)　最一判昭和45・4・2民集24巻4号223頁・判時592号86頁。ただし、先行決議による在任中の行為について株式会社の受けた損害を回復するために必要である等の「特別の事情」が立証されるときは訴えの利益を失わない。

(45)　前掲(44)最一判昭和45・4・2。

(46)　最三判昭和58・6・7民集37巻5号517頁。

(47)　全員出席総会の場合のほか、先行決議が取締役全員を再任するものである場合、先行決議に取消事由があるまたは不存在であったとしても従前の取締役および代表取締役は引き続き権利義務を有することから、後行する株主総会は招集権限がある者により招集されたものであって、そこでなされた決議が不存在とはならない（田中・前掲(33)書212頁）。

(48)　最三判平成2・4・17民集44巻3号526頁。

(49)　東京高判平成30・9・12金判1553号17頁も同様の結論を示す。

れば、先行決議と後行決議が瑕疵連鎖の関係に立たない場合は先行決議の訴えの利益はなくなるが、「瑕疵連鎖」が認められる場合（前掲(43)最一判昭和45・4・2をあてはめれば「特別の事情」にあたる）、先行決議の訴えの利益は失われないと整理される(50)。さらに「瑕疵連鎖」が認められる場合、後行決議の不存在確認訴訟との併合がなくても先行決議の取消訴訟に訴えの利益を認めるのを相当とする有力な見解が示されている(51)。

5　裁量棄却

裁判所は、決議取消事由のうち、招集手続または決議方法の法令・定款違反という手続上の瑕疵が存在する場合、①その違反する事実が重大でなく、かつ、②決議に影響を及ぼさないものであると認めるときは、取消しの請求を棄却することができる（法831条２項）。

規定から明らかなとおり決議取消事由のうち決議内容が定款に違反する場合はこの規定は適用されず、手続上の瑕疵に限定され、２つの要件がともに充足されていることが裁量棄却の要件である。

２要件のうち瑕疵と決議の因果関係の不存在（②）については、(i)２割弱の株式を有する株主に招集通知を送っていなかったところ、当該株主を含む総議決権の98.9％の議決権が行使されてその51.4％の賛成を得て議案が可決されていた場合(52)、(ii)法定の期間をおいて招集通知がなされていたならば会日までに多数派工作をするなどにより決議の結果に影響を及ぼし得た可能性を否定できず、ある株主の議決権行使を会社提案賛成とするべきところ誤って会社提案反対として扱った結果、僅差で過半数を超えたという場合(53)などは②の要件を充足しないことは明らかであり、裁量棄却は認められていない。

他方、事前の議決権行使書によってすでに決議の成立が確保されていたと

(50)　東京地方裁判所商事研究会編・前掲(2)書381頁。
(51)　田中・前掲(33)書211頁。
(52)　京都地判平成元・４・20判タ701号226頁参照。
(53)　前掲(26)アドバネクス事件・東京高判令和元・10・17（原審は決議取消）、前掲(31)モリテックス事件・東京地判平成19・12・６など結果を左右することになった採決の方法が法令違反となるかが争われた。

いう場合（総議決権の個数の８割の賛成があった場合など）、説明義務違反、一部株主への招集漏れ、総会当日の非株主参加などの手続上の瑕疵は決議の成否に影響を与えないが、違反が重大であれば①の要件を充足せず決議は取り消される(54)。(i)招集権限のない者による招集(55)、(ii)招集通知に法令上添付すべき書類の添付もれ(56)、(iii)重要な議案についての議案の内容または概要の記載の欠如(57)、(iv)株主総会参考書類などの記載不備、(v)決議事項に関する法定備置書類の備置の懈怠(58)、(vi)多数の株主がおよそ出席不能な総会会場・日時の設定(59)、(vii)招集通知発送期限の不遵守(60)、(viii)議決権行使の基準日公告の懈怠(61)、(ix)説明義務の不遵守(62)など、株主総会への参加機会および株主が必要な情報・検討期間を確保して決議に臨めるよう会社法が定めた手続規制を会社が遵守しない場合、それぞれの性質から、または、その程度により、重大な瑕疵であるか否かが判断される(63)。

6　判決の効力

原告が勝訴し、判決が確定すると、その判決は第三者に対しても効力を有する。前述のとおり、多数の法律関係を画一的に確定する要請に基づくものである（2－1）。決議取消の判決が確定しない限り当該決議は有効であることを前提とすべきであり、その瑕疵を主張して後行の株主総会の決議不存

(54)　前掲(16)最一判昭和46・３・18。同判決により瑕疵が軽微であるか重大であるかが一次的または決定的な基準であることを明示したとされる（東京地方裁判所商事研究会編・前掲(2)書447頁）。
(55)　前掲(16)最一判昭和46・３・18。
(56)　前掲(21)大阪地堺支判昭和63・９・28。
(57)　最一判平成７・３・９集民174号769頁、前掲(20)名古屋地判昭和46・12・27等。
(58)　福岡高宮崎支判平成13・３・２判タ1093号197頁。
(59)　前掲(34)大阪高判昭和30・２・24。
(60)　前掲(16)最一判昭和46・３・18。
(61)　前掲(30)東京地判平成26・４・17。
(62)　前掲(24)東京地判昭和63・１・28。
(63)　江頭・前掲(22)書386頁は、「紛争事案の大半が閉鎖型のタイプの会社であることに鑑みると、瑕疵の軽微・重大性に焦点を当てるのが正しい」と指摘する。説明義務違反についても、株主総会参考書類により詳細な情報を提供している会社と総会当日の説明が重要な情報提供手段である閉鎖型タイプの会社では重大性に対する判断のあり方は異なると思われる（東京高判平成29・７・12金判1524号８頁参照）。

在または取消しを求めることはできないとされる[64]。ただし、■4のとおり、先行決議と後行決議に瑕疵連鎖がある場合、先行決議の取消訴訟と後行決議の不存在確認訴訟が併合されているのであればそれぞれに訴えの利益、確認の利益が認められる。

吸収合併（組織再編）の無効については、合併（組織再編）無効の訴えをもってのみ主張することができるとされる。総会決議に取消事由があることを理由とする決議の取消しの訴えとの関係については、合併（組織再編）の効力発生前は決議取消の訴え、効力発生後は合併（組織再編）無効の訴えを提起すべきであり、決議取消事由を合併（組織再編）無効事由として主張する場合、決議の日から３ヵ月以内に決議取消訴訟を提訴することを要し（法831条１項）、決議取消の訴えを提起した後に合併（組織再編）の効力が生じた場合には、原告は、訴えの変更の手続（民事訴許法143条）により合併無効の訴えに変更することができるとされる（吸収説）[65]。

決議事項について登記（取締役選任の登記など）がなされている場合、裁判所書記官の嘱託により決議取消があった旨の登記がなされる。

---

(64)　東京地判平成30・９・６金判1559号47頁は先行決議が取り消されるべきであるとの主張を前提に後行決議が不存在であるということはできないと判示した。

(65)　江頭・前掲(22)書385頁注(7)は、吸収説が前提としていた組織再編法制においては承認総会から効力発生まで最低１ヵ月を要したことから決議取消を本案訴訟とする合併決議の執行停止の仮処分によって効力発生前に組織再編の実現を阻止することができたが、その後の改正により一部の組織再編では債権者保護手続・株券提出手続が不要となり、また手続が必要な場合も承認総会に先行して開始できることとされたことから承認総会翌日に組織再編の効力が生ずることが増加し、先の仮処分による救済が機能しなくなり、救済方法が組織再編無効の訴えに事実上一本化されており、救済として十分でない（株式移転無効の訴えが確定するまでに株式移転子会社が行った行為に株主は打つ手がないなど）と指摘する。

2-4 決議無効の確認の訴え

1　意　　義

株主総会の決議の内容が法令に違反する場合、決議は当然に無効であり、誰から誰に対しても、いついかなる方法でも（抗弁でもよい）、無効を主張できる。

しかし、集団的法律関係の画一的確定が望ましいため、会社を被告とする決議無効の確認の訴えについては、原告勝訴の判決に、第三者に対する効力（対世効）を賦与している（法830条２項・834条16号・838条）。

決議の内容が法令に違反する場合とは、欠格事由のある者を取締役・監査役に選任する決議、剰余金分配額の規制に違反する剰余金処分決議、株主平等原則に違反する決議、株主の固有権を侵害する決議などである。

2　訴訟当事者

決議無効の確認の訴えの提訴権者（原告適格）に制限はない。確認の利益が認められる限り、株主等でない第三者も訴えを提起できる。議決権のない株主も同様である。

取締役も、株主総会決議が適法に成立すれば、株主総会決議を遵守して忠実に職務を遂行する義務を負うことから、決議の有効無効や存否について疑いがあるときは、原則として確認の利益を有する。これに対して、再選されなかった取締役および解任された取締役は、無効確認の訴えによって自己の地位が回復される場合には当該決議に関し原告適格が認められるが、それ以外の場合には、在任中の決議の効力を争うことについて法律上の利益を有することを特に主張立証することが必要となる[66]。

被告は会社である。ただし、株主が提起する場合には株主たる資格に基づき提訴するものと解され、株式の共同相続人が提起する場合には、特段の事情がない限り、会社法106条の規定により会社に代表者を通知することを要する[67]。

3　訴えの手続

提訴期間の制限はない。ただし、合併無効の訴えなどの組織再編行為の無効の訴えの提訴期間が経過した場合には、当該行為に関する総会決議の無効の確認の訴えも提起できなくなる。

4　訴えの利益

取消しの訴えと同様に、確認の利益についても無効確認の実益があるか否か、すなわち現在の紛争解決のための要否によって訴えの利益が判断される。取締役選任決議無効の訴えの係属中に取締役が退任し、後任が選任された場合には、もはや確認の利益がないと考えられる。先の決議を無効としても現在の取締役の地位に影響はなく、退任した取締役の在任中の行為の効力などを争う場合でも必ずしも決議の無効を確定する必要はないからである。

5　判決の効力

対世効については前述した。裁判所の嘱託による登記、決議無効の訴えを本案訴訟とする仮処分については、決議取消の訴えの場合と同じである。

---

(66)　東京地方裁判所商事研究会編・前掲(2)書359頁。東京地判昭和36・11・17下民集12巻11号2754頁、東京高判昭和53・4・4判タ368号347頁、大阪高判昭和57・5・28判時1059号140頁。
(67)　最三判平成2・12・4民集44巻9号1165頁・判時1389号140頁。

2-5
決議不存在の確認の訴え

1　意　　義

総会招集の手続または決議の方法が法令・定款に違反するときは、決議取消の訴えに服するが、その瑕疵の程度が著しく法律上総会自体の存在を認めることができない場合には、その総会の決議は不存在であって、一般原則によって、決議が不存在で効力がないことは、誰から誰に対しても、いついかなる方法でも主張できる。

しかし、決議の無効と同様に、集団的法律関係の画一的処理の要請から、会社を被告とする決議不存在の確認の訴えについては、原告勝訴の判決に第三者に対する効力（対世効）を付与する（法830条１項・834条16号・838条）。

株主総会の決議が物理的に存在していないのに、決議があったかのように議事録が作成され、登記がなされた場合が典型例である。しかし、総会が曲がりなりにも存在し、決議を行うという行為も同様に存在するという場合、その決議成立過程におけるどの程度の瑕疵が決議不存在をもたらし、どの程度の瑕疵が決議取消事由にとどまるのか、その限界が問題になる。

たとえば、招集通知もれの場合、通知もれが僅少で社会観念上株主全体に通知があったといいうる場合には総会の存在を認めうるが、そうでない場合には特段の事情がない限り、一部の株主のみが勝手に会合して決議した場合と考えられ、決議不存在というべきである(68)。

決議が不存在である場合、それ以降の代表取締役選任も法的権限に基づく

(68)　前掲(15)参照。

ものではなく、その後に招集された株主総会も取締役でもない者が招集したものとして、全員出席総会による決議といった「特段の事情」がない限り、決議は不存在と評価され[69]、結局、不存在とされた決議以前の取締役が取締役の権利義務を有することになる[70]。過去に取締役選任決議に不存在事由があると、その後連鎖的に取締役の地位が否定されることになり、法的安定性が害される程度が著しいことから、有力な見解は、これを、裁判において柔軟に処理解決するためには、「地位の連鎖的否定の可能性は一応認めつつ、判例のいう「特段の事情」を柔軟に解することにより、事案に応じた適切な処理を追及すべきである」とする[71]。

2　訴訟当事者・訴えの手続・判決の効力

決議無効の確認の訴えの場合と同じである（2－4）。

---

(69)　最三判平成2・4・17民集44巻3号526頁。

(70)　インスタイル事件・東京地判平成23・1・26資料版商事324号73頁は、不存在とされる取締役選任決議の後の株主総会での当該決議の追認決議について、「追認決議の効力を遡及させることは、これによって第三者の法律関係を害さない等の特段の事情がない限り認めることはできない」とする。

(71)　江頭・前掲(22)書388～389頁注(1)。

第Ⅲ編

第3章

株主総会と刑事事件

3-1 株主総会の準備過程における犯罪

1　株主等の権利の行使に関する贈収賄罪（法968条）

⑴　趣旨および保護法益

会社法968条は、総会屋による会社荒しを取り締まることを主眼として制定された罰則規定である。その保護法益は、同条１項各号掲記の権利の適正な行使にある[1]。

⑵　主　　体

収賄罪（法968条１項）は、法文上、主体は明示されていないものの、同項各号掲記の事項に関してなされる必要があるため、結局、同項の罪の主体となりうるのは同項各号に掲記の権利を行使することができる者に限られる。それゆえ、同項の罪は身分犯であるとされる[2]。なお、同項各号掲記の権利を行使することができる者であればよいのであるから、たとえば、株主総会における発言や議決権の行使について株主から委任を受けたその代理人なども主体となりうる[3]。

⑴　伊藤栄樹ほか編『注釈特別刑法第５巻（経済法編Ⅰ）』（立花書房、1986）209頁〔伊藤栄樹〕、落合誠一編『会社法コンメンタール㉑雑則⑶罰則』（商事法務、2011）133頁〔佐伯仁志〕。

⑵　大森忠夫＝矢沢惇編代『注釈会社法⑻のⅡ』（有斐閣、1969）415頁〔藤木英雄〕、伊藤ほか編・前掲⑴書210頁〔伊藤〕。

⑶　伊藤ほか編・前掲⑴書210頁〔伊藤〕、上柳克郎ほか編代『新版注釈会社法⒀』（有斐閣、1990）603頁〔芝原邦爾〕。

贈賄罪（法968条2項）の主体については制限がない。

(3) 行　　為

会社法968条1項各号掲記の事項に関し、不正の請託を受けて、財産上の利益を収受し、またはその要求もしくは約束をする行為（同項）、および不正の請託をして、財産上の利益を供与し、またはその申込みもしくは約束をする行為（同条2項）が、同条による処罰の対象となる。

「不正の請託」の意義については、(4)で触れる。

① 財産上の利益

「財産上の利益」とは、経済上の価値を有する利益をいい、刑法上の「賄賂」の概念(4)よりも狭い概念である。金銭、物品のほか、債務の免除、信用の供与、酒食の饗応接待、本来有償であるべき役務の無償提供などは含まれるが、地位の供与、情欲の満足などは含まれない(5)。

② 収受・要求・約束

「収受」とは、財産上の利益を自己のものとして収得することをいう。なお、第三者に供与させることは、収受に当たらない(6)。

「要求」とは、財産上の利益の供与を求めることをいう。

「約束」とは、財産上の利益の授受についての意思の合致をいう。

③ 供与・申込み・約束

「供与」とは、財産上の利益を相手方に収受させることをいう。

「申込み」とは、供与の意思で提供し、収受を促すことをいう。

---

(4) 財産上の利益に限らず、およそ人の需要または欲望を満足させるにたるものであればよく、一切の有形・無形の利益を含む。したがって、職務上の地位、情欲の満足なども含まれる（大判明治43・12・19刑録16輯2239頁、大判大正4・6・1刑録21輯703頁、大判大正4・7・9刑録21輯990頁ほか）。

(5) 大森＝矢沢編代・前掲(2)書412頁〔藤木〕、伊藤ほか編・前掲(1)書210頁〔伊藤〕、上柳ほか編代・前掲(3)書599頁〔芝原〕。

(6) 大森＝矢沢編代・前掲(2)書413頁〔藤木〕。

「約束」とは、財産上の利益の授受についての意思の合致をいう。

④　次に掲げる事項に関し

「次に掲げる事項に関し」とは、会社法968条1項各号掲記の権利の行使または不行使と財産上の利益とが対価関係にあることを意味し、権利の行使・不行使と密接に関連する行為も含むものと解される(7)。

(4)　不正の請託

①　請　　託

「請託」とは、一定の行為を行うことまたは行わないことを依頼することをいう(8)。依頼は明示的になされる必要はなく、黙示的に依頼の趣旨を示した場合でもよいが、依頼の対象となる行為がある程度特定されており、具体性を有することを要する(9)。したがって、将来にわたってよろしく頼むというような一般的な依頼ではたりない(10)。

請託を「受け」るとは、単に依頼の相手方になったのみならず、依頼を承諾したことをいう(11)。

②　不正の請託

最も会社法968条が適用されるケースが多いと考えられる、株主総会における発言または議決権の行使に係る「不正の請託」の成否につき若干検討する(12)。

まず、他の株主の正当な権利行使を妨げることを内容とする依頼は、ほと

---

(7)　たとえば、多数の権利者がある場合に他の権利者の権利行使につき斡旋意見の取りまとめ等その準備行為をすることも含まれる（大森＝矢沢編代・前掲(2)書415頁〔藤木〕)。

(8)　刑法197条1項後段に関するものであるが、最三判昭和27・7・22刑集6巻7号927頁、最一判昭和30・3・17刑集9巻3号477頁ほか参照。

(9)　刑法197条1項後段に関するものであるが、東京高判昭和28・7・20高刑集6巻9号1210頁ほか参照。

(10)　大森＝矢沢編代・前掲(2)書412頁〔藤木〕。

(11)　刑法197条の3第3項に関するものであるが、最二判昭和29・8・20刑集8巻8号1256頁参照。

(12)　大森＝矢沢編代・前掲(2)書416頁〔藤木〕、伊藤ほか編・前掲(1)書214頁〔伊藤〕、上柳ほか編代・前掲(3)書605頁〔芝原〕参照。

んどの場合、不正の請託に該当すると考えられる。たとえば、妨害の目的に不正があるとき、すなわち、(a)権利を濫用して、もっぱら他の株主等の権利行使を害する目的に出たとき、不正な犯罪目的達成のための手段として妨害するとき、または、会社役員等の経営上の不正や失策の追及を免れる目的に出たとき（下記③参照）などは、不正の請託に該当する。このように、目的に不正がある場合には、他の株主等の権利行使を妨害する手段、態様に不正がなくてもよいものと考えられる。反対に、(b)目的に不正がない場合であっても、暴力、威迫または偽計を用いるなど妨害の手段、態様が不正と認められる場合も、不正の請託に該当する。上記(a)または(b)のいずれにも至らず、単に理屈や駆け引きによって反対派の発言を事実上封ずるだけの方法で議事を円滑に運ぶよう依頼したような場合は、不正の請託とはいえないと考えられる(13)。もっとも、目的と手段（請託の意図と権利行使の方法）は、必ずしも別個の構成要素ではなく、両者を総合的に観察して不正かどうかを相関的に判断すべき場合もありうると解される(14)。

次に、会社法968条１項各号掲記の権利の主体本人の株主権の不行使、すなわち、株主総会への欠席、出席しても発言をしないこと、または、議決権を行使しないことを依頼する場合について検討する。この場合、単に、正当な権利行使を思いとどまるよう依頼するだけであれば、不正の請託には該当しないと考えられる。株主権は、本来私的な処分が自由な権利であり、これを行使するかどうかは、株主の自由に属するため、たまたまその不行使が財産上の利益と引換えであるからといって、権利の不行使を取り上げて不正ということはできないからである(15)。もっとも、依頼の目的（請託の意図）に不正があるとき、たとえば、会社役員等の経営上の不正や失策の追及を免れる目的で、株主の正当な権利行使を中止するよう依頼する場合などは、不正の請託に該当するものと考えられる(16)。

---

(13)　大森＝矢沢編代・前掲(2)書418頁〔藤木〕、伊藤ほか編・前掲(1)書215頁〔伊藤〕、上柳ほか編代・前掲(3)書606頁〔芝原〕参照。

(14)　戸田修三ほか編『注解会社法（下巻）』(青林書院、1987）1031頁〔内田文昭〕、渋谷光子「判批」東京大学商法研究会編『商事判例研究〈昭和44年度〉』(有斐閣、1990）419頁、菊地雄介「総会屋に対する贈収賄罪の成立」江頭憲治郎ほか編『会社法判例百選〔第３版〕』(有斐閣、2016）212頁。

(15)　大森＝矢沢編代・前掲(2)書416頁〔藤木〕、伊藤ほか編・前掲(1)書215頁〔伊藤〕。

評価が分かれるのは、会社法968条1項各号掲記の権利の主体が、当初から正当な権利行使の意図を有しておらず、権利行使に名を借りて財産上の利益を取得する意図である場合、たとえば、議事妨害や嫌がらせの発言をほのめかす株主に対して、それを控えるよう依頼して財産上の利益を供与する場合である。学説上は、消極説が有力であると思われる[17]。もっとも、事案によっては、収受した者に恐喝罪（刑法249条）が成立する余地はある[18]。

③　東洋電機カラーテレビ事件

「不正の請託」の意義が問題となった事例として、東洋電機カラーテレビ事件がある。この事件は、東洋電機が、発明家と嘱託契約をして開発させていた新型カラーテレビ受像機が偽作品であることが判明し、投資家からの非難が高まり、株主総会が紛糾する事態が想定された。そこで、会社側は、総会屋に対して、役員改選等の議案が無事可決するよう協力を依頼し、その謝礼として金員を提供した。

第1審判決[19]は、事実認定の問題として、他の株主の発言等を封じることを依頼した事実があったとは認められないとするとともに、法律論として、総会屋を、いわゆる「総会荒し」と狭義の「総会屋」（会社側の議事運営に協力する総会屋）とに区別し、旧商法494条1項は、前者を処罰の対象とし、後者には適用がない旨判示し、無罪とした[20]。これに対して、第2審判決[21]は、

---

(16)　伊藤ほか編・前掲(1)書215頁〔伊藤〕。

(17)　伊藤ほか編・前掲(1)書216頁〔伊藤〕、上柳ほか編代・前掲(3)書606頁〔芝原〕、平野龍一ほか編『注解特別刑法第4巻経済編〔第2版〕』（青林書院、1991）98頁〔佐々木史朗〕。ただし、大森＝矢沢編代・前掲(2)書416頁〔藤木〕は反対。

(18)　最一判昭和25・4・6刑集4巻4号481頁参照。

(19)　東京地判昭和40・8・27下刑集7巻8号1712頁・判時424号19頁。

(20)　法文の解釈として、旧商法494条1項は、いわゆる「総会荒し」すなわち、少数株主等がその地位に基づく諸権利を濫用して、その権利に名を借りて株主総会等における他の株主等の発言または議決権の行使を妨げるような不正の行為を防圧するために設けられたものであり、「総会屋」に金品を供与して、会社の議案を無事可決に導くため、その協力ないしは議事の進行方を依頼する場合までを処罰しようとしているものではない旨判示するとともに、会社側から総会屋に対してなされた「よろしく」または「しっかり頼む」という言外に、株主総会の議場で他の株主から不利な発言があったりしたときに、不公正な方法でこれを封じてもらいたいという趣旨が含まれていて、この点につき暗黙の了解が成立したとは認めがたい旨判示し、不正の請託があったということはできないとして、会社側および総会屋側双方を無罪とした。

会社側が他の株主の発言等を封じることを依頼した事実が認められ、また、「総会荒し」たると狭義の「総会屋」たるとを問わず同項の処罰の対象となる旨判示して[22]破棄自判し、被告人らを有罪とした。最高裁も、かかる第2審判決を肯認した[23]。

なお、「不正の請託」の存在が否定された事例として、大阪高判昭和57・10・27判時1078号155頁がある。

(5) 他罪との関係

会社法968条1項は、967条1項（取締役等の贈収賄罪）と法条競合の関係にあり、同項の罪が成立するときは、会社法968条1項適用の余地はないとされる[24]。

---

(21) 東京高判昭和42・10・17高刑集20巻5号643頁・判時501号34頁・商事434号特集。

(22)「この条項の立法趣旨は、株主総会などにおける発言または議決権の行使の安全、公正を保持することを目的としたものであり、即ち『総会荒し』たると『総会屋』『総会ゴロ』たると、その名称の如何を問わず、いやしくも株主として正当に権利を行使する意思をもたずに、権利の行使に名を藉りて、換言すれば株主権を濫用して株主総会において発言（質問、動機、提案など）し、議決権を行使し、或は他の株主の正当な発言、議決権の行使を妨害すること、ないしは強いて発言、議決権の行使をしないことの依頼をうけて、これらにつき財産上の利益の収受、供与関係が生ずれば、商法494条1項1号、同条2項違反として処罰される」旨判示し、被告人らの行為が旧商法494条の罪にあたるとした。また、「特に『総会屋』と会社経営陣が結託するとき一般株主の正当な権利が阻止され、会社経営の不法ないし不当が隠され、経営陣がその地位の安泰を図りうることになり、会社内に害毒が沈澱し、ひいて株式会社企業のもつ社会性、公共性に違反することになることも考えられるから、『総会荒し』『総会ゴロ』より『総会屋』こそ、より適切な意味で商法494条の規正をうけるべきだとの見解も成立するのである。」とも判示している。

(23) 最一決昭和44・10・16刑集23巻10号1359頁・判時572号3頁。最高裁は、「株主は個人的利益のため株式を有しているにしても、株式会社自体は株主とは異なる別個の存在として独自の利益を有するものであるから、株式会社の利益を擁護し、それが侵害されないためには、株主総会において株主による討議が公正に行なわれ、決議が公正に成立すべきことが要請されるのである。したがって、会社役員等が経営上の不正や失策の追及を免れるため、株主総会における公正な発言または公正な議決権の行使を妨げることを株主に依頼してこれに財産上の利益を供与することは、商法494条にいう『不正の請託』に該当するものと解すべきである。本件において、原判決認定のごとく、株式会社の役員に会社の新製品開発に関する経営上の失策があり、来るべき株主総会において株主からその責任追求［原文ママ］が行なわれることが予想されているときに、右会社の役員が、いわゆる総会屋たる株主またはその代理人に報酬を与え、総会の席上他の一般株主の発言を押えて、議案を会社原案のとおり成立させるよう議事進行をはかることを依頼することは、右法条の『不正の請託』にあたるとした原判断は相当である。」と判示した。

(24) 平野ほか編・前掲(17)書101頁〔佐々木〕、伊藤ほか編・前掲(1)書218頁〔伊藤〕。

また、会社法968条1項に該当する行為が、恐喝罪（刑法249条）の構成要件にも該当する場合、恐喝罪のみの成立を認めればたりるとされる[25]。

株主等の権利の行使に関する利益供与の罪（法970条）との関係については後述する（2(8)）。

(6)　没収および追徴

①　必要的没収・追徴

株主等の権利の行使に関する収賄罪（法968条1項）により犯人が収受した利益は、没収され、没収することができないときはその価額が追徴される（法969条）。刑法総則の没収・追徴規定が任意的である（刑法19条・19条の2）のに対し、会社法969条の没収・追徴は必要的である。

②　没　　収

「没収」とは、犯罪を原因として、物の所有権その他一切の物権を失わせ、これを国庫に帰属させる処分をいい[26]、付加刑として言い渡される（刑法9条）。会社法969条の没収の対象となるのは、「犯人の収受した利益」であり、その性質上、没収の対象となるのは有体物に限定される。したがって、無形の利益（金融の利益、債務免除の利益、饗応等）は没収することができず、追徴の対象となる[27]。没収は、対象物が犯人に属している場合はもちろんのこと、何人の所有にも属さない場合、および情を知ってこれを取得した第三者に属する場合も可能である[28]。

没収の対象物が、費消、紛失等により存在しなくなったとき、または混同、加工等によりその同一性が失われたときは、没収は不能であり、追徴の

---

(25)　平野ほか編・前掲(17)書101頁〔佐々木〕、伊藤ほか編・前掲(1)書218頁〔伊藤〕、上柳ほか編代・前掲(3)書607頁〔芝原〕。

(26)　最大判昭和37・11・28刑集16巻11号1577頁・判時319号15頁。

(27)　伊藤ほか編・前掲(1)書220頁〔伊藤〕。なお、有価証券に権利が化体しているときは、有体物たる有価証券が没収の対象となる（上柳ほか編代・前掲(3)書608頁〔芝原〕）。

(28)　大森＝矢沢編代・前掲(2)書419頁〔藤木〕、上柳ほか編代・前掲(3)書608頁〔芝原〕。ただし、没収の対象物が第三者の所有に属しているときは、第三者没収の手続（刑事事件における第三者所有物の没収手続に関する応急措置法参照）の手続を要する。

対象となる(29)。財産上の利益として、金銭の貸与を受けた場合、金融の利益（無形の利益）が財産上の利益であり、金員自体は「収受した利益」に該当しないため、会社法969条による没収の対象にはならないが、刑法19条1項3号により任意的没収の対象となり、没収不能の場合は、同法19条の2による追徴の対象となると考えられる(30)。収賄者が、収受した財産上の利益を贈賄者に返還したときは、贈賄者から没収する(31)。

③　追　　徴

「追徴」とは、没収に代わり、没収すべき物の価額の納付を強制する処分である。没収不能の場合に、犯罪によって得た不法な利益を剝奪し、その保持を許さないことを目的とする(32)。

「没収することができないとき」とは、本来没収すべき物が、費消、混同、毀損、紛失、善意の第三者による譲渡等により没収できない場合、および上記②のとおり無形の利益であって性質上没収が不能な場合も含む(33)。

収受した利益が贈賄者に返還され、贈賄者から没収すべき場合（上記②参照）に、贈賄者によって、費消、混同等がなされ没収不能となったときは、贈賄者から追徴する(34)。また、金銭をいったん費消した後、同額を贈賄者に返還したときは、収賄者から追徴する(35)。

追徴額算定の基準時については、財産上の利益の授受当時の価額によるとするのが判例である(36)。

---

(29)　上柳ほか編代・前掲(3)書608頁〔芝原〕。

(30)　最一決昭和33・2・27刑集12巻2号342頁参照。

(31)　大判大正11・4・22刑集1巻5号296頁。

(32)　伊藤ほか編・前掲(1)書221頁〔伊藤〕、上柳ほか編代・前掲(3)書608頁〔芝原〕。

(33)　平野ほか編・前掲(17)書103頁〔佐々木〕、伊藤ほか編・前掲(1)書222頁〔伊藤〕、上柳ほか編代・前掲(3)書608頁〔芝原〕。

(34)　最二決昭和29・7・5刑集8巻7号1035頁参照。

(35)　最一判昭和24・12・15刑集3巻12号2023頁。

(36)　最大判昭和43・9・25刑集22巻9号871頁・判時529号18頁。

2　株主等の権利の行使に関する利益供与の罪（法970条）

(1)　保護法益

会社法970条の保護法益については争いがある[(37)]が、通説[(38)]は、会社運営の健全性の保持と解する。会社法968条の保護法益が、同条1項各号掲記の権利の適正な行使にあるとされるのとは異なる。

(2)　利益供与罪（法970条1項）

①　主　　体

本罪の主体は、取締役、会計参与、監査役、執行役、民事保全法56条に規定する仮処分命令により選任された取締役、監査役もしくは執行役の職務を代行する者、一時取締役、会計参与、監査役、代表取締役、委員、執行役もしくは代表執行役の職務を行うべき者（法346条2項・351条2項または401条3項〔403条3項および420条3項で準用する場合を含む〕）、支配人、またはその他の株式会社の使用人に限定されており（法970条1項・960条1項3号ないし6号）、身分犯である。

なお、特別背任罪と異なり[(39)]、本罪の主体たる「使用人」には限定がない[(40)]。会社法970条1項が適用された事例において、総務部長、総務課長、

---

(37)　会社法970条（旧商497条）の保護法益をめぐる議論については、津田賛平「株主の権利の行使に関する利益供与の禁止をめぐる諸問題」清水湛ほか編・味村最高裁判事退官記念『商法と商業登記』（商事法務研究会、1998）606頁において詳細な検討が行われている。また、上柳克郎ほか編『新版注釈会社法〈第4補巻〉（平成9年改正）』（有斐閣、2000）371頁〔上柳克郎〕、落合編・前掲(1)書143～145頁〔佐伯〕も参照。

(38)　平野ほか編・前掲(17)書110頁〔佐々木〕、稲葉威雄『改正会社法』（金融財政事情研究会、1982）189頁など。なお、元木伸『改正商法逐条解説〔改訂増補版〕』（商事法務研究会、1983）265頁は、「株主総会の健全な運営」とする。また、川合昌幸「転換社債の『親引け』の依頼と利益供与罪」商事1103号（1987）24頁は、「単に会社の財産を保護するというにとどまらず、株主総会の運営の健全さ、ひいては株式会社の運営の健全さを保護法益とするものであって、個人的法益に関する罪と社会的法益に関する罪との中間的な性格を有する」とするが、これらも基本的な立場は通説と変わらないと考えられる。

総務担当者などが有罪とされたものがある。取締役の指示に基づき使用人が支出した場合には、その双方が処罰の対象となりうる(41)。

②　株主等の権利の行使に関し

「株主の権利」とは、株主の権利一般をいう。議決権（法308条1項・325条）、説明請求権（法314条・325条）、代表訴訟提起権（法847条）などの共益権のほか、株式買取請求権（法116条・182条の4・469条・785条・797条・806条・816条の6）などの自益権も含まれるが、「株主の権利」は、株主が株主として行使しうべき権利であるから、株主の有する会社に対する債権法上、物権法上の請求権等は含まれない(42)。

加えて、「当該株式会社に係る適格旧株主……の権利」、「当該株式会社の最終完全親会社等……の株主の権利」も対象となる。

「権利の行使」とは、権利の積極的な行使であると消極的な行使（不行使）であるとを問わず、また、正当な行使（不行使）であると不当な行使（不行使）であるとを問わない(43)。また、利益の供与を受けた株主等自身の権利の行使に関するものである必要もなく、第三者の株主等としての権利の行使（不行使）に関する場合にも、本罪は成立する(44)。

株主等の「権利の行使に関し」の要件について、供与者の主観において株主等の権利行使に影響を及ぼすとの趣旨で供与されたものでたりるか否か、という議論がある(45)。この点に関しては、本罪の保護法益が会社運営の健全

---

(39)　特別背任罪の主体たる使用人は、「事業に関するある種類又は特定の事項の委任を受けた使用人」に限定されている（法960条1項7号）。

(40)　嘱託社員も、会社との間に雇傭関係があれば、本項にいう使用人に含まれると解される（伊藤ほか編・前掲(1)書228頁〔伊藤〕）。

(41)　久保利英明「利益供与禁止規定の意味――再発防止のために」商事1454号（1997）5頁。

(42)　大隅健一郎＝今井宏『会社法論中巻〔第3版〕』（有斐閣、1992）518頁、上柳ほか編代・前掲(3)書617頁〔谷川久〕。

(43)　会社提出議案に対する積極的賛成の期待・依頼はもとより、総会における会社・取締役等に不利益な発言や提案権を行使することの差し控えの依頼、総会における公正な発言や公正な議決権行使の暴力的・威力的手段による抑圧・妨害の依頼、および総会の議事の円滑な進行への協力の期待・依頼のいずれの場合も含まれる（上柳ほか編代・前掲(3)書618頁〔谷川〕）。

(44)　伊藤ほか編・前掲(1)書229頁〔伊藤〕、神崎武法「改正商法の罰則関係規定について(2)」商事930号（1982）29頁、元木・前掲(38)書267頁。

性の保持にあると解されること、および本罪と会社法970条2項の罪が必要的共犯の関係にないことから、供与者が主観的に、株主等の権利の行使（不行使）に関する趣旨で利益供与を行えばたりる（利益供与によって株主等の権利の行使に影響が及びうるとの客観的な可能性や蓋然性の存在は要しない）と解される(46)。したがって、株主となろうとする者に対し、将来取得すべき株主としての権利の行使に関して利益を供与する行為も、会社法970条1項に該当しうる(47)。

なお、会社法120条2項は、「株式会社が特定の株主に対して無償で財産上の利益の供与をしたときは、当該株式会社は、株主の権利の行使に関し、財産上の利益の供与をしたものと推定する。株式会社が特定の株主に対して有償で財産上の利益の供与をした場合において、当該株式会社又はその子会社の受けた利益が当該財産上の利益に比して著しく少ないときも、同様とする。」としているが、この推定規定は、会社法970条の罰則については及ばない(48)。したがって、株主等の権利の行使に関することの立証責任は、検察官が負う。

③　当該会社またはその子会社の計算において

「会社又はその子会社の計算において」とは、財産上の利益供与による出捐・損失が、会社またはその子会社に帰属することをいうと解されており、実際に損益が会社またはその子会社に帰属していれば、具体的な供与が何人の名義によってなされたかを問わない(49)。

「会社又はその子会社の計算において」の解釈上、会社財産の費消すなわ

---

(45)　具体的には、①現在株主でない者に対し、将来株付けをしないことの対価として利益を供与した場合、②株主でない甲に対し、株主である乙に働きかけてもらうことの対価として利益を供与したが、客観的には甲は乙に対して影響力を及ぼしうる立場になかった場合、③利益供与を受けた者が株主でないのに、供与者がこれを株主であると誤信していた場合のそれぞれについて、本項の罪が成立するかという点に関して問題とされる（津田・前掲(37)論文618頁）。

(46)　伊藤ほか編・前掲(1)書228頁〔伊藤〕、上柳ほか編代・前掲(3)書618頁〔谷川〕、神崎・前掲(44)論文28頁。この立場からは、前掲(45)の①〜③のいずれの場合についても、「株主の権利の行使に関し」に該当すると解される（津田・前掲(37)論文619頁）。

(47)　神崎・前掲(44)論文30頁、大阪地判昭和59・12・21・大阪地判昭和60・2・12判タ553号268頁。

(48)　上柳ほか編代・前掲(3)書619頁〔谷川〕、神崎・前掲(44)論文27頁、稲葉・前掲(38)書191頁。

ち損害の発生を要件とするかどうかにつき議論がある(50)。この点に関しては、保護法益の解釈とも関連するところであるが、立法趣旨および特別背任罪の「会社に財産上の損害を加えたとき」との文言の対比などから、会社財産の費消や損害の発生は要件とならないと解される(51)。この点については、いわゆる親引け(52)の場合に会社法970条１項の罪が成立するかという問題をめぐり「財産上の利益」の解釈とも関連するので後述する。

④　財産上の利益の供与

「財産上の利益」の意義については、会社法968条と同様、経済上の価値を有する利益をいい、金銭、物品のほか、債務の免除、信用の供与、酒食の饗応接待、本来有償であるべき役務の無償提供などは含まれるが、地位の供与、情欲の満足などは含まれないと解される。

本項の「財産上の利益」に該当するかにつき主に争いがあるのは、①株主である総会屋経営のビル清掃会社に会社の清掃を合理的な価格で請け負わせるような場合、および②親引けの場合である(53)。学説は、①および②のいずれに関しても、肯否両説がある(54)。なお、刑法および証券取引法（現金融商品取引法）上の贈収賄罪に関するものであるが、殖産住宅贈収賄事件最高裁

(49)　上柳ほか編代・前掲(3)書619頁〔谷川〕。川合・前掲(38)論文26頁。総会屋対策費が会社から捻出されていることを隠ぺいするため、総務部長の給与または手当に上乗せして支給され、これが供与されたような場合であっても、本罪が成立しうる（大隅＝今井・前掲(42)書518頁、神崎・前掲(44)論文30頁）。他方、供与者がポケットマネーを出した場合、会社法970条１項の罪は不成立となるが、会社法968条２項の罪は成立しうる。また、供与者が会社の金員を横領または窃取した後に、株主に対して供与したような事例では、当該金員は、横領または窃取の時点で会社の支配を離れるため、本項の罪は不成立となるが、業務上横領罪（刑法253条）または窃盗罪（同法235条）が成立しうるとともに、会社法968条２項の罪も成立しうる（神崎・前掲(44)論文30頁）。

(50)　津田・前掲(37)論文615頁。

(51)　稲葉威雄「利益供与禁止規定の在り方と運用」ジュリ888号（1987）23頁、津田・前掲(37)論文612頁。他方、会社に何ら財産上の損失がない場合には、利益供与罪は成立しないとする見解として、江頭憲治郎＝中村直人編著『論点体系会社法６〔第２版〕』（第一法規、2021）639頁〔葉玉匡美〕。

(52)　株券等の発行会社が、引受証券会社に対し、ある一定の限度内で、優先的に株券等の購入ができる者を指名できる慣習をいう。なお、現在、親引けは、日本証券業協会の規則により、一定の場合を除いて禁止されている（株券等の募集等の引受け等に係る顧客への配分に関する規則２条２項）。

(53)　津田・前掲(37)論文623頁。川合・前掲(38)論文26頁。

決定[55]では、株式公開に際してのいわゆる親引け株について、「右株式を公開価格で取得できる利益は、それ自体が贈収賄罪の客体になるものというべきである」との解釈が示された。

「供与」とは、財産上の利益を相手方に収受させることをいう。供与された利益が終局的に相手方の所得に帰したか否かは問わないが、受領を拒まれたときを含まない。

(3)　利益受供与罪（法970条2項）

①　情を知って利益の供与を受けた者

「情を知って」とは、会社法970条1項所定の者から供与された財産上の利益が、株主等の「権利の行使に関し、当該株式会社又はその子会社の計算において」なされるものであることを認識していることをいう[56]。法文上「情を知って」と明示されていることから、会社法968条1項および2項とは異なり、会社法970条1項の罪と2項の罪は必要的共犯の関係にない[57]。

②　第三者にこれを供与させた者

法970条1項所定の者から供与された財産上の利益を自ら受けず、第三者に供与させた者も同様に処罰される。利益の供与を受ける第三者は、その供与の趣旨を知っていることを要しない（第三者が情を知って供与を受けたのであれば、その第三者自身に上記①の罪が成立する）[58]。第三者は、自然人である

---

(54)　①について、積極に解するものとして、津田・前掲(37)論文623頁、元木・前掲(38)書266～267頁、川合・前掲(38)論文26頁。これに対して、消極に解するものとして、伊藤ほか編・前掲(1)書230頁〔伊藤〕、平野ほか編・前掲(17)書114頁〔佐々木〕。②について、積極に解するものとして、川合・前掲(38)論文25頁、津田・前掲(37)論文623頁。消極に解するものとして、平野ほか編・前掲(17)書114頁〔佐々木〕。なお、稲葉・前掲(51)論文23頁は、「形のうえでは相手方に利益を与えるだけで会社に損害が生じない行為（たとえば、申込みが殺到している発行条件が均一の新株や新発の転換社債等の割当て）も、それが株主の権利の行使に影響を及ぼす趣旨でなされる以上、利益供与の禁止に牴触する。会社が利益供与行為の実質的当事者でありさえすればよく（その行為の効果が他の者に帰属しないことでよい）、損害を受けることを要しない（会社は、よりよい取引の選択の余地が奪われることによる不利益は受ける）。」としている。

(55)　最二決昭和63・7・18刑集42巻6号861頁・判時1284号47頁。

(56)　上柳ほか編代・前掲(3)書620頁〔谷川〕。

(57)　神崎・前掲(44)論文31頁。

と法人であるとを問わない。

(4)　利益供与要求罪（法970条３項）

株主等の権利の行使に関し、株式会社またはその子会社の計算において、財産上の利益を自己または第三者に供与することを、会社法970条１項所定の者に「要求」することによって成立する。

ここにいう「要求」とは、刑法上の賄賂の要求罪（刑法197条１項・２項・197条の２・197条の３第２項・第３項・197条の４）の場合と同様、財産上の利益の供与を求める意思表示をすることを意味する。その趣旨が客観的に明らかであれば、直接的か間接的か、明示的か黙示的かを問わない。意思表示の開始が実行の着手であり、相手方が、株主等の権利の行使に関し財産上の利益を要求されていると客観的に認識しうるに至った時点で既遂に達し、相手方の認識の有無、諾否を問わず[59]、一方的行為により犯罪は成立する[60]。

(5)　威迫を伴う利益受供与罪・利益供与要求罪（法970条４項）

会社から財産上の利益を受け、またはこれを要求するに際し、会社の役職員に対して威迫の行為をした場合の加重規定である。

利益受供与罪または利益供与要求罪を犯した者が、その実行について、会社法970条１項所定の者に対し威迫の行為をした場合に成立する。

「威迫」とは、相手に対して言語・動作をもって気勢を示し、不安または困惑を生じさせる行為をいう[61]。

相手に不安または困惑を生じさせるにたりる行為の開始が実行の着手であり、相手方にこの言動が伝わった時点で、威迫行為自体は成立する。相手方に、現に不安または困惑が生じたか否かを問わない[62]。

なお、会社の役職員が、威迫により不安または困惑を生じさせられた場合

---

(58)　上柳ほか編代・前掲(3)書622頁〔谷川〕。
(59)　大判昭和９・11・26刑集13巻21号1608頁、大判昭和11・10・９刑集15巻17号1281頁参照。
(60)　商法・金融罰則研究会編著『新しい商法・金融罰則 Q&A』（商事法務研究会、1998）32頁。
(61)　大塚仁ほか編『大コンメンタール刑法(6)〔第３版〕』（青林書院、2015）395頁〔仲家暢彦〕、商法・金融罰則研究会編著・前掲(60)書43頁。
(62)　商法・金融罰則研究会編著・前掲(60)書43頁。

であっても、利益供与罪（法970条1項）は成立する。威迫があったことは、情状面で考慮されるにすぎない(63)。

⑹　罰金併科規定（法970条5項）

利益受供与罪、利益供与要求罪および威迫を伴う利益受供与罪・利益供与要求罪については、その情状により拘禁刑と罰金刑を併科することができる。

⑺　自首減免規定（法970条6項）

利益供与罪（法970条1項）を犯した会社の役職員が自首したときは、その刑を減軽し、または免除することができる。任意的減免の規定である。

「自首」とは、犯人が捜査機関に対して自発的に自己の犯罪事実を申告し、その訴追を含む処分を認めることをいう(64)。

会社法970条6項の規定は、利益供与行為について自首をした者にのみ適用され、その事犯に関与した他の者には（個別に自首の要件を満たさない限り）適用されない(65)。

⑻　他罪との関係

会社の役職員が、利益供与罪（法970条1項）を犯した場合において、その行為が特別背任罪（法960条1項）の構成要件にも該当する場合には、両罪が成立し、観念的競合の関係に立つ。役職員の利益供与罪を構成する行為が、不正の請託を伴い、贈賄罪（法968条2項）の構成要件にも該当する場合も、両罪が成立し、観念的競合の関係に立つ(66)。

総会屋等の行為が恐喝罪（刑法249条）の構成要件にも該当する場合、財産上の利益を供与する会社の役職員等に意思決定の自由が残されている限り、

---

(63)　商法・金融罰則研究会編著・前掲(60)書46頁。
(64)　大塚仁ほか編『大コンメンタール刑法(3)〔第3版〕』（青林書院、2015）521頁〔増井清彦〕。
(65)　相澤哲ほか「雑則〔下〕〈新会社法の解説（17・完）〉」商事1755号（2006）13頁。
(66)　津田賛平「総会屋と改正会社法の罰則〈特集・改正商法下の株主総会〉」ジュリ769号（1982）36頁、上柳ほか編代・前掲(3)書622頁〔谷川〕。

供与者については利益供与罪（法970条１項）が成立する。総会屋等については、利益受供与罪（同条２項）と恐喝罪が成立し、両罪は観念的競合の関係に立つ(67)。

(9)　摘発事例

株主の権利の行使に関する利益供与の罪で摘発される事例は、総会屋が跋扈していた時代と比較すると大きく減少した。

3　恐喝罪の成否

会社の役職員を脅迫して畏怖させ、これによって財産上の利益を得たような場合には、恐喝罪（刑法249条）が成立する(68)。恐喝罪と、株主等の権利の行使に関する収賄罪（法968条１項）または利益受供与罪（法970条２項）等との関係については、1(5)、2(8)のとおりである。

4　会社役職員の罪責

会社の役職員が、総会屋その他の者に対して、財産上の利益を供与した場合、上記のとおり、供与に関与した役職員自身が、株主等の権利の行使に関する贈賄罪（法968条２項）または利益供与罪（法970条１項）として処罰の対象となりうる。また、事案によっては、特別背任罪（法960条１項）により処罰される可能性もある。総会屋による威迫や脅迫を受けて利益供与を行ったような場合であっても処罰の対象となりうることについても、2(5)(8)のとおりである。

これらの罪により有罪判決が確定した者は、刑の執行を終わった日、または刑の執行を受けることがなくなった日から２年を経過する日まで、株式会社の取締役、監査役および執行役になることができない（法331条１項３号・

(67)　上柳ほか編代・前掲(3)書622頁〔谷川〕。
(68)　蛇の目ミシン事件・東京高判平成12・３・31判タ1037号258頁（上告棄却）。

335条１項・402条４項）。

5　株主総会の招集懈怠

株主総会を招集すべきときにそれをしないことが、取締役の刑事責任を生じさせることがあるか。たとえば、①代表取締役乙が会社の預金を浮貸しし、多額の焦げつきが生じたことを発見した取締役甲は、乙の即時解任を必要と認識しながら、乙から金品の供与を受けたため、取締役会において乙解任のための株主総会招集の発議をなさず、それがため、さらに多額の浮貸しが乙によってなされ、会社に損害を生ぜしめた場合に、甲に犯罪が成立するか。また②代表取締役甲が、株主総会の決議を経ずに、専断で払込金額が株式を引き受ける者に特に有利な金額である募集株式の発行（法201条１項・199条３項参照）を行った場合に、甲に犯罪が成立するか。

これらの事例で、甲が、「自己若しくは第三者の利益を図り又は株式会社に損害を加える目的」を有していたのであれば、特別背任罪（法960条１項）が成立しうる。また、①の事例では、乙を幇助したものとして、乙に成立する犯罪（特別背任罪等）の従犯（刑法62条１項）も成立しうる。①の事例で、甲および乙が金融機関の取締役であるような場合、甲に出資の受入れ、預り金及び金利等の取締りに関する法律違反の従犯が成立する可能性もある[69]。

もっとも、これらの罪が成立するとしても、それは、株主総会を招集しなかったという行為（不作為）自体が犯罪とされるのではないと考えられる。各罪の構成要件に該当する行為は、①の事例であれば、浮貸しの事実を秘匿したという不作為、②の事例であれば、募集株式の発行を行ったという行為であろう。また、定時株主総会の招集を怠ることは、民事責任（法423条１項）の原因にはなりえても、刑事責任を生じさせるものではないと考えられる[70]。

また、少数株主が不正行為をした取締役を解任するために、招集請求権

⑽　銀行支店長らに関するものであるが、最三決平成11・７・６刑集53巻６号495頁・判時1686号154頁参照。

⑾　龍田節「総会と刑事事件」大隅健一郎編『株主総会』（商事法務研究会、1969）599頁。

（法297条）を行使しようとする場合において、取締役が財産上の利益を供与して請求を撤回させ、または招集を中止させるなどした場合、上記贈収賄罪（法968条）ならびに利益供与罪（法970条１項）および利益受供与罪（法970条２項）が成立しうる[71]。

なお、定時株主総会を招集しなかったり、裁判所の命令に違反して、株主総会を招集しない場合、過料（行政罰）の制裁を受けることがありうる（法976条18号）。

---

(71)　龍田・前掲(70)論文600頁。

3-2 株主総会開催中の犯罪

1　暴力行為・威圧行為

近年では耳にすることはなくなったが、以前は、株主総会に出席した総会屋が、議長に対して瓶や椅子を投げつけたり、罵声を浴びせるなどの威圧行為を行ったりすることもあった。

暴力行為により、人に傷害を負わせれば傷害罪（刑法204条）が、傷害の程度に至らなければ暴行罪（同法208条）が成立することは当然である。議長に対して、ウイスキーのポケット瓶を投げつけたり、議長の頭を殴るなどした総会屋が逮捕された事例もある[72]。

また、暴力や物理的な力を伴わない、言葉による威圧行為については、威力業務妨害罪（刑法234条)、強要罪（同法223条)、脅迫罪（同法222条）などの成否が問題となりうる。この点に関しては、執拗かつ強圧的な誹謗により約1時間半にわたって議事を紛糾混乱させるとともに、休憩中に行われた会社側との話し合いにおいても、なお強圧的な態度をとり続けて、議長に、監査役選任議案を撤回させ、株主懇談会の開催を約束させた総会屋に対して、威力業務妨害罪および強要罪の成立を認めた裁判例が存する[73]。

---

(72)　平成6年6月19日毎日新聞朝刊23面。

(73)　東京地判昭和50・12・26判タ333号357頁。内田文昭「判批」判タ337号（1976）97頁も参照。

2　株主でない者の出席

自身は株主でない者が、株主または株主の代理人を装って議場に入場しようとすることがある。総会屋や特殊株主は、取巻きを連れて出席することも多いため、このようなことが起こる。

株主でないのに株主になりすまして議場に侵入すること、および株主から正式な委任を受けずに代理人であると装って議場に侵入することは、いずれも建造物侵入罪（刑法130条前段）に該当しうる[74]。

3　株主総会に対する虚偽の申述および事実の隠ぺい

株主総会に付議された議案や報告事項の説明に際して虚偽の申述をしたり、事実を隠ぺいすることは、何らかの犯罪を構成するか。

取締役、会計参与、監査役、執行役等が、会社法199条１項３号（募集株式の発行に際しての現物出資）または同法236条１項３号（新株予約権の行使に際しての現物出資）に掲げる事項について株主総会または種類株主総会に対して虚偽の申述を行い、または事実を隠ぺいした場合、同法963条２項の会社財産を危うくする罪が成立する。ただ、募集株式の発行に際しての現物出資または新株予約権の行使に際しての現物出資に関する事項に限定されているため、実際上問題となる機会は非常に少ないであろう。

もっとも、これらの事項に限らず、取締役、会計参与、監査役、執行役等が、株主総会または種類株主総会に対して虚偽の申述を行い、または事実を隠ぺいした場合、過料（行政罰）の制裁を受けることはありうる（法976条６号）。

また、監査役が調査の結果を株主総会に報告する（法384条、施106条）にあたり、取締役から不正行為を隠ぺいするよう依頼を受け、財産上の利益を得てこれに応じた場合、収賄罪（法967条１項１号）が成立しうる。また、財

(74)　東京地判昭和62・５・19商事1117号32頁。

産上の利益を供与した取締役にも、贈賄罪（同条２項）が成立しうる。

4　刑事事件の存在と株主総会の審議

会社またはその役員について刑事事件が存在する場合、株主総会の審議に何らかの影響があるか。

一般論として、法律上、このような場合に株主総会の審議の方法を、通常の場合から変ずるべき法律上の要請はない。もっとも、会社またはその役員の刑事事件の存在は、総会屋ならずとも株主の興味を引く事実であることには違いなく、株主総会においても、株主から刑事事件に関する質問等が発せられることは容易に想像される。会社としては、株主総会が、十分な審議を尽くしたうえで意思決定を行うことができるよう、株主総会の運営にあたる必要があるのであり、たとえば、刑事事件で告訴されている代表取締役に対して、議長不信任動議が発せられ、議場が混乱している場合、上記のような見地からその採否を慎重に判断する必要があると考えられる。

この点に関連して、近江絹糸紡績事件の控訴審判決[75]は、「本件株主総会のように、不正支出や紛飾決算があるとして会社役員が株主から告訴されているような状況の下に開催される場合においては、会議体の議事運営に関する原則に従つた実質的な質疑討論が特に必要とされるのである。平常時に形式的な決議をする場合の慣行は、このような非常の場合の総会の議事運営につき、慣習としての効力を有しないものと解すべきである。社長は蛸配当につき責任ありとして原告から告訴までされており、一部の株主は本件株主総会において、この疑惑を解明しその責任を追及しようとしていた。そして第１号議案は計算書類の承認に関するものであつた。社長は、このように紛争の渦中にあつて、議事進行につき適正を欠くとの疑惑を持たれるのが当然とされる立場にあつたのであるから、定款には社長が総会議長をする旨が定められていても、公正なる議事運営のために自発的に議長を他に譲るべきであつたと思われる。前認定の事実よりすると、会場が騒然となつていたのは、

(75)　大阪高判昭和42・９・26高民集20巻４号411頁・判時500号14頁。

一部株主が経理上の疑惑に対する会社役員の責任を糾明しようとしていたことによる興奮が主たる原因と考えられる。従つて、社長が議長を辞するとともに、経理上の問題点については進んで解明に協力するの態度に出ていたとすれば、議事は本件株主総会と全く異なつた進行を遂げ、無為に経過せしめた前後３回２時間余に亘る休憩時間も実質的質疑討論に振り向けることができたかも知れなく、その可能性は大であつたのである。そして、これが社長たる者の、また、株主総会のあるべき姿なのである。しかるに、社長は、相当数の議長不信任または資格なしとの発言に対しても動議としての成否を確かめることもなく、『一部の方が議長の資格がないとか、議長不信任とか言つても、これにとりあうわけにはまいらない。』と述べて、議長として議事を強行する態度を示し、興奮している株主を更に刺激して会場の混乱を助長しているのである。」として、刑事事件で告訴されている社長が議長となって、議長不信任動議を黙殺したうえ、拍手の方法により採決を行ったことを、決議方法の著しい不公正にあたると判示した。

3-3 株主総会決議事項と犯罪

1　違法配当

(1)　違法配当罪

法令または定款の規定に違反して、剰余金の配当をした取締役、会計参与、監査役、執行役、支配人等には、会社財産を危うくする罪（違法配当罪・法963条5項2号）が成立しうる。

株式会社が剰余金の配当を行うことができるのは、①分配可能額の範囲内において（法461条）、②会社法の定める手続（株主総会の決議〔法454条1項〕または取締役会の決議〔同条5項・1項・459条1項4号〕）を経た場合のみである。違法配当罪が問題となるのは、主に①または②を欠いた法令違反の場合である。違法配当罪は、上記①または②のいずれかを欠いて剰余金の配当を行うことにより成立する。実際に多いのは、架空の売上げの計上などの粉飾決算とともにする、分配可能額を超えた違法配当の事例である。粉飾決算により、有価証券届出書、有価証券報告書等に虚偽の記載をして提出した者は、虚偽有価証券届出書提出罪、虚偽有価証券報告書提出罪（金商法197条1項1号）に該当するため、後述のとおり、これらの罪と本罪とが同時に問題となった事例が多い。

利益の過少計上による低率配当（逆粉飾）の場合にも違法配当罪が成立するかについては争いがあるが、違法配当罪の立法趣旨は、会社財産を危険に陥れる実質的可能性のある行為の処罰にあることなどからして、違法配当罪には該当しないと解される[(76)]。もっとも、利益の過少計上により支払うべき法人税を免れるなどした場合、法人税法違反の罪（法人税法159条１項）に該当することとなる。

会社法の定める手続を経て、①分配可能額を超えた剰余金配当がなされた場合、本来の分配可能額を超えた部分について違法配当罪が成立する（粉飾決算を伴う場合は、粉飾がなかったとして算定された分配可能額を超える部分について成立する）。②会社法の定める手続を経ずに剰余金配当がなされた場合、配当全額について違法配当罪が成立する。

故意の点で、取締役等が、剰余金の配当が、法令または定款に違反するという事実を認識している必要がある（刑法38条１項本文）。

違法配当罪は、株主総会の決議または取締役会の決議を経て行う場合（分配可能額を超える場合）は当該決議の時点で、そうでない場合は、会社が剰余金の配当の意思表示を行った時点（現実の支払または支払の通知の時点）で既遂に達する[77]。

(2)　主要な事例

違法配当罪が認められた主要な事例としては、①サンウェーブ工業事件[78]、②東京時計製造事件[79]、③日本熱学工業事件[80]、④山陽特殊製鋼事件[81]、⑤不二サッシ工業事件[82]、⑥リッカー事件[83]、最近のものでは⑦ヤオハン事件[84]、⑧山一證券事件[85]などがある。

他方、長銀事件では、第１審および第２審では違法配当罪が認められ有罪とされたが[86]、上告審で無罪判決が言い渡された[87]。

---

(76)　大森＝矢沢編代・前掲(2)書399頁〔藤木〕、龍田・前掲(70)論文605頁、芝原邦爾『経済刑法研究（上）』（有斐閣、2005）225頁。
(77)　伊藤ほか編・前掲(1)書167頁〔伊藤〕。
(78)　東京地判昭和49・６・29金判507号42頁。
(79)　東京地判昭和51・12・24商事764号28頁。
(80)　大阪地判昭和52・６・28商事780号30頁、大阪地判昭和60・６・28資料版商事17号18頁。
(81)　神戸地判昭和53・12・26商事829号25頁。
(82)　東京地判昭和57・２・25判時1046号149頁。
(83)　東京地判昭和62・３・12資料版商事37号49頁。
(84)　静岡地判平成11・３・31資料版商事187号214頁。
(85)　東京地判平成12・３・28判時1730号162頁。

(3) 特別背任罪の成否

粉飾決算により違法配当を行った場合、上記(1)のとおり違法配当罪（法963条5項2号）にあたることになるが、事例によっては、特別背任罪（法960条1項）の成否が問題となりうる。この際、特に問題となるのは、「自己若しくは第三者の利益を図り又は株式会社に損害を加える目的」（図利加害目的）があったといえるかである。たとえば、取締役等が自ら株主として配当を得る目的または他の株主に配当を得させる目的がある場合や、業績の悪化した会社の取締役等が自己の信用維持、地位保全のために行った場合等には、自己または第三者の利益を図る目的があるといえる[88]。

特別背任罪が成立する場合、違法配当罪は成立しない[89]。

2　不正経理

(1) 虚偽記載と事実の隠ぺい

計算書類に虚偽の記載をし、または事実の隠ぺいをすることは何らかの犯罪を構成するか。

前述のとおり、会社法963条2項の会社財産を危うくする罪が成立しうるのは、会社法199条1項3号（募集株式の発行に際しての現物出資）または会社法236条1項3号（新株予約権の行使に際しての現物出資）に掲げる事項について虚偽の申述を行い、または事実を隠ぺいした場合に限られる。また、刑法は、公文書や特別な私文書以外の虚偽記載を罰しておらず（同法156条・157条・160条）、計算書類の虚偽記載等それ自体が刑法上の犯罪を構成することはない。したがって、計算書類に虚偽の記載をし、または事実の隠ぺいを

(86) 第1審：東京地判平成14・9・10刑集62巻7号2469頁。第2審：東京高判平成17・6・21判時1912号135頁。

(87) 最二判平成20・7・18刑集62巻7号2101頁・判事2019号10頁。

(88) 芝原・前掲(76)書227頁。

(89) 伊藤ほか編・前掲(1)書139頁〔伊藤〕、平野ほか編・前掲(17)書37頁〔佐々木〕、上柳ほか編代・前掲(3)書581頁・583頁〔芝原〕。

する行為自体が処罰されるケースは非常に限定される。

もっとも、通常、計算書類の虚偽記載や事実の隠ぺいは、他の何らかの行為と結びついてなされることが多く、これらの行為に犯罪が成立することはありうる。たとえば、粉飾決算とともに違法配当を行った場合、前述のとおり違法配当罪が成立しうる。株式、新株予約権、社債等の募集または売出しにあたり、粉飾した計算書類を引用すれば、虚偽文書行使等の罪（法964条）が成立しうる(90)。利益の過少計上により支払うべき法人税を免れるなどした場合、法人税法違反の罪（法人税法159条１項）が成立しうる。その他事案によっては、詐欺破産罪（破産法265条）、詐欺更生罪（会社更生法266条）、詐欺再生罪（民事再生法255条）なども問題となりうる。

また、有価証券届出書、有価証券報告書には、経理の状況として、財務諸表等を記載する必要があるところ、有価証券届出書、有価証券報告書の提出会社が、これらの書類に虚偽の記載をして提出した場合、虚偽有価証券届出書提出罪、虚偽有価証券報告書提出罪（金商法197条１項１号）が成立しうる。実際の事例として、これらの罪と、違法配当罪との両罪が問題となった事例が多いことは前述のとおりである。

⑵　役員報酬の超過支払い

株主総会において決議された役員の報酬等の内容（法361条１項・379条１項・387条１項）を超える役員報酬が支払われた場合、支払に関与した取締役に業務上横領罪（刑法253条）または特別背任罪（法960条１項）が成立しうる。役員の報酬等につき、定款に定めがなく、かつ株主総会の決議を経ずに支払いがなされた場合も同様である。

3　不当解散

刑事訴追または刑の執行を免れるために、合併その他の方法により会社を消滅させると、取締役等は５年以下の拘禁刑に処せられる（法人ノ役員処罰

(90)　前掲(78)サンウェーブ工業事件・東京地判昭和49・６・29。

ニ関スル法律〔大正４年法律第18号〕）。

会社に対して罰金、科料、没収または追徴を言い渡した場合に、その会社が判決の確定した後、合併によって消滅したときは、吸収合併存続会社または新設合併設立会社に対して刑の執行がなされる（刑事訴訟法492条）。

刑事事件の係属中に、被告人となった会社が存続しなくなった場合、裁判所は決定により公訴を棄却する（刑事訴訟法339条１項４号）。もっとも、会社が解散の決議（法471条３号）をしても、会社は清算の目的の範囲内でなお存続する（法476条）ので、清算会社を被告人として公訴は維持される。解散前の違法行為については、清算結了の登記がなされても、当該刑事事件が終結するまでは、会社はまだ存続しているものとみなされる[91]。

4　議事録の虚偽記載

株主総会の議事録に決議と異なる内容を記載したり、株主総会を開催することなく議事録だけを作成することは、何らかの犯罪を構成するか。

前述のとおり、一般の私文書の虚偽記載は刑法上の犯罪を構成することはなく、議事録に虚偽の記載をすること自体は犯罪を構成しない。もっとも、虚偽の議事録を登記申請の添付書面（商登46条２項）として用いた場合、商業登記簿は公正証書の原本と認められるので[92]、公正証書原本不実記載罪（刑法157条１項）および同行使罪（同法158条１項）が成立しうる[93]。

なお、議事録に記載（記録）すべき事項を記載（記録）せず、または虚偽の記載（記録）をした取締役等は、過料（行政罰）の制裁を受けることがありうる（法976条７号）。

5　株主の訴権と犯罪

株主総会決議の不存在または無効の確認の訴え（法830条）、決議取消の訴

---

(91)　最一決昭和29・11・18刑集８巻11号1850頁。龍田・前掲(70)論文606頁。
(92)　大判大正13・４・29刑集３巻383頁、大判昭和７・４・21刑集11巻480頁参照。
(93)　龍田・前掲(70)論文606頁。

え（法831条）、資本金の額の減少無効の訴え（法828条１項５号）、組織変更や合併等の無効の訴え（法828条１項６号〜13号）を提起することは株主の権利である（**第２章２－１**）。これらの訴権の行使に関して、財産上の利益が供与されれば、贈収賄罪（法968条）、利益供与罪（法970条１項）、および利益受供与罪（同条２項）等が成立しうることは前述のとおりである。

索　引

欧 文

あ 行

か 行

さ 行

た行

な 行

は 行

ま 行

や 行

ら 行

《著者略歴》

中村　直人（なかむら　なおと）　**第Ⅰ編第1章・第20章～第24章担当**

中村法律事務所（2023年4月以降）。1985年弁護士登録（第二東京弁護士会）。

【主な著書】

『役員のための株主総会運営法〔第3版〕』（商事法務、2018）

『弁護士になった「その先」のこと。』（共著、商事法務、2020）

中川　雅博（なかがわ　まさひろ）　**第Ⅰ編第2章・第7章・第11章・第16章・第25章担当**

三菱UFJ信託銀行法人コンサルティング部部付部長。

全国株懇連合会理事。東京株式懇話会常任幹事。

【主な著書】

『株主総会資料電子提供の法務と実務』（共著、商事法務、2021）

『会社法改正後の新しい株主総会実務――電子提供制度の創設等を踏まえて』（共著、中央経済社、2019）

牧野　達也（まきの　たつや）　**第Ⅰ編第3章・第8章～第10章・第14章・第15章・第17章～第19章担当**

三菱UFJ信託銀行法人コンサルティング部フェロー。東洋信託銀行（現三菱UFJ信託銀行）入社後、同社証券代行部会社法務コンサルティング室長、副部長などを経て現職。

【主な著書】

『監査等委員会設置会社の活用戦略』（共著、商事法務、2015）

『株主提案権の行使と総会対策』（共著、商事法務、2013）

菊地　　伸（きくち　しん）　**第Ⅰ編第4章～第6章・第13章、第Ⅱ編第1章、第Ⅲ編第1章・第2章担当**

外苑法律事務所 パートナー。1989年弁護士登録（第二東京弁護士会）。1997年ニューヨーク州弁護士登録。

【主な著書】

『会社法改正法案の解説と企業の実務対応』（共著、清文社、2014）

『組織再編セミナー――法務・会計・税務のポイント』（共著、商事法務、2013）

塚本　英巨（つかもと　ひでお）　第Ⅰ編第12章担当

アンダーソン・毛利・友常法律事務所外国法共同事業 パートナー。2004年弁護士登録（第二東京弁護士会）。

【主な著書】

『基礎から読み解く社外取締役の役割と活用のあり方』（商事法務、2021）

『株主総会資料電子提供の法務と実務』（共著、商事法務、2021）

鈴木　龍介（すずき　りゅうすけ）　第Ⅰ編第26章担当

司法書士法人鈴木事務所 代表社員。1993年司法書士登録。日本司法書士会連合会副会長。

【主な著書】

『登記法入門――実務の道しるべ』（編著、商事法務、2021）

『商業・法人登記先例インデックス』（編著、商事法務、2012）

山田　和彦（やまだ　かずひこ）　第Ⅰ編第27章、第Ⅱ編第２章～第６章、第Ⅲ編第３章担当

中村・角田・松本法律事務所 パートナー。2005年弁護士登録（第二東京弁護士会）。

【主な著書】

『弁護士になった「その先」のこと。』（共著、商事法務、2020）

『取締役・執行役ハンドブック〔第３版〕』（共著、商事法務、2021）

株主総会ハンドブック〔第５版〕

2008年12月22日　初　版第１刷発行
2012年１月11日　第２版第１刷発行
2015年３月19日　第３版第１刷発行
2016年３月７日　第４版第１刷発行
2023年３月31日　第５版第１刷発行

編著者　中　村　直　人

発行者　石　川　雅　規

発行所　株式会社　商　事　法　務

〒103-0027 東京都中央区日本橋3-6-2
TEL 03-6262-6756・FAX 03-6262-6804〔営業〕
TEL 03-6262-6769〔編集〕
https://www.shojihomu.co.jp/

落丁・乱丁本はお取り替えいたします。　印刷/大日本法令印刷㈱

Printed in Japan
Shojihomu Co., Ltd.
ISBN978-4-7857-3018-5
＊定価はカバーに表示してあります。